정책동학의 이해

An Essay on the Dynamics of Policy

정책동학의 이해

An Essay on the Dynamics of Policy

박계옥 지음

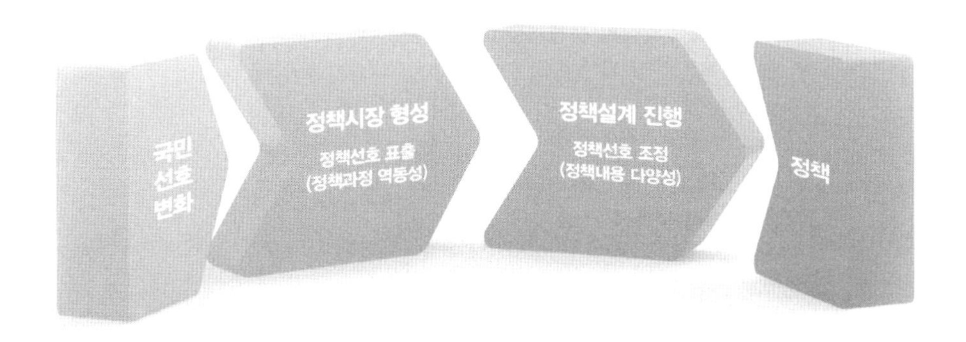

| 차례 |

제3장 합리성을 토대로 한 정책이론

그림

표

사례

| 머리말 |

필자는 공무원으로 20여 년을 근무하면서 초기에는 국무총리실에서 3년 가까이 경제부처의 규제개혁 작업을 한 적이 있고, 지난 10여 년 동안은 줄곧 공공분야의 반부패 · 청렴 정책을 수립하고 집행과정을 관찰한 후 성과를 평가하는 업무를 수행해 왔다. 정책을 구상하고 각계의 의견을 모으고 최종 정책을 입안하는 지난(至難)한 과정을 1년에 한번 이상씩 겪으면서 필자가 항상 목말라 했던 것은 정책 현장에서 참고하고 적용할 수 있는 '살아있는 정책이론'이었다.

구체적으로 말하자면, '합리성과 정치성이 얽히고설켜서 산출되는 정책현상을 설명, 이해하고 예측하는데 나침반이 되어 줄, 정책학의 전체를 관통하는 핵심적인 논리'에 대한 아쉬움이었다. 영국에서 본격적으로 정책학 공부를 하는 중에서도 필자의 문제의식은 '정책이론이라 하면 최소한 현실적인 정책현상을 정확하게 진단할 수 있는 이론적인 프레임을 제공하고, 정책 실무를 담당하는 공직자들이 이를 토대로 적실성 있는 정책대안을 도출할 수 있도록 도움이 되어야 한다'는 것이었다.

필자가 살펴본 바로는 기존의 정책 이론들은 정책 형성, 정책 집행, 정책 평가, 정책 환경 등 정책을 둘러싼 형식적이고 절차적인 구조에 집착한 나머지 정책과정과 정책내용에 대한 실질적이고 경험적인 연구결과는 생각보다 적었다. 다시 말하면, 기존의 정책학 연구물들은 정책결정자들이 정책을 입안하고자 할 때 환경 분석, 여론 수렴, 정책 집행 및 평가와 같은 다분히 절차적인 측면에 경도되는 경향이 강했다.

정책학은 정책결정자와 이해관계자를 포함한 정책행위자들에게 실질적인 지식을 제공해야 한다. 이제는 실질적인 정책의 내용에 관한 이론들, 즉 가장 중요한 정책학의 구성요소가 무엇인가에 대한 진지한 고민과 연구가 진행되어야 할 때가 되었다고 본다. 비유하자면 어느 축구 이론이 선수 모집, 훈련 절차, 경기 방식, 경기 후 평가 등에 대해서만 설명하고, 어떤 유형의 팀과 경기를 할 경우 어떠한 전략과 전술로 임해야 하는지에 대해 입을 닫아버리는 것과 같은 누를 범해서는 안 된다는 것이다. 축구팀 감독과 선수들이 진정으로 원하는 것은 후자일 것이다.

필자의 십수년간에 걸친 정책 업무의 추진 경험이 이 책의 문제의식을 형성하였고 경험적 연구의 바탕이 되었지만, 본격적으로 정책 이론서를 써보아야겠다고 마음먹은 계기는 불혹의 나이를 넘어 뒤늦게 박사과정을 밟으면서 정책에 대한 새로운 이론을 접하고, 오래 전에 배운 바 있던 통계기법과 연구 방법론을 다시 공부할 기회를 갖게 되면서부터이다. 특히 공공선택이론, 합리적 선택 신제도주의 등 정치경제학 이론에 대한 깊은 이해의 형성이 그 결정적인 동기가 되었다. 무엇보다 정책과 시장 간의 관계에 관심을 갖고 '금융정책이 자본시장의 제도화에 미치는 영향 분석'이라는 주제로 박사학위를 취득(2011년 8월)한 이후에는 보다 과학화된 정책동학 이론을 구상하는데 박차를 가하게 되었다.

동·서양철학을 고루 섭렵한 한 저명한 철학자는 대중들 앞에서 '자기가 살고 있는 시대와 함께 숨을 쉬지 않는 철학은 철학이 될 수 없다. 그런데 우리나라 철학계는 철학의 구체적인 내용은 물론, 사상적·철학적 문제의식까지도 수입하고 있다.'고 일갈했다. 뿐만 아니라 동양 도가사상의 대가인 한 철학자도 '미국이 정신적으로 영국 등 유럽과 온전히 독립한 것은 미국의 독자적인 철학체계인 실용주의 철학이 정립된 이후이다. 우리도 우리의 철학적 기준과 시각으로 우리 문제를 진단하고, 더 나아가 세계의 문제를 평가할 수 있어야 한다.' 라고 주장하기도 하였다.

필자는 두 분의 주장을 통해 우리도 이제 학문적 사대주의에서 벗어나 학문적 자주성을 이룩할 수 있는 토대와 여건이 형성되었으며, 사회과학 분야에서도 우리 현실과 현장에 맞는 이론이 구상되어야 한다는 소명의식을 갖게 되었다. 우리의 정책이론도 우리의 역사적 경험과 현실사례를 통해서 재구성되어야 한다. 사회과학은 자연과학과는 달리 법칙성보다는 경향성을 추구하는 것이라고 본다면 정책학은 그 경향성을 우리의 역사적 정책 경험과 현실사례에서 찾아야 할 것이다.

물론 과거 조선말기의 쇄국주의와 같이 외국 것을 무조건 배격한다는 의미는 절대 아니며, 지금도 대한민국은 우리보다 고민하면서 앞서 가는 나라들의 문물을 배우는데 소홀함이 있어서는 안 된다는 소신에는 변함이 없다. 다만, 우리 현실에 기반을 둔 사회과학 이론을 만들어, 우리 문제를 우리 이론으로 평가하고 예측하는 기준으로 삼는 데 게을러서는 안 된다는 것이다. 나아가 우리가 만든 이론을 세계학문 시장에 내놓고 당당하게 경쟁해야 한다. 최근 필자가 아는 한 경영학자가 한국형 경영연구원을 설립하여 한국형 경영이론을 설파하는 것을 보고 많은 감명을 받기도 했던 터이다.

이제 우리의 고개를 들어 시야를 지구촌으로 넓혀서 세계사적 시각으로 우리의 나아갈 길을 생각해 보자.

2000년 전 지중해 연안의 조그만 나라 로마가 세계 대제국으로 발돋움하여 세계시민을 아우르게 된 데에는 남보다 멀리 보고 긴 숨을 크게 쉴 수 있었기에 가능했을 것이다. 역사가(歷史家)들에 따르면 당시로서는 새로운 정신적 기반인

기독교, 지중해 연안의 어디에서든지 로마로 이어지는 로마대로(大路), 그리고 로마 시민사회의 질서를 세운 로마법이라는 매력있는 세 가지가 로마를 세계제국으로 발전시켰다고 한다.

대한민국도 태평양 연안의 보잘 것 없던 작은 나라에서 21세기에는 세계를 제패할 수 있는 이념적인 지도국가로 우뚝 서야 한다. 그러기 위해서는 남들이 하지 못한 생각을 해야 하고, 지금까지 일등을 따라가는 주변국, 즉 이념의 아류국가의 위치에서 벗어나 선도형 국가로 거듭나야 한다. 다시 말해, 새로운 이념과 사상을 우리 스스로 창안하여, 세계인들이 우리의 이념과 생활방식을 따르도록 하는 매력 있는 나라, 세계의 모델국가가 되어야 한다.

각 분야에서 새로운 사상, 이념과 이론을 우리의 입장에서 창의력을 발휘하여 구성하여야 한다. 세계 10위권 국가에서 세계 최고 강국으로 거듭나기 위한 학문적 몸부림이 치열하게 일어나야 한다. 학계는 미국에서 생산된 지식을 우리 학문시장에 직접 수입하는 도매상 역할에서 벗어나 새로운 지식창출의 원천으로서 한국의 지식시장을 발전시키려는 뚜렷한 목표를 세우고, 새로운 이론 개발에 매진해야 할 때가 되었다고 본다.

이 정책동학 시론은 앞에서 언급한 문제의식과 사회과학적 인식에서 구상되었다. 구체적인 접근방법은 영국에 머물면서 접했던 Sabatier가 편집한 '정책과정의 이론(Theories of the Policy Process)'과 Peter John이 쓴 '공공정책분석(Analyzing Public Policy)'을 참고하였다. 이 두 책의 장점은 그대로 받아들이되, 그 한계에 대해서는 보완하는 방법을 찾는 과정에서, 정책학의 정체성 정립이라는 시각에 착안하여 정책동학의 관점에서 정책시장 모형과 정책설계 모형을 정책결정의 주요 매개변수로 설정하여 정책의 역동성을 설명하고 예측하고자 하였다.

Sabatier의 편저를 통해 기존의 정책과정 이론의 한계점을 살필 기회를 가졌고, 보다 인과적이고 경험론적인 이론을 구성할 필요성은 물론, 기존의 이론 중

가치 있는 이론이 어떤 것인가를 깨닫게 되었다.

Peter John의 저서에서 정책동학(policy dynamics)이란 용어를 발견하였고, 여기에서 정책동학이론을 구상하는 아이디어를 얻었다. Peter John은 그의 책에서 정책의 다양성(policy variation) 및 정책의 역동성(policy stability or policy change)을 설명하는 데 유용한 접근방법으로 신제도주의, 정책네트워크 이론, 외부환경 요인론, 합리적 행동이론, 정책 아이디어 등을 소개하고 있다. 그의 저서는 이처럼 매우 의미있는 분석을 하고 있지만, 정책의 다양성과 역동성 등 정책동학 현상에 대해 '직접적인' 변수를 설정하여 인과적으로 설명하지는 못하고 있다는 한계가 있다.

이 책에서는 정책동학 현상에 대해 정책시장 유형과 정책설계 전략이라는 보다 직접적인 변수를 설정하고, 이 변수들을 중심으로 인과적인 접근을 하고 있다는 점이 Peter John의 접근보다 진일보 한 발전이라 하겠다. 하지만 언급한 두 저서로부터 핵심적인 개념을 참고하였음을 이 자리를 빌려 밝히면서 이 두 학자에게 깊은 감사를 드린다.

이제 소박하지만 야심에 찬 학문적 포부와 공공분야에서 근무한다는 사명감에 기초하여 떨리는 마음으로 시론(試論)으로서 정책동학론을 세상에 내놓는다. 이 책이 동시대를 살아가는 학자, 정치인, 공무원에게 공허한 메아리가 되지 않기를 기도하면서, 정말 정책학의 인식 지평을 넓히는 계기와 근거자료로 활용되기를 간절히 기원한다.

한편, 이 책의 시각이나 이론과 방법론에 있어 잘못이나 오류가 있다면 기꺼이 지적해 주시기 바라며, 이를 겸허히 받아들여 수정하고 보완해 나갈 것을 약속드린다.

이 책이 나오기까지 필자에게 여러 가지로 학문적 가르침을 준 서울대학교의 강신택, 김신복, 노화준, 이승종 교수님, 서울시립대학교의 김혁 교수님, 영국 런던대학교의 Mark Pennington, Wayne Parsons 교수님께 깊은 감사를 드린다.

중국에 난득호도(難得糊塗)란 속담이 있다. 최고의 경지에 오른 사람이지만, 일상생활은 소박하고 어리숙하게 살아가는 사람을 칭송하는 말이다. 필자에게 세상을 보는 시각과 선진적이고 인본주의적인 리더십을 몸소 실천하면서 보여 주신 김영란 국민권익위원장(전 대법관)님은 이런 찬사를 받아 마땅하다고 생각한다. 여러 가지로 김 위원장님께 감사를 드린다.

늘 가까이서 학문적인 조언을 아끼지 않았던 조재준 학형, 민경선 사무관, 함께 토론하고 의견을 나눈 국민권익위원회의 동료들에게도 감사의 뜻을 전한다.

물질적인 풍요와 인생의 멋을 알게 해 주신 장모님, 항상 옆에서 친구로서 동반자로서 인내심을 갖고 남편을 이해해 준 아내 김지연에게 고마운 마음을 표하고, 미래의 뚜렷한 목표를 갖고 열심히 공부하고 있는 서희, 서현이 그리고 항상 여유를 갖고 낭만적인 생활을 하는 세훈이에게도 미안한 마음을 전한다.

마지막으로 평생 동안 호강 한번 못하면서도 필자 앞날의 발전만을 위해 두메산골에서 흙과 함께 몸과 마음을 온전히 다 바치신, 저에게는 신앙과도 같으신 부모님께 이 책을 엎드려 바친다.

2012년 12월 31일

박 계 옥

1장

정책동학을 향한 문제의식

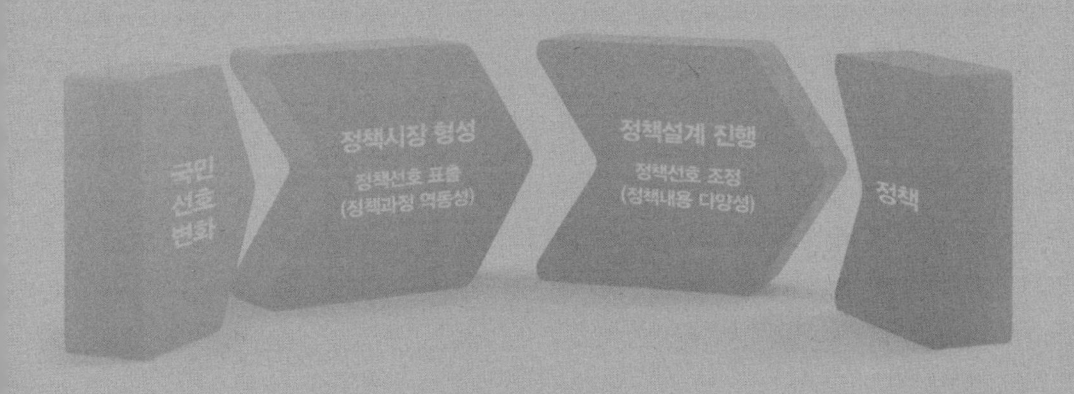

현재의 정책학 연구에 있어 가장 아쉬운 점은 학문적 독창성·다양성이 부족하다는 지적이 될 것 같다. 학문의 독창성과 다양성은 학문발전의 기폭제·촉진제 역할을 하기 때문이다. 이런 점에서 볼 때, 정책학의 당면 과제는 무엇일까?

먼저, 정책학은 민주주의와 시장주의 원리에 걸맞으면서도, 이 원리들의 부족한 점을 보완하는 이론체계를 갖추고 정치인, 공무원, 이익단체, 시민단체, 국민들에게 정책현상에 대한 설명력과 예측력을 제공하는 독창적인 학문으로 거듭나기 위한 다양한 접근이 필요하다. 이를 위해 독자적인 이론과 접근방법을 개척해야 한다.

이러한 학문적인 요구와 시대사적인 요청이 눈앞에 있음에도 불구하고, 미국 등에서 논의되어 만들어진 정책학의 이론에 안주하려는 편협한 연구 자세에 머물러서는 안 된다. 이제는 과감하게 벗어나야 한다.

둘째, 학문, 정책이론이 상아탑 속에 갇힌 학자들의 전유물이 되어선 안 된다. 현대 사회에서 신성불가침 영역이란 있을 수 없다. 우리나라의 정책과정에 있어서도 이해당사자들이 폭넓게 참여하고, 대부분의 정보가 일반에게 공개되고 있다. 이런 현실을 고려할 때, 정책학 이론에 있어 현실에서 적용될 수 있는 적실성이 요구된다. 최근 들어 법학, 경영학, 교육학은 실무 영역과 밀접하게 연계되어서 연구되고, 실제로 실무 분야에서 쌓은 경험이 반영되고 있다. 그래야만 실무에서 이론들이 실제로 적용될 수 있다. 정책학도 마찬가지이다. 실무와 이론이 연계되어 연구 성과물이 나와야 하고, 한국의 정책 현상을 설명하고 예측하는데 도움이 되는 정책이론이 구성되어야 한다.

1_ 문제의식

1| 정책학을 독자적인 학문으로 구성할 근거는 무엇인가?

아직도 개발이 진행되지 않은 일부 미개사회를 제외한 대부분의 현대국가에서, 그 사회를 이끌어 가는 두 가지 핵심 이념과 원리는 민주주의와 시장주의일 것이다. 그렇다면 민주주의가 공고화된 사회에서는, 선거나 투표를 통하여 국가의 중대사를 결정하기 때문에, 별도의 정책과정이 필요 없는 것인가? 시장주의가 완벽하게 작동되는 사회는, 시장을 통해서 모든 자원이 효율적으로 분배되기 때문에, 별도의 정부 개입이 없어도 되는 것인가?

다시 말해서, 민주주의가 지배하는 공적인 영역에서는 다수결 원칙에 기초하게 되고, 시장주의가 지배하는 사적 영역은 개인의 자발적인 선택에 기초하게 된다면, 별도의 정책과정이 꼭 필요한가? 라는 문제가 제기될 수 있다.

이에 대해서 Arrow는 불가능성 정리를 통해서, Condorcet는 투표의 역설(paradox) 이론을 통해서 민주주의의 다수결 원칙과 투표를 통해서는 집단적인 사회적 선호가 도출되기 어렵다는 점을 밝혀내게 된다. 또한, 모든 경제 문제를 시장에 맡겨서 해결하는 것도 비현실적이라는 점도 밝혀지고 있다. 따라서 현대의 민주주의와 시장주의 하에서도 정책결정 영역이 필요하다는 근거가 확보된 셈이다.

결론적으로 정책학의 이론 구성은 민주주의와 시장주의를 보완하는 방향에서 전개되어야 하고, 민주주의와 시장주의의 발전 정도에 맞게 이론들이 재조정될 필요가 있다는 점이 부각되어야 할 것이다.

2 민주주의·시장주의 하에서 전개되는 정책현상을 설명하고 예측하는 정책동학 이론을 어떻게 구성할 것인가?

현대국가의 민주주의와 시장주의 하에서의 정책과정은 경제적 합리성과 정치성이 역동적으로 얽히고설켜서 진행되는 정치경제학적 과정으로서, 국민들의 선호가 국가 공동체의 합일된 선호로 결집되는 과정이라고 정의할 수 있다. 이런 정치경제적 과정은 정책행위자들이 자기의 이익이나 자기가 속한 집단의 편익을 극대화하려고 노력하는 과정이라고 볼 수 있다.

정책은 정책행위자[1]들이 대통령 선거 등 선거과정에서 투표행위를 통해서 결정한다. 즉 국민들은 공공재(정책)의 공급자인 정부를 구성할 정당을 투표로써 선택한다. 한편, 선거기간이 아닌 경우에는 여·야 정당 간에, 입법부와 행정부 간에, 정부기관과 이익집단 간에, 보다 종합적으로 볼 때, 정치인, 행정공무원, 이해당사자들 간의 갈등·경쟁·협조 관계인 정책시장에서 정책을 형성하게 된다.

요컨대, 다양한 정책행위자들이 경쟁(competition), 갈등(conflict), 협조(cooperation)가 이루어지는 정책시장에 참여하여 어떤 정책이슈에 대해 협상·조정·타협하는, 즉 정책설계가 이루어지는 동학(dynamics)적 과정을 거쳐서 형성(construction)하는 정치경제적 산물(political economic product)이 바로 정책이라고 할 수 있다.

따라서 이러한 정치경제학적 과정을 인과적으로 설명할 수 있는 정책동학 이론을 구성한다면, '정책과정의 역동성과 정책내용의 다양성'이 왜 일어나는가를 과학적으로 설명할 수 있게 될 것이다.

이를 위해 정책동학의 독립변수를 국민들의 선호(변화)로 설정하고, 다음으

---

1 정책행위자(policy actors)는 정책결정 과정에 참여하여 정책의 산출 및 결과에 영향을 미치는 개인 또는 집단을 말한다.

로 종속변수를 정책의 산출 또는 정책의 변동으로 설정하여 정책동학 과정을 설명하고자 한다. 인류 역사상 다른 어떤 정치·경제 체제보다 현대의 민주주의 · 시장주의에서는 각 개인이 자신의 또는 자기가 속한 집단의 이익을 극대화해주는 정치인 또는 정당에게 투표할 것이므로 각 정당에서는 다수 득표를 목표로 다수 국민들의 선호에 부합하는 정책을 추진할 것이다. 선호가 바뀌면 정책도 바뀌므로 국민들의 선호를 독립변수로 설정할 수 있다. 이때 독립변수가 직접적으로 정책의 산출 또는 정책의 변동 등 종속변수에 영향을 미칠 수도 있지만, 대개 매개변수를 통해서 영향을 미치는 경우가 많을 것이다.

따라서 이와 같은 매개변수의 작용, 즉 정책동학 현상을 설명하는 두 가지 모형을 구성할 필요가 있다. 정책결정이 이루어지는 정책과정의 역동성을 설명·예측하기 위해서 '정책시장' 모형을 도입하고, 정책내용의 다양성을 설명·예측하기 위해서 '정책설계 전략' 모형을 도입할 것이다.

3 정책결정 과정에 대한 동학(dynamics)적 접근방식은 무엇인가?

Newton의 기계적 물리학을 뛰어넘는 양자 역학이 등장한 이후 현대철학의 사조는 본질론(本質論)에서 관계론(關係論)으로 논의 구조가 크게 바뀌고 있다. 다시 말해, 근대철학의 기본 논리가 '있는 것은 있고, 없는 것은 없다'에 있다면, 현대철학은 있는 것과 없는 것이 동시에 존재하는, 즉 유무공존을 중요시 한다고 할 수 있다.

근대철학의 거두인 Bacon은 '아는 것이 힘이다'라고 하면서 경험을 통해서 '있는 것', 즉 본질을 파악할 수 있다고 보았다. 한편 '나는 생각한다. 고로 나는 존재한다'고 설파한 Descartes는 이성을 통해서 본질을 꿰뚫어 볼 수 있다고 하였다.

이에 비해 현대철학의 기조는 한 동안 유행했던 주체 중심의 철학 논의에서 벗어난 Habermas의 의사 소통적 합리성 이론 그리고 주체 바깥의 사고를 통해 주체의 행위와 인식이 규정된다고 보는, 즉 주체를 구조의 산물로 보는 구성주의 철학 등에서 그 흐름을 엿볼 수 있을 것이다. 현대철학에 있어 중요한 것은 본질이 아니라 세계는 끊임없이 변화하며, 세계는 관계로 구성된다는 것이다. 예를 들어 관계를 설명하면, 자동차는 쇠붙이, 플라스틱, 엔진, 바퀴, 타이어, 헨들 등으로 구성되어 있고, 이 요소들이 해체되면 자동차는 그 자체가 없어진다고 보는 식의 사고이다.

이처럼 현대의 철학사조는 본질적인 실체의 탐구보다는 비본질적인 관계의 탐구로 나아가고 있다는 것이다. 추상적인 이상이나 이념보다는 구체적인 삶의 현장에서 지혜를 찾는 노력을 더 중시하고 있다.

따라서 정책학에 있어서도 구성(형성)주의에 입각하여 국가공동체의 구성원들이 그들의 다양한 의견과 선호를 공동체 전체의 통합된 선호로 동화시켜나가는 동학(dynamics)적 과정을 설명하고 예측하는 이론 또는 모형이 필요하다고 할 수 있다.

이를 위해 정책동학 현상이라는 개념을 새롭게 도입하고자 한다. 합리성과 정치성이 복잡하게 얽혀서 역동적으로 진행되는 정책과정을 정책동학 현상으로 정의한다. 동학이라는 개념은 물리학에서 차용한 것이다. 앞에서 본 바와 같이, 이를 규명하는 설명변수로서 정책시장 모형과 정책설계 전략 모형을 구상할 것이다.

구체적으로 설명하면, 동학(dynamics)은 움직임에 관한 학문이라는 뜻이고 '이러저러한 힘을 받는 물체가 어떻게, 어떤 방향으로 운동을 하게 되는지를 밝히는 이론'이다.

따라서 정책동학을 '어떤 사회적 이슈에 대한 국민들의 선호가 외부환경의 영향 하에서 각계각층의 정책행위자들이 참여하는 선거과정, 논의와 토론 등 정책과정을 거쳐 국가공동체의 선호로 결정되는 현상에 관한 학문'이라고 보고 논의를 진행할 것이다.

4 정책동학 이론에서 '정책'의 개념을 어떻게 새로이 정립할 것인가?

정책은 복잡다단한 과정을 거쳐서 산출된 공동체의 선호라고 할 수 있다. 이처럼 정책은 합리적인 요소와 정치적인 요소가 상호 역동적이고 동태적인 과정을 거치면서 만들어진다(권기헌, 2009: 2). 본질적으로 보면, 가치와 이념 문제, 권력투쟁 관계, 이해 갈등 등이 내재되어 움직이는 과정의 산물이다. 이런 특성들이 제대로 반영될 수 있도록 '정책'의 개념을 새롭게 정의하는 것은 정책학 연구의 새로운 정향성을 찾는데 매우 유용할 것이라고 생각한다. 이런 방향에서 정책의 개념을 정의하기 위해서는 정책학의 전반을 관통하는 구성요소는 무엇인가? 에 대한 해답이 먼저 제시되어야 한다.

이를 위해 먼저 선호(preference)라는 개념을 도입하여 정책개념을 구성하는 방안을 생각해 보고자 한다. 선호란 경제학에서 사용되는 개념으로 '가능한 대안들의 우선순위 사이에서 실제로 존재하거나 또는 상상되는 선택들을 가정하여, 여러 대안들 가운데 특별히 가려서 더 좋아함'을 의미한다. 정책학이 의사결정의 학문 또는 선택에 관한 학문인 점을 감안할 때, 선호는 정책개념 정의에 바람직한 구성요소가 될 것이다.

둘째, 정치경제학적인 측면에서 정책 개념을 정의할 필요가 있다. 정책의 수요자인 일반국민과 이익집단은 이해타산성을 잣대로 삼아 정책이슈에 접근하고, 정책공급자인 행정부의 공무원과 입법부의 의원들은 실현가능성 및 정치·정략성을 기준으로 하여, 서로 갈등하고 타협하는 동태적인 역동성을 포괄하는 개념이어야 한다. 따라서 정책개념을 자리 매김하는데 있어 명사성(名詞性)이 아닌 동사성(動詞性)이 강조되어야 할 것이다.

이런 입장에 서서, 정책을 '국민 개개인의 선호가 국가공동체의 합일된 선호로 조정되거나 결집되어 정부의 공식적인 방침이나 법률로 제정된 것'으로 정의하고자 한다.

5 선진적 수평사회 상황에 맞는 '정책시장 이론'은 가능한가?

우리나라는 세계에서 유례가 없을 만큼 숨가쁘게 산업화와 민주화를 이루었고, 그 과정에서 치열하게 독재권력에 저항했던 경험, 중대한 고비마다 투표로 국가가 나아갈 방향과 거대정책 방향을 결정했던 경험, 투표로 안 될 경우 거리의 데모를 통해서 국민들이 직접 국정방향을 바로잡았던 경험을 갖게 되는 행운도 얻었다.

무엇보다도 정책동학적 입장에서 볼 때, 한국은 수직사회에서 수평사회로 급격히 전환되고 있다는 것이다. 따라서 이러한 질적 변화와 정치적 경험의 수준에 맞게 정책학 이론이 구성되어야 한다.

이제 정책결정권을 국회나 행정부가 독점하던 시대는 지났다. 국민의 정치적·정책적 의사가 정책결정 과정에 균등하게 반영되도록 하기 위한 정책동학 현상의 설명변수를 구상하여야 한다.

과거 경제개발에 매진했던 권위주의 시대에는 위에서 상의하달 방식으로 정책, 즉 답을 제시하였지만, 선진국 일원으로 10대 경제대국인 대한민국은 민주주의와 시장주의를 토대로 많은 정책행위자들이 자신들의 선호에 기초하여 공동체 전체의 선호를 찾아가는, 다시 말해, 답을 찾아가는 방식으로 정책을 결정할 수밖에 없는 시대에 살고 있다.

이러한 현실을 반영하는 정책동학의 설명모형으로 '정책시장 모형'을 구성하고자 한다. 여기서 정책시장은, '전문성을 기반으로 하는 전문시장으로서의 특성을 갖추고, 정치권, 행정부, 이익집단들이 수요자와 공급자의 입장에 서서 자기들의 부담을 줄이거나 편익을 증진시키는 방향으로 정책이 결정되도록 영향력을 행사하는 공간'으로 정의할 수 있을 것이다.

그렇다면 이처럼 정책시장이 구성될 수 있다는 논거는 무엇인가?

먼저, 정책시장은 위에서 본 것처럼 '정책공급자(일반시장: 재화의 판매자)와 정책수요자(일반시장: 재화의 구매자) 간의 정치적 교환에 의해 정책결정이 이루어지는 공간'이라고도 정의할 수 있다. 따라서 정책시장에서는 '정책의 부담 또는 정책의 편익'이 경제시장의 가격기제(price mechanism)와 같은 역할을 한다. '국민들의 정책 요구(수요)'와 '정부의 정책 제공(공급)'을 하나의 교환관계로 본다면, 그 수요측면에는 유권자인 국민과 이익집단 등이 있고, 공급측면에는 선출직 공직자, 공무원 등이 있다.

요컨대, 수요측면의 정책활동가와 공급측면의 정책결정자들 간의 정치적 교환이 수요와 공급의 균형관계를 이루는 점에서 정책은 결정된다고 하겠다.

둘째, 투표에 의해서 다수결 방식으로 정책 공급자와 정책 내용을 결정하는 선거과정을 거대 정책시장이라고 한다면, 중범위 정책시장이라 할 수 있는 국무회의나 국회 상임위원회에서는 이견이 있을 경우 정책안을 보류하거나 타협·조정안을 마련하여 다시 논의하는 등 일정한 게임 룰들이 적용된다. 상대적으로 미시적 정책시장인 중앙행정기관 단위에서는 그 부처가 설계한 정책안에 대해서 관계부처 간에 의견조율을 거친 후, 이해당사자·일반국민을 대상으로 입법예고 절차를 밟는데, 이때 심한 반대의견이 있을 경우 그 정책안은 보류되거나 재설계되어야 한다.

이처럼 각 정책시장 단계별로 일정한 게임 룰이 적용된다는 점은 일반 재화시장의 계약 성립의 게임룰과 동일한 의미가 있다고 하겠다. 다시 말해, 일반적인 행정행위와는 달리, 정책과정은 정책이라는 답을 찾아가는 집단적 사고과정이요, 집단 간의 의견 조정과정이라 할 수 있다.

따라서 '다양한 분야의 정책행위자들이 참여하여 공동체의 선호를 실현하는 방안을 마련하는 장'을 '정책시장'이라고 보고 논리를 전개해 나갈 것이다.

6 정책이론의 현실 적합성을 높이는 '정책설계 전략 모형'은 무엇인가?

독일의 철학자 Hegel이 「법철학」의 서문에서 '미네르바의 부엉이는 황혼이 저물어야, 그 날개를 펴기 시작한다'라고 하였다. 미네르바는 로마신화의 지혜의 여신을 말하며, 그리스 지혜의 여신 아테나에 해당한다. 미네르바는 부엉이를 좋아하여 항상 부엉이를 데리고 다닌데서 유래한 말이다.

헤겔이 말한 이 경구는 이성적인 철학이나 학문적 이론은 시대에 선행하기보다는 일이 다 끝날 무렵에야 뒤늦게 이루어진다는 뜻이다. 학문적 이론은 뒷북을 치는 경향이 있다는 사실을 경고한 것이다. 밝은 대낮에 어떤 사건이 일어났을 때에는 아무런 역할도 못하다가 사건이 다 지난 후인 황혼 무렵이 되어서야 그 원인과 대책을 내놓는다는 의미이다.

이런 점에서 정책실무자들은 물론, 정책학계에서 지적되고 있는 것 중에 하나가 정책이론과 정책실무 간에 괴리가 크다는 것이다. 특히 정책과정에서 가장 중요한 역할을 하는 정책설계에 대한 이론적 연구가 진전되지 않은 점은 비판받아 마땅하다고 생각한다.

국민 개개인이 자신의 선호와 이익을 추구한다는 사실을 받아들인다면, 이를 어떻게 추구해 나갈 것인가? 개인들의 선호가 사회전체의 선호로 결집되는 과정에서 입법의원들과 공무원들의 정책설계 또는 협상을 통해서 정책대안이 마련된다는 점을 고려해야 할 것이다.

이런 점에 비추어서 정책설계를 설명하고, 그 방향을 예측할 수 있는 정책학 이론을 만들어 내는 것이 정책학자들의 당면과제라고 할 수 있다.

먼저 정책설계를 '국민들의 개별 선호를 공동체의 선호로 결집하는 정책의 구체적인 수단과 방안을 정책시장의 유형에 맞추어 최적의 효과를 낼 수 있도록 배열해 나가는 것'이라고 정의하고자 한다.

다음으로, 집권당의 정치성향, 정책이슈의 복잡성 여부 등의 요인에 의해 형성되는 정책시장과 이에 걸맞는 정책설계 전개방식을 연계시키는 '정책시장 유형-정책설계 전략 연계모형'을 통해서 정책동학 현상은 물론, 정책변동의 방향을 예측할 수 있을 것으로 기대한다.

7 | 정책동학 현상을 설명하는 프레임으로서 이론을 어떻게 구성할 것인가?

심리학에서 프레임은 세상을 바라보는 마음의 창이라고 한다. 다시 말해,세상의 어떤 현상을 바라보는 관점, 세상을 평가하는 사고방식을 말한다. 그렇다면 정책현상을 설명하고 그 미래를 예측할 수 있는 프레임으로서 정책이론을 어떻게 구성해야 할 것인가?

우리가 일상대화를 하거나 사회이슈의 해결방안에 대해 논의할 때, 어떤 사람은 일차적인 수준에서 사실(fact)만을 열거하여 이야기하고, 어떤 사람은 몇 가지 사실들 중에서 의미 있는 변수를 설정하여 이 변수들 간의 인과관계를 설명하는 방식을 취한다. 비교적 드물기는 하지만, 이런 사실적 설명과 예측 모형을 뛰어넘어 세상 돌아가는 일반적인 이치와 이상을 이야기하는 사상가 스타일도 있다.

이렇듯 일상생활 속에서 일어나는 사례를 소개하면서 학문적 이론과 현실생활의 사건 간의 관계를 살펴보기로 하자.

사례 1-1

깊은 산골 농촌에서 평생 농사일만 하시던 한 할머니가, 바로 이웃집의 청상과부인 홀어머니 밑에서 어렵게 자라서 시집을 간 꽃순씨가 남편과 오래 살지 못하고 이혼했다는 소식을 듣고 '꽃순이는 부모 복도 없더니, 남편 복도 없구나'하면서 안타까워 했다.

여기서 할머니는 속담을 인용하였지만, 이것도 하나의 가설이나 이론이 될 수 있다. '부모 복'을 아버지의 역할 모델(role model)로 보고, '남편 복'을 남편의 역할 모델로 본다면, 어린 나이에 아버지가 돌아가신 꽃순씨의 경우 남자에 대한 역할 기대가 제대로 형성되지 않아 남편과 불화가 잦았을 것이고 급기야 파경을 맞았을 것이라고 볼 수 있다.

사례 1-2

초등학교 2학년 남자아이인 '사랑해'는 학기 초부터 옆집 여자아이 '친구야'와 학교에 가는 시간은 물론, 학교가 끝난 시간 이후에도 서로의 집을 오가면서 놀고, 가족행사 때에도 서로 초대하는 정말 친한 사이였다. 그런데 어느 날 학교에서 돌아온 사랑해는 엄마에게 인사도 하지 않고, 제 방에 들어가 엉엉 울고 있는 것이 아닌가. 그 이유를 알아보니 친구야가 며칠 전부터 다른 사내아이를 사귀게 되었고, 이제는 자기를 쳐다보지도 않는다는 것이었다.

이럴 때 사랑해의 엄마는 이 문제를 우정이란 잣대를 적용하여 풀 것인가 아니면 사랑이란 잣대로 접근할 것인가?

이처럼 일상생활에서 의사결정의 잣대 역할을 하는 것이 바로 학문세계에서는 이론이라 할 수 있다. 사실 학문세계의 연구 방법론이 우리 일상생활 속에서도 적용되고 있다고 하겠다. 우리 국민들의 교육수준이 세계 수위를 달리고 있는 현실을 감안할 때 더욱 그렇다.

특정 분야의 사회현상을 고찰하여 그 현상을 설명하고, 이해하고, 미래에 나타날 결과를 예측하려 할 경우에는 그 현상을 유발하는 역할을 하는 주요 변수를 찾아내야 한다. 정책현상을 설명하는 데 있어서도 똑같은 노력이 요구될 것이다. 이와 같은 변수중심의 인과론적인 설명을 위해서 어떤 연구방법이 필요한가?

먼저 현실적으로 정책현상들을 관찰하여 중요한 요인과 주요 변수를 찾도록 해야 한다. 이렇게 발견된 변수들 간의 관계는 어떠한가를 관찰해야 할 것이다. 즉 어떤 변수는 독립변수로서 사건의 변화를 주도할 것이고, 또 다른 변수는 그 독립변수의 움직임에 따라서 수동적으로 변화되는 종속변수로 역할을 하게 되는 일정한 관계를 발견할 수 있게 된다는 것이다. 한편으로 독립변수와 종속변수들 간에 매개변수로 작용하는 변수들도 발견될 것이다. 결국 이 변수들 간의 관계를 함수(function)를 통해서 설명해야 한다. 이는 관계론적 접근방식이기도 하다.

이러한 변수중심의 인과론적인 설명을 위해 정책함수라는 개념을 도입할 것이다. 정책함수의 독립변수는 개인 및 사회의 선호변화이고, 이 독립변수는 정치·경제·문화적인 요인의 영향을 받는다. 종속변수는 정책이다. 결국 독립변수와 종속변수 사이에서 매개변수 역할을 하는 정책시장과 정책설계는 정책과정의 역동성과 정책내용의 다양성을 규명함은 물론, 정책변화를 직접적으로 설명하게 될 것이다.

따라서 '정책은 선호, 정책시장, 정책설계 등의 함수에 의해서 산출되는 결과물이다'라고 말할 수 있다. 정책동학 이론은 궁극적으로 정책함수를 도출하는 데 그 지향점이 있다고 하겠다.

2_ 이 책의 구성과 읽는 순서

1 | 이 책의 내용 구성

제1장은 서론이고 제7장은 결론이다.

제2장에서는 정책학을 정치경제학적 입장에서 동학적으로 접근해야 할 근거들을 제시하고, 이에 맞는 '정책'의 개념을 구상하였다.

제3장에서는 합리성의 개념이 철학적으로 어떻게 진전되어 왔는가를 살펴보고, 진화된 합리성을 기준으로 하여 정책학의 연구방법론을 개괄적으로 설명하였다. 한편, 개인과 집단, 형식적인 측면과 실질적인 측면이라는 네 가지 프레임에 따라 합리성을 세분하고, 이런 네 가지 합리성 모형에 걸맞게 기존의 정책이론을 재구성하여, 개인의 선호가 공동체의 선호로 결집되는 정책과정을 설명하였다.

제4장에서는 민주주의와 시장주의에 의한 집합적인 의사결정의 어려움과 한계를 살펴보았다. 다수결 원칙의 허구성, 선거과정의 투표 행위의 모순 등을 설명하는 이론들을 소개하였다. 그런 후에 집단적인 의사결정의 한계를 극복하기 위한 정치적 시장(정책시장)이론의 유용성을 설명하였다. 다시 말해, 집합적 의사결정의 대안으로 정책시장 이론을 제시한 것이다.

제5장에서는 이 책의 핵심 영역인 정책동학 현상을 설명하는 데 유용한 기존의 정책이론들을 소개하였다. 이 이론들은 정책과정의 역동성과 정책내용의 다양성을 간접적으로 설명하는 데에는 어느 정도 기여를 하지만, 직접적으로 정책동학 현상(정책과정의 역동성과 정책내용의 다양성)을 설명하고 예측하는 데는 일정한 한계가 있음을 지적하였다. 결국 정책동학 이론의 개발이 필요함을 입증하게 된 것이다.

제6장에서는 이 책의 본론에 해당하는 정책동학 이론을 소상하게 설명하고 있다. 정책을 결정하는 주요 변수를 국민들의 선호, 정책시장의 유형, 정책설계 전략으로 설정하고, 이를 중심으로 정책동학 이론을 전개하였다.

먼저, 국민들의 정책선호에 영향을 미치는 요인들을 제시하고, 다음으로 이런 선호들이 공동체의 선호로 전환·조정되어 결집되는 정책시장의 유형 모형과 정책설계 전략 모형을 제시하였다. 끝으로 정책시장의 유형과 정책설계 전략의 연계 모형을 통해서 정책동학 현상을 설명하고 예측하였다.

2 이 책을 읽는 방법

이 책은 대중서적이라기 보다는 전문서적에 가깝다. 사회과학이나 정책학에 대한 소양을 어느 정도 갖춘 학부생이나 대학원생이라면 학문적 호기심을 갖고 읽을 수 있을 것으로 보인다. 행정고시 2차 시험을 준비하는 수험생의 경우 일독을 권한다. 정책현상에 대한 새로운 프레임을 얻게 될 것으로 기대한다. 따라서 일부 독자들에겐 읽기가 상당히 까다롭고 이해가 안 되는 부분도 있을 것이다.

처음 이 책을 읽을 경우에는 제1장 → 제2장 → 제4장 → 제6장의 순서로 읽으면 비교적 이해가 쉬울 것이다. 두 번째 읽을 때에는 제3장과 제5장을 포함해서 처음부터 차근차근 읽어도 좋을 것이다. 이런 방식으로 두 번 정도 읽으면 충분하게 이해할 것으로 생각된다.

혹시 이 책의 내용을 짧은 시간 안에 파악하려는 독자들은 제2장과 제6장만 읽어도 무방할 것이다.

특히 제3장과 제5장은 수준 높은 정책학 이론들을 소개하고 있기 때문에 이해하기 어려우면 개론서 등 다른 책을 참고하면서 읽어도 좋을 것으로 생각한다.

2장

정책학의 정향성 모색

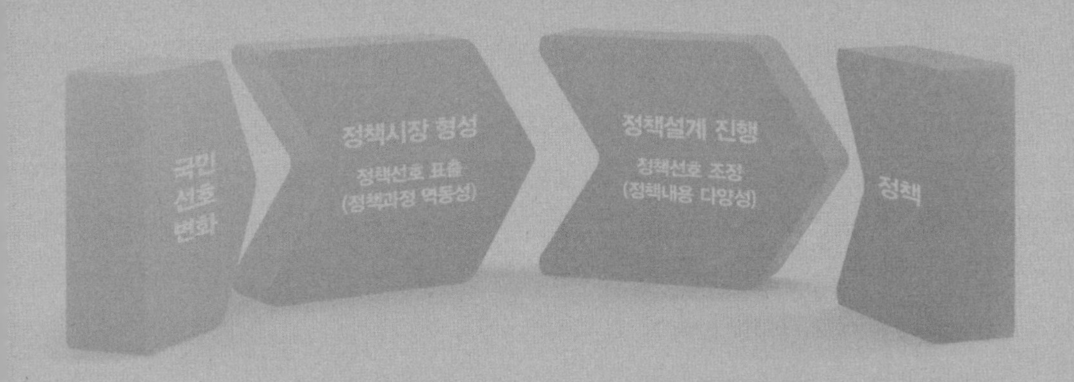

이 장에서는 정책학의 사회과학적인 정체성을 확립하고, 정책과정 및 정책내용의 동학(dynamics)적 현상을 설명하는데 적합한 정책개념을 탐색하고자 한다. 그리고 정치경제학적 입장에서 정책현상을 설명하고 예측하기 위해 정치(정책)시장 개념을 도입할 필요성을 살펴볼 것이다. 한편, 전통적인 법치행정의 한계를 지적하고 정책의 법적 맥락성을 살펴보는데, 행정의 특성을 고려한 법치행정론, 최근의 정책수단으로서의 행정법 제정 경향 등 행정법 역할의 변화를 살펴보겠다.

마지막으로 위의 고찰을 통해 정치경제학적 입장에서 정책동학적인 특성을 살린 정책의 개념을 도출해 낼 것이다.

1_ 정책개념론

1 여는 글

일반적으로 하나의 독립적인 학문이 성립하기 위해서는 일정한 연구대상과 체계적인 접근방법 그리고 이를 뒷받침하는 독자적인 개념들과 논리적 일관성을 갖는 이론적 시각이 필요하다. 따라서 사회과학의 한 분파인 정책학도 결국 개념의 체계이기 때문에 개념에 대한 체계적이고 엄밀한 논의와 발전 없이는 개념간의 관계가 구축되어 형성되는 이론도 발전될 수 없을 것이다.

이런 점에서 일반적인 정책개념으로 통용되는 수단적인 정책개념을 살펴보자. 정책을 단순히 시간의 관점에서 보면 현재의 시점에서 미래를 준비하고 과거의 잘못된 것을 시정하는 일이 될 것이다. 다시 말해, 정책은 미래지향적인 가치의 실현과 과거에 발생한 사회문제의 해결책이라는 두 가지 측면을 모두 담고 있다(권기헌, 2009: 64). 헌법 차원의 중요한 정책을 결정하는 것은 사회구성원인 국민들이 미래지향적인 목표 가치를 향해 통합되는 헌법·정치적인 과정으로서의 성격이 강하다. 그러나 사회문제의 해결이나 공공 목표의 달성을 위한 수단 정도로 정책개념을 정의할 경우, 우리가 현실적으로 경험하는 역동적인 정책현상과 비교하여 무시할 수 없는 간극이 생긴다.

따라서 정책개념은 명사형(名詞型)이 아닌 동사(動詞)형태의 진행형(進行型)으로 정의되어야 한다.

그럼에도 불구하고 그동안 우리는 수단적인 정책개념을 진지한 비판 없이 일상적으로 사용하는 경향이 있었던 것도 사실이다. 외국 학자들의 정책개념을 소개하고 거기에 몇 가지 자기 생각을 덧붙여 정책개념을 다시 정의하여 사용하는 학문적인 관행이 이를 부추겼을 것이다.

정책의 개념은 정책현상의 실제적 보편성을 설명하고 예측하는 데 도움이 되는 방향으로 이름 붙여져야 한다. 이런 측면에서 볼 때, 우리 정책학계에서는 정책학의 가장 근본개념이라 할 수 있는 정책의 개념을 정의하는데 깊은 학문적인 고민이나 경험적인 고찰이 부족했던 게 사실이다.

이 글에서는 다양한 정책개념들을 살펴보고 그 개념들이 갖는 이론적, 경험적인 타당성과 함께 앞에서 언급한 방향성에 비추어 볼 때 어떤 문제점이 있는가를 살펴보겠다.

나아가 정책이 형성되는 과정에 내재되어 있는 정치성, 역동성(dynamics)의 측면을 검토하여 현재의 정책개념론들이 갖고 있는 문제점을 지적하고 정책의 수단성을 강조하는 정책개념에서 탈피한 새로운 정책의 개념이 정립되어야 하는 이유를 살펴보고자 한다.

다음으로 정책학은 선택의 학문이라는 점을 고려한 논의를 할 것이다. 정책은 합리적으로 선택되든지 아니면 정치적인 타협을 통해서 결정된다. 정책은 기본적으로 합리성을 기초로 형성되고 결정되어야 하겠지만, 정책이 결정되는 정책과정에서는 정치성·역동성을 고려해야 하고 정책형성은 일련의 정치적 선택 과정임을 정책개념에 반영해야 한다는 점을 강조하고자 한다.

2 다양한 정책개념들

정책학의 출발점이 되는 정책의 개념은 학자들이 정책의 실제현상 중 어떤 측면을 강조하는가에 따라 다양하게 정의되고 있다.

일반적인 정책개념의 정의를 보면 바람직한 사회 상태나 목적가치의 실현 또는 사회문제의 해결을 위한 수단으로 정의되는 경향이 강하다. 이렇게 도구적 합리성에 기초하여 정책의 개념을 목표와 수단의 결합으로 보는 경향을 살펴보면 다음과 같다.

정책학을 사회과학의 한 분과 수준으로 끌어올리는 데 결정적인 역할을 한 Lasswell은 '정책은 목적 가치 그리고 실행을 포함하고 있는 고안된 계획'이라고 정의한다. 이는 정책의 특성으로서 미래성, 목표성, 가치성, 실행성을 강조하고 있는 것으로 해석할 수 있다.

그리고 Wildavsky는 정책을 '목표와 그것의 실현을 위한 행동으로 구성된 것'으로 정의하고 있다(정정길, 2010: 35 재인용).

정정길(2010: 35) 교수는 '정책은 바람직한 사회 상태를 이룩하려는 정책목표와 이를 달성하기 위해 필요한 정책적 수단에 대하여 권위 있는 정부기관이 공식적으로 결정한 기본방침'이라고 한다.

허범(1981) 교수도 정책을 '가치관 속에 들어 있는 당위성과 현실적으로 가능한 행동을 통합함으로써 문제시되는 어떤 현실의 내용을 바람직한 방향으로 변화시키려는 지침적 결정'이라고 본다.

이렇게 목표나 문제의 해결을 위한 수단으로서 정책을 정의한다면, 정책은 정치과정의 정치성과 역동성에 영향을 받지 않고 일반기업의 이윤추구를 위한 비용편익분석과 같이 합리적이고 과학적인 분석에 따라 중립적으로 결정될 것이다.

사례 2-1

케네디와 존슨 대통령 재임기간 동안 베트남전을 수행했던 McNamara 국방장관과 그 참모들은 통계자료에 기초한 조직과 예산배정, 명백한 목표 정의, 장기적인 비용과 편익의 검토 등 체제분석 방법에 의해 국방정책을 수립하여 시행하였다.

한 백악관의 비서관이 베트남전은 국내정치 상황의 변화와 국제적인 여론 악화 등으로 인해 실패할 수 있다는 점을 지적하자 McNamara는 '당신들의 데이터는 어디 있는가? 나에게 시를 읊지 말고 내가 컴퓨터에 입력할 수 있는 자료들이나 제시하라'라고 대답했다. McNamara는 오직 숫자들을 바라보면서 '모든 계량적 측정들이 우리가 전쟁에서 이길 것임을 보여주고 있다'고 낙관적인 결론을 내렸다고 한다. 이처럼 객관적인 자료들에 근거하여 중립적으로 정책을 결정해야만 최적의 수단을 선택할 수 있다는 점은 정책개념의 수단성을 중시하는 입장이라 할 수 있다(사공영호, 2008, 12 : 8).

현실적으로 정책은 정치적 영향을 받으면서 다양한 계층간, 정파간의 협상과 권력 작용에 의해 결정된다는 점을 간과해서는 안 된다. 이를 반영하여 정책의 수단성과 정치성을 함께 고려하여 정책을 절충적인 입장에서 정의하는 경우도 있다.

Dror는 정책을 '매우 복잡하고 동태적인 과정을 통하여 정부기관에 의해 만들어지는 미래지향적인 주요 행동지침으로 가능한 최선의 수단을 통하여 공익을 증진할 것을 목적으로 하는 것'이라고 정의한다(최봉기, 2004: 32 재인용).

이런 입장에서 더 나아가서 정책과정을 정치적이고 동태적인 과정으로 보고 정책을 정의하는, 다시 말해, 정치성만을 강조하는 정책의 정의는 Easton에서 찾아볼 수 있다. 그는 정책을 '사회전체를 위한 가치들의 권위적인 배분이고 정치체계가 내린 권위적 결정이며 권위적인 산출물의 일종'이라고 정의한다(Easton, 1965: 358 ; 권기헌, 2009 재인용).

정치적 관점에서 정책은 서로 대립되는 다양한 이해관계와 선호를 갖는 정책과정 참여자들에 의해서 이루어지는 정치적 경쟁과 타협의 산물로 보는 견해라고 할 수 있다(정정길 외, 2010: 229). 이 때 정책은 정치적인 자원(영향력) 또는 권력의 크기가 우월한 참여자들이 의도하는 대로 결정된다.

여기서 정치적 권력의 크기를 좌우하는 요소로서 정치적 자원(political resource), 즉 정치권력의 중요한 원천은 공식적인 지위나 법적인 힘, 경제력, 사회적인 명성이나 덕망, 여론 형성과정의 영향력, 투표과정에서 동원할 수 있는 득표능력 그리고 전문성 등이라 할 수 있다. 정책의 종류와 정책결정 상황에 따라 정치적 자원들이 다르게 작용하겠지만 실제 정책과정에서 참여자들은 동원가능한 정치적 자원을 총동원하여 자신의 이익을 극대화할 수 있는 전략을 구사하게 된다.

이렇듯 정책의 수단성을 강조하는 입장은 '정책학은 선택의 학문이다'는 점에서 그 유용성이 인정되지만, 정책학의 논리 전개를 정책과정론에 입각하여 평면적으로 연구하는 경향을 보이는 약점이 있다.

이에 비해 정책과정의 정치성을 강조하는 정책개념을 사용하는 연구자들은 정책과정을 정치적 환경이나 역학관계를 고려하여 보다 입체적으로 접근하려는 경향을 보인다고 하겠다.

3 수단적 정책개념론

지금부터는 이러한 수단적 정책개념을 조금 더 자세히 알아보고 정책학의 정향성에 따른 연구방향을 모색해보기로 한다.

국내의 대다수 정책학 교재들은 정책이란 '사회적 목표의 달성을 위한 합리적 수단'이라는 시각에서 정책문제를 접근하고 있다. 이런 접근방식은 합리성을 기준으로 삼아 단계적인 정책형성과정을 거쳐 정책을 결정하고 이를 집행할 경우 사회 문제가 해결될 수 있다고 보는 정책과정론적 시각과 연결되고 있다.

이들에 따르면, 정책과정은 정책문제의 설정, 즉 정책의제(policy agenda setting)를 정하거나 정책문제를 인지(perception), 정의(definition), 확인(identifying)하는 데서 출발한다. 정책과정은 사회문제에서 출발하는 것이며 이러한 사회문제를 해결하기 위한 대안을 탐색해 가는 것이 정책과정의 시작인 것이다. 이 출발점에서는 유권자들이 요구하는 것이 정책문제가 될 수도 있고 정책담당자들이 중요하다고 생각하는 문제가 정책문제가 될 수도 있다. 그리고 어떤 사회·경제적인 사건이 사회문제를 정책문제로 발전시키는 계기가 될 수도 있다.

그 계기야 어떻든 정책과정은 사회문제의 해결이나 사회적인 목표의 달성을 위하여 시작된다는 점이 중요하다. 이런 과정을 거쳐 정책문제가 설정된 이후에 최선의 해결책을 찾고 이렇게 정해진 정책을 공정하게 집행하고 사후에 이를 평가하여 종결시킨다. 이렇듯 정책과정이론은 정책의 수단성에 중심을 둔 이론이라 할 수 있다.

이런 수단적 정책개념이 나타나게 된 시대상황과 학문적 배경은 다음과 같다.

첫째, 정책개념론을 염두에 두지 않더라도 우리의 실제 생활에 있어서 정책이란 국민 개개인의 권익에 영향을 미칠 수밖에 없고 따라서 자기이익을 추구하는 개인과 집단들의 이익경쟁을 피할 수 없다. 그리고 경우에 따라서는 다수의 이익을 위한 합리적 선택이 아니라 소수의 이익에 봉사하는 수단으로 전락하기도 한다.

이런 상황이 현실적으로 미국에서 나타났는데 Wilson이 정치와 행정의 분리를 주장할 당시의 정치·행정의 상황이 바로 그랬다. 1883년 펜들턴 법(pendleton act)이 제정되기 전 미국 행정부의 자리들은 전문성을 가진 공무원이 아니라 선거에 공헌한 대가로 충원된 엽관관료들의 몫이었다. 이런 엽관주의는 공직을 사유화하여 매관매직이나 뇌물수수 등 부정부패를 야기하고 정권이 바뀔 때마다 대규모의 인력교체가 일어나 행정의 일관성과 안정성을 훼손하였다. 이와 같은 시대상황에서 정책은 정치와 단절될 필요가 있었고 정책의 수단성이 강조되었던 것이다. 이런 상황은 Lasswell의 정책에 대한 인식에도 영향을 미치고 있다(사공영호, 2008, 12: 9).

둘째, 이와 같은 시대적 상황과 함께 학문적으로도 경제학 등 사회과학의 발전과 실증주의적 인식론 등이 수단적 정책개념의 성립에 그 기초를 제공하였다. 이론적인 측면에서 정책이 문제해결의 수단이 될 수 있음을 제안한 가장 대표적인 이론이 경제학의 '시장 실패이론'이다. 이 이론은 비배재성과 비경합성[2]의 특징을 갖는 공공재의 과소공급이나 외부경제의 문제를 효율적으로 해결하기 위해서 정부의 개입이 필요하다는 입장이다. 공공재의 경우 개인의 진정한 선호가 현시되기를 기대하기 어렵고, 따라서 시장경제 원리에 의해서는 최적 공급이 불가능하기 때문에 정부의 개입, 즉 정책적 대응이 필요하다는 것이다.

그러나 후생경제학의 경우 완전한 정보와 중립적인 선택의 필요성에 대한 논의를 도외시한 채, 단지 후생증가라는 결과만을 놓고 정책이 합리적인 사회후생의 증대 수단이라는 점을 강조하는 약점이 있다.

셋째, 뒷장에서 설명할 실증주의도 수단적인 정책관점에 기여한 바가 크다. 실증주의적 행태이론은 보편적인 법칙이 인간의 행동에도 존재할 수 있으며 이러한 행동의 법칙을 인간의 오감을 이용하여 객관적인 방법에 의해 규명해

---

2 경합성은 다른 사람이 소비하면 물건가치가 줄어드는 것이고 비경합성은 다른 사람이 소비하더라도 물건가치에 변화 없는 것이며, 배제성은 어떤 상품이나 물건을 사용할 때 대가를 지불함으로써 사용 제한이 가능한 데, 비배제성은 제한이 불가능한 경우를 말한다.

낼 수 있다는 생각에 기초하고 있다. 이렇게 규명된 행동의 법칙은 합리적이고 객관적인 정책의 기초를 제공할 수 있다고 본다.

그렇지만 수단성을 강조하는 정책개념의 경우, '만일 바람직한 사회 상태나 정책의 목표에 대해서 사회의 다수 구성원이 공통된 신념을 가지고 있지 않다면 정책이 결정될 수 있을 것인가? 그리고 사회적인 합의가 이루어지지 않은 상태에서 만들어진 정책이 민주적이라고 할 수 있겠는가?' 등 비판이 제기될 수 있다. 뒷장에서 살펴볼 Arrow의 '불가능성 정리'가 시사하는 것처럼 바람직한 사회상을 정립하고 이를 합의하는 것은 매우 어려운 과정이기 때문이다.

그렇다면 정책을 수단으로 보는 관점이 갖는 약점을 살펴볼 필요가 있는데 이를 정리하면 다음과 같다(허범, 2002: 306).

첫째, 수단적 정책 개념은 지나치게 도구적 합리성(instrumental rationality)만을 추구한다. 주어진 목표의 달성을 극대화할 수 있는 최적의 수단 선택에 몰두하여 목표의 타당성이나 정책을 통하여 추구하는 궁극적인 가치를 고려하지 않고 있다는 것이다.

둘째, 기술관료적 지향성(technocratic orientation)이다. 수단적 정책개념은 정책대안의 선택과 결정과정의 정치성을 배제한 채, 전문가의 기술적 기준에 맞추어 이에 최고로 적합한 대안만을 제안하고 있다. 이렇게 되면 정책학은 민주주의에 기반을 둔 정책학이 아니라 반대로 제왕을 위한 정책학(policy sciences of tyrany)으로 전락할 위험이 있다. 현실적으로 중앙 행정기관과 그 소속 공무원들이 대통령의 지시나 눈치를 보고 이에 따라 정책목표를 설정하고 그에 맞게 정책 수단을 설정한다는 비판들은 이를 역설적으로 증명하는 사례라고 할 수 있다.

셋째, 분석적 오류(analytical errors)이다. 분석가들은 정책문제를 다루기 쉬운 문제로 단순화시키는 과정에서 중요한 부분을 제외하거나 왜곡시킬 수 있으며 이 경우 실제문제가 아니라 왜곡된 문제를 다루게 된다. 정책문제를 순치화하는 과정에서 중요한 맥락이나 복잡한 실제문제를 간과하거나 단순화하는 오류를 범하게 된다는 것이다.

4 정치성을 강조하는 정책개념론

Lasswell 이전의 정치학에서 정치과정을 연구하여 그 산출물인 정책을 설명하려고 했던 경향에 반발하여 Lowi 등은 정책을 유형화하여 정책을 독립변수로 하고 정치과정(정책과정)을 종속변수로 설명하게 된다. 이는 정치학에서 정책학을 독립시키려는 시도였을 것으로 생각된다.

일반적으로 정책학에 있어서 정책과정이 정말 공익을 추구하고 합리적인 방법으로 사회문제의 해결책을 모색해 가는 과정인지에 대해서 주류학파에서는 긍정적인 입장이지만, 정치경제학적 관점[3]에서는 상당히 다른 견해와 증거들을 제시하고 있다.

사회문제를 해결하는 노력 자체가 정치적인 수단이며 사회문제의 해결을 위해 정책이 있는 것이 아니라 정치의 수단으로 정책이 있는 것이며 정책을 위하여 정당이 있는 것이 아니라 단지 선거에서 이기기 위해 정당이념도 만들어지고 정책도 만들어질 뿐이라는 정치경제학자들의 주장들은 이런 시각을 단적으

3 정치경제학 자체는 마르크스주의라고 할 수 없고, 정치학과 경제학 연구에 있어서 정치적인 요인들과 경제적인 요인들 간의 상호작용을 특별히 연구하는 경향과 학문 분야를 정치경제학이라고 부르는 데 어느 정도의 합의가 이루어진 것 같다. 이런 조건에 맞는 경향이 Williamson, North, Ostrom 등으로 대표되는 합리적 선택 신제도주의 경제학이 아닌가 생각한다.
이런 정치경제학적 입장에서 정책과 제도를 개관하면, 신제도주의 정치경제학에서 North 등이 가정하고 있는 방법론적 개인주의에 따르면 정책과 제도는 행위자에게 유효한 선택구조(structure of choice)이지 개인 행위자가 내면화하고 행동해야 하는 규범의 원천은 아니라고 보는 것 같다. 정책과 제도는 인간행동과 독립적으로 존재하는 것이 아니고, 객관적으로 주어진 것도 아니다. 즉, 정책과 제도는 행위자의 선택을 제약하는 선택구조를 구성하지만, 궁극적으로는 행위자의 선택이 정책 또는 제도를 바꿀 수 있다는 점이 강조되는 것 같다.

로 나타내준다고 할 수 있다(Downs, 1957: 28).

Downs에게 많은 영향을 주었던 Schumpeter는 선거라는 정책정강 대 투표의 교환시장, 즉 정치적 시장에서 정치인들이 유권자들의 표를 얻기 위해 노력하는 과정에서 정책이 결정된다고 하였다.

소위 정책수단론자들은 사회문제가 무엇인가 객관적으로 정의할 수 있고, 객관적인 정보에 기초하여 과학적인 분석을 거쳐 대안을 만들어 낸다면 정책이 합리적인 대안이 될 수 있다고 주장한다.

반면에 정책과정의 정치성을 강조하는 입장에서는 정책문제의 정의에서부터 정치성이 개입될 수밖에 없다고 본다. 정책과정의 정치성론자들은 정책과정에서 사회구성원들이 서로 다르게 생각하고 합의가 어려운 일에 대해 집단적인 결정을 내려야 하는 상황에 처하게 됨을 강조한다. 우리가 어떤 사회현상에 대해 문제가 있다고 보고 접근하는 순간 그것은 이미 정치성을 내포할 수밖에 없다는 것이다. 동일한 현상을 놓고도 사람들의 해석이 제각각으로 다르고 사람들의 요구사항 역시 각각 다를 경우에 이런 문제에 대하여 정부가 하나로 통일된 결정을 내려야 하는 집단적 의사결정과정은 그 자체의 속성상 정치의 개입이 불가피하다는 것이다.

요컨대, 정책은 협상과 타협 그리고 권력적 작용으로 특징지어지는 정치과정을 거쳐서 각 개인들의 선호가 집단적인 선호로 결집된 정치적 결과물이라 할 수 있다.

사회문제가 인지된다고 해서 곧바로 정책 문제가 되는 것이 아니듯이 사회문제가 정책문제로 정의되고 이것이 공식적인 정책으로 선택되는 일 역시 고도의 정치적인 환경에서 이루어진다. 어떤 사회문제가 정부의 관심을 끌고 정책 의제화 하기 위해서는 그 문제가 사회적으로 영향력 있는 집단의 기득권을 위협하든지, 다수의 시민에 영향을 미치거나, 소수이지만 전통적으로 정부의 보호를 받는 집단을 위협하는 그런 부류에 속해야 한다.

■ 사례 2-2

초기 에이즈(AIDS)는 마약복용자, 동성애자, 술집 여종업원 등 사회적으로 힘없고 비난받는 사람들의 문제로 치부되었고 그때까지 정부당국은 냉담한 반응을 보인다. 그러다가 영화배우 허드슨(Hudson) 등이 에이즈에 감염되면서 일반사람들의 관심이 커지게 된다. 특히, 수혈과정에서 에이즈가 감염될 수 있다는 사실이 보도되면서 누구든지 에이즈로부터 자유로울 수 없다는 인식이 퍼지면서 에이즈 문제가 정책문제로 등장하게 된다.

정책 문제를 선택하는 단계에서도 정치성을 띨 수밖에 없다는 점은 일부 정치학자들에 의해서 강조되어 왔다(사공영호, 2008,12: 16). 정치적으로 불리한 문제는 그것이 사회적인 이슈로 등장하는 것 자체에서부터 차단될 수 있다는 소위 '무의사 결정이론(non-decision making)'은 그 단적인 예라 할 수 있다.

이처럼 사회문제가 정책문제로 전환되어 정책대안을 결정하는 정책 결정단계도 이익집단들이 저마다 자기집단의 이익을 위하여 서로 경쟁하고 협상하는 '정치시장'[4]이라고 정치경제학자들은 주장한다.

이 모형은 일반 재화시장과 같이 정치시장을 공급 측면과 수요 측면으로 나누고 전자에 속하는 그룹을 행정부와 국회 등 정책결정자로 보고, 후자에 속하는 집단을 이익집단, 압력단체 그리고 일반 이해 당사자로 본다. 이 양자 간의 거래는 투표행위, 협상과 투쟁 등의 방식으로 이루어지고 이를 통해 개인별 선호가 집단선호로 전환된다는 것이다. 이런 관점에서 보면 정치란 결국 집단이익을 대변하는 대표들의 협상의 장에 불과한 것이며, 정책과정 역시 이를 보다 효율적으로 달성하기 위해 서로 협상하고 충돌하는 정치시장에서 이루어진다

4 제5장 정치시장론에서 자세히 살펴볼 것이다.

고 볼 수 있다. 즉 정책과정이 정치에 의해서 어느 정도 영향을 받을 수밖에 없고, 어떤 정책도 정치로부터 자유로울 수 없다는 점은 인정해야 할 것이다.

다만, 이처럼 정책의 정치성에 초점을 맞추다 보면 정책은 사회문제를 해결하기 위한 수단이 아니라 단지 정치의 결과물일 뿐이라는 결론에 도달하게 된다. 이는 정치적 시장 모형의 약점이 될 수 있다.

또 한편으로 인간이 항상 이기적인 것만은 아니라는 점도 고려해야 할 것이다. 때로는 개인의 이익을 위한 정치적인 행동과 공동체의 공익에 입각한 행동을 구별하는 것 자체가 쉽지 않다는 점도 고려해야 할 것이다. 다시 말하면, 사람들의 이기성이나 정책의 정치성을 인정하면서도 인간존재의 또 다른 본질적인 측면인 '인간은 생각하는 존재이며 대의명분을 위해 초월적인 가치를 구상하고 이를 추구하는 이상주의적 존재이다'는 점을 반드시 고려해야 한다.

결론적으로 앞에서 설명한 내용을 정리하면, 정책은 바람직한 사회를 어떻게 만들겠다는 방안을 결정하는 것이기 때문에 목표에 대한 수단 선택의 합리성이 강조되는 것은 무시하기 어렵다. 이런 점을 고려할 때, 사회의 가치문제에 대해 도구론적으로 접근하여 정책을 정의하는 과학주의적 입장에서는 정책의 분석, 평가, 대안모색을 중시하게 될 수밖에 없다.

이와는 다른 정치적 입장에서 보면, 새로운 정책에 의해 이익을 보게 되는 개인이나 집단과, 손해를 보게 되는 개인이나 집단이 있게 마련이다. 따라서 정책은 관련 이해당사자들 간의 협상과 타협 등 정치과정을 거치는 정치적 산물이라는 특성을 보일 수밖에 없다. 다시 말하면, 정책은 정치적 당파성이나 정치적 이데올로기성을 띠게 될 수밖에 없다는 것이다.

5 정책은 정부 내에서 이루어지는 일련의 선택 과정의 산물이라는 입장

앞에서 정책의 수단성과 정치성을 검토하였다. 여기서는 정책의 또 다른 측면으로 행정부와 입법부가 정책결정 주체라는 입장을 살펴보겠다. 정책 중 일부는 법률형태를 띨 경우가 있는데 이때에는 입법부도 정책결정 주체가 된다.

이처럼 정부가 결정주체라는 입장에서 보면, 정책은 사회의 각 분야별 가치, 규범, 국민의 행태 그리고 사회문화 등 사회적 상태나 조건들을 유지하거나 변경시키고자 할 때 사용하는 정부의 간여(intervention) 수단이라는 측면이 있다(노화준, 2003 : 4).

사례 2-3

국민들이 교통신호를 잘 지키지 않거나 음주운전을 하는 교통문화를 개선하고자 사용하는 정부의 간여 수단이 경찰청의 음주단속 특별대책이다. 그리고 제조업을 하는 기업들이 R&D에 투자를 하지 않고 부동산 투기 등에 의해서 돈을 벌려고 하는 기업 풍토를 바꾸고자하는 정책이 기업의 비업무용 토지 관련 정책이다.

이와 같이 정부의 간여를 강조하는 정책개념을 살펴보자. 먼저 Dye는 정책이란 '정부가 하기로 선택하였거나 하지 않기로 선택한 모든 것'이라고 광범위하게 정의한다(노화준, 2003. 재인용). 이 정의는 정부의 사무용품 구입에서부터 부동산 종합소득세 부과 결정에 이르기까지 모든 측면에서 정부의 의사결정을 포괄하고 있기 때문에 사소한 정부의 활동을 분리해 내지 못하는 약점이 있다. 그렇지만 공공정책을 결정하는 주체가 행정부라고 하는 점을 부각시키고, 정책은 행정부가 어떤 행동노선을 취하기로 결정하는 선택이라는 점을 명백히 하고 있는 데에서 그 의미를 찾을 수 있다.

더 나아가 위에서 본 것처럼 Dye가 정책을 정부의 선택(choice)으로 정의한

데 비해, Jenkins는 정책을 일련의 선택과정(process)으로 정의한다. 그는 정책이란 '특정한 상황에서 어떤 목적을 달성할 권한을 가진 행위자들이 목적과 그것을 실현할 수 있는 대안들을 선택하는 일련의 의사결정 과정이다'(노화준, 2003. 재인용)라고 정의한다. 이 정의는 정책이 한 번에 이루어지는 문제해결이 아닌 일련의 의사결정 과정임을 명시적으로 밝히고 있다는 점에 의의를 찾을 수 있을 것이다.

결국 정책은 다수의 의사결정들(multiple decisions)일 뿐만 아니라 복잡한 정부조직에 흩어져 있는 다수의 의사결정자들이 일련의 과정을 거쳐서 내린 결정이라고 할 수 있다. 이처럼 정책이 선택과정을 통해서 결정된다는 의미는, 정책을 목표에 합당한 수단으로 보는 정책의 수단론자들과는 달리, 정책과정이 의사결정 과정이라는 점을 강조하는 데에 있을 것이다.

정책이 의사결정과정의 산물이라면 '정책학의 정체성을 어떻게 인정받을 수 있을 것인가? 보다 구체적으로, 정책학은 동일한 경제문제를 연구대상으로 할 때 경제학과 어떻게 달라야 하는가?' 에 대한 대답은 다음과 같다.

첫째, 정책학에서는 인간이 문제 상황에 대해 갖는 지식과 능력에 한계가 있다는 점을 항상 고려해야 한다(최종원, 1995: 152).

정책학자와 경제학자가 동일하게 경제문제 해결을 위한 최적 대안의 개발에만 관심을 갖는다면 정책학은 학문적 정체성을 인정받기 힘들 것이다. 물론 정책학에서도 일반적인 경제학자들과 같이 최적 대안의 선택에 관심을 가져야 한다. 하지만 이 경우에도 의사결정자의 문제해결에 필요한 지식과 인지능력을 완벽하다고 가정하는 경제학(특히 신고전학파 경제학)과는 달리, 정책학에서는 제한된 지적·인지적 능력 아래 탐색하는 인간의 주체성에 관심을 가져야 할 것이다.

둘째, 정책학에서는 이러한 주체적 인간이 어떠한 기준과 신념에 따라 최종 대안을 선택하는지에 관심을 가져야 한다. 즉 제한된 지적·인지적 능력을 갖고 있는 의사결정자가 어떠한 과정을 거쳐 선택 가능한 대안을 탐색하는지, 그리고 선택 가능한 대안들의 결과를 예측할 수 있는 신념체제는 어떻게 형성되는지, 더 나아가 어떠한 기준에 의해 결국 최종 대안이 선택되는지 일련의 과정에 관심을 가져야 할 것이다.

요컨대, 정책학은 최적의 정책대안의 선택과 더불어 정책문제의 해결을 위해 어떠한 일련의 발견과정을 거치는가에 관심을 둔다는 점에서 경제학과는 다른 학문적 대상과 목표를 가지고 있다고 결론지을 수 있다.

6 맺음 글 : 정책학의 정향성과 연구방향

위에서 우리는 정책의 다양한 개념을 살펴보았다. 먼저 정책의 수단성을 다루면서 이런 수단으로서 정책은 합리성과 효율성이라는 기준에 의해서 이루어지고 있음을 살펴보았다.

다른 한편으로 정책은 정책문제의 정의에서부터 그 결정단계까지 정치성이 개입될 수밖에 없다는 사실을 간과해서는 안 된다는 점도 살펴보았다. 다시 말하면, 정책에 이해관계가 있는 여러 정파들이 선거기간에는 투표행위를 통해, 선거가 없는 평상시에는 협상에 의해서, 즉 집단들 간의 역동작용인 정치적 투쟁과 협상과정을 통해서 만들어 내는 산물이 곧 정책임을 알 수 있었다.

또한, 정책은 정부의 간여 수단이고, 정책과정은 정부가 주체가 되어 이루어지는 일련의 복잡한 선택 과정임을 살펴보았다.

여기서는 이런 관점들을 바탕으로 정책학의 방향성, 다시 말해, 정책학의 정향성을 논의해 보도록 하자.

먼저, 사회 구성원인 각 개인들의 선호가 집단적인 선호, 즉 정책으로 발전하는 과정에 대한 집단 심리학적 연구가 필요하다. 이것이 곧 뒷장에서 설명할 합리성에 기초를 둔 정책학일 것이다. 이런 연구결과가 축적되면 정책학의 정체성도 높아질 것으로 기대되지만, 합리성에 기반을 둔 정책이론들은 정책이 이루어지는 주변 정치적 환경을 고려하지 않고 진공상태에서 정책현상을 연구하는 가치중립적 정책연구라는 한계를 보일 것이다.

일상적인 우리의 삶은 커다란 정치적 이데올로기의 굴레 속에서 이루어지고 있기 때문에 정책도 이런 이데올로기에서 자유로울 수 없을 것이다. 따라서 정책학 연구는 가치중립적인 입장에 머물러서는 안 된다.

특히 유념해야 할 점은 우리의 정치적 환경의 모태를 이루는 정치적 이념은 민주주의와 시장주의라는 것이다. 민주주의와 시장주의를 부정하거나 침해하는 정책개념이나 이론은 우리 생활의 굴레 밖으로 내몰리고 배척당하게 될 것이다. 독재주의나 공산주의를 이롭게 하는 정책이론은 이런 유형에 속한다고 할 수 있다.

따라서 정책학도 민주주의와 시장주의의 우산 속에서 연구되어야 하고, 독재나 공산주의에 도움이 되는 정책학이어서는 안 된다. 정책학은 민주주의나 시장주의를 보다 공고히 하고 더욱 진전시키는 방향으로 연구되어야 한다. 그리고 민주주의의 결함을 치유하는 방향에서 민주주의 부족한 부분을 채워주는 역할을 하고, 시장주의에 맡길 수 없는 분야에 대해서는 이를 대체하는 역할을 하도록 정책방안을 강구해야 할 것이다. 이를 뒷받침하는 이론적 근거는 뒷장에서 제시할 것이다.

위의 정향성에 맞게 정책개념을 정립하기 위해서는 정책 목표와 수단 간의 합리성, 즉 정책의 수단성과 함께 정책과정의 정치성을 고려해야 한다. 정책대안의 선택과 그 선택이 이루어지는 과정의 정치성이 부각되도록 정책의 개념을 정의해야 할 것이다.

여기서는 수단적 합리성과 정치과정적 측면을 함께 강조하는 입장에서 정책이란 '정치적 요소와 합리적 요소가 역동적으로 상호작용하고 동태적인 정치적 협상과정을 거치면서 만들어지는 정치과정의 산물'로 잠정적으로 정의해도 무방할 것이다.

2_ 정치경제학적 입장의 정책시장 이론

1 정치경제학적 접근의 필요성

정책은 정책과정에서 각 정파의 정략성과 실제 집행을 책임지는 행정부의 시행가능성 그리고 이해관계자들의 이해타산이 복합적으로 작용하여 도출된다. 다시 말해, 하나의 사회이슈가 정치성과 합리성 그리고 이해관계성에 근거한 토론과 협상 그리고 설득을 통해서 정부의 공식적인 정책으로 도출되는데, 이해를 돕기 위해 먼저 사회적 이슈인 복지정책 관련 정책담론을 소개하겠다.

아래 기사를 통해 정치권의 정략적 접근방식, 행정부(행정 공무원 출신의 국회의원 시각)의 통제 또는 조작이 가능한 실현가능성 측면의 접근방식, 그리고 이해당사자들의 이해타산 접근방식을 알 수 있을 것이다.

■ 사례 2-4: 복지정책 논쟁 보도 내용 (조선일보 2011. 1. 15일 A4-5면)

◎ (정치적 입장의 정략성이 돋보이는 정책구상) OO당 지도부는 '무상복지 시리즈'가 재원 마련 대책을 중심으로 당내 전문가 그룹의 반발에 부딪혔지만 '노선 수정은 없다'는 입장이다. 2012년 총선과 대통령 선거를 앞두고 '무상복지'만큼 흡인력이 강한 이슈를 찾기 어렵다는 판단 때문이다. OOO 당대표는 최근 신년기자회견에서 '보편적 복지는 시대정신'이라고 한 바 있다. 그리고 OOO 원내대표도 '무상복지 시리즈는 보편적 복지에 대한 일종의 비전 제시'라며 옳은 방향이라고 말했고, 최고 위원들도 역시 같은 입장이다. 이들은 '우리나라가 세계화와 신자유주의의 물결에 휩쓸리면서

양극화가 심화되고 있고 노령화 저출산 현상도 나타나고 있다. 이런 현상에 종합적으로 대처하기 위해서는 보편적인 복지 패러다임으로 갈 수밖에 없다'고 말했다. ○○○ 의원은 'OECD회원국의 GDP 대비 복지지출 비율이 19.3%인데 비해 우리는 그 절반인 7.5%에도 못 미친다. 무상복지는 이에 대한 효과적인 해결책이고 지금 계획에 문제가 있다면 집권 후에 조정하면 된다'고 했다. ○○○ 정책위의장은 '대선에서 승리하려면 네거티브 전략에 플러스 알파가 있어야 한다'면서 '이명박 대통령이 집권한 것은 경제를 살릴 것이라는 기대였다면 우리는 무상 급식, 보육, 의료는 나라가 책임진다는 희망을 주는 전략으로 대선에 임하겠다'고 말했다. 여기에는 △△당 ○○○ 전대표와의 전선이 형성되어 있다는 상황도 작용했다. 다시 말해, △△당은 선별적 복지를 주장하지만 ○○당은 보편적 복지를 강조한다는 점을 부각시킬 것으로 보인다.

◎ (○○당의 장관 출신 의원들 무상복지의 실현 가능성에 비판제기) 역대정부에서 정보통신부, 정책기획, 경제수석 그리고 재정경제부 장관을 지낸 행정의 달인이면서 정책통인 ○○의원은 '총선과 대선이 예정된 2012년의 화두는 복지가 아니라 재정 건전성이다. 그런데도 재정적자를 늘리는 무상복지를 들고 나가면 오히려 어려워질 수 있다. 복지가 중요하다는 큰 방향성은 공감하지만 함부로 무상이란 용어를 사용해선 안 된다. 다음 정권에서 가장 시급한 일은 흐트러진 재정을 수습하는 일이 될 것이다.'고 말하면서, '무상복지를 실현하기 위해서는 증세가 수반되어야 하고(예를 들면 부유세 등) 정직하게 말하면 부가가치세를 올려야 하는 시점이 올 것이다'라고 말했다. 그리고 그는 부유세를 신설하는 것 또한 어려운 일이라고 하면서 과거 정부에서 종합부동산세 신설의 실패 사례를 그 근거로 들었다. 그러면서 '복지를 포기하자는 것은 아니지만 내용을 정교하게 다듬어 국민의 신뢰를 얻어야 한다. 복지를 확대하더라도 재원조달 가능성 범위내로 자제할 필요가 있다'고 주장하였다.

또 다른 장관을 지낸 ○○의원도 '가만있어도 복지지출이 늘어나는데 새로운 걸 확대해서는 재정이 파탄난다'고 문제를 제기하였고, 이와 같이 행정경험이 있는 의원들은 재원조달 방안의 문제점을 제기하면서 무상복지 시리즈에 제동을 걸었고, 이에 대해 당 지도부는 '정책통들, 정치를 모른다'고 불만을 표출하고 있다. 당 지도부는 '다소 정교하지 않더라도 새로운 프레임을 제시하는 게 정당의 추동력이고 그게 개혁으로 가는 길이 아니냐'며 우회적으로 불만을 나타냈고, 또 다른 지도부 의원은 '큰 방향을 못 본 측면이 있는 것 같다. 어떻게 보면 무상복지 방안은 그들이 내세우는 것보다 더 높은 현실감을 갖고 있다'고 말했다.

당 지도부의 이런 불만은 '힘이 약한 야당으로선 다소 무리가 있더라도 치고 나가야 한다'는 정치 논리를 바탕으로 한다. 사실 ○○당 지도부는 입원 진료비의 건강보험 부담률을 90%까지 높이는 정책을 놓고 무상이라고 하면 틀렸다는 점을 잘 알고 있으면서도, '무상의료'라는 말을 붙일 경우 이것이 전국적인 이슈가 될 것을 알고 있다.

이렇게 될 경우 △△당 ○○○ 전대표도 무상 프레임 안에서 싸울 수밖에 없게 된다는 점을 전략적으로 내다보고 있는 것이다. 그런데 당내 행정경험을 갖춘 정책통들은 이런 점을 모르고 있다고 걱정하고 있다.

◎ (일반의약품의 약국외 슈퍼마켓 판매 허용 정책을 반대하는 대한 약사회의 입장 옹호사례) 이명박 대통령은 지난 연말 복지부 업무 보고에서 '미국은 감기약 같은 일반 상비약을 슈퍼마켓에서 파는데 우리나라는 어떻게 하고 있느냐'고 물었다. 늦은 밤이나 휴일 등 동네 약국이 문을 닫을 때가 많으니 언제 어디서나 일반감기약, 진통제, 영양제, 파스 등 처방전이 필요 없는 간단한 약품은 살 수 있어야 하지 않느냐는 취지였다.

이에 따라 기획재정부는 약사법 개정 등을 추진하고 있다. 그런데 보건복지부는 '대통령은 국내 현황이 궁금해서 물어보고 지나갔을 뿐 실제 슈퍼마켓에서 판매를 지시한 것이 아니다'라고 하면서 기재부와 대립하고 있다.[5]

---

5 이를 관료정치론을 통해서 설명할 수도 있는데 제5장의 관료정치이론을 참고하기 바람.

이런 가운데 대한약사회는 약의 오남용 우려, 동네 약국은 충분, 앞으로 지역별 심야 약국 운영 계획 등을 들어 의약품의 슈퍼마켓 판매에 반대하고 있다.

특히 주목할 일은 이와 같이 이명박 대통령이 추진 입장을 밝힌 일반의약품의 약국외 판매허용 정책에 대해 ○○○ 장관과 ○○○ 장관 그리고 ○○○ 당대표가 지역 약사 총회에 참석하여 약사들의 이해성을 대변하는 발언을 한 것으로 알려졌다는 것이다. ○○○ 장관은 서울 은평구의 약사 총회에 참석 '기재부에서 슈퍼 판매를 추진하는데 내가 못하도록 하겠다. 약사님들은 안심하셔도 좋다'는 취지로 발언한 것으로 알려졌다. 보건복지를 담당하는 ○○○ 장관도 지역구인 성동구 약사총회에서 '국민 편의도 중요하지만 복지부는 국민의 안전성을 더 강조할 수밖에 없다'고 했다. △△당 ○○○ 당대표도 지역구인 경기도 의왕 약사총회에서 '당 차원에서 국회 복지위원들을 중심으로 저지할 테니 약사분들은 신경 쓰지 말고 업무에 집중하시라'고 했다고 한다.

이렇듯 일반의약품의 약국외 슈퍼마켓 판매 논란은 국민의 편의성이냐 안정성이냐는 명분대결로 시작되었지만, 정치권에 영향력을 행사하고 있는 이익집단인 약사회를 중심으로 이해성이 크게 작용하게 되었다.

1987년 이후 이루어진 민주화의 진전은 의회정치 활성화, 정치와 행정 간의 균형, 시민사회의 영향력 강화라는 많은 변화를 낳았다. 따라서 이들 세 집단 간의 역학적 변동이 정책과정에 어떤 영향을 미치는가를 밝히는 것이 정책학의 연구과제로서 요구되고 있다. 위의 사례에서 우리는 정권을 획득하기 위한 각 정당들의 정략성, 행정경험을 바탕으로 하는 정책통들의 시행가능성 여부, 자신의 기득권을 방어하기 위한 이익단체의 압력 등이 정책과정에서 복합적으로 작용하고 있음을 짐작할 수 있다.

여기서 정략성은 정당의 집권 가능성, 개별의원들의 당선가능성을 말하고, 시행성은 정책이 채택되어 시행되는데 있어 헌법 등 적법성 여부, 재정능력 등을 말한다. 그리고 이해성은 정책과 관련이 있는 이익집단이나 압력집단의 이익 추구, 기존의 기득권 유지 등을 말한다.

이 글에서는 지금까지 정치학계를 중심으로 연구된 국가이론과 정책의 관계에 대한 연구 성과를 토대로 행정부, 정치권, 시장 등 3변수간의 정치경제학적 접근의 필요성을 살펴볼 것이다. 이와 더불어 정책 논의단계에서 정략성을 갖고 구상된 정책안이 정책과정을 거쳐 정부의 정책으로 확정되는 단계에서 시행성이라는 기준과 이해성이라는 정책대상 집단들의 요구가 어떻게 반영되어 정책으로 도출되는지도 살펴보고자 한다.

2 국가이론

그동안 정책학에서는 국가이론을 주요 연구대상으로 보지 않는 경향이 있었다. 이와 같은 경향은 국가론을 정치학의 연구대상으로 취급하는 데서 기인한 것으로 보인다. 하지만 정치경제학적인 관점에서 국가가 정책을 형성하는 데 있어 정부를 통한 국가의 역할은 무엇인가에 대한 고민이 필요하다는 점에서 지금까지의 연구경향과 태도는 바뀔 필요가 있다고 하겠다.

정책학은 정부가 하는 일을 핵심 연구대상으로 하기 때문에 국가의 역할에 대한 시각 정립 또한 필수적이다. 정치학에서 국가론은 주로 국가의 역할 방향과 사회 구성원 간의 역학 관계 등을 다루고 있다.

따라서 전체사회 내에서 국가(또는 정부)가 수행해야 할 바람직한 방향에 대한 논의를 통해 합리적인 시각을 정립하는 것이 정책학 이론을 정립하는데도 필요할 것으로 생각된다.

국가란 무엇이고 정부의 정책과는 어떤 관계가 있는가? 국가와 정부를 비유적으로 설명한다면, 국가를 버스라고 가정하여 설명할 수 있다. 이때 정부는 버스 운전수에 해당하고 버스 자체는 영토에, 그리고 버스 승객은 국민에 비유

할 수 있을 것이다.

국가는 이렇듯 국민, 영토라는 기초적인 요소위에 주권을 행사하는 존재라 할 수 있다. 여기서 주권은 영토 내에 있는 국민의 보다 나은 삶을 보장하려고 노력하고 때로는 어떤 개인이나 집단도 복종시킬 수 있는 강제력을 행사할 수 있음을 의미한다. 주권은 국민이 직접 행사하는 것이 민주주의 정신에 합당하지만 이는 현실성 없는 이상론에 불과하고 실제에 있어서는 국민의 대표들로 구성된 정부를 통해서 행사된다. 즉 현대에는 대의제에 의한 간접 민주주의 방식이 통용되고 있다.

따라서 국가가 곧 정부를 의미하는 경우도 있겠지만, 엄밀히 말하면, 정부는 국가의 한 요소에 불과하다. 정부는 국가의 운영과 관련된 정치와 국가 그 자체간의 매개체 역할을 한다고 볼 수 있다.

그동안 국가이론과 관련하여 국가(또는 정부)의 역할, 즉 국가의 자율성에 대한 논의가 활발히 전개되었고 이와 함께 국가의 계급성 논쟁도 진행되었다. 국가이론은 자율성을 강조하는 적극적 입장부터 타율성만을 인정하는 소극적인 입장까지 다양한 스펙트럼의 의견들이 제시되고 있다.

국가의 타율성을 주장하는 이론은 다원주의와 조합주의 국가론 그리고 마르크스주의 이론이 있다.

다원주의론에서는 국가는 사회와 본질적으로 다르고 사회의 한 부분에 해당하지만 국가(또는 정부)는 집단들 가운데서 상충된 문제를 해결하고 통합하는 역할을 수행한다고 본다. 이들은 국가운영을 소수의 엘리트의 독재나 계급투쟁에 따른 것이 아닌 집단들 간의 균형지향적인 경쟁으로 본다.

이에 비해, 국가 계급성을 주장하는 이론, 즉 국가의 완전 타율성을 주장하는 입장의 이론으로는 마르크스주의 이론이 그 대표적 위치를 차지한다. 마르크스주의에 의하면, 국가는 자본가 계급으로부터 충분히 자율적이지 못하기 때문에, 즉 타율성으로 인해 뒤에서 설명할 국가의 자율성 이론처럼 국가가 중립적으로 개입하거나 조정을 하는 것이 쉽지 않다고 말한다. 최근 네오 마르크스주의자들은 국가는 기본적으로 자본가 계급의 지배도구이지만 자본주의의 유지를 위해서 제한적으로나마 자율성을 지닌다고 주장한다.

자율성과 타율성의 중간 입장에 있는 조합주의 국가론에서는 사회 구성원들 간의 무한 경쟁이 이들 당사자들의 불이익 내지 전체의 소멸이나 손해를 초래한다고 본다. 이런 우려에서 국가는 집단들 사이의 경쟁을 조정하는 역할을 해야 한다는 것이다. 이때 국가는 여러 사회 집단들을 장악하는 것이 아니라 집단들 사이에서 중립적인 입장에 서서 공정하게 조정하는 것을 전제로 하고 있다.

이와 같은 국가의 타율성에 근거한 사회중심적 국가이론에 반기를 드는 국가의 자율성을 인정하는 국가이론은 국가중심적 국가이론이다. 이러한 국가론을 개진하는 학자들은 국가관료층을 자신의 고유한 의사에 따라 활동하는 자율적인 행위자로서 상정하는 가운데 그들의 독자적인 선택과 선호를 중시한다.

결론적으로 정책과정과 관련하여 다원주의론에서는 관료들의 역할이 상대적으로 중요시되지 않는 데 반해, 국가주의론에서는 관료층의 역할이 과대하게 강조되는 경향이 있다고 하겠다(서울대 정치학과 교수 공저, 2007: 186).

3 국가이론과 정책간의 관계

앞에서 설명한 국가이론이 정책학에서 중요한 이유는 이 이론이 정부의 역할론과 관련이 깊고 정책의 자율성과도 연관이 되고 있기 때문이다.

그렇다면 국가이론과 정책의 관계를 어떻게 볼 것인가? 국가이론을 연구하는 학자마다 나름대로 자기만의 준거 틀(framework)를 갖고 보는데, 이를 종합적으로 정리하면 다음과 같다.

제일 왼쪽에 사회중심이론을 그리고 우측 끝에 국가중심이론을 두고 그 사이에 다양한 스펙트럼적 이론들을 나열하였다.

■ 표 2-1: 국가이론과 정책의 관계 모형

구분	[사회중심] ◀				▶	[국가중심]
	다원주의	네오막스주의	엘리트론	조합주의	신제도주의	국가주의
국가관	중재자	지배계급 도구	엘리트 집단	통합체제	제도망	행위자
중심개념	이익	계급	특권	대표	제도	국가권력 (공권력)
정책형성의 주요요소	이익집단, 다양한 선호	자본가 계급의 경제적 이익	엘리트의 이익이념	이익대표 체계	제도적 구조를 통한 국가사회의 상호작용	국가의 정책선호

정책과정에 참여하여 주도적으로 정책결정권을 행사하는 세력이 정부인가 아니면 민간부문에 있는가를 중심으로 살펴보면 다음과 같다.

첫째, 다원주의는 국가를 중재자로 보고 중심개념을 이익으로 설정하여 정책형성의 주요 요소를 이익집단 또는 다양한 선호로 보고 있다. 다원주의는 기본적으로 이익집단의 활동을 정책과정의 중심으로 보고 있는데 이 때 각종 이익집단들은 정책과정에 동등한 접근기회를 가진다고 본다. 그렇지만 이익집단 간의 영향력에는 차이가 있음을 인정한다. 이익집단들 간에는 구성원 수, 재정력, 응집성 등에 차이가 있다는 것이다. 정책과정의 주도자는 이익집단들이지만 정부는 갈등적 이익을 조정하는 중개인 또는 게임규칙의 준수를 독려하는 심판자의 역할을 한다고 본다(정정길 외, 2010: 237-238).

둘째, 엘리트이론은 정책과정에 참여하는 세력들이 특정 소수에 국한되고 이들에 의해 정부의 정책이 좌우된다고 본다. Pareto, Mosca 등 고전적 엘리트론과 Weber, Schumpeter 같은 민주적 엘리트론으로 구별할 때 전자에서는 행정관료들이 소수 엘리트로서 정책결정의 주도권을 갖는다고 보는데 반해, 후자의 경우에는 관료제 외부에 있는 엘리트들이 정책의 주도권을 갖는다고 한다.

셋째, 조합주의는 1970년대 이후 기본적으로 다원주의적 이익대표체제에 대한 대안적 이론으로 발전되었다. 전형적인 조합주의는 유럽국가의 정책과정에서 볼 수 있는 사회조합주의이다. 여기에서는 기업체의 대표, 노동자단체의 대표, 정부의 대표가 3자 연합을 통해서 주요정책을 결정하는 이른바 3자협의체제이다(정정길 외, 2010: 245). 이런 사회조합주의와는 달리 제3세계 후진자본주의 사회에서 국가가 위로부터 민간부문에 정책을 강요하는 국가조합주의가 있다.

넷째, 신다원주의, 네오막스주의 등 새로운 조류에서 나타나는 특징은 국가의 기능이 자율적이고 능동성이 있다는 점을 인정하는 경향이다. 국가의 독립적인 실체를 인정한다는 점을 주목할 필요가 있다.

다섯째, 신제도주의는 국가를 제도망으로, 중심개념을 제도로 그리고 정책형성의 주요요소로서 제도적 구조를 중요시하고 이런 기반하에서 국가 · 사회의 상호작용으로 정책이 결정된다고 보고 있다.

끝으로 국가주의이다. 국가의 자율성과 독립적 실체를 상대적으로 크게 인정하는 국가주의에서는 구조가 아닌 행위자로서의 국가를 상정한다. 그리고 국가는 공권력을 통해 국가의 정책선호를 반영해 나간다고 본다.

4 행정부, 정치권, 시장 등 3영역 간의 정치경제학

한국에서 정치경제학(political economy)이 정치학과 경제학의 한 분야로서 자리잡은 것은 상대적으로 역사가 짧다고 할 수 있다. 그 이유는 남북분단 상황이 학문세계에도 영향을 미쳤기 때문이라고 생각된다.

학문적 역사가 짧음에도 불구하고 일반적으로 정치학계에서는 정치경제학을 세 가지 의미로 사용하고 있다. 첫째는 특정의 이론(theory)을 정치경제학으로 인식하는 경우이다. 흔히 마르크스주의 이론을 정치경제학과 동일시하는 경향이 강하다. 둘째는 특정의 방법론(methodology)으로 인식하는 경우이다. 경제학의 방법론을 사용해서 정치현상을 설명할 때 이를 정치경제학으로 보는 경향이 있다. 셋째는 정치경제학의 학문영역은 특정의 이론이나 방법론 이상으로 보는 경우이다. 다시 말해, 정치경제학을 특정의 문제영역(issue area)으로 이해하는 것이다. 구체적으로 정치현상과 경제현상이 상호작용하는 문제영역을 분석대상으로 하는 학문영역을 정치경제학으로 이해하는 입장이다(이호철, 1999).

다음으로 경제학계에서는 정치경제학에 대한 견해가 네 가지로 나뉜다. 첫째는 구태여 Political Economy와 Economics간의 구분을 하지 않는 학자들을 들 수 있다. 이들은 전자는 낡은 용어이고 후자는 새로운 용어일 뿐 그 내용과 대상은 차이가 없다는 것이다. 둘째 정치경제학은 경제(시장)와 국가 간의 상호관계 또는 경제과정과 정치과정간의 상호관계에 연구의 초점을 두는 학자들이 있다. 따라서 이들은 경제정책이나 공공정책의 경제적 내용에 관심을 두게 된다. 셋째는 정통경제학은 지나치게 추상적이고 수학적이어서 경제적 행위에 미치는 제도적, 역사적, 정치적 요인들을 무시하거나 소홀히 취급함으로써 현실 관련성과 실천성이 결여되어 있다고 비판하는 학자군들이다. 따라서 이들은 이와 같은 결점들을 극복하고자 하는 경제학을 Political Economy라고 부른다. 넷째는 정치적 행위, 정치적 의사결정의 과정, 정치제도 등 종래의 정치학 연구과제들을 연구하는 데 경제학적 접근을 시도하는 학자들이다(조성환, 1997).

이처럼 여러 견해가 있지만, 마르크스주의 입장에 서는 학파는 매우 적고 정치학과 경제학 연구에 있어서 정치적인 요인들과 경제적인 요인들 간의 상호작용을 특별히 연구하는 경향과 학문 분야를 정치경제학(Hodgson, 2005)이라고 부르는 데 어느 정도의 합의가 이루어진 것 같다. 위에서 설명한 정치학계의 세 번째 견해가 이에 가깝고, 경제학계의 첫 번째 견해를 제외한 위의 세 가지 접근 방식을 정치경제학의 학문적 영역으로 설정하면 좋을 것 같다.

이런 조건에 맞는 연구 경향이 Williamson, North, Ostrom 등으로 대표되는 신제도주의 경제학이 아닌가 생각한다(Alt.J and Shepsle.K, 1995).

위에서 살펴본 정치경제학 입장에서 볼 때, 정책은 행정부, 정치권, 시장의 3자 간의 정책동학의 산물이라고 할 수 있다. 이들 3자 간의 역학관계와 국가

이론을 연계하여 실현가능성, 정략성, 그리고 이해성을 살펴보자.

먼저, 정책과정에서 정부는 일반적으로 실행성을 원동력으로 정책을 수립하는 경향이 있다. 고전적 엘리트론에 입각해서 볼 때 정부 내의 공무원들은 어떤 정책목표를 구현할 수 있는 실행가능성, 가외성, 행정지도력 등을 강조할 가능성이 높다.

따라서 국가주의에서는 정부의 공권력을 통해 정부 자신에게 유리한 정책 선호를 실현해 나간다는 점을 인정한다면, 행정부라는 변수는 '실행성'을 대표한다고 할 수 있다.

둘째, 정당 등 정치권의 정략성이라는 원동력이 주요 정책의 방향을 설정하게 한다. 다원주의와 엘리트주의 그리고 조합주의 입장에서 볼 때 다양한 이익집단들의 이익을 반영하고 그들의 참여를 보장해야 한다. 한편 다양한 정치집단들 간의 정치적인 당파성도 고려해야 한다. 이런 점에서 볼 때, 정치권은 득표가능성, 정치적 합리성, 정치적 이해 등 '정략성'을 대표적인 특징으로 하고 있다.

세 번째로 정책수요자인 시장 또는 시민사회의 원동력은 이해성(이해타산성)이라 할 수 있다. 자유주의적 다원주의(liberal pluralism)에서는 개인주의, 경제적 합리성, 이해관계 등 이해성을 중요한 고려 덕목으로 하고 있다는 점에서 시장 또는 시민사회는 이런 '이해성'을 대표한다고 볼 수 있다.

이와 같이 정치적 역학관계 속에서 정책을 중심으로 동학(dynamic)적 현상이 발생한다는 사실은 우리사회가 이제 열린사회를 지향한다는 의미이다. 열린 토론의 장을 만들어 더 좋은 정책 아이디어들이 자유롭게 경합을 벌여야 한다. 정책에 있어서도 경쟁과 시장을 복원해야 한다(이헌재, 2012:10).

결론적으로 정치경제학적 입장에서 정책과정을 '시장'모형을 통해서 고찰하였다면 정책행위자들 중 정책수요자인 이해당사자들은 이해성을 기준으로 정책을 요구하고, 정책공급자인 정치인이나 공무원들은 정략성과 실행성을 근거로 정책을 만들어 공급하게 된다는 점을 짐작할 수 있다.

이런 입장에 대해서 고위공무원들이 전적으로 실행가능성만을 기준으로 정책 문제에 접근한다는 주장은 받아들이기 어렵다는 주장이 제기될 수 있다. 고위공무원들의 사적인 이해관계가 개입될 수 있다는 것이다. 그렇지만 전반적으로 보아 일반화할 때, 행정부의 공무원은 실행성을 대표한다고 보아도 무방할 것이다.

따라서 정책동학이론을 통해서 정책의 다양성과 역동성을 설명하는데 '정책시장'모형을 시론적으로 도입할 필요가 있다고 하겠다.

3_ 정책의 법적 맥락성

1| 여는 글

현대의 정당정치 하에서 정당들이 제시하는 정책방향은 한 정당이 국민의 지지를 받아 정부를 구성할 경우에 법치행정의 지침이 되고, 이러한 정책은 과거 입법국가 시대와는 달리 국회나 지방의회의 입법활동의 기준이 될 것이라는 점은 쉽게 짐작할 수 있다.

2011년 서울시장 보궐선거 때 제기되었던 보편적 복지냐 선택적 복지냐 하는 논쟁은 향후 서울시정은 물론 법원의 판결에도 많은 영향을 미칠 것으로 생각된다. 제18대 대통령 선거에서 화두가 된 경제 민주화 논쟁도 역시 정부의 입법방향 및 행정처리 그리고 사법부의 재판에도 상당한 영향을 미치게 될 것으로 생각된다.[6]

일반적으로 법해석론은 국민들의 요구나 민원에 대한 행정청의 행정처분이 법규정을 위반한 것인가 아니면 적법한가에 대해서 법원이 판결을 하는데 있어 중요한 역할을 한다. 시청이나 구청의 행정처분을 취소하는 소송, 행정청의 직무 불이행(부작위)이 법에 어긋난다고 확인하는 소송 등 재판과정의 법해석을 통해 국민의 권리를 구제하는 것이 큰 흐름이었다. 하지만 이러한 처리방식만으로는 정책국가화 시대에 맞게 법치행정을 실시한다고 말하기는 어렵다는 생각이다.

다시 말하면, 근대의 소극적 입법국가를 뒷받침했던 법치행정 해석론의 한계를 인정하고 새로운 시대적 상황에 대응하는 법치행정의 해석논리를 탐구할 필요가 있다는 말이다.

현대국가에서는 정치인 또는 정부의 공무원이 국민들의 의견을 받아들여 만들어낸 정책이 반드시 법치행정의 원칙 하에서 시행되어야 하는가, 즉 법과 정책의 관계에 대한 연구가 요구된다고 할 수 있다. 정책이 만들어지고 이것을 시행하기 위해서는 어느 정도의 법적 규율이 필요한가를 새로운 법치행정의 한 분야로 정해서 법치행정의 새로운 분야를 열어야 한다는 것이다. 행정부의 행정행위에 대한 법적 잣대를 정책국가화 경향에 맞추어 재구성해야 한다는 것이다.

현실적으로 어떤 면에서는 오히려 법이 정책의 수단이 되는 상황에 대비하는 노력이 필요하다고 본다. 정책시행을 위한 다양한 법적 수단이나 수법들을 밝혀내는 노력이 요구된다고 하겠다.

이를 위해 전통적인 법치행정의 논리의 한계 및 문제점을 살펴보고 이에 근거하여 새로운 법치행정의 논리체계로서 정책을 중요기준으로 하는 법해석론을 탐구하고자 한다.

---

6 서울서부지법 형사12부는 회사에 수천억 원의 손실을 떠넘긴 한화그룹 김승연 회장에게 특정경제가중처벌법상 횡령 배임죄를 적용하여 징역 4년 벌금 51억을 선고하고 법정구속하였다(매일경제 2012. 8.17일. A1면). 이는 여야를 막론하고 정당에서 경제민주화를 요구하고 있는 상황이 이번 김회장의 실형선고에 영향을 미쳤다(매일경제 2012. 8. 17일 A4면). 재계는 이번 판결이 정치권 등에서 경제민주화와 재벌 개혁을 이슈로 몰고 가는 흐름 속에서 나왔다고 판단하고 있다(조선일보 2012. 8, 17일 A3면).

2 분석 모형

여기서는 사법부(司法府)의 재판을 위한 법해석론의 한계를 지적하는 연구 그리고 현대정책국가화 경향에 맞게 정책을 기준으로 하는 법해석론을 재구성해야 한다는 연구 등 선행연구를 개관하고, 정책의 법적 맥락성을 고찰하기 위한 분석틀을 제시하면서 정책을 기준으로 하는 법치주의를 뒷받침하는 이론들을 소개하겠다.

1) 선행연구의 검토

그동안 정부의 정책 형성과 집행에 관련된 사회과학으로서의 경험론적 접근을 하는 정책학과 당위론적인 접근을 하는 규범학으로서의 행정법학 간에는 학제적 교류가 거의 없었다고 한다. 전통적인 행정법학 내부에서도 행정행위가 법에 따라 이루어져야 한다고 보는 고전적인 법치행정에 대한 논의는 많았지만, 법과 정책의 상관관계 혹은 정책의 법제화라는 관점에서의 연구는 대단히 미약했다. 문상덕(2000: 97)은 지금도 여전히 정책에 대해서는 중립적인 행정법의 체계가 유지되고 있다고 한다.

그렇지만 이런 연구 경향과는 달리 법과 정책간의 관계에 대한 시론적인 연구가 최송화(1985)에 의해서 이루어진다. 최교수는 사법(司法)준거적 법해석론의 한계를 지적하고 행정준거적 법해석론의 필요성을 제기한다.[7] 한편, 문상덕(2000)은 일본의 행정법학의 해석론을 소개하면서 정책준거적 법해석론의 필요성을 주장한다.[8]

이러한 연구경향에 비추어 볼 때, '각급 행정기관의 행정행위가 단순하게 법

---

7 최송화(1985). 법과 정책에 관한 연구 : 시론적 고찰. 서울대 법학 제26권 4호. 여기서 사법준거적 법해석론은 재판을 위한 법해석으로, 행정준거적 법해석론은 행정의 특성을 고려한 법해석으로 보면 될 것 같다.

을 집행하는 것인가 아니면 정책을 집행하는 것인가?' 하는 문제에 대한 진지한 고찰을 통해 법과 정책 간의 관계를 탐구하고, 과거의 사고방식에서 벗어나 행정 또는 정책에 대한 법적용, 법해석의 새로운 논리들을 개발하여야 할 때가 되었다고 본다.

2) 분석틀

위에서 본 기존의 연구 경향을 기초로 하여 다음과 같이 법적 맥락성을 고찰하기 위한 분석틀을 설정하였다. 근대 입법국가에서 현대의 행정국가로의 전환 그리고 최근의 정책국가화 경향에 맞는 법해석론을 제시하고, 기존 연구논문 등 문헌이나 견해를 분석하는 방식으로 이를 입증하여 나가고자 한다.

그림 2-1: 분석 틀

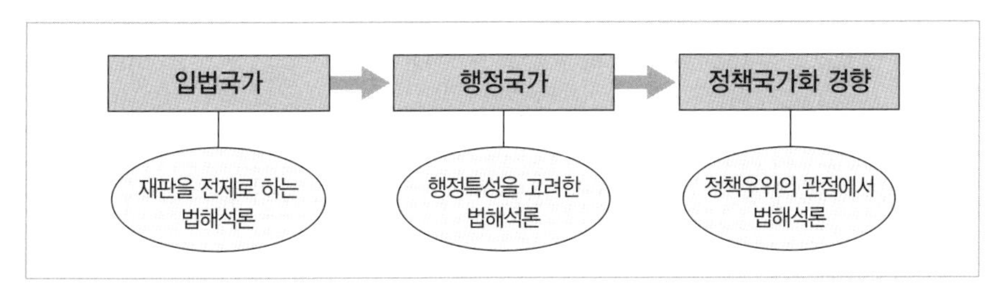

3) 정책을 기준으로 하는 법해석론을 뒷받침하는 이론

먼저 현대 정책학의 정책개념부터 살펴보자.[9] 정책학의 출발점이 되는 정책의 개념은 학자들이 정책의 실제현상 중 어떤 측면을 강조하는가에 따라 다양하

8 문상덕(2000). 정책중시의 행정법학과 지방자치행정의 정책법무에 관한 연구: 우리나라와 일본의 행정법학 방법논의와 자치법무 실태 분석을 기초로. 서울대 박사학위 논문. 여기서 정책준거적 법해석론은 정책을 기준으로 하는 법해석으로 보면 될 것 같다.

9 박계옥(2011: 22-23)의 정책개념론을 요약하였다.

게 정의되고 있다. 정책의 개념정의를 보면 대부분 정책이란 바람직한 사회 상태나 목적가치의 실현 또는 사회문제의 해결을 위한 수단으로 정의되는 경향이 강하다.

이렇게 도구적 합리성에 기초하여 정책의 개념을 목표와 수단의 결합으로 보는 경향을 살펴보면 다음과 같다.

정책학을 사회과학의 한 분야로서 학문적인 수준으로 끌어올리는 데 결정적인 역할을 한 Lasswell은 '정책은 목적 가치 그리고 실행을 포함하고 있는 고안된 계획'이라고 정의한다. 정정길은 '정책은 바람직한 사회 상태를 이룩하려는 정책목표와 이를 달성하기 위해 필요한 정책적 수단에 대하여 권위 있는 정부기관이 공식적으로 결정한 기본방침'이라고 한다.

그렇지만 현실적으로 정책은 정치적 영향을 받으면서 협상과 권력작용에 의해 결정된다는 점을 간과해서는 안 된다. 이를 반영하여 정책의 수단성과 함께 정치성을 고려하여 정책을 절충적인 입장에서 정의하는 경우도 있다. Dror는 '매우 복잡하고 동태적인 과정을 통하여 정부기관에 의해 만들어지는 미래지향적인 주요 행동지침으로 가능한 최선의 수단을 통하여 공익을 증진할 것을 목적으로 하는 것'이라고 정의한다.

이런 입장에서 더 나아가서 정책과정을 정치적이고 동태적인 과정으로 보고 정책을 정의하는, 다시 말해, 정치성만을 강조하는 정책의 정의를 살펴보면 Easton의 정의를 들 수 있다. 그는 정책을 '사회전체를 위한 가치들의 권위적인 배분이고 정치체계가 내린 권위적 결정이며 권위적인 산출물의 일종'이라고 정의한다. 보통 정책은 서로 대립되는 다양한 이해관계와 선호를 갖는 정책과정 참여자들에 의해서 이루어지는 정치적 경쟁과 타협의 산물로 보는 견해라고 할 수 있다. 이 때 정책은 정치적인 자원 또는 권력의 크기가 우월한 참여자들이 의도하는 대로 결정된다는 점이 강조된다.

이 글에서는 정치과정적 측면을 강조하는 입장에서 정책이란 '정치적 요소와 합리적 요소가 역동적으로 상호작용하고 동태적인 정치적 협상과정을 거치면서 만들어지는 정치과정의 산물'로 보는 관점(박계옥, 2011: 22-23)을 따르도록 하겠다.

우리는 5년마다 대통령 선거를 하고, 4년마다 국회의원을 다시 뽑는다. 또한, 4년마다 지방자치단체장과 지방의회의원을 뽑는다.

이렇게 주기적으로 실시되는 선거기간 동안 어떤 정당은 복지정책을 선별적 복지에서 보편적 복지로 과감하게 전환해야한다는 공약을 발표한다. 어떤 정당은 보편적인 복지를 선거를 의식한 선심성 포퓰리즘이라고 비판하기도 한다.

한편 어떤 정당은 일반의약품을 약국 외 슈퍼마켓 등에서 팔 수 있도록 해야 한다고 주장하면서 유권자에게 지지를 호소하는데, 이에 대해 약사협회는 크게 반발하면서 그 부당성에 대한 성명전을 전개하기도 한다.

이러한 선거과정을 민주적인 정치과정이라고 하는데, 이 과정을 '정책을 놓고 수요자인 국민과 공급자인 정당(정부) 간에 선거과정을 거쳐 공동체의 대다수가 선호하는 정책을 마련하는 논의의 장'으로 정의할 수 있을 것이다. 선거에서 수요자인 국민으로부터 상대적으로 많은 지지를 얻어 이긴 정당과 후보는 자기들의 선거공약을 정부의 공식적인 정책으로 전환하여 추진하게 된다. 이러한 전환과정을 정책과정이라 할 수 있는데 입법절차를 거친다든지, 예산을 확보하여 공공사업을 추진하든지 또는 행정부의 각종 업무계획에 포함시켜 정부의 공식적인 방침으로 결정하여 추진하게 된다(정정길, 2010: 602).

이러한 정책과정은 정부 또는 지방자치단체의 정책기조역할을 하는 거대정책을 결정하는 과정이라 할 수 있다. 다시 말해, 이렇게 정책방향이 결정되면 이에 따라 정책실현의 수단으로서 법이 제정되는 현상이 발생한다는 것이다.

2012년 12월 제18대 대선을 전후하여 정치권의 '경제 민주화'란 커다란 이슈에 따라 많은 법률안이 만들어지는 현상은 이를 증명한다. 대기업의 자회사에 대한 출자총액의 제한제도 부활, 대기업의 순환출자 금지 등을 내용으로 하는 공정거래법 개정은 그 대표적인 예라고 할 수 있다.

다음은 통합과정론적 헌법이론을 살펴보자. 현대사회에 있어 법규범은 폐쇄적인 가치체계에 따른 정태적인 권리획정이나 이에 따른 국가권력의 구속 또는 통제를 우선적으로 고려하는 데서 벗어나야 한다는 주장이 제기되고 있다. 이들은 변화하는 가치체계를 적극적으로 수용하려고 하는 사회의 동태적인 통합과정을 긍정적으로 받아들이고, 그 현실적 필요성에 따라 그러한 통합과정을 촉진시키는 정책의 실현을 위한 조정법 또는 통합법으로서의 역할을 인정해야 한다고 주장한다.

이러한 논의의 토대는 Smend의 동태적 통합과정 헌법이론에 있다. 그에 따르면 헌법은 사회의 현실적인 변화를 외면한 정태적이고 완결적인 규범체계가 아니며 따라서 규범과 현실을 각각 별개로 보는 시각은 교정되어야 한다는 것이다. 오히려 헌법은 유연성을 가지고 그 체계는 스스로 보완되며 변화한다고 한다.

Smend는 헌법을 '사회통합을 위한 공감대적인 가치질서'라고 본다. 따라서 그는 사회공동체가 내포하고 있는 다양한 이해관계, 그 구성원의 다양한 행동양식과 행동목표 등을 일정한 가치세계를 바탕으로 한 일체감 내지는 연대의식에 의해 하나로 동화시키고 통합시킴으로써 국가를 조직하기 위한 수단이 헌법이라고 주장한다(허영, 2011: 17).

현대사회의 헌법, 더 좁혀서 공법규범을 이러한 시각에서 이해할 때 행정법은 결국 전통적으로 생각되어 왔던 것과 같이 행정에 대한 수권이며 한계부여라는 의미에서 탈피하여, 행정법은 행정에 대한 임무를 부여하는 기능을 한다고 할 수 있다(최송화, 1985: 86).

따라서 행정에 있어 법치주의를 논의하는데 유의해야 할 점은, 법은 단순하게 강제적 명령시스템으로서의 의미도 있지만 여기에 머물러서는 안 되고 합의와 토론에 의하여 행동을 조정하는 절차적인 틀로서의 기능이 더 강조될 필요가 있다는 것이다.

3 재판을 전제로 하는 법해석론

여기서는 근대의 입법국가적 법률해석의 전형인 법률우위의 원칙과 법률유보의 원칙을 간단히 살펴보고 그 한계점도 제시하겠다.

1) 법률우위·법률유보 원칙

전통적인 법학에서 행정의 법적 맥락성의 기본 원칙은 입헌주의라 할 수 있다. 입헌주의는 기본권 보장과 권력분립 그리고 법치주의를 그 핵심원리로 하고 있고, 이중에서 행정의 법적 맥락성을 결정짓는 원리는 법치주의라 할 수 있다.

법치주의는 국가가 국민의 자유와 권리를 제한하거나 국민에게 새로운 의무를 부과하려고 할 때에는 국민의 의사를 대표하는 국회가 제정한 법률에 그 근거가 있어야 하며, 법률은 국민만이 아니고 국가권력의 담당자도 규율한다는 원리이다.

이러한 법치주의를 구성하는 주된 내용으로는 행정의 법에 대한 기속성을 규정하고 있는 법률우위의 원칙과 법률유보의 원칙이 있다(권영성, 2010: 150).

먼저, 법률우위의 원리는 헌법과 법률 등을 포함하여 모든 법규는 행정에 우선하고 행정은 그 법규에 위반해서는 안 된다는 것이다. 이러한 행정의 헌법적합성과 법률 적합성은 모든 행정 분야에 적용된다.

다음으로 법률유보의 원리는 국민에게 의무를 부과하거나 국민의 권리를 제한하는 행정행위에 대한 수권은 모두 법률 사항으로 유보되어야 하고, 국민의 권리나 자유를 침해하는 행정행위는 반드시 입법부가 제정한 법률에 근거를 두고 법률의 규정에 따라 행해져야 한다는 것을 의미한다.

2) 재판을 전제로 하는 법해석론의 한계

이와 같이 법은 행정에 대한 제약요인으로 작용하지만 한편으로는 행정기관과 공무원에게 권한을 부여하고 활동을 조장하는 요소로 작용하기도 한다. 현대 행정에 있어서 법률은 행정행위의 기준이 되는 점은 여전히 인정해야 하지만, 경우에 따라서는 정책의 공식적 형식의 하나로서 법이 만들어지고, 정책의 시행을 위한 집행 수단으로 이용되기도 한다는 점도 같이 인정되어야 할 것이다. 또한 행정활동을 정당화하는 기능도 수행하는 등 다양한 역할과 기능을 한다는 점에 주목해야 한다고 한다(최송화, 1985).

이처럼 법은 행정의 근거인 동시에 한계로 작용하기도 하지만, 현대국가에서는 정책을 수립하거나 법령을 제정할 때에는 공청회 등을 거치도록 하는 등 각종 정책법이 제정되는 경향이 나타나고 있다. 환경정책기본법, 고용정책기본법 등이 그 예라 하겠다.

특히, 현대 행정과 법률관계에서 정책법이 제정되는 경향을 고려할 때, 이를 뒷받침하는 새로운 법이론 구성이 요구된다고 하겠다.

4 행정의 특성을 고려한 법해석론

여기서는 현대국가의 행정국가화 경향을 설명하고, 이런 경향에 맞는 행정법 해석방법론을 소개하고자 한다.

1) 행정국가화 현상

일반적으로 행정국가란 권력분립에 바탕을 둔 국가권력의 작용 가운데 행정권이 입법권·사법권보다 우위에 있는 국가를 말한다. 따라서 행정국가화 현상은 입법국가와 대응되고, 이는 18~19세기의 야경국가·경찰국가·입법국가를 거쳐 20세기에 들어서면서 등장하였다고 볼 수 있다.

초기 자본주의 시대에는 국가의 역할보다는 개인의 사적 활동이 중시되고, 국가는 가능한 한 개인의 활동을 간섭하지 않았다. 즉 최소한의 정부로 만족했던 것이다. 그러나 20세기에 들어서 제1차 세계대전과 제2차 세계대전, 대공황 등 뜻하지 않은 일련의 사건들이 일어남에 따라 기존의 소극적 입법국가로서는 이러한 국제적 문제에 제대로 대처할 수 없게 되었다.

행정국가는 이러한 배경 아래서 등장하였다. 더욱이 20세기에는 자본주의와 과학기술이 빠르게 발전하고, 인구의 급증과 도시화 등으로 인해 국가의 역할이 갈수록 증대되면서 정부는 개인의 경제행위뿐 아니라 국가 통제에 이르기까지 적극적으로 개입하게 되었다. 특히 입법권·사법권에 비해 행정권이 크게 강화된 것이다.

이에 따라 현대의 국가에서는 행정권이 준입법·준사법 기능은 물론, 정책·국방·외교·치안·사회복지 등 다양한 기능까지 담당하고 있다. 행정국가화현상은 이렇듯 한 국가의 권력이 행정권으로 집중되어 가는 경향이나 현상을 말한다.

2) 행정의 특성을 고려한 법해석론

입법국가적 논리에 근거한 행정법학은 재판을 전제로 하는 해석론을 중심으로 발전되어 왔다. 따라서 사법준거적인 법해석론의 성격이 매우 강했다. 최송화 교수는 이러한 경향에 이의를 제기하면서 현대의 행정국가적 상황에 맞는 새로운 법해석론이 필요하다는 주장을 시론적으로 제기한 적이 있다(최송화, 1985).

행정기관의 법적 임무 수행에 합당한 보다 융통성 있는 법해석론이 필요한 마당에 분쟁 발생을 예상한 정태적이고 권리·의무 획정적인 해석론에 머물고 있다는 지적이다.

따라서 현대의 행정국가에서는 행정법학의 방법과 내용에 있어서 재판규범학에 한정되어야 할 현실적 논리적 필연성이 점차 줄어들고 있다는 점을 강조할 필요가 있다.

법 적용은 최종적으로 재판에 있어서의 법해석론에 의해서 좌우되지 않을 수 없으나, 행정법학이 재판을 통한 사법적(司法的) 분쟁을 전제로 하여 이론들이 구성되고 있는 점은 비판을 받을 소지가 많다. 다시 말해 어떤 사안이 사법적인 차원까지 이르지 않고 행정적인 차원에서 마무리되는 경우에는 별다른 소용이 없다는 데에서 한계가 있다는 비판을 받게 된다는 것이다.

우리의 법문화적 특성상 행정처분과 관련된 분쟁이 생겼을 경우 사법적 해결을 회피하여 민원신청, 행정심판 등 행정적 절차를 통해서 해결하려는 경향이 상당하다는 점도 고려되어야 할 것이다.

오늘날과 같이 행정이 국민 생활 깊숙이 간여하는 상황에서는 재판을 전제로 하는 법해석에만 편향되어서는 안 되고 행정의 독자적인 관점에서의 해석론이 필요하다(최송화, 1985: 87)고 생각된다. 그 구체적인 법해석론을 소개하면 다음과 같다.

먼저, 분쟁의 해결에 있어서 이미 시행된 처분과 관련된 당사자들의 이해관계를 고려하여 행정처분을 없었던 것으로 취소하는 것에 대해 신중을 기하고, 행정처분의 구성요건의 성립요건도 소극적으로 해석하기 보다는 적극적으로 해석하여 국민에게 이로운 판단이 이루어지도록 해야 할 것이다.

또한, 행정처분의 적법성 판단에 있어서도 법규정에 어긋나는가 등 위법성은 물론이고 법의 목적 등을 고려한 부당성 여부도 포함하여 판단함으로써 국민들의 피해를 최소화하는 법해석이 이루어져야 할 것이다.

5 정책우위의 관점에서 법해석론

1) 필요성

위에서 살펴본 행정의 특성을 중시하는 해석론도 종국적으로 사법적인 수단에 의한 보장을 의식하지 않을 수 없다. 그렇지만 행정이 이루어지는 과정인 행정학적 관점에서 행정법을 해석하려는 노력이 있을 때 행정기관은 법이 부여한 임무를 수행하는 데 적극성을 띠게 될 것이고, 궁극적으로는 정책이 만들어져 실현되는 경험적 현상과 행정법이라는 규범 간의 관련성을 보다 긴밀히 하는 보다 능동적인 해석론도 수립될 수 있다고 생각한다.

경우에 따라서는 정책우위의 관점에서 해석하는 방법론이 논의될 때 비로소 사회의 가치변화와 개방화 등의 현실상황에 걸맞는 행정법 해석론이 정립될 것이라는 의견도 있다(문상덕, 2000).

종래의 재판을 전제로 하는 법해석론 중심의 전통적인 행정법학에서는 정책의 문제를 의도적으로 배척하거나 이를 행정법의 문제로 받아들이는 것 자체를 꺼려왔지만, 현대의 적극적인 행정시대 그리고 정책국가화의 경향이 나타나고 있는 현대사회에서는 행정법이 정책의 문제를 무시할 수 없게 되었다. 정부의 정책 형성과 그 법제화 과정 그리고 실제 집행과정 등 사법적(司法的)분쟁 이전의 통상적인 행정과정 및 정책결정에 대해서도 법리적 탐구가 이루어져야 할 것이다(문상덕, 2000: 95).

2) 정책국가화 경향

특히 현실적으로 정책과 법과의 관계에서 주목해야 할 현상은 법의 정책 수단화 또는 도구화 경향이다. 오늘날 정책국가화 경향은 법체계와 관련하여 볼 때 무엇보다도 행정활동의 주요 수단으로서 법률을 활용하고 있다는 것이다(문상덕, 2000: 98).

오늘날 대통령 선거과정에서 논의되는 주요정책은 정부의 기본 입법방침이며 행정의 나아갈 방향을 제시한다. 정책의 수준에 따라 법과 정책과의 관계가 여러 가지 나타나겠지만, 일부정책의 경우 법제정 없이 예산을 투입하거나 행정지도 등을 통해서 정책이 집행되는 경우도 있다. 하지만 그 집행과정에서 국민의 권리와 의무에 관련된 사항은 행정이념인 법치주의에 따라 법률로서 제정하여 시행되어야 한다.

이처럼 법이 정책의 수단으로 등장하게 되었다는 현상은 내용적으로 법규범이 종래와 같은 권리의무를 확정하는 성격에서 벗어나, 임무부여적, 문제해결적 성질을 띠게 되었다는 의미이다.

다시 말하면, 종래와 같이 행정의 활동을 구속하고 제한하는데 중점을 두었던 통제적 측면 보다는 행정에 권한을 부여하고 일정한 정책의 목표를 달성하기 위해서 현실의 행정활동을 촉진, 조장 내지는 정당화하는 형성적 역할이 더 강조되는 경향이 나타나고 있다. 이러한 법의 정책수단화 현상은 경제는 물론 사회복지 관련 행정법의 입법과정에서 많이 나타나고 있다.

3) 정책법의 출현

이런 법과 정책 간의 딜레마 상황에서 도입된 최초의 선진적 사례가 미국의 국가환경정책법(national environmental policy act : NEPA)이라 할 수 있다. 이법은 미국 행정법학의 기저에 깊게 깔려있는 사고방식에서 출현한 것으로 보이는데, 그 사고는 절차적 통제를 통한 실체에의 접근이다(임성기, 1986). 다시 말하면, 행정결정의 실체가 부당한 경우에 그 원인은 필연적으로 결정에 이르는 절차가 적정하지 않았기 때문이라는 것이다.

정책결정의 실체적인 합리성에 대해 간섭할 수 없는 경우, 그 결정과정의 절차적 요건을 엄격히 강제함으로써 합당한 실체를 도모해야 한다는 것은 정책우위적인 법해석 방법론의 일환이라 할 수 있다. 특히 대통령 선거 등을 통한 정책방향의 결정 관행은 정책우위의 관점에서 행정법을 해석해야 한다는 주장을 뒷받침하는 근거가 될 것이다.

위에서 오늘날 법치행정과 관련하여 눈여겨보아야 할 특이한 경향으로서 정책법의 출현을 언급하였다.

그러면 여기서 말하는 정책의 법적 의미는 무엇인가? 정책이라는 단어는 한

마디로 그 개념을 규정하기에는 상당히 불명확하고 복합적인 요소를 갖는 용어이다. 그럼에도 불구하고 우리의 헌법을 비롯한 많은 실정법령에서 정책을 이미 법률용어로서 사용하고 있다. 예를 들면, 헌법(4, 34, 35, 72, 88, 89, 91, 92, 93조 등)에서 정부에 정책수립 시행의무를 부과하거나, 국가의 안위와 관련된 정책은 국민투표를 통해서 결정하고 중요정책은 국무회의 등의 심의를 거쳐서 결정하도록 규정하고 있다.

그리고 우리나라 법령 중에서 정책을 제목으로 사용하는 예를 보면 소위 정책법의 대표적인 사례인 환경정책기본법, 고용정책기본법 등이 있다. 그 외에 법령으로는 정책자문위원회규정, 공업입지정책심의회규정, 교육정책심의회규정, 농업정책심의회규정 등이 있다.

4) 정책우위 관점의 법해석론으로서 대화론적 법이론

여기서는 정책결정과 그 집행과정의 법적 의미를 법 실현의 단계론을 통해서 살펴보겠다.

법의 실현단계를 1단계로 정책결정 또는 입법 단계, 2단계로 정책집행 또는 법률적용 단계, 3단계로 갈등이 발생 할 경우 재판과정 등 3단계로 설정할 수 있다. 각 단계마다 의사소통적 이성이 실현되어 집단적 의사결정이 이루어지는 방식이나 조건은 크게 다를 것이지만, 이를 구체적으로 살펴보기로 하자.

먼저, 입법단계에서는 법률 적용단계에 비해서 일반국민이 일상적인 지식이나 경험에 기초하여 입법논의 과정에 참여할 수 있는 기회가 더 많이 부여되고, 분야별 전문가들의 참여도 늘어날 것이다.

이론적으로 정책사항 중에서 우선, 입법에 의하지 않으면 안 되는 필요적 입법정책과 입법에 의하고 싶다면 그렇게 해도 좋은 임의적 입법정책으로 구분하는 작업이 선행될 것이다. 다음으로 '정책실현을 위하여 어떠한 입법이 필요하고 법집행이 요구되는가?' 즉, 가장 바람직한 법제도를 설계하는 정책우위의 법해석학적 접근이 진행될 것이다.

둘째, 정책집행과정, 다시 말해 법률 적용단계에서는 일정한 소양을 갖춘 공무원들이 법에서 부여 받은 권한을 토대로 정책목표를 달성하기 위해 정책수단들을 동원하여 구체적인 시책들을 시행해 나가게 된다. 법률 적용 과정에서는 입법의 경우보다 시간적, 공간적, 인적 참여범위가 상대적으로 좁아진다고 할 수 있다.

끝으로, 정부의 정책 집행과정에서 갈등이 발생할 경우 사법적인 판단이 요구되는데, 여기서는 재판을 원하는 국민과 법관들이 참여하고 그 범위가 더욱 좁아진다. 판사들이 위법성이나 부당성에 대한 법률적인 판단을 하게 되는데 이때 재판을 전제로 하는 해석론에 의존하게 될 것이다.

위의 단계론 입장에서 볼 때, 정책입안 단계인 입법단계에서는 전통적인 재판을 전제로 하는 법해석론에 입각한 법 제정은 많은 문제를 유발 할 수밖에 없음을 짐작할 수 있다. 그리고 정책의 집행과정에서 생긴 법률적 갈등 문제도 과거의 강제적 명령시스템으로서의 법 해석기준으로는 판단하기 어렵게 되었다.

그렇다면 법 실현 단계에 따라 어떻게 대화론적 법이론이 적용되는지를 살펴보자. 이 이론은 정책을 입법하는 법제정의 이론과 기법이 필요하다는 주장과 함께 제기되고 있다.

현대사회에서 복지, IT기술, 세계화 등은 보편적인 현상이지만 이들 밑바닥에는 상대주의, 주관주의, 현실주의 등의 가치문제가 자리 잡고 있다. 가치상대주의 사회에서는 목적과 수단에 대한 광범위한 합의가 점점 어려워지고 의견의 차이가 일상화되고 있다. 이런 사회상의 변화를 반영한 이론이 바로 절차적 정의를 근거로 하는 대화이론이다.

대화론적 법이론은 상호 이해지향적인 의사소통을 통하여 법을 형성하고, 법을 모든 사람에게 공평하게 유용한 도구로서 자리 잡게 하는데 그 지향점을 두고 있다(이상돈, 2002). 이 이론에서는 국가와 법에게 모든 재화의 생산과 분배를 행하도록 요구해서는 안 되지만, 그렇다고 치안만을 담당하는 파수꾼의 역할만을 요구할 수도 없다고 하면서 시민사회 내에서 대화적 상호작용을 극대화하여 자율적인 규율의 역량을 성장시킬 수 있는 의사소통 조건을 유지하는데 중점을 두어야 한다고 주장한다. 이 때 정책법은 합의와 토론에 의하여 행동을 조정하는 절차적인 틀로서의 역할을 한다.

요컨대, 절차적인 틀로서의 각종 절차법이나 정책법은 위와 같은 대화론적인 법 이론에 그 토대를 두고 있다고 할 수 있다.

현대 정부는 미래지향적이고 정책적인 사고를 통해서 사회문제를 해결해 나가는 경향이 점점 강해지고 있다. 또한 과학기술적인 사고가 사회적 합리성을 이끌어가고 있다. 투입(input)−산출(output) 모형이 그 대표적인 사례라 할 수 있을 것이다.

이런 사고방식에 의할 때 어떤 사안에 대해서 '만약 이러 이러 했다고 치면 저렇게 된다'라는 구조가 아니고 '이러 이러하게 투입하면 저런 결과가 나올 것이다'라는 사유구조로 변화하게 된다(박은정, 1993). 따라서 이런 미래지향적인 정책적 사고방식을 행정법학에 접목시키는 방향으로 법을 해석하는 방법을 모색하는 데 있어 절차법적 사고방식이나 정책법적 사고방식이 적용될 수 있을 것이다.

5) 정책우위 관점의 법해석론의 판례

우리나라의 경우에도 행정의 특성을 중시하거나 정책우위의 법해석 방법론에 입각한 판례를 발견할 수 있다. 1997년 환란(IMF) 책임과 관련하여 강경식 부총리와 김인호 경제수석에 대한 판례(대법원 2004. 5. 27 선고 2002도 6251) 그리고 외환은행 헐값 매각과 관련하여 재정경제부의 변양호 국장에 대한 판례(대법원 2010. 10. 14 선고 2010도 387)가 그 대표적인 사례라고 할 수 있다.

대법원은 고위 정책 책임자가 정해진 행정절차를 거치거나 정책과정을 통해서 내린 행정적 판단이나 정책결정은 사법적으로 처벌할 수 없다는 결론을 내린다. 정책 책임자에게 고의가 드러나지 않는 한 단지 정책판단의 실패를 이유로 사법적 책임을 물을 수 없다는 것이 법원의 입장이라 할 수 있다.

6 맺음 글

법의 정책 수단화는 현대의 정책국가화 경향에 따라 나타날 수밖에 없는 필연적인 현상이라 할 수 있다. 법 적용은 최종적으로 재판에 있어서의 법해석론에 의해서 좌우된다는 점은 부정할 수 없지만, 행정법학이 재판을 통한 사법적(司法的) 분쟁을 전제로 하여 이론들을 구성하던 관행에서 벗어나 행정의 특성을 고려하는 법해석론이나 정책우위의 법해석론에 입각한 법 이론을 개발하는데 더욱 더 관심을 가져야 한다는 점을 강조하고 싶다.

종래의 사법시험이 아닌 로스쿨을 통해서 법조 인력을 길러내도록 제도가 바뀌었다. 이제 법조인들이 사법부는 물론 행정부, 대기업 등 다양한 분야에서 활동하는 상황이 벌어질 것이다.

특히, 행정부에서 일할 법조인들은 위에서 살펴본 행정의 특성을 고려한 법해석론이나 정책우위의 법해석론에 입각한 법 이론을 이수한다면, 행정부에 들어와서 국가 정책을 수립하고 행정을 하는 데 큰 도움이 될 것으로 예측된다.

이 글에서는 전체적인 흐름을 개관하는 방식의 논의를 하였지만, 앞으로 구체적인 방법론을 다루는 연구가 진행되어 많은 성과물이 나타나기를 기대한다.

결론적으로 정책과 법 간의 관계, 즉 정책의 법적 맥락성은 민주주의와 시장경제의 성숙이라는 정치경제적인 상황을 반영하는 담론이라 할 수 있다. 정책의 수요와 공급의 측면에 있어서 이들 양자 간의 동등한 관계를 인정할 때가 되었다는 점을 고려한다면 정책에 대한 법의 맥락성은 기존의 법해석론과는 다른 방향에서 논의되어야 할 것이다.

4_ 결론 : 정치경제학적 정책동학 현상에 걸맞은 정책 개념

사회과학은 더불어 모여 사는 사람들의 경향성에 관한 학문이다. 사회과학의 한 분파인 정책학은 사람들이 이루어가는 정책과정, 즉 개인들의 선호를 공동체의 선호인 정책으로 형성해 나가는 정치성을 띤 집단들의 역학관계에 관한 학문이라 할 수 있다.

우리는 앞에서 정책은 합리적인 요소와 정치적인 요소가 역동적으로 작용하는 동태적인 정책과정을 거쳐 결정되고, 행정부 · 정치권 · 시장 등 주요영역들 간의 정치경제학적인 역학관계, 즉 정책동학(the dynamics of policy)적 접근의 필요성이 있음을 고찰하였다.

또한 정책에 대한 법적 맥락성도 새로운 관점에서 재설계할 필요성이 있음을 살펴보았다. 정책이 과정이듯이 정책관련 법률도 절차를 중시하여야 한다. 다시 말해, 집단적 사회선호가 결집되는 절차에 관한 명사형이 아닌 동사형(動詞型)의 법이 제정되어야 한다.

이런 관점에서 우선 사회 구성원인 각 개인들이 어떻게 그들의 선호를 형성하는가를 알기 위해서는 인간들의 선호가 어떤 메커니즘을 통해 형성되는지를 알아야 한다.

다음으로 그 선호가 발현되어 각 개인들의 선호가 어떤 과정을 거쳐 집단적인 사회선호로 발전하는가, 즉 개인들의 합리적인 선택들이 하나의 공동체 의견으로 집약되는 일련의 과정에 대한 실증적이고 행태론적 연구가 필요하다고 하겠다. 물론 기존의 집합적 의사결정이론에 의하면 직접 민주주의든 아니면 간접 민주주의이든 이에 대해서 부정적인 견해가 주장되고 있다.[10]

따라서 민주주의 원칙과 시장주의 원리와는 별개이면서도, 이 두 원리의 한계를 보완하는 정치경제학적인 정책동학(the dynamics of policy)적 접근이 필요하다고 할 수 있다.

위와 같은 입장에서 필자는 정책의 개념을 '국가 구성원인 각 개인들의 선호가 발현되어, 각 개인들의 선호가 타협·조정, 선거과정 등을 거쳐 공동체의 집단선호로 결집되어 정부의 방침으로 결정되거나 법제화된 것'으로 정의하고자 한다. 따라서 개인들의 선호가 집단 선호로 결집되는 과정을 정책과정이라고 정의한다.

한편으로 정책개념의 동사성(動詞性)을 강조하여야 한다. 가까운 장래에 인간의 지적 능력이 크게 진전되어 고차방정식을 통해 정책함수와 그 해법을 개발할 수 있게 된다면, 정책학은 자연과학과 같은 과학성을 갖추게 될 것으로 생각된다. 정책과정의 변동성과 정책내용의 다양성 등 정책동학 현상을 정책함수를 통해서 예측할 수 있을 것이다.

이 책에서 필자는 정책과정의 역동성 및 정책내용의 다양성을 포괄하는 개념을 정책동학 현상이라고 정의하고자 한다. 또한 정책과정의 역동성을 설명하기 위해서 정책시장 모형을 구상하고, 정책내용의 다양성을 설명하는 기제로서 정책설계 전략 모형을 도입할 것이다.

---

10 제4장의 집합적 의사결정론의 대안모색에서 자세히 살펴보겠다.

3장

합리성을 토대로 한 정책이론

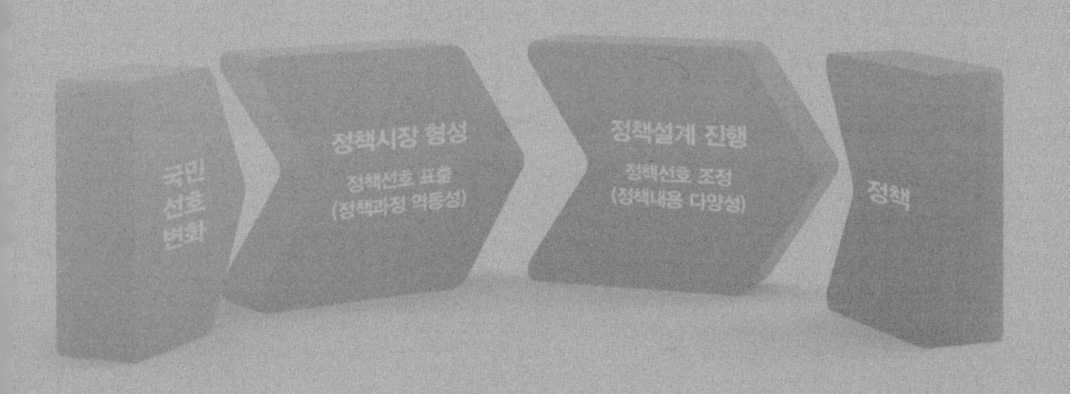

앞에서 정책의 개념은 '국가 구성원인 각 개인들의 선호가 발현되어, 각 개인들의 선호가 타협·조정, 선거과정 등을 거쳐 공동체의 집단선호로 결집되어 정부의 방침으로 결정되거나 법제화된 것'으로 정의하였다. 또한 개인들의 선호가 공동체의 선호로 결집되는 과정을 정책과정이라고 정의하였다.

여기서는 위의 견해를 뒷받침하는 합리성에 기반을 둔 정책이론들을 새로운 시각에서 살펴보도록 하겠다.

먼저 사회과학의 연구 방법론에 입각하여 합리성이 정책학 연구에 어떤 영향을 미치게 되는가를 소개할 것이다. 이때에는 합리성 논의의 역사적인 발전과정도 살펴볼 것이다.

다음으로 합리성이라는 기준을 통해서 정책행위자들의 집단적이고 심리적인 전환과정을 설명해야 할 필요성과 이에 맞는 기존의 정책이론을 소개하고자 한다. 다시 말하면, 합리성의 논의 수준을 개인 수준의 합리성 대비 집단 수준의 합리성, 형식적 합리성 대비 실질적 합리성으로 나누어서 네 가지 유형의 합리성 모형(Elster의 모형)을 설정하고자 한다.

이런 네 가지 유형의 합리성 모형에 맞는 정책이론을 소개하고, 각각의 이론들이 정책과정에 어떻게 접근하는가를 살펴보겠다. 다만, 형식적 합리성은 개인 수준 및 집합적 수준으로 나눌 수 있지만, 논리 구조가 거의 같기 때문에 이 둘을 같이 묶어서 정책과정론에서 한꺼번에 설명할 것이다.

1_ 합리성 이론의 연역적 고찰

1 여는 글

앞 장에서 정책 개념론 등을 통해 정책학의 정향성을 생각해 보았다. 정책학을 정치경제학적 입장에서 연구할 경우의 유용성, 정책준거적 법률 해석의 필요성을 역설하였다. 사실 그동안 정책학의 주요 관심은 '어떻게 하면 국민들이 원하는 보다 합리적인 정책을 마련하여 시행할 수 있을 것인가'에 있었다고 할 수 있다. 다시 말하면, 정책학 연구는 도구적 합리성, 즉 목표달성에 가장 적합한 수단을 찾는데 초점이 맞추어지는 경향이 강했음을 인정해야 할 것이다.

Rawls(1973: 143)는 사회이론에서 표준적인 합리성 개념을 제시하고 있다. 합리적인 사람은 자신에게 가능한 선택지들 중에서 정합적으로 어그러짐이 없는 최선의 것을 선택하는 사람이다. 다시 말하면, 합리적인 사람은 자신의 목적을 충족시키는 정도에 따라 선택지들의 순위를 매기고 자신의 욕구를 더 충족시킬 수 있고, 성공적으로 수행될 가능성이 더 큰 계획을 따른다는 것이다.

정책학은 경제학처럼 선택에 관한 이론으로 구성되어 있기 때문에 좋은 선택의 기준인 합리성은 정책 이론이나 실무에서 가장 중요한 이념으로 받아들여 지고 있다. 특히 현실 속에서 끊임없이 나타나는 사회문제를 해결해야 할 책무를 가진 정책결정자인 공무원이나 국회의원들은 시간적인 압력과 정치적인 논쟁의 소용돌이 속에서 정책의 합리성을 추구하려고 노력한다.

따라서 합리성은 정책학의 연구에 있어 큰 방향을 제시한다고 말할 수 있다. 그리고 합리성이라는 잣대는 정책학 안에서도 정책결정과 정책분석의 중요한 기준이 되고, 특히 정책결정에 필요한 지적 정보를 제공하는 정책분석학에 있어 가장 엄격하게 적용되고 있다. 이런 점을 참작할 때 합리성에 대한 보다 연혁적이고 종합적인 검토가 필요하다고 하겠다.

여기서는 합리성 이론이 어떻게 심화되는지를 살펴보기 위해 과학철학의 역사를 통해 도구적 합리성 이론의 발전사를 더듬어 볼 생각이다. 그리고 합리성의 심화과정을 살펴본 후, 도구적 합리성이 정책학의 연구에 어떤 영향을 미쳤는지를 알아보겠다.

2 합리성 이론의 형성과 도구적 합리성의 진화과정[11]

멀리 그리스 등 고대 철학자들은 이성에 바탕을 두고 합리성을 설명해왔다. 철학적 전통에서 보면 합리성의 일차적 의미는 합리(合理)라는 단어에서 알 수 있듯이 '말이나 행동이 이성에 부합하는 것'으로 여겨졌다. 이 시기에는 이성과 합리성의 구분은 별다른 의미가 없었고 합리성 보다는 이성에 대한 논의가 그 중심에 있었다고 할 수 있다.

그리스 Plato의 '이데아론'에서부터 시작되는 이성은 영원불변하게 고정된 실체로서 파악되고, 객관적이고 보편적인 것으로 간주되고 있었다. 이런 전통적인 이성관을 '형이상학적 이성관'이라 한다.

이러한 형이상학적 이성관은 중세를 거쳐 계몽주의가 나타나기 전까지 학문연구나 실생활에 영향을 미친다. 이성만이 절대적이라는 믿음은 점점 엷어지게 되고, 보편적 진리는 없으며 이성에 의해 존재를 인정받지 못한 것은 비판받아야 한다는 계몽주의 시대의 도래로 그 막을 내리게 된다.

여기서 계몽주의는, 이성에 근거한 판단과 행위가 사회 진보의 원동력이라고 믿는 사회사상이다(차조일, 2008: 15). 이때의 이성은 보다 나은 사회를 만들어 나가는 원동력이라는 것이다. 이런 믿음은 18세기의 Descartes의 명언인 '나는 생각한다. 고로 나는 존재한다'에서 단적으로 엿볼 수 있다. 이런 인간의 이성에 대한 신뢰는 우리 인류에게 무한한 진보의 확신을 심어 주었다. 결국, 이성은 보다 나은 삶의 상태를 의미하는 근대성(modernity)이라는 개념의 토대가 된다.

그렇지만 근대성의 토대로 여겨졌던 이성은, 근대사회에서 나타난 여러 가

---

11 차조일(2008)의 제1장 부분을 참조하여 재구성하였다.

지 문제점들로 인해 비판을 받기 시작하였고, 급기야 이성의 위기시대를 맞게 된다.

특히 루소 등 사회이론가들은 이성이 인도한 문명사회의 반이성적 야만성을 끊임없이 경고하였으며, 니체 등 반이성주의자들에 의해 직접적이고 결정적인 공격을 받게 되었다. 니체는 '신은 죽었다'는 주장을 통해 신에게 사망선고를 함은 물론 기존의 모든 가치에 대해서도 사망선고를 내리면서 모든 가치의 전도, 다시 말하면, 가치혁명을 주창한다. 이러한 가치 전도의 핵심은 계몽주의의 와해, 즉 이성을 통해 인류가 진보한다는 믿음의 해체이며, 더 나아가 이성에 대한 사망선고라고 할 수 있다.

1) 이성의 위기 이후 합리성이론

합리성은 사회의 발전과 학문의 진전에 따라 다양한 형태로 분화되어 간다. 이러한 분화 과정을 통해 합리성 개념은 행위이론, 윤리학, 심리학, 경제학 그리고 자연과학 등과 같이 다양한 학문영역에서 탐구대상의 특징에 따라 약간씩 다른 의미를 갖게 된다.

윤리학이나 논리학에서는 합리성을 '일관성 있는 생각이나 믿음'으로 이해하지만, 정책학이나 경제학에서는 합리성을 '목적의 달성을 위해 가장 효과적인 수단과 방법을 선택할 수 있는 계산가능성'을 의미한다고 보게 된다.

따라서 이러한 분화과정을 거친 합리성은 보편적이고 표준적인 정의를 찾기가 어렵게 되었다. 그렇지만 다양한 유형의 합리성 중에서 근대과학의 발전과 사회체제를 형성하는데 가장 크게 기여한 합리성 개념은 '도구적 합리성'이라고 할 수 있다.

일반적으로 도구적 합리성은 '정해진 목적을 달성하기 위한 효과적인 수단을 찾아내고 선택하는 능력'(Dryzek, 1990: 4) 또는 '이미 정해진 목적을 달성하기 위한 성공가능성을 극대화시키는 것을 목적으로 하는 효과적인 수단의 선택과정과 관련된 우리의 능력'(Friedman, 2001: 54)으로 정의된다.

이처럼 도구적 합리성은 목적을 이미 정해진 것으로 상정하고 주어진 환경에 가장 잘 적응할 수 있는 효율적인 방법을 모색하는 데 관심을 갖는다. 따라서 도구적 합리성에 입각하여 각 행위자들은 목적 달성을 위해 효율성을 극대화할 수 있는 대안을 선택하고, 여러 가지 수단들을 비교하여 분석할 수 있게 되었다.(윤평중, 2002: 51).

이런 공적에도 불구하고, 계몽주의 이성이 비판의 십자포화를 맞고 심지어 진보에 대한 믿음이 부정되는 시대상황을 맞게 된다. 이런 상황 속에서 근대적인 이성이 새롭게 나아가야 할 방향을 '합리성'으로 제시했던 학자가 바로 Weber였다.

Weber는 합리성을 형식적 합리성(formal rationality)과 실질적 합리성(substantive rationality)으로 나누고 있다. 형식적 합리성은 '행위의 계산 가능성'을 극대화하는 것을 의미한다고 보았는데 이는 곧 도구적 합리성의 또 다른 표현이라 할 수 있다. 한편, 실질적 합리성은 수단-목적에 대한 계산이 아니라 가치에 바탕을 두고 행위를 수행하는 합리성을 의미한다고 보았다.

여기서는 우선 사람들의 인식영역과 행위영역에서 널리 적용되었던 Weber의 도구적 합리성을 설명하고자 한다. 먼저, 인식적 영역은 설득력 있는 지식을 획득하고 활용하는데 관심을 두고, 이를 논리적 합리성과 과학적 합리성으로 구분한다. 둘째, 행위의 영역은 사람들이 도구적 합리성에 바탕을 두고 경제 활동을 하거나 일상적인 의사결정을 하고 있는데 있어, 그 기준을 탐구하였고, 이를 경제적 합리성과 의사결정 합리성으로 구분한다.

2) 논리적 합리성

도구적 합리성의 분화과정에서 가장 먼저 주목을 받은 것이 논리적 합리성이다. 일관성 있는 주장을 가능하게 하는 언어의 형식적인 측면, 즉 형식논리학

(formal logic)의 영역이 논리적 합리성의 주요 분야이다(차조은, 2008: 26). 기본적으로 형식논리학에서는 명제(proposition)들 사이의 형식적인 일치 여부를 검증하는 일에 주로 관심을 갖는다.

여기서 명제는 전제와 결론으로 구성되며 추론이나 논증의 기초가 된다. 이때 전제란 논거나 증거를 제시하는 언명(statement)을 의미하며, 결론은 그 논거나 증거에 의해 뒷받침되는 언명을 말한다. 명제로서 전제와 결론은 서로에 대해 논리적 함의관계(logical implication)를 갖는다.

형식논리학 영역에서 일관성 있는 주장을 하기 위한 언명제시 방법, 다시 말하면, 사회현상을 설명하거나 예측하려는 과학 활동의 방법으로는 연역 논리(deductive logic)와 귀납 논리(inductive logic)가 있다.

연역 논리는 설명하면, 기본적으로 만일에 모든 전제가 참이라면 결론도 참이라는 추론 형식을 갖는다. 이처럼 연역 논리에서는 전제가 결론을 필연적으로 뒷받침하기 때문에 어떤 전제를 긍정하면서 동시에 그에 따른 결론을 부정하는 경우 그 주장은 논리적 정합성을 잃고 자기모순에 빠지게 된다.

다시 말해, 연역법에서 참이 되기 위해서는 다음 두 가지 조건을 충족시켜야 한다. 첫째, 전제로부터 결론을 도출하는 연역이 논리적으로 타당해야 한다. 둘째, 전제 자체가 참이어야 한다. 연역논리의 대표적인 사례가 삼단논법이라 할 수 있다.

귀납 논리는 다음과 같다. 전제들은 결론에 대한 강한 증거이든 약한 증거이든 간에 증거를 제공할 뿐이다. 귀납 논리는 전제들과 결론간의 관계가 필연적인 것이 아니라 개연성을 의미하기 때문이다. 이때 전제와 결론간의 관계가 개연적이라는 의미는 전제들의 참이 상당할 정도로 결론의 참을 근거지어 준다는 것을 뜻한다.

이에 따라 귀납 논리는 두 가지 특징을 가진다. 첫째, 참인 전제는 결론을 위한 증거를 제공하지만, 그 결론의 참과 거짓 여부를 보장하지는 못한다. 둘째,

결론은 전제에 있지 않은 정보를 가지고 있다.

결국 개별적인 사실로부터 결론을 일반화시키는 귀납법에서는 결론을 도출하기 위해 많고도 다양한 실제 사례들이 전제되어야 한다. 또한 귀납법에 의해 얻어진 결론은 참 또는 거짓이 판명되는 연역법과는 달리 앞으로 더 많은 사례들을 통해 검증되어야 하는 가설(hypothesis)로서의 의미를 가진다(차조일, 2008: 28).

3) 과학적 합리성으로서 실증주의 : 논리실증주의(검증가능성), 논리경험주의 (확인가능성), 반증주의(반증가능성) ; 가설-연역적 모형(검증, 확인, 반증가능성)

위와 같은 논리적인 합리성뿐만 아니라 진리를 탐구하는 과학의 영역에 적용되는 도구적 합리성을 과학적 합리성이라고 부르기도 한다. 과학적 합리성, 즉 과학과 비과학을 구분할 수 있는 기준을 제시하고자 한 도구적 합리성의 노력은 실증주의(positivism)에서 그 연원을 찾을 수 있다.

이런 실증주의가 사회이론으로 본격적으로 논의되기 시작한 것은 20세기에 접어들어 논리실증주의(logical positivism)가 등장하면서 부터이다. 논리실증주의는 1920년 비엔나 학파에서 파생된 철학운동으로서 분석철학의 전통에 그 바탕을 두고 있다. 분석철학은 철학의 전통적인 과제였던 인간과 사회 및 자연과 우주 등에 대한 탐구 대신에 '이론에 관한 이론' 즉 메타이론적인 탐구에 치중하는 철학적 전통이다(차조일, 2008: 32).

여기서 주목할 점으로, 논리실증주의는 과학적으로 의미 있는 언어와 무의미한 언어를 구분하기 위한 기준(demarcation criterion)으로서 '검증가능성'을 제시하고 있다는 것이다. 검증가능성은 어떤 명제가 의미 있는 것이기 위해서는 그 명제가 분석적이거나 경험적으로 검증이 가능하여야 함을 의미 한다. 이에 따라 경험에 의해서 옳고(참) 그름(거짓)의 검증이 가능한 명제만을 과학적이고 합리적인 것으로 인정한다.

이처럼 참 또는 거짓의 검증이 가능한 주장만이 과학적으로 유의미하다는 논리실증주의는 참·거짓의 검증이 불가능한 종교적, 윤리적, 가치론적 명제와 이와 관련된 형이상학, 미학, 종교 등을 합리성의 적용대상에서 제외하고 비과학적으로 취급하게 되는 결과를 낳게 된다(차조일, 2008: 33).

이렇게 검증가능성으로 대표되는 논리실증주의의 도구적 합리성은 너무나 엄격한 조건이라는 비판을 받는다. 이에 따라 과학의 영역에서 좀 더 완화된 형태의 합리성 기준이 나타나는데 이를 논리경험주의(logical empiricism)라고 한다.

논리경험주의는 과학적 언명의 구분기준으로 '확인(confirmation) 가능성'을 제시한다. 이때 확인이란 과학적 명제의 참 또는 거짓을 명확하게 결정할 수 있는 엄격한 형태의 검증과는 달리 하나 혹은 그 이상의 관찰을 통해서 그 명제가 참 또는 거짓일 확률을 높게 하거나 낮게 하는 것을 말한다(신중섭, 1992: 172–174).

이처럼 논리경험주의의 확인을 통해 진리의 정도를 '확률적으로' 판단 할 수 있다면 논리실증주의의 문제점은 어느 정도 해결할 수 있을 것으로 생각된다. 여러 경쟁이론 중에서 가장 높은 진리 확률을 갖는 이론을 선택하면 되기 때문이다.

그러나 이와 같은 논리실증주의와 논리경험주의에 대해 Poper는 '모든 X는 Y이다'라는 형식을 가지는 보편명제를 경험적인 관찰에 의해 완전히 검증하거나 확인할 수 없다는 '귀납의 문제'를 제기한다. 모든 보편명제는 아직 관찰되지 않은 사실에 대한 판단까지 불가피하게 포함하고 있기 때문에 미래에 발생할 수 있는 한 건의 부정적인 예에 의해서도 뒤집일 수 있다(윤평중, 2002: 61)고 주장한다.

물론 Poper도 실증주의자들과 마찬가지로 과학적 지식이야말로 가장 확실하며 신뢰할 수 있는 것이라고 믿고 있다. 그렇지만 그는 실증주의자들의 귀납 논리에 반대하면서 과학적 이론은 귀납에 의해 형성될 수 없고 검증될 수도 없다고 주장한다. 그러면서 Poper는 과학과 비과학을 구분할 수 있는 새로운 형태의 도구적 합리성으로서 '반증(falsification) 가능성'을 제시한다. 그는 '관찰이 연역적으로 보편법칙이나 이론을 결정적으로 지지할 수는 없지만 보편법칙이나 이론의 거짓을 밝힐 수 있다'고 주장한다. 다시 말해, 어떤 이론이나 가설도 절대적으로 검증되거나 확률적으로 확인될 수 없고, 반증가능성의 원리에 따라 오로지 반증만이 가능 할 뿐이라고 주장한다. 추측과 반박에 의한 반증의 과정을 통해서만 과학적 지식은 진리에 점진적으로 접근 할 수 있다는 것이 Poper의 주장인 셈이다(신중섭, 1992).

Poper에 의하면 과학이론은 관찰에서 귀납적으로 도출되는 것이 아니라 문제에서 출발한다고 본다. 문제가 제기되면 이를 해결할 수 있는 이론이 제안된다. 문제해결을 위한 하나의 가설로서 제시된 이론은 관찰과 실험에 의해 엄격한 검증을 받아야 한다. 이론이 여러 가지 관찰이나 실험에 의한 검증을 잘 견디어 내면 그 이론은 경험적으로 확인되었다고 할 수 있다. 검증과정에서 반증(falsification)되지 않은 이론은 잠정적으로 받아들여지며 끊임없는 반증의 과정을 잘 견디어낸 이론만이 진리에 가까운 과학으로 살아남게 된다. 이론적인 가설에 대한 엄격한 경험적 검증을 통해 가설을 반박하는 일련의 과정을 거침으로서 우리의 학문 수준은 진전되고, 과학 또한 발전하게 된다고 주장한다.

그런데 위에서 본 것처럼 과학철학자들은 과학적 합리성의 기준으로 검증가능성, 확인가능성, 반증가능성 등 여러 가지 방법론을 제시하였다. 그렇지만 각 방법론의 공통 전제는 결국 과학적으로 완전한 진리를 찾을 수 없다는 것이다. 하나의 가설로서 제시된 이론은 결국 또 다른 검증·확인·반증 가능한 이론이 등장할 때 진리에 도달하지 못한 가설로서 폐기된다. 따라서 과학철학자들은 과학적으로 완전한 진리를 찾는 대신 잠정적이고 가설적인 지식을 찾는

데에서 연구를 시작하고자 한다. 이런 상황에서 등장한 모형이 바로 '가설-연역적 모형'이다(차조일, 2008: 38).

가설-연역적 모형은 과학이론을 구성하는 절차라고 할 수 있다. 직접 관찰과 실험으로 얻은 결과를 설명하고 추론을 통해 그 이상의 결과를 예측하는 방법이다. 이때 예측되는 결과를 보통 가설이라 하는데, 이 가설은 다른 실험에서 얻은 경험적 증거에 의해 검증되거나 반증될 수 있다. 가설-연역적 모형에 따르면 올바른 형식의 이론은 설명하고자 하는 관찰 가능한 자료를 일반화함으로써 만들어진다. 이런 일반화, 즉 가설은 그 가설의 논리적 귀결이 다른 관찰과 실험으로 검증되기 전에는 결정적으로 확인될 수 없다(송현호, 1992)는 점이 강조된다.

그림3-1에서 보듯이 가설-연역적 모형에 따라 가설 검증을 거친 지식은 잠정적인 진리로 받아들여지게 되며 일반적으로 가설-연역적 모형은 세 가지의 중요한 단계를 거친다. 구체적으로 설명하면 다음과 같다.

먼저 1단계는 가설의 형성이다. 가설이란 두 개 이상의 이론적 구성물(constructs), 즉 변수들 사이의 관계에 대한 잠정적인 명제이다.

다음으로 2단계는 가설의 경험적인 결과를 연역하는 것이다. 연구자들은 자신의 가설에 바탕을 두고 경험적으로 검증 가능한 결과를 도출해 낼 수 있다.

끝으로 3단계는 자료를 수집하여 가설을 검증하는 것이다. 연구자들은 실험이나 설문조사 등 여러 유형의 자료 수집을 통해 가설적 지식의 진위를 경험적으로 검증한다. 이때 통계기법을 이용하여 상관관계나 회귀분석을 하게 된다.

이와 같은 가설-연역적 모형은 통계적 기법의 발달에 힘입어 자연과학은 물론 사회과학에서도 표준적인 과학의 방법으로 지위를 확보하게 된 것이다.

■ 그림 3-1: 가설-연역 모형[12]

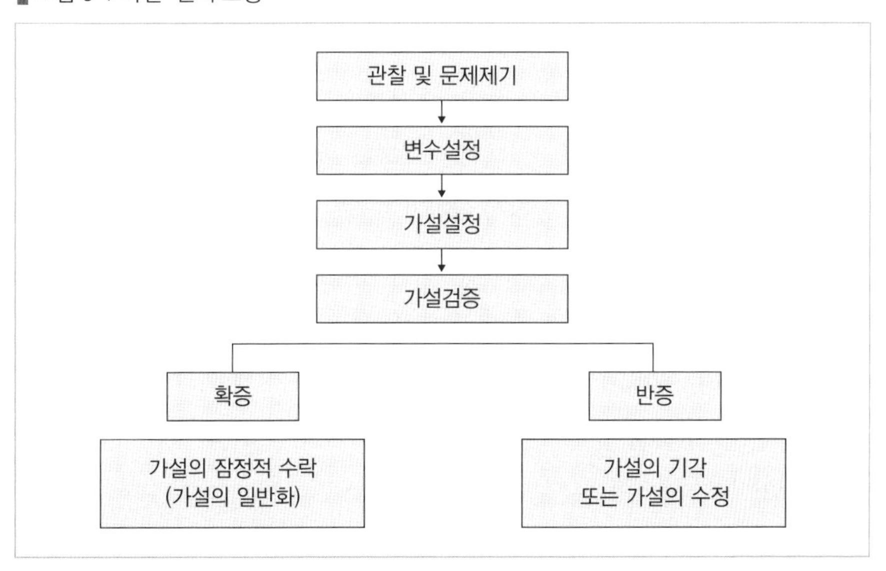

4) 경제적 합리성

위에서 소위 인간의 인식영역에서 합리성이 과학에 대한 연구기준을 제시함으로써 커다란 역할을 함은 물론 지배적인 지위를 차지하게 되었음을 살펴보았다.

한편으로 도구적 합리성은 의도적인 행위영역에서도 지배적인 역할을 하게 되는데 일상생활에서 일어나는 선택상황에 주로 적용되었다. 특히 행위영역의 도구적 합리성은 경제생활 영역과 의사결정 영역에서 다양한 형태로 발전한다.

경제의 영역에서 나타난 도구적 합리성은 신고전학파 경제학을 통해 완성되었다. 경제적 인간(homo economicus)에게 물질적 필요나 삶에 대한 욕망은 무

12 차조일(2008). 39에 있는 모형을 재구성하였다.

한한 반면, 이를 충족시킬 수 있는 자원은 현실적으로 제한되어 있다. 사람들이 이런 상황에 직면하게 될 때 대개 도구적 합리성을 활용한다. 이와 같이 희소성 상황에서 최소의 자원을 활용하여 최대한으로 욕망을 충족시키는 효과를 얻고자 하는 것, 다시 말해, 자기이익 극대화를 위한 선택의 과정에서 적용되는 도구적 합리성을 '경제적 합리성'이라고 한다.

경제적 합리성, 즉 신고전파 경제학에서 주장하는 도구적 합리성은 희소성이 존재하는 선택상황에 대한 해결책으로서 '시장'에 의한 효율적인 자원 배분 방식을 제시하고 있다. 개별 경제주체들은 시장에서 경제적 합리성에 바탕을 두고 자유롭게 경쟁을 하고, 그 경쟁을 통해 형성된 시장 가격에 따라 경제문제가 해결된다는 것이다.

이런 원리에 따르면 희소성을 갖는 모든 재화는 시장에서 가격을 가지게 된다. 시장에서는 거래되는 재화가 희소성이 높을수록 가격이 높게 책정된다. 이처럼 시장가격은 재화의 희소성을 평가하는 지표가 되는 것이다(이상호, 1995).

5) 의사결정 합리성

위의 경제영역뿐만 아니라 일상의 삶의 현장에서 선택상황에 직면하게 될 때 여러 가지 대안 중에서 하나의 최적 대안을 선택하는 행위를 의사결정이라고 한다. 이런 의사결정 중에서 도구적 합리성에 근거하여 내린 의사결정을 합리적 의사결정이라고 한다. 즉, 의사결정의 과정에서 적용되는 도구적 합리성을 '의사결정 합리성'이라고 부른다.

이 합리성은 합리적 선택이론, 사회적 선택이론, 공공 선택이론 등의 이름으로 정치학과 정책학 영역에서 활용되고 있다.

6) 정책학의 과학화와 과학적 실증주의

과학철학자들에게 있어 과학은 합리성이 전형적으로 발휘된 인지체계라고 할 수 있다. 따라서 과학의 합리성에 관한 논의는 과학의 특성을 규명하는 데 초점을 두게 된다.

위에서 살펴본 논리 실증주의, 논리 경험주의와 반증주의는 논리적인 엄격성을 핵심으로 한 방법론적인 특징을 갖는데 이런 방법론이 어떻게 정책학의 과학화에 기여하게 되었는가를 살펴보자.

앞에서 살펴본 바와 같이, 논리적 합리성에서는 연역의 원리 및 귀납의 원리에 따라서, 과학적 합리성에서는 실증주의의 논리에 따라서, 정책학의 연구가 수행되고 있다. 보다 구체적으로 말하면, 정책학의 과학적 연구의 목표는 정책현상을 설명하고 예측하는 데 있기 때문에, 그 방법론은 그림 3-2에서 보듯이 먼저 정책현상으로서의 사실들을 관찰하고 이론을 구성하여 몇 가지 가설을 도출하여 이를 검증하는 절차를 거친다.

그림 3-2: 과학활동의 내용

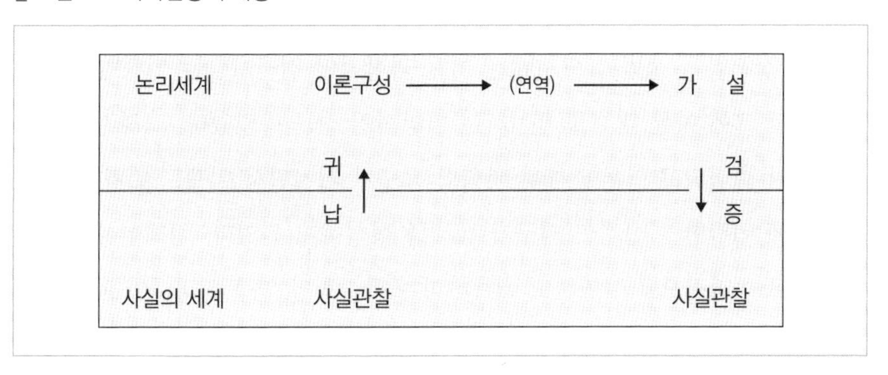

이와 같이 과학적으로 정책학을 연구하는 경우 일반적으로 아래와 같은 과정을 거친다(강신택, 2005: 17-19).

첫째, 정책현상 즉, 정책과 관련된 사실들을 발견한다. 이러한 발견과정을 통해서 정책현상의 중요한 사실들이 무엇인가를 알아보거나 그러한 사실들을 명명할 수 있는 개념을 형성하게 된다.

예를들면 우리의 정책집행과정에서 공무원들이 권한을 사적으로 이용하여 재산적 이득을 챙기는 사실을 '부패'라고 지칭한다는 것을 알아내는 것과 같은 활동이다. 그리고 과거부터 이런 현상을 온정주의라고 부르기도 하였다는 사실을 알게 된 것도 이에 해당한다.

둘째, 여러 가지 사실들의 관찰로부터 귀납하여 이론을 구성하거나, 이론으로부터 연역적으로 도출된 가설을 검증하는 활동이다. 우리가 학문을 연구할 때 가장 흔하게 연상되는 것이 바로 이러한 이론 구성과 가설 검증이다.

위의 예를 계속 설명하면, '우리의 정과 의리를 중시하는 온정주의 문화를 통해서 부패행위가 조장되는 것이다.'라는 '이론'을 만들어서 이를 검증해 볼 수 있을 것이다.

셋째, 이미 성립된 기존의 이론을 수정하는 것이다. 이러한 활동은 지금까지 받아들여진 이론이 관련 현상을 설명하고 예측하는데 있어서 부족함이 있다고 지적하여 학계의 발상 전환을 가져오게 하는 경우를 말한다.

사실 정책학이 출범할 당시에는 이런 과학적인 접근보다는 일정한 규범을 제시하고 그에 따른 대책을 제시하는 처방적인 접근이 많았다. 그렇지만 연구성과들이 축적되고 이론에 대한 과학화 요구가 커지면서 이제는 위와 같은 과학철학에 입각한 학술적인 연구가 대세를 형성하게 되었다. 정책현상을 변수중심으로 인과적으로 설명하고 예측하려는 학술적인 연구 성과물이 아니면 정책학 관련 학술지에 실리기 어렵다는 사실은 이런 연구흐름을 증언하고 있다고 할 수 있다.

2_ Elster의 네 가지 유형의 합리성[13]과 정책학 연구

1 합리성의 수준별 함수모형

앞에서 본 것처럼 도구적 합리성은 과학과 기술을 발전시키고 효율적인 생산을 가능하게 하는 등 근대사회의 성립과 발전에 크게 기여하였지만, 그 자체가 완벽한 것은 아니며 많은 한계를 갖고 있는 것이 사실이다.

이런 비판 가운데 도구적 합리성의 편협성을 보완하여 합리성 이론의 새로운 지평을 열어 준 Elster의 합리성 모형에 주목할 필요가 있다. Elster는 도구적 합리성이 목적을 이미 정해진 것으로 전제할 뿐 목적 자체의 좋고 나쁨이나 옳고 그름에 대해서는 별 관심이 없다는 점을 지적한다. 그는 도구적 합리성을 기술적 합리성(technical rationality)과 동일시하면서 '약한 합리성(thin rationality)'이라고 비판하고 있다(Elster, 1983).

이처럼 Elster는 도구적 합리성의 협소함을 비판하면서 합리성을 개인수준의 합리성과 집단수준의 합리성으로 나눈다. 그리고 이를 다시 형식적 합리성과 실질적 합리성으로 나누어 네 가지 유형의 합리성 모형을 제시하고 있다.[14]

Elster의 네가지 합리성 모형의 특징은 무엇인가를 자세히 살펴보자. 먼저, 형식적 합리성에 있어서 Elster 모형의 특징은 '개인수준의 형식적 합리성'은 개인의 선호가 외생적으로 주어졌다고 가정하는데 있다. 그리고 '집단수준의 형식적 합리성'에서는 개인의 선호가 외생적으로 주어진 점은 그대로 가정하지만 그러한 개인의 선호가 집단의 선호로 통합가능한지에 대해 관심을 갖는다.

---

13 최종원(1995). 합리성과 정책연구. 한국행정학회보 4: 2를 참고하여 재구성하였다.

14 Weber가 합리성을 형식적 합리성(formal rationality)과 실질적 합리성(substantive rationality)으로 나누고 있는 점과 유사한 점을 발견할 수 있다.

다시 말해, '각기 상이한 집단구성원의 선호체계를 적절히 통합하는 방법이 있겠는가?' 라는 질문에 관심을 갖는다는 것이다.

이런 외생적이고 형식적인 합리성에 비해, Elster의 실질적 합리성은 선호가 외생적으로 주어진 것이 아니고 형성되어 간다고 본다는 점에서 커다란 의미가 있고, Weber의 실질적 합리성과 일맥상통한다.

이때 '개인수준의 실질적 합리성'은 개인의 선호가 얼마나 합리적인지, 그리고 그런 개인의 선호가 얼마나 합리적인 경로를 통해서 형성되는지의 문제에 관심을 갖는다.

또한 '집단수준의 실질적 합리성'도 역시 집단 선호의 내용적 합리성에 관심을 갖는데 개인 선호들을 단순히 통합하여 집단선호로 전환하는 데에 관심을 두기 보다는, 바람직한 집단선호를 도출해내는 방법론에 더 중점을 둔다. 그래서 자유롭고 합리적인 집단토의가 집단의 공동선(common good)을 발견할 수 있을 것인가에 논의를 집중한다. 다시 말해, 목표 달성의 합리성에 머물지 않고 목표 설정의 합리성 및 집단선호의 도출과정에 관심을 갖기 시작한 것이다.

위의 네 가지 합리성을 표로 나타내면 표 3-1과 같다.

표 3-1: 네 가지 합리성 모형

구분	개인수준	집단수준
형식 : 선호의 외생성	개인수준의 형식적 합리성 $r_1 = f(\bar{p}, k, i)$	집단수준의 형식적 합리성 $R_3 = f(\bar{P}, K, I)$, $\bar{P} = \Sigma\bar{p}$
실질 : 선호의 내용적 합리성	개인수준의 실질적 합리성 $r_2 = f(p, k, i)$	집단수준의 실질적 합리성 $r_4 = f(P, K, I)$, $P = \Sigma p$

위에서 설명한 Elster의 합리성 모형을 함수관계로 나타내면 다음과 같다.[15]

15 이 함수식은 필자가 Elster모형을 재구성하여 만든 것이다.

합리성은 개인별 또는 집단별 선호, 지식 정도, 정보량의 함수라고 할 수 있다.

① r_1(개인수준/형식적 합리성) = $f(\bar{p}, k, i)$

② r_2(개인수준/실질적 합리성) = $f(p, k, i)$

③ R_3(집단수준/형식적 합리성) = $f(\bar{P}, K, I)$ 그리고 $\bar{P} = \Sigma\bar{p}$

④ R_4(집단수준/실질적 합리성) = $f(P, K, I)$ 그리고 $P = \Sigma p$

여기서 p는 preference(선호)를 의미하고, k는 지식(knowledge)의 정도를 의미하며, i는 정보(information)량을 의미한다. 이들 세 변수는 독립변수로서 작용하여 종속변수인 합리성을 결정한다는 것이다.

그리고 $\bar{p}$는 선호가 외생적으로 주어졌음을 의미한다. $\bar{P}$는 집단의 선호로서 개별 선호의 합($\Sigma\bar{p}$)을 의미한다. 특히 p와 $\bar{p}$는 선호가 외생적으로 주어졌느냐의 여부에 따라 구별되는데, 이는 형식적 합리성과 실질적 합리성으로 구분하는 중요한 기준이 된다.

앞에서 보았듯이 형식적 합리성에서는 그 선호($\bar{p}$)가 외생적으로 주어진다고 보는 데 비해, 실질적 합리성에서는 선호(p)가 형성되는 과정과 그 내용에 대해서도 관심을 갖는다.

1) 개인수준의 형식적 합리성(r1) : 일관성

개인수준의 형식적 합리성은 개인의 선호가 외생적으로 주어졌다고 가정하기 때문에 일관성이 중요시된다.

따라서 '합리성=일관성'이라는 도식이 가능해진다. 이 합리성 모형에서는 세 가지의 일관성이 요구된다. 첫째 개인의 선호와 실제 행동 간에 일관성, 둘째 개인 선호체계 내의 일관성, 셋째 지식체계 내의 일관성이다.

먼저 개인의 선호와 실제 행동 간에 일관성은, 어떤 정책결정자가 정책 대안의 종류와 각 대안의 집행결과에 대한 선호체계를 갖고 있다면, 그 체계 안에서 특정한 행동이 주어진 선호를 달성하는 데 최선의 대안임을 보여주어야 한다는 것이다. 이런 조건을 최적성의 조건(optimality condition)이라고 한다.

둘째, 개인의 일관된 선호체계는, 선호의 발현이 행동으로 나타나는 경우로서, 예를 들면 사과와 배 중에서 배를 선택하는 행위는 배를 사과보다 좋아하는 선호로써 설명될 수 있어야 한다.

셋째, 지식체계 내의 일관성은, 개인의 지식 범위 내에 상호 배치되는 요인이 없어야 한다는 것이다. 그 이유는 지식체계를 구성하고 있는 개별요인들이 모두 실현가능해야 하고, 이러한 실현가능성을 정책결정자가 믿을 때 지식체계의 내적 일관성이 충족된다고 볼 수 있기 때문이다.

2) 개인수준의 실질적 합리성(r2) : 개인수준의 목표 및 선호 설정의 합리성

이 모형에서는 앞의 개인 수준의 형식적 합리성 모형이 추구하는 일관성과 더불어 개인의 선호와 지식의 내용적 합리성을 추가로 요구한다. 다시 말해, 내용적 합리성은 개인의 선호와 지식의 형성과정의 합리성을 말한다.

이 모형에서는 우선적으로 지식과 관련하여 가용할 수 있는 정보를 충분히 수집하고 활용하여 형성되었는지 여부를 중요시 한다.

구체적인 조건으로는 첫째, 합리적인 지식이 주어진 정보 하에서 최적의 귀납적인 추론을 통해서 얻어져야 한다.

둘째, 지식은 우연성이 아닌 정보에 근거하여 형성되어야 한다.

셋째, 정보가 지식형성에 미치는 영향은 올바른 방법에 따라 이루어져야 한다는 것이다.

따라서 합리적인 선호의 형성은 정보의 적정성과 관련된 문제로서 얼마나 많은 정보를 획득하여야 하는가가 관건이 된다. 그렇지만 합리적 선호에 필요

한 정보의 양과 관련하여 최적수준의 정보량을 요구하는 것은 불가능하기 때문에 만족할 만한 수준에서 정보량이 결정될 수밖에 없을 것이다.

다음으로 합리적 선호의 내용은 개인의 효용을 극대화시킬 수 있는 선호이어야 한다. 다시 말하면, 선택 가능한 대안에 최적으로 적용된 선호이어야 한다는 것이다. 또한 개인의 의지에 의하여 의도적으로 선택되거나 얻어지고, 그렇지 않을 경우는 자율적으로 수정된 선호라는 요건이 충족되어야 한다.

이 모형은 합리적인 선호형성에도 적응(adaption)과정은 필요하다고 본다. 특히, 그 적응과정이 의도적인 것인지 아니면 무의식적인 것인지를 구분하고 있다는 점에서 정책학에 주는 시사점은 매우 크다. 여기서 의도적인 적응을 학습(learning)이라 할 수 있고, 정책연구에서는 정책학습(policy learning)이라는 개념으로 그 중요성이 강조되는 경향을 보이고 있다.

3) 집단수준의 형식적 합리성(R3) : 집단수준의 합리성= Σ 개인수준의 합리성인가?

합리모형에 의해 집단행동을 설명하는 경우, 대부분의 이론들은 집단의 선호체계가 외생적으로 주어졌다고 가정한다. 이러한 시각에서 집단을 하나의 유기체로 보기 때문에, 유기체의 선호체계와 유사한 집단의 선호체계를 전제하고 논의를 전개하는 경향이 있다. 따라서 앞에서 살펴본 '일관성' 조건이 집단수준에서도 그대로 적용될 수 있다.

그러나 이런 경향이 타당성을 인정받으려면, '개인들이 모여서 형성된 집단을 유기체라 할 때 개인의 선호가 하나의 집단 선호로 통합가능한가?'에 대한 답이 긍정적이어야 한다. 하지만 이 질문에 대한 답은 부정적이다. 다시 말하면, 집단수준의 형식적인 합리성은 관념적으로는 가능하다고 하더라도 실제에 있어서는 존재하기 어렵다는 것이다. 뒤에서 설명하게 될 Arrow의 불가능성의 정리에 의해 집단적인 의사결정이 쉽지 않음이 입증되었다.

한편, 이와 같은 합리적인 사회선택의 불가능성과는 달리, 주류 경제학에서는 집단선택의 합리성은 합리적인 개개인의 선택결과가 모든 집단구성원의 후생증진에 기여하거나 적어도 해를 주지 않을 경우에 달성될 수 있다고 주장한다. 이처럼 집단의 합리성이 달성된 구체적인 예는 외부효과가 존재하지 않을 경우 경쟁적인 시장기능을 통해서 이루어지는 균형상황을 들 수 있을 것이다.

4) 집단수준의 실질적 합리성(R4) : 집단수준의 목표 설정의 합리성

앞에서 살펴본 집단수준의 '형식적' 합리성의 주요 관심은 대체로 외생적으로 주어진 개인들의 선호를 집계하거나 통합시켜 집단의 선호를 발견하는 데에 있었기 때문에 집단선호의 내용적 합리성은 관심 밖의 주제였다.

그러나 일부 정책학자들에 의해 집단선호의 내용적 합리성에 대한 관심이 일어나기 시작하게 되는데, 이런 경향에서 나타난 개념이 바로 집단수준의 실질적 합리성이다. 이때 정책결정자의 역할은, 개인들의 선호를 바람직한 집단선호로 어떻게 전환시킬 것인가, 즉 목표설정의 합리성에 관심을 두는 것이다.

이에 대한 논의의 기초를 제공한 사람이 바로 Habermas이다. 그는 공개적이고 합리적인 공공토론(open and rational public debate)을 통해서 이기적이며 돌출적인 개인선호를 순화시켜 사회구성원들로 하여금 사회의 공동선을 지향하도록 하는 합의도출이 가능하다는 것이다.

이처럼 토론의 중요성을 강조하면서 합리성의 영역을 넓힌 사람이 또 있는데, 바로 Simon이다. Simon은 적합한 토론의 결과에 따라 선택행위가 이루어질 때, 이를 절차적 합리성(procedural rationality)이라고 하였다. 그는 적합한 심의를 거쳐 선택행위가 이루어질 때에 절차적으로 합리성이 있다고 보았다.

그러면 공개적이며 합리적인 공공토론이 어떻게 바람직한 결과를 가져올 수 있다는 말인가?

첫째, 공개적인 토론은, 사람들로 하여금 자신의 순수한 이기적인 주장을 여과 없이 펴기 어렵게 한다. 따라서 그들은 자신들의 주장을 보편적인 사회의 일반원칙에 근거하도록 함으로써 보다 객관적인 논의가 가능해지도록 만든다.

둘째, 사람들은 처음에는 자신들의 특수이익을 그럴듯하게 포장하기 위하여 사회의 공동선을 가장하게 되지만, 시간이 지남에 따라서 사회의 공동선을 자신도 모르게 믿고 이를 추구하게 된다는 것이다.

2 Elster의 네 가지 유형의 합리성모형(합리성 종합모형)이 정책학 연구에 주는 시사점

이제 앞에서 소개한 Elster의 네 가지 유형의 합리성이 정책학 연구에 미치는 영향을 살펴보기로 하자.

먼저 Elster모형에서 개인 수준의 형식적 합리성은 우리가 흔히 말하는 합리성 즉, 도구적 합리성이라 할 수 있는데 Laswell이후 전통적인 정책과정 모형(the stages heuristic) 등이 이런 관점에서 개발되었다고 할 수 있다. 집단수준의 형식적 합리성도 이 범주에 포함되어 논의되었다.

반면, 개인수준의 실질적 합리성은 정책결정과정에서의 정책학습의 중요성에 대해 관심을 갖도록 하였다.

끝으로, 집단수준의 실질적인 합리성은 Simon이 말하는 절차적 합리성이라 할 수 있는데, 정책결정의 결과 보다는 결정들이 이루어지는 과정을 중시하고 이 과정에서 담론(discourse)의 필요성을 일깨워 주었다.

위의 각 합리성 모형에 대한 정책학의 대응이론을 자세히 설명하기에 앞서 이를 개략적으로 살펴보면 다음과 같다.

1) 도구적 합리성이론과 합리적 정책결정 모형

일반적으로 선택의 맥락에서 합리성의 개념에는 세 가지의 구성요소가 요구된다. 첫째, 선택의 상황에서 목표달성이 가능하다고 인식되는 선택가능한 대안의 집합에 대한 지식, 둘째, 특정대안의 선택결과에 대한 인식론적 지식 그리고 셋째, 대안의 결과에 대한 주관적인 평가가 가능한 선택자의 일관된 선호체계(consistent preference ordering)가 그것이다.

이처럼 선택의 중요한 기준인 도구적 합리성이 분석적인 요소와 결합하여 합리적 정책결정 모형이 제시되는데, 이 모형에 따르면 최선의 정책수단을 결정하는데 다음과 같은 단계를 밟게 된다. 사실 이 모형은 합리적 의사결정모형과 크게 다르지 않다.

첫째, 해결할 정책문제를 명확하게 정의하고 바람직한 정책목표를 설정한다(문제 분석 정의).

둘째, 정책대안을 광범위하게 탐색하거나 개발한다(정책대안의 탐색).

셋째, 각 정책 대안들이 가져올 결과를 예측한다(정책대안의 결과예측).

넷째, 정책대안들의 결과를 비교 평가한다(정책대안의 비교 · 평가).

다섯째, 최선의 정책대안을 선택한다(최적대안의 선택 · 제시).

실제로 학자들은 어떤 사태가 발생하거나 상황이 벌어지면 지금 무엇이 일어났는가(what happened?), 왜 일어났는가(why did it happen?) 그리고 앞으로 어떻게 될 것인가(what will happen?)를 고민하게 되는데, 이때 일정한 이론적인 모형을 가지고 관찰하고 이해하게 된다. Allison은 이것을 개념적인 렌즈(conceptual lens)라고 하였다(정정길 외, 2010: 434).

합리적 정책결정 모형은 정책현상 특히 정책결정 과정을 이해하는데 개념적인 렌즈 역할을 톡톡히 한 것이 사실이다. 하지만 이 모형의 합리성은 어떤 목표 달성의 극대화를 의미하는 도구적인 합리성을 의미한다는 점에서 비판하는 견해가 많다.

정책결정의 실제 과정에서 보면, 정책결정자들이 항상 주어진 목표 하에서 최선의 대안을 선택하는 일만 하는 것은 아니다. 때로는 목표 그 자체를 발견하는 과정이 필요하고, 사회 구성원들의 선호체제가 어떻게 형성되고 또 바뀌는가 등에 대해서도 관심을 가져야 한다. 그럼에도 불구하고, 도구적 합리성에 기반을 둔 합리적 정책결정 모형은 이런 의문에 시원한 답을 하지 못하는 약점이 있다.

2) 개인수준의 실질적 합리성과 정책학습이론

실질적 합리성은 최근에 와서 관심을 끌기 시작한 정책학습이론과 관련성이 깊다고 생각된다. 정책학습은 Stein이 분류한 것처럼 선형적 학습(linear learning)과 혁신적 학습(revolutionary learning)으로 나눌 수 있다(이민창, 2001: 72)[16].

먼저 선형적 학습은 지속적인 지식의 축적과정을 통해서 이루어진다. 사람들은 선형적 정책학습을 통해서 정책에 보다 순응하게 된다고 할 수 있다. 다음으로, 혁신적 학습은 기존의 정책이 사회적 환경의 변화에 따라가지 못하고 적응하는데 실패할 경우에 발생한다. 이런 혁신적 학습과정을 거쳐 새로운 정책을 모색하게 된다는 것이다.

그렇다면 정책학습의 핵심적인 요소는 무엇인가? North 등 정치경제학자들은 지식(knowledge), 선호(preference)와 신념체제(belief system) 그리고 학습(learning)을 들고 있다(유동운, 1999: 413-418). 일단 지식이 형성되고 쌓이면 이를 토대로 인식구조가 바뀌고 새로운 선호가 형성되어 결국 신념체제가 구축된다는 것이다.

정책학습 논의의 필요성은 정책학습을 통해서 개인별 선호가 바뀐다는 점, 즉 정책학습이 개인 수준은 물론 집단 수준의 합리성을 도출하고 이를 높이는데 효율적인 방안이라는 데에 있다.

---

16 Stein은 제도학습을 선형적 학습과 혁신적 학습으로 분류하였으나 여기서는 정책학습의 분류로 사용하였다.

3) 집단수준의 실질적 합리성과 정책토론의 중요성

앞에서 살펴본 바와 같이 Elster는 개인들의 선호를 집단선호로 전환하기 위해 목표설정의 합리성에 주목한다. Elster는 종래 일반적으로 받아들여졌던 목표 자체가 정해져 있다는 가정이 비현실적임을 인식하고 이 입장에서 탈피하여, 목표 자체가 정해져 있지 않은 경우의 합리성에 대한 해답을 찾으려고 하였다. 그 학문적 고민의 결과가 '집단수준의 실질적 합리성 모형'이다.

Elster는 목표 자체의 합리성을 고려해야 한다면 그 합리성의 성격은 기존의 도구적 합리성과 전혀 다른 것이고, 그에 대한 접근방식도 새로이 모색되어야 한다고 보았다.

최근 대안적 민주주의로 주목을 받고 있는 심의민주주의(deliberative democracy)와 정책담론이 바로 Elster의 집단수준의 실질적 합리성을 이루기 위한 방책이라고 생각된다.

3_ 도구적 합리성과 정책과정 모형

Laswell에 의해서 개발된 전통적인 정책과정 모형은 정책과정의 단계를 문제인지-의제설정-정책결정-정책집행-정책평가 등으로 구분하고 이런 일련의 결정과 행동을 통틀어 정책과정(policy process) 또는 정책순환(policy cycle)이라고 하였다. 초창기 대부분의 정책학 교과서가 이런 순서에 따라 기술되었고 그 내용이 상식에 가깝다는 비판을 받기도 하였다.

이런 정책과정을 단순화하면, 정책의제설정(agenda setting), 정책형성(policy formation), 정책집행(policy implementation) 그리고 정책평가(policy evaluation) 단계로 나누어진다. 그러나 실제 모든 정책이 반드시 이런 단계를 연속적으로 거치는 것은 아니다. 그럼에도 불구하고 이러한 단계적 접근(the stages heuristic)은 정책결정과 집행이 거치는 중요한 단계를 부각시키는 도구적 합리성에 입각한 분석적 도구로서 역할을 한다.

먼저, 정책의제설정 단계를 설명하면, 어떤 사회적 문제가 발생하면 정부가 관심을 갖게 되고 급기야 이를 정부의 공식적 어젠다로서 정부가 진지하게 고려할 대상에 포함시키게 되는데, 이처럼 정부가 사회문제를 해결하기 위해 정부의 공식의제로 수용하는 것을 정책의제설정 단계라고 한다.

둘째, 정책형성 단계는 정책의 공식화와 정당화를 가리킨다. 정책결정 주체인 공무원이나 국회의원들이 정부의 의제로 선정된 문제에 대한 대안을 선택하는데 목표와 수단의 도구적 합리성 모형에 따라 가장 효율적인 대책을 마련하게 된다. 이때 보다 바람직한 정책결정을 위하여 수행되는 지적 작업이 정책분석이며, 이를 통해 정책을 결정하는데 필요한 지식이 제공된다. 물론 이 과정에서 협상과 타협이 이루어지고 그 산물로 정책이 산출되며 이는 법률이나 정부지침의 형태를 띠게 되는 경우가 많다.

셋째, 정책집행 단계에서는 정해진 법률이나 정부지침이 실행되게 된다. 각급 행정기관들은 법률의 집행을 위한 조직을 만들고 각종 행정서비스를 제공하게 된다. 이러한 정책집행과정을 거쳐서 당초에 의도한 정책목표를 달성하거나 아니면 그런 목표를 달성하는데 실패할 수도 있다.

끝으로 정책집행이 끝나면 그 성과를 평가하게 된다. 정책이 추구한 원래의 목표를 어느 정도 달성했는지를 평가하는 것이다. 이런 정책 평가 결과에 따라 정책이 완전히 종결되거나 수정되어 다시 시행된다.

위의 정책결정 과정을 그림으로 나타내면 그림 3-2와 같다.

여기서 사각형 속에는 정책활동을 통해서 나온 산출물을 표시하고 타원형 속에는 정책과정의 핵심적인 정책활동이 표시된다. 그리고 점선으로 표시된 타원형 속의 정책분석은 합리적인 정책결정에 필요한 지식과 정보를 제공하는 역할을 한다.

그림 3-3: 정책과정[17]

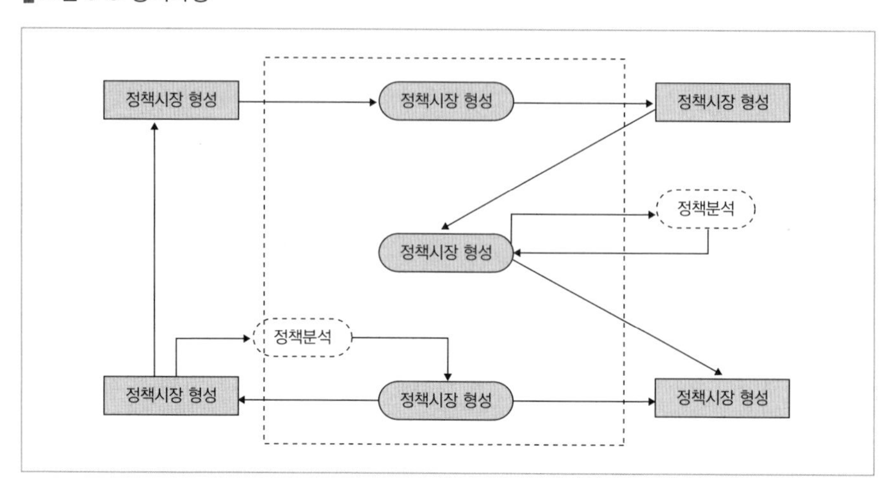

이와 같은 정책결정 과정 모형에서 가장 중요시되고 있는 영역은 정책분석이다. 정책결정이 진행될 때 중요한 관심사는 '어떻게 하면 합리적으로 정책수단을 결정할 것인가'일 것이다. 즉 정책의 내용은 정책목표와 수단으로 구성되는데 합리적으로 정책을 결정한다는 것은 정책목표에 부합되게 정책수단을 합리적으로 결정한다는 의미이다. 이때 합리성을 앞에서 설명한 도구적이고 형식적인 합리성이라 한다.

여기서 도구적 합리성을 판정하는 기준인 효과성과 능률성을 설명하면 다음과 같다.

효과성(effectiveness)은 일반적으로 목표달성의 정도를 의미한다. 이를 식으로 나타내면 아래와 같다.

$$\text{효과성} = \frac{\text{달성된 목표}}{\text{계획된 목표}}$$

17 정정길 외(2010) p.14를 그대로 옮긴 것이다.

능률성(efficiency)은 투입(input)와 산출(output)의 비율이다. 이는 아래식으로 나타낼 수 있다.

$$\text{능률성} = \frac{\text{정책대안의 (기대)효과}}{\text{정책대안의 (추진)비용}} = \frac{\text{정책효과(effect)}}{\text{정책비용(cost)}} = \frac{\text{편익(benefit)}}{\text{비용(cost)}}$$

지금까지 도구적 합리성에 입각한 전통적인 정책결정 모형을 살펴보았다.

이러한 정책과정 모형에 대해 Sabatier와 Jenkins-Smith는 다음과 같이 비판한다(Sabatier(ed), 1999: 23–24).

첫째, 정책과정 모형은 인과관계 모형이 아니다. 그 자체는 예측에 도움이 되지 않으며 한 단계에서 다른 단계로 어떻게 넘어가는지를 설명하지 못한다.

둘째, 인과관계 모형이 아니기 때문에 경험적 가설을 검증하는데 명확한 기초를 제공하지 못한다.

셋째, 정책과정 전반에 걸쳐서 일어나는 정책지향 학습과 정책분석의 역할을 제대로 설명하지 못한다.

결론적으로 정책결정 과정 모형은 지하철 노선도와 같은 역할을 한다. 다시 말하면, 있는 현상을 그대로 설명하는 데에는 한계가 있고 미래를 예측하는 데에도 설명력이 떨어지지만 현실의 정책과정에서 지침(heuristic)으로서의 역할을 하는 것은 사실이다.

여기서는 정책목표의 설정과 관련된 합리성이나 개인의 선호가 형성되는 과정 그리고 개인 선호가 사회의 전체 선호로 전환되는 문제 등이 거론되지 않고 있다는 이론적 한계점이 발견되고 있다.

4_ 개인수준의 실질적 합리성에 따른 정책학습이론

1 일반적 학습이론 개관

학습의 정의는 학습에 관한 연구 경향이 다양할 뿐만 아니라 연구 영역도 각각 달라서 모호하기까지 하다. 학습의 정의를 개관하면, 심리학과 교육학에서 다루는 개인차원의 학습과 경영학과 행정학에서 주로 다루는 조직차원의 학습 등을 학습의 큰 흐름이라 할 수 있다(이민창, 2001: 67).

개인 차원의 학습(individual learning)은 주로 심리학에서 많이 연구되어 왔다. 개인 차원의 학습은 주로 직관(intuition)에 의한 인지적 학습, 행태적 학습, 모방학습 등으로 분류된다.

먼저, 인지적 학습(cognitive learning)은 행위자 개개인이 외부환경에 대하여 반응하는 과정에서 발생하는 학습을 말한다. 인지적 학습의 과정을 통해 개인의 다양한 기회와 경험이 지식으로 축적되고, 이런 학습의 결과 행위자의 의사결정의 방향이 정해진다.

둘째, 행태적 학습(behavioral learning)은 환경의 변화에 따라 개인의 학습이 직접적으로 발생한다는 것을 전제로 한다. 이 관점에서 보면 개별 행위자에게 학습을 유도하기 위해서 학습환경을 조성하는 것이 무엇보다도 중요하다.

셋째, 모방학습(imitative learning)은 행위자가 직접 하지는 못하지만 특정한 상황을 맞을 때 행위자가 다른 사람들의 행동의 결과를 관찰한 후, 그에 기초하여 행동을 하거나 자신의 행위를 변화시키는 것을 말한다.

다음으로 조직학습(organizational learning)은 조직이 환경에 적응하는 과정으로서 발생하는 학습과 지식축적의 과정으로서 조직학습을 말한다. 조직학습의 유형은 분석적 학습, 조합적 학습, 실험적 학습, 상호적 학습, 구조적 학습, 제도적 학습으로 분류된다.

첫째, 분석적 학습(analytic learning)은 조직 내·외부로부터 체계적이고 집중적으로 정보를 수집하고 분석하는 과정을 거쳐서 학습이 이루어지는 것을 말한다. 분석적 학습의 과정에서는 문제를 파악하고 기회를 찾아내기 위해 조직의 운영과정과 환경을 분석하게 되고, 최고 의사결정자와 관리자들은 의사결정을 위한 다양한 대안을 평가한다.

둘째, 조합적 학습(synthetic learning)은 분석적 학습보다는 덜 체계적인 과정을 거친다. 이는 직관적이고 갑작스럽게 발생하기도 하며 포괄적이고 종합적으로 이루어지기도 한다. 이 학습의 과정에서는 각기 다른 부분적 지식을 새로운 방법으로 조합하여 새로운 유형과 관계를 추정해 낸다.

셋째, 실험적 학습(experimental learning)은 모든 정보를 수집하고 분석하는 분석적 학습이 현실성이 없다고 보고, 제한된 범위 내에서 가능한 대안을 점진적으로 검색하고 정보를 수집하여 장기적인 대안을 마련하는 과정에서 학습이 이루어지는 상황을 말한다. 이 학습은 적응(adaption)이나 혁신(renewal) 혹은 생산과정의 변화가 발생할 때 나타난다.

넷째, 상호적 학습(interactive learning)은 실행에 의한 학습(learning by doing)을 포함하는 것이다. 이 학습은 직관적인 형태의 학습으로 이루어지며 목표가 모호하고 권한이 넓게 분산되어 있는 대학 등의 행정조직에서 발견된다. 이런 학습과정에서는 관리자들끼리 상당량의 정보를 상호간에 교환하게 되며 실질적인 상호 협조가 이루어지기도 한다.

다섯째, 구조적 학습(structural learning)은 조직의 구조적 경로를 통해서 이루어진다. 조직의 구조적인 경로는 명시적으로 또는 묵시적으로 학습을 유도하기도 한다. 조직의 구조를 통해서 많은 정보가 수집되며 때로는 정보의 전달이 통제되기도 한다. 또한 이런 경로는 습관을 형성시키거나 가외성을 증가시키기도 하는데, 이런 습관과 가외성의 증가는 오히려 새로운 지식과 학습을 방해하여 기존의 관행을 고착시키는 역할을 하기도 한다.

끝으로 제도학습(institutional learning)은 조직의 환경이나 엘리트 구성원들 사이에 형성된 가치나 이데올로기 그리고 관행들을 조직에 융화시키는 과정이라 할 수 있다. 이 학습은 갑작스럽게 이루어지기도 하며(emergent), 귀납적으로(inductive) 유도되는 경우도 있다. 그리고 광범위한 조직구성원에게서 발생하며, 제도학습을 통해서 조직의 지도자나 공동체 또는 대주주의 가치관이 조직구성원에게 폭넓게 전파된다.

2 정책학습이론 연구 흐름

정책학습에 대하여는 여러 분야에 걸쳐 다양한 관점에서 연구한 성과물이 나오고 있다.

정책학습을 중요하게 다루는 모형(framework)이나 이론을 찾는다면 정책형성 또는 변동의 관점에서 정책학습을 접근하는 Hall의 정책학습과정 모형, Sabatier의 정책지지(또는 저지)연합모형 그리고 사회학적 신제도주의 이론과 합리적 선택 신제도주의 이론을 들 수 있다.

먼저, Hall의 정책학습 과정 모형을 살펴보면, Hall은 정책학습을 최종적인 목적을 보다 효과적으로 달성하기 위해 과거의 정책의 결과나 새로운 정보에 비추어 정책의 구체적인 목표나 수단을 조정하려는 의식적인 노력이라고 정의한다(Hall, 19880: 6). 다만, Hall은 영국의 경제정책의 변동을 연구하면서 정책학습의 중요성을 강조하면서도 사회적 학습으로서의 정책과정과 권력투쟁적 성질을 갖는 정책과정이 서로 뒤엉켜서 상호작용을 하기 때문에 정책학습이 확연하게 드러나거나 구분되지 않는다는 측면을 인정하고 있다.

다음으로 Sabatier의 정책지지(또는 저지)연합모형을 살펴보면, 이 모형은 장기간에 걸쳐 정책이 형성되거나 특정 정책이 변동되는 과정을 설명하는 모형이라 할 수 있다. 이 모형에서는 외생변수로 정책의 환경과 정책을 둘러싼 제도적인 특성의 변화를 상정하고, 내생변수로서 정책하위체제 내에서 활동하는 정책활동가 등으로 구성된 정책지지(또는 저지)연합들의 역할을 상정한다. 그리고 이 두 변수들 간의 상호작용에 의해 정책이 형성되거나 변동된다고 본다.

이때 내생변수인 정책지지(또는 저지)집단들의 주요활동이 정책학습(policy oriented learning)을 통해서 이루어진다고 할 수 있다. 구체적으로 정책학습은 정책지지연합의 구성원들이 경험을 통해서 정책지지연합체의 구성원으로 자신들을 묶어주는 믿음체계를 변경해 가는 과정이다. 아울러 믿음체계와 관련된 생각이나 행태를 변화시키는 과정도 정책학습이라 할 수 있다. 이러한 정책지지(또는 저지)연합 내부에서 정책학습을 촉진하는 것은 전문적이고 공개적인 포럼이나 공청회 등이 활발히 개최되는 등 공개적인 논의가 있을 때일 것이다(정정길 외, 2010: 716). 또한 정책학습은 정책지지연합 내에서도 이루어지지만 다른 지지연합으로부터의 학습도 가능하다(유훈, 2006: 94).

끝으로 사회학적 신제도주의 이론에서의 학습 개념을 살펴보자. 사회학적 신제도주의에서는 문화, 상징, 의미 등을 제도로 본다. 여기서는 문화 등의 규범적(normative) 측면 보다는 인지적(cognitive) 측면을 중시하고, 규칙이나 상징 등이 사회구성원들에 의해 당연한 것으로 받아들여질 때에만 제도로서 형성된다고 본다.

사회학적 신제도주의는 비교적 당연시되고 있는 것에 의문을 제기하는 데서 출발하는데 '자기이익의 극대화를 추구하는 합리적인 개인'이라는 기본명제에 대해서 '개인의 선호는 어떻게 형성되는가?'라는 의문을 제기한다.

이러한 질문에 답변하기 위해 의미(meanings)와 상징(symbols)에 초점을 맞춘다. 신제도주의의 큰 골간을 형성하고 있는 역사적 신제도주의나 합리적 선택제도주의가 제도의 구조적인 측면이나 제약요인으로서 제도에 초점을 맞추는 것과는 달리 사회학적 신제도주의는 제도의 인지적, 문화적, 상징적인 측면에 초점을 맞추고 있다(하연섭, 2008: 113).

이렇듯 의미의 틀(frames of meanings)로서의 제도는 개인 간에 상호작용을 가능하게 하는 사회적 패턴이 형성되고 그것이 지속되는 과정이라고 할 수 있는데, 여기서 특징적인 점은 행위자의 선호가 단지 주어진 것이 아니라 '사회적으로 형성'된 것으로 본다는 데에 있다. 이렇게 의미의 틀이 형성되고 사회적 질서가 형성되거나 재생산되는 과정을 제도화(institutionalization)라고 한다.

또한, 사회학적 신제도주의는 문화적 영향력에 주목한다. 각 조직들은 자신의 과업을 가장 효율적으로 수행할 수 있는 수단으로서 조직구조를 설계하는 것이 아니라 가장 그럴 듯하다고 인정받고 있는 조직구조를 닮고 싶어하는 경향을 보인다는 것이다. 이런 현상을 동형화(isomorphism)라고 하는데 이것이 바로 제도학습 또는 정책학습[18]이라 할 수 있다.

제도적 동형화, 즉 제도학습을 보다 자세히 설명하면, 먼저 정치적 영향력과 정당성 문제로부터 도출되는 '강압적(coercive) 동형화'가 있다. 이는 어떤 조직이 의존하고 있는 다른 조직과 그 조직이 소속된 사회의 문화적 기대에 의한 압력의 결과로서 학습이 이루어진다고 본다.

둘째, 불확실성에 대한 표준적인 대응에서 오는 '모방적(mimetic) 동형화'가 있다. 이는 환경이 불확실할 때, 다른 성공적인 사례를 본받으려는 데서 일어난다.

셋째, 전문화(professionalization)을 통한 '규범적(normative) 동형화'가 있는데, 이는 전문교육과정을 거친 전문직 종사자들에게 나타난다. 그들은 문제를 보는

---

18 이 글에서는 학습과 제도학습 그리고 정책학습을 혼용하는 데 일반적으로 심리학에서는 학습이란 용어를 주로 사용하고 제도이론에서는 제도학습이란 용어를, 일반정책이론에서는 정책학습이라는 용어를 사용하는 경향이 있는 점을 감안하여 정책학습 용어를 주로 사용하겠다. 그렇지만 제도학습이나 정책학습은 제도나 정책의 핵심요소를 재산권이나 거래비용 등으로 한정한다면 거의 비슷한 의미를 나타내는 개념이 된다.

시각이 비슷하고 주어진 어떤 사안에 대해 동일한 방식으로 대처하게 된다.

이상의 사회학적 신제도주의는 제도의 인지적, 문화적 상징적인 측면에 초점을 맞추는 것이다. 이와 달리 합리적 선택 신제도주의 이론에서는 독특한 행태적 가정(behavioral assumption)을 가지고 제도와 행위간의 관계, 즉 제도학습 또는 정책학습을 설명하고 있다.

구체적으로 설명하면, 사람들은 완전한 합리성을 가질 수 없으나 그런대로 합리적이며 자기이익을 추구한다고 가정한다. 행위자들의 일련의 선호체계는 주어져 있고, 이를 바탕으로 자신들의 선호 혹은 이익을 최대로 달성하기 위한 광범위한 계산 하에 고도의 전략적인 행동을 함으로써 제도를 만들어 나간다고 본다.

여기서 특이한 점은 제도가 변화하면 행위자들의 전략은 변하지만, 선호는 변화하지 않는다고 보는 것이다. 그 이유는 전통적인 경제학에서처럼 미시적인 접근을 하기 때문이라고 생각된다. 이는 앞에서 설명한 사회학적 신제도주의가 선호의 내생성을 주장하는 것과 대조된다고 할 수 있다.

특이하게도 합리적 선택 제도주의자인데도 불구하고 North는 이와 같은 선호의 외생성에 대해서 '선호의 내생성'을 주장한다. 다시 말하면, 선호가 제도적인 맥락 속에서 형성되고 변화됨을 인정한다. 제도는 개인 간의 상호작용에 영향을 미치며, 각 개인은 다른 사람들과의 상호작용 과정에서 자신이 무엇을 원하는지를 배우고 터득하게 된다는 것이다. 제도가 행위자들의 전략만을 제약하는 것이 아니라, 행위자의 경험을 제약함으로써 선호를 형성한다고 본다(하연섭, 2008: 100).

이상으로 정책학습에 대한 다양한 관점의 기초이론을 살펴보았다. 이를 바탕으로 합리성 모형 중에서 개인수준에서 실질적으로 합리성이 형성되는 과정에 대한 정책학습이론을 살펴보고자 한다. 다시 말해, 개인수준의 실질적 합리성(r2)의 형성, 즉 개인의 선호와 지식의 형성을 정책학습을 통해서 살펴볼 것이다.

한편, 심리학이나 교육학 등에서 개발된 일반적인 학습이론과 함께, 합리적 선택 신제도주의의 입장에서 '정책의 이해당사자들이 정책의 재산권 변동 초래여부, 거래비용 절감여부 등 정책의 핵심요소[19]를 스스로 파악하여 대응해 나가는 과정'이라는 측면에서 정책학습 이론을 살펴보기로 한다.

3 정책학습과 개인별 선호함수

정책학습이란 무엇인가? 정책학습을 어떻게 이해하여야 할 것인가? 하는 문제는 앞에서 살펴본 바와 같이 연구방향에 따라서 달라질 수 있다. 이글에서는 정책학습의 정의를 합리적 선택 신제도주의론에 따르되 North의 입장에서 선호의 내생성을 전제로 할 것이다.

따라서 여기에서는 정책학습을 '정책과 관련된 행위자들이 개별 행위주체의 편익을 극대화하기 위하여 정책의 내용과 특성에 관한 지식, 정보, 기술을 습득하여 적응해나가는 과정'으로 정의한다. 정책학습을 통해서 자신의 편익을 극대화 하려는 행위자들은 새로운 정책내용이나, 이에 따른 행위규칙이 어떻게 구성되어 있는지 또는 그로 인하여 제약받는 자기 이익의 범위는 어떠한지 등을 알게 된다. 곧 정책학습을 통해서 정부의 정책에 적응해 나가게 된다.

그러면 정책학습의 핵심적인 요소는 무엇인가? 앞에서 설명하였듯이 North 등은 지식(knowledge), 선호(preference)와 학습(learning) 그리고 신념체제(belief

19 합리적 선택 신제도주의에 관해서는 제5장의 신제도주의 이론을 참고하기를 권한다.

system)를 들고 있다. 일단 지식을 획득하여 이것이 자기에게 체화되면 이에 따라 사안을 바라보는 인식구조가 바뀌게 되고 즉, 새로운 선호가 형성되어 종국적으로 새로운 신념체제가 구축된다는 것이다.

따라서 개인수준의 실질적 합리성(r2)을 개인별 선호, 지식 그리고 정보의 함수라고 볼 수 있다. 그리고 개인별 선호와 지식 그리고 정보는 학습을 통해서 습득되는 학습(learning)의 함수이다. 이를 식으로 정리하면 다음과 같다.

(합리성 함수) 개인수준의 실질적 합리성(r2) = F (P, K, I),

개인별 선호(P) = f_1(L), 지식(K) = f_2(L), 정보(I) = f_3(L).

여기서 L은 독립변수로서 학습(learning)이고, P는 선호(preference)를 의미하고, K는 지식(knowledge)의 정도를 의미하며, I는 정보(information)량을 의미하며, 이들은 종속변수로서 독립변수인 학습의 영향을 받는다.

결국 개인수준의 실질적 합리성(r2)은 선호, 지식, 정보에 의해 결정되며, 이를 결정하는 원동력은 학습에 있다고 하겠다.

다음으로 개인별 선호(p)가 어떻게 변화하는가를 중심으로 정책학습을 구체적으로 살펴보기로 한다.

North는, 지식 전달 가능한 지식(communicable knowledge)과 암묵적 지식(tacit knowledge)으로 분류하는데, 여기서 암묵적인 지식은 오직 경험에 의해서만 습득되거나 그 일부분만을 전달할 수 있는 지식을 말한다. 여하튼 이런 지식이 학습을 통해서 개별 주체들에게 전달되어 축적되면 이를 토대로 개인들의 인식구조가 바뀌거나 신념체계가 새롭게 형성되게 된다. 이 때 지식과 학습간의 차이는 지식은 축적된 산물(stock)인 반면, 학습은 하나의 흐름(flow)으로 파악된다는 점이다.

이와 같이 정책학습을 통해서 형성된 선호 또는 신념체계는 행위자들이 앞으로 어떻게 행동하여야 할 것인지를 결정하는 데 커다란 영향을 미치게 된다. 결국 행위자들은 정책학습 과정을 통해서 자신들의 행위유인을 파악하게 되고 행동양식을 바꿈으로서 효율적으로 적응해 나가게 된다.

물론, 이와 다른 형태가 나타나는 경우도 있다. 어떤 정책으로 인해 자신의 재산권과 거래비용에 있어 손해가 발생한다고 생각될 때에는 기회주의적인 행태를 취하면서 대응해 나가기도 하고, 보다 적극적인 행위 주체들은 그 정책의 변동을 주장하게 될 것이다.

4 합리적 선택 신제도주의 정책학습 모형

학자에 따라서 정책학습을 수단적 정책학습(instrumental policy learning)과 사회적 정책학습(social policy learning)으로 나누기도 한다. 전자는 기존의 정책목표의 테두리 안에서 정책실패나 정책실적 향상의 원인을 이해하는데 도움을 준다. 이에 비해 사회적 정책학습은 정책의 목표, 정책의 범위, 정책문제 등에 관한 학습을 의미하고, 정책목표와 관련된 기대의 변동과 개인별 정책관련 선호의 변동을 가져온다(유훈, 2006: 98).

여기서는 사회적 정책학습의 입장과 합리적 선택 신제도주의 입장에서 정책학습모형을 소개하겠다.[20]

일반적으로 정책 이해당사자들은 정책의 형성 또는 변동 과정에서 자기들의 재산권과 거래비용이 어떻게 변화하였는지 그리고 그 변화에 대해서 어떻게 대응해나가야 할지에 관심을 갖고 정책학습을 한다. 특히, 합리적 선택 신

20 이민창(2001) 박사학위 논문의 77-79를 정리하였다.

제도주의자인 North는, 제도의 핵심적인 구성요소인 재산권, 거래비용에 대해 정책행위자들은 관심을 갖는다고 본다.

이런 측면에서 정책학습의 과정을 정책 형성기–점진적 변화기–정책 급변기 등 세단계로 나누어 살펴보는데, 이와 같은 단계는 정책학습을 포괄적으로 설명하기 위한 이상형적 범주라는 점을 먼저 밝혀 둔다.

첫째, 정책 형성기는 정책 담당공무원이나 국회의원들에 의해서 정책안이 입안되고 정부 공식정책으로 확정되어 이것이 집행되는 단계를 말한다. 이 시기에 형성된 정책은 재산권을 확대시키거나 아니면 제한하는 내용으로 구성되기도 한다.

따라서 정책으로 인해 사실상 재산권 유형의 변화가 초래되게 된다. 그리고 거래비용에 있어서도 행위 주체별로 거래비용이 증가되거나 혹은 감소되는 경우가 발생하게 되는데 이런 변화를 학습한 정책 이해당사자들은 정책지지(또는 저지)연합을 결성하게 된다.

둘째, 점진적 변화기는 변동된 정책의 특성에 따라 행위 주체들의 선호 및 행위유인이 적응적으로 변화하고 새로운 정책선호가 형성되는 시기이다. 이 때에는 선형적 학습이 이루어지고 지속적인 지식의 축적과정을 통해서 선호체제의 변화가 일어난다. 사람들은 선형적 정책학습을 통해서 정책에 보다 순응하게 된다고 할 수 있다.

셋째, 정책 급변기에는 혁신적 학습이 이루어진다. 다시 말해, 기존의 정책이 사회적 환경의 변화에 따라가지 못하고 적응하는데 실패할 경우에 발생한다. 이런 혁신적 학습과정을 거쳐 형성된 정책선호들이 외부에 표출되고 이런 과정을 통해서 정책행위자들은 자신들의 재산가치의 극대화 방안과 거래비용 최소화 방안을 추구하는 새로운 정책을 모색하게 된다.

이를 그림으로 정리하면 그림 3–3과 같다.

▌그림 3-4: 정책 학습 모형

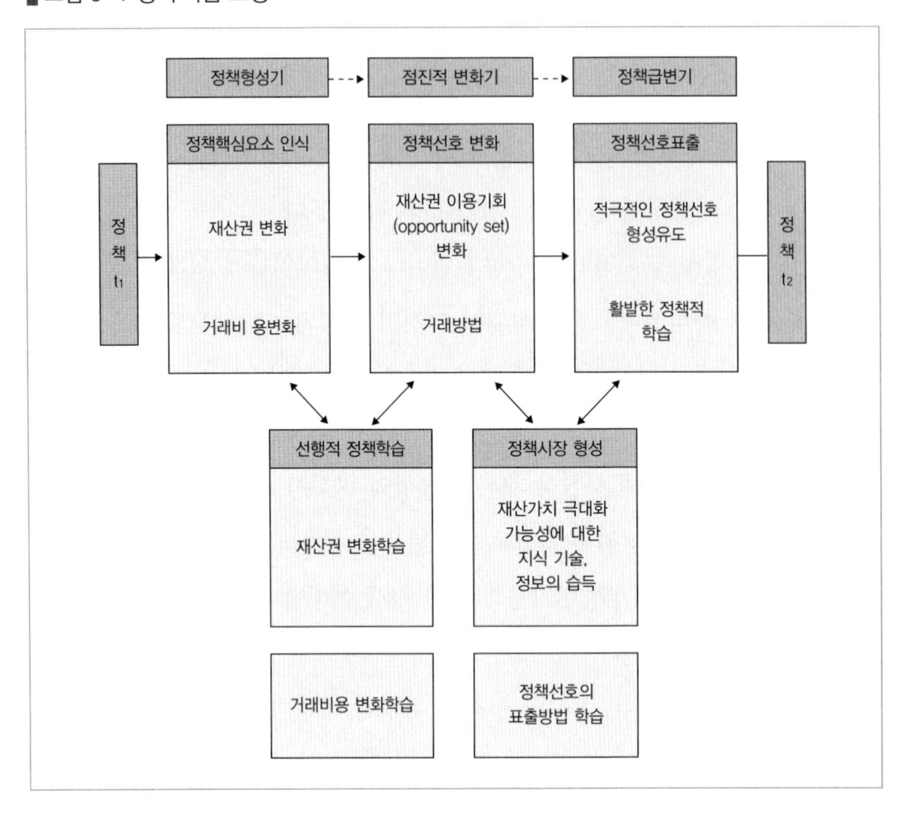

▌참고 사례[21]

Hall은 1970년대 후반부터 1980년대에 걸쳐서 일어난 영국 경제정책의 변동을 ①패러다임 안정, ②변이(變異)의 축적, ③실험, ④권위의 손상, ⑤분쟁(contestation), ⑥새로운 패러다임 정착으로 나누어서 고찰하고 있다. 여기에서는 Hall의 모델을 토대로 하여 정책학습과정과 정책변동을 살펴본다.

21 행정논총(2006, 제44권 3호)에 실린 유훈의 정책학습과 정책변동 중에서 일부를 발췌하였다.

① 패러다임 안정

1979년까지 영국의 경제정책은 Keynesianism이 지배했다. 경제정책의 제1차적 목표가 실업률을 감소시키는데 있었으며 이를 달성하기 위하여 통화정책보다 재정정책이 중요한 수단으로 사용되었다고 하겠다.

② 변이의 축적

변이(anomalies)의 축적은 1970년대 초인 제2차 Wilson정부(1974–76)와 Callaghan정부(1976–79)하에서 일어나기 시작했다.

이 시기에 물가가 급등하고 동시에 성장률의 저하와 실업률의 상승이 일어났다. 영국에서 오랫동안 상식으로 통했던 필립스(Phillips)곡선에 따르면 물가상승률과 실업률 사이에 일정한 역(逆)의 관계(trade-off)가 있어야 했으며, 물가상승률이 낮을수록 실업률이 높을 수밖에 없었다. 그렇지만 물가와 실업률이 동시에 상승하는 1970년대의 현상은 Keynesianism으로서는 설명할 수가 없을 뿐만 아니라 케인지안 재정정책으로서는 물가앙등을 억제하고 실업률의 상승을 동시에 막을 수 있는 방안이 존재하지 않았다.

③ 실험

이러한 물가와 실업률이 동시에 상승하는 스태그플레이션(stagflation)을 잡기 위하여 여러 가지 대책이 강구되었다. 물가의 폭등을 억제하기 위하여 1976년 Healey재무장관이 디플레이션정책을 채택하였던바 1977년에는 선진국 중 캐나다를 제외한 그 어떤 국가보다 실업률이 상승하는 결과를 초래했다. 뿐만 아니라 환율이 급락하여 1977년 초에 파운드당 2.024달러였던 환율이 9월말에는 파운드당 1.637달러로 폭락했다. 해외로부터의 거액의 차입을 통해서 환율의 하락을 막았으며 환율은 파운드당 2달러로 복귀했다.

물가의 앙등과 실업률의 상승에 불만을 품은 노동조합을 달래기 위한 조치도 강구하게 되었다. TUC(산업별 노동조합 연합)의 건의에 따라 Bullock경을 위원장으로 하는 Bullock위원회를 설립했는데 이 위원회는 1977년 1월에 제출한 보고서에서 서독의 공동결정(co-determination)과 유사한 제도를 채택할 것을 건의했으나 채택되지 않았다.

Callaghan수상은 근로자들의 소득보전을 위하여 1972-73년, 1975-77년의 소득정책보다 5% 임금을 인상하는 소득정책을 1978년에 발표했다. TUC는 정부로부터 사전협의가 없었다는 이유로 이를 거절했으며 대규모적인 파업이 일어났고 1979년의 총선에서 보수당이 승리를 거두는데 일조가 되었다고 하겠다.

④ **권위의 손상**

노동당 정부가 1972-73년, 1975-77년, 1978년의 소득정책을 가지고 노동조합과 협상을 하는 과정에서 정부의 권위가 크게 손상을 입었다. 특히 1978년에는 Callaghan수상이 소득정책과 총선일자를 협의하기 위하여 Brighton에서 개최된 9월의 TUC총회직전에 6명의 노동조합지도자들을 Sussex의 사저에 초청하였으나 노동조합을 설득하는데 실패했다. 불만의 겨울(Winter of Discontent)이 시작되었으며 대규모 파업이 일어났다.

이와 같은 노동당정부 권위의 손상은 재보궐선거에도 나타났다. 1975년 6월 Woolwich서구가 보수당에 넘어갔으며 1976년 11월에는 Walsall북구에서도 패배했다. 1977년 3월에는 Birmingham Stechford가 보수당에 넘어갔으며 4월에는 노동당의 아성이었던 Ashfield에서도 패배했다. 1978년 3월에는 보수당이 Ilford북구에서도 승리했다.

이와 같은 연이은 재보선에서의 패배는 노동당정부의 경제정책 실패뿐만 아니라 정부의 권위 손상 때문이었다고 하겠다.

⑤ **분쟁**(Contestation)

Keynesianism에 의거한 노동당정부의 경제정책이 실패를 거듭하자 케인지안 패러다임에 대한 대안으로 통화주의가 가장 유력하게 등장하게 되었다.

그러나 통화주의의 승리에 결정적 계기를 제공한 것은 1979년의 총선이었다. Thatcher가 이끄는 보수당이 635석의 총 의석 중 339석을 차지함으로써 268석에 그친 노동당을 누르고 승리한 것이다.

영국 최초의 여성 수상이 된 Thatcher는 통화주의적 경제정책의 도입에 본격적으로 나서게 되었다.

Thatcher수상은 내각의 중요한 위원회를 통화주의 신봉자로 충원했으며 수상의 경제고문에 통화주의자인 Alan Walters를 임명했다. 재무장관(Chancellor of Exchequer)에 임명된 Howe가 1979년 6월에 발표한 예산안은 직접세 대신 간접세에 역점을 두었으며 실업률의 감소보다 인플레이션의 억제에 역점을 두는 것이었다. 소득세율은 인하되고 8%내지 12.5%였던 부가가치세 세율은 15%로 인상되었다.

북해석유의 발견과 금리의 인상으로 환율이 올랐으며 파운드에 대한 외국인 투자는 증가했으나 수출경쟁력은 떨어졌으며 실업률은 상승했다. 1978년 취업인력의 5.4%에 해당하는 125만 명에 달했던 실업자가 1980년 10월 200만 명으로 늘어났으며 1982년에는 267만 명에 달하게 되었다.

1981년 3월에 발표된 예산안은 보다 신축적인 통화주의 토대위에 긴축재정정책을 채택했다. 실업률이 급상승하고 있는 상황 하에서 긴축재정을 채택하여 364명의 저명한 경제학교수들로부터 항의서신이 날라왔다.

⑥ **새로운 패러다임의 정착**

1985년까지 지속된 Thatcher정부 경제정책의 제2기는 통화주의의 원칙은견지하되 보다 신축성을 지니게 되었다. 동시에 환율과 공공부분 차입한도도 주요한 정책 가이드라인으로 등장함으로써 전통적인 통화주의자들로부터 비판을 받기도 했다.

Falkland전쟁에서 승리한 덕택에 보다 많은 의석으로 재선에 성공한 Thatcher는 개각을 단행하여 Howe 대신 Nigel Lawson을 재무장관에 임명했다. 공식적인 통화량목표는 점차 중요성을 상실해 갔으며 환율과 성장률에 역점을 두게 되었다.

1980년대 말에 이르러서는 Thatcher정부가 엄격한 통화주의를 추구하지는 않았으나 그렇다고 해서 Keynesianism로 되돌아간 것은 아니었다. 한마디로 말해서 1980년대 말의 경제정책은 재량적 통화주의라고 할 수 있을 것이다. 그 어떤 목표가 결정적으로 중요하지 않았으나 정책은 여전히 자산의 가치, 환율, 금리와 같은 통화적 지표에 의하여 좌우되었던 까닭이다.

Thatcher정부 하에서의 경제정책의 실적을 본다면 비교적 양호한 편이었다고 하겠다. 우선 성장률을 본다면 1979년 전반기에 -5%을 기록했던 GDP성장률이 1981년 후반기부터 회복하기 시작하여 1988년의 GDP는 1979년에 비하여 21% 성장했다.

인플레이션을 본다면 1979년 5월에 10.3%였던 12개월간 소비자물가 상승률이 1980년 8월에는 21%까지 치솟아 올랐으나 그후 하락하기 시작하였다. 1983년부터 1988년까지의 소비자물가상승률은 다른 선진국들이 2%내지 4.5%를 시현한 데 비하여 영국은 3.5% 내지 6%를 기록했다. 다시 말해, 다른 선진국에 비하여 다소 높은 편이었으나 한때 21%까지 상승하였던 데 비하면 많이 안정되었다고 하겠다.

다만, 실업률의 억제를 정책목표로 삼지 않았던 보수당 정부였던 까닭에 실업률은 크게 감소되지는 않았다. 1979년 5월에 109만명이었던 실업자가 2년 후에는 213만 명에 달했으며 1986년 7월에는 313만 명에 이르렀다. 그 후 실업률이 하락하기 시작하여 1989년 봄에는 200만 명 이하로 억제되었다.

5_ 집단수준의 실질적 합리성 도출과정: 심의민주주의와 정책담론

1 여는 글

앞에서 집단수준의 실질적 합리성은 '다양한 이해관계자들의 선호를 사회전체의 선호로 이끌어 사회적 합의를 도출하는 과정'이라고 설명한 바 있다. 그렇다면 현실에서 집단수준의 실질적 합리성이 어떻게 도출되는지 살펴보아야 할 것인데, 이를 한국사회의 민주주의 과정을 통해 접근해 보고자 한다.

지난 한 세기 동안 근대화론이 단선적인 경제발전 경로로만 취급받았던 것처럼 민주주의의 논의는 권위주의적 정치체제에서 벗어나기 위한 정치발전의 경로로서 주목받아 왔다. 그렇지만 권위주의 체제에서 탈피하여 민주주의의 형식적인 절차와 제도적인 틀이 비로소 갖추어 짐으로써 이런 민주화 이후의 민주주의 시대를 준비해야 한다는 목소리가 커지고 있다.

실제로 한국은 제도적 민주화를 가져온 소위 87년 체제의 출범이후 정치권과 학계에서 민주주의에 대한 다양한 논의가 진행되었다. 특히 1998년 진보적 정권이 들어선 이후 10년 그리고 다시 보수적인 정권으로 교체된 2008년 이후 보수진영과 진보진영에서는 각각 상대편의 약점을 들추면서 자기 진영에 유리한 이론을 개발하려는 경쟁들이 전개되었다. 예를 들면 보수진영의 뉴라이트 운동 이론과 진보진영의 민주화 이후의 민주주의 과제에 대한 문제제기가 대표적인 사례라 할 수 있다. 양 진영의 논의의 특징은 정부의 역할을 모두 주장한다는 점이다.

이러한 이념논쟁과는 별도로 실제적인 민주주의도 진전되어, 영국 이코노미스트가 발표한 민주주의 지수에 의하면 전 세계 국가 중에서 한국은 2006년 31위, 2008년에는 28위, 2010년에는 20위로서, 22위인 일본을 제치고 아시아에서 가장 민주화된 나라로 우뚝 서게 되었다(조선일보 2011. 1. 1일자 A24).

이렇듯 한국은 국제적으로 완전한 민주주의 국가의 반열에 올라서고, 과거와 비교할 때 시민참여의 기회와 폭이 보다 확장되었음이 인정됨에도 불구하고, 시민들의 정치적 만족감은 여전히 미약하고 계층별·세대별 가치갈등으로 중요한 정책들이 표류하는 문제에 직면하고 있다.

우리가 당면하고 있는 이 문제는 대표선출의 절차적 정당성 확보의 차원을 넘어 이제는 시민 생활에 직·간접적으로 영향을 미치는 주요 정책을 다루는 정책결정과정을 어떻게 구성하고 운영할 것인가와 직결된다고 본다.

따라서 가치가 다원화되고 권력과 정보가 광범위하게 확산되어 있는 현대 사회적 상황에서 다양한 이해당사자들로부터 자발적인 합의형성을 이끌어 낼 수 있는 보다 민주적이고 정교한 정책결정 논리에 대한 탐색이 필요하다고 하겠다. 이런 방향에서 집합적 의사결정의 질을 강조하는 심의민주주의는 정책담론과 함께 이론적·실질적으로 논의되어야 할 필요성이 있다.

정치학자들을 중심으로 대의 민주주의의 참여결핍 문제와 참여민주주의의 심의 결핍의 문제를 해결하기 위해 제안된 것이 심의민주주의이다(주성수, 2007). 심의민주주의는 국가과제가 복잡다기해지고 정치체제의 규모가 거대해짐에 따라 민주주의의 제도적 형태인 대의제 민주주의와 기술관료적 행정체제 간의 긴밀한 결합으로는 여러 가지 한계가 노정되기 시작하면서 각광을 받기 시작하였다(정규호, 2005: 34).

여기서 심의민주주의(deliberative democracy)는 의사결정 또는 정책결정과정에 폭넓게 이해당사자들을 참여시키고 참여자들의 반성적이고 자기 성찰적인 자세를 토대로 진정한 심의가 이루어지도록 하여 참여자들의 선호를 집단적인 사회전체의 선호로 전환시킴으로써 결과적으로 집합적 의사결정의 질을 높이는 것을 핵심 내용으로 한다(정규호, 2005: 32-33).

따라서 심의민주주의에서는 담론이론(discourse theory)이 중요시된다. 담론이란 사전적 의미로는 담화하고 논의한다는 것을 말한다. Habermas에 의하면 '개인이나 집단들이 허심탄회한 논의를 거쳐 이성적인 해답을 구하는 과정'을 가리킨다.

2 철학적인 배경

심의민주주의는 정책결정 결과에 대한 이해당사자들의 수용성을 높여주는 기능적인 측면과 함께 자기결정성의 원리에의 부합성을 높여 규범적인 측면에서도 긍정적인 평가를 받고 있다. 그렇다면 이와 같이 호평을 받고 있는 심의민주주의의 사상적인 배경은 무엇인가?

심의민주주의의 철학적인 근거는 규범적인 면과 절차적인 면에서 살펴볼 수 있다. 먼저 규범중심의 심의민주주의론자인 Rawls는 민주주의가 직면한 심층의 문제로서 뿌리 깊은 의견불일치 문제를 어떻게 관리하고 해결할 것인가에 초점을 맞추고 고민하였다. 그는 심의적 절차만으로는 정당성 보장에 한계가 있는 만큼 공적 이성(public reason)과 같은 외재적 규범과 기준이 필요하다는 입장이다.

Rawls는 현대사회가 당면한 긴장과 갈등을 해결하여 정의롭고 안정된 사회를 만들기 위해서는 보편적인 심의 기준을 제시해야 한다고 주장한다. 그는 절차적인 정당성이 결과의 정당성을 보장하지 못한다는 점에서 심의나 담론과정에 참여하는 자들은 명백한 진리와 공유된 정치적 가치에 기초한 주장을 해야 한다고 주장한다(정규호, 2005: 40).

따라서 Rawls는 공적 담론의 실질적 조건으로 공적 이성과 입헌민주주의 제도의 틀을 강조하면서 심의의 대상을 헌법과 관련된 중요한 정치적 주제로 제한시키고 합의가 어려운 도덕적인 문제는 배제하는 전략을 구사해야 한다고 주장한다(김명식, 2004: 261–279). 도덕적 불일치는 회피하거나 극복해야 할 장애물이 아니라 더불어 살아야 할 삶의 조건임을 인정해야 한다는 것이다.

이에 비해, 절차와 과정을 중시하는 과정중심의 심의민주주의론자들은 담론과정이 어떻게 집합적으로 의사결정을 이루어내어 복잡한 사회에서 민주주의적인 정당성을 확보할 수 있는지에 관심을 갖는다. 그들은 담론 과정과 절차에서 그 정당성을 찾는다(정규호, 2005: 41).

Habermas는 담론의 내용과 범위에 대해 어떤 제한도 두지 않지만 절차와 과정을 중요시하면서 소통적 행위이론을 공론의 장 개념에 적용시켜 이상적인 담론상황을 통한 적절한 절차가 민주주의적인 정당성을 보장한다고 주장한다. 공론의 장에서의 자유롭고 자발적인 토론과 논의, 즉 담론을 통해서 공적 여론을 만들어 내고 이것이 공식적인 정책으로 채택되도록 영향을 미쳐야 한다는 주장이다.

국민들이 참여하여 형성되는 담론의 장은 의회와 같이 정해진 절차를 통해 규제되고 의사결정을 주요기능으로 하는 공식적인 담론의 공간이 아니라, 비공식적으로 이루어지는 담론의 장으로서 공식적 의사결정에 영향력을 행사하는 여론형성을 핵심기능으로 한다. 이런 담론의 장을 통해 국민들은 새로운 문제를 더 민감하게 지각하고 자기이해의 논리를 더욱 풍부하게 계발하게 된다는 것이다. 이런 비공식적인 담론의 장이 활성화되지 못하고 공식적인 담론의 장과 단절될 때 참신한 국민의 여론형성 등 활력이 사라져 공식적인 담론의 장 역시 제 기능을 수행하지 못하게 된다(Habermas(한상진, 박영도 역), 2000).

이처럼 국민 참여는 민주주의 사회가 갖추어야 할 가장 근본적인 토대이지만 담론의 장 구성에는 다수의 직접 참여 그 이상이 요구된다. Habermas는 담론의 장을 내용과 태도표명의 소통, 즉 의견들의 소통을 위한 네트워크로 본다. 이 네트워크를 통해 의사소통의 흐름이 걸러지고 종합되어 주제별로 묶인 공적 여론들이 한 묶음의 더미로 집약된다고 본다.

이런 식으로 집약된 공적 여론을 공식적인 정책으로 만드는 것은 그것이 등장하는 양식과 그것이 누리는 광범위한 동의이다.

이 두 가지 중에서 그가 강조하는 것은 전자라고 할 수 있다. 그 이유는 충분한 수의 참여를 전제로 하는 광범위한 동의도 중요하지만, 그 동의는 제안, 정보, 근거들을 어느 정도 합리적으로 가공할 수 있는 논쟁이 충실하고 충분하게 진행된 후에 그 결과로서 형성되어야 하기 때문이다.

따라서 담론의 장이 확장된다는 의미는 단순히 더 많은 사람들이 여론형성에 참여했음을 의미하는 것이 아니며, 참여의 규모 못지않게 참여의 수준이 중요시 된다(Habermas(한상진, 박영도 역), 2000: 435-436).

이처럼 규범주의적인 입장에 서든지 아니면 절차주의적 입장에 서든지 간에 모두 참여를 강조하고 있고, 보다 확장된 담론이 정책결정의 합리성을 보장한다고 보고 있다. 바로 이런 점이 심의민주주의의 철학적 배경이라 할 수 있다.

3 합리성 모형과 심의민주주의적 정책담론

심의민주주의는 정책결정 과정에서 이루어지는 논쟁과 토론, 즉 담론과정에 참여하는 자들로 하여금 서로의 이해관계를 재평가하고 자신의 선호를 조정함으로써 보다 합리적인 심의 자세를 갖도록 요구한다. 이런 조건을 조성함으로써 정책결정의 종합적인 합리성과 그 질을 높여 공동체의 이익을 모색할 가능성을 열어주어야 한다는 것이다.

심의민주주의적 정책담론의 논리가 갖는 특징은 기존의 대의제 민주주의와 이에 대한 대안으로서 제시된 참여민주주의와 비교 검토할 때 더욱 분명해진다.

먼저, 대의제 민주주의에서는 선거과정을 통해서 사회구성원들의 전체 의사를 확인하는데 이때 개인들의 선호는 고정되고 주어진 것으로 보고 개인들의 이해관계를 동일한 가중치로 취급하여 합산한 결과에만 관심을 갖는다. 이는 합리성 모형 중에서 도구적 합리성, 즉 앞절에서 설명한 개인수준의 형식적 합리성(r1)과 집단수준의 형식적 합리성(R3)에 기초한다고 할 수 있다.

따라서 대의제 민주주의는 그 목적을 정치적 균형달성에 두고 있을 뿐이고 문제해결이나 해법의 정당성 확립에는 관심을 두지 않는다고 할 수 있겠다(정규호, 2005: 37).

반면 참여민주주의는 정책결정 체제에 의해 영향을 받는 개인이나 집단들이 직접 자신들의 선호를 투입하는 데 초점을 맞추고 있어 민주주의의 폭을 넓히는 데에는 많은 공헌을 하였다. 그렇지만 참여과정에서 그들의 선호나 의견이 반영되지 않은 이해관계인들(unmediated interests)이 직접 참여한들 무슨 의미가 있을 것인가 하는 의문이 제기되었다.

따라서 정책결정 과정에 참여의 폭을 넓히는 것은 의사결정의 질을 제고하는 데 중요한 전제조건이 되지만, 이와 함께 참여자들의 자발적인 성찰에 기초한 학습과정이 뒷받침될 필요성이 요구되고 있다. 다시 말해, 담론적인 소통을 통한 인식의 지평을 확장할 필요가 있다는 것이다. 이렇게 볼 때 참여민주주의 역시 집단 수준의 실질적 합리성(R4)을 만족시킬 수 없다는 결론에 도달하게 된다.

이런 점들을 고려하여 참여민주주의의 이념을 계승하면서 대의제 민주주의의 한계를 극복할 새로운 대안적 민주주의가 모색될 필요가 있는데, 이를 만족시키는 대안이 바로 심의민주주의인 셈이다. 따라서 심의민주주의는 참여와 담론의 측면을 함께 갖는다고 말할 수 있다.

심의민주주의는 집단수준의 실질적 합리성이 반영될 수 있는 정치제도이다. 심의 민주주의 이론에 따르면 여러 개인들이 자기의 선호를 표명(articulation)하고, 이것들을 정책담론을 통해 국민적 의지 또는 선호로 집성(aggregation)하여 입법과정에서 법제화하거나 정부의 방침으로 결정한다는 것이다. 이렇게 결정된 법령이나 정책은 공무원들에 의해서 집행되게 된다(강신택, 2005: 187).

한편, 정치적 입장에서의 심의민주주의 이상과 가장 부합한다고 주장할 수 있는 정책결정의 새로운 준거 틀을 모색할 필요가 있다. 이러한 준거의 틀로 제시된 것이 바로 진정한 담론이론(authentic discourse theory)라고 하겠다(강신택, 2005: 189).

여기서 정책담론은 참여자들의 강제되지 않은 토론과 논의(unconstrained dialogue)를 의미한다. 다양한 견해와 가치들의 소통이 이루어지는 담론적인 조건 속에서 결정된 정책이야말로 보다 합리적이고 민주적으로 정당할 뿐만 아니라 공동의 이익이 탐색되고 반영된다는 것이라 할 수 있다.

결론적으로 담론과정을 통해서 참여자들이 스스로 가치체계와 선호를 변화시켜 집합적 사회 선호를 형성하도록 하는 담론과정의 전환적 힘(transformative power)이 심의민주주의 이상에 맞는 정책결정의 핵심적인 요소라 할 수 있다. 이를 통해서 볼 때 심의민주주의적 정책담론은 앞 절에서 말한 Elster의 네 가지 유형의 합리성 모형 즉, 합리성 종합 모형 중에서 집합적 수준의 실질적인 합리성(R_4)을 달성하기 위한 가장 효율적인 정책결정 방책이라 할 수 있다.

4 심의민주주의적 정책담론 제도

직접민주주의의 참여성 결핍과 참여민주주의의 담론성 결함을 보완하기 위해 대안적 민주주의로 주장되는 심의민주주의에서는 국민들이 심의적 또는 담론적인 정책결정 과정에 참여할 수 있는 기회를 확대하는 방안이 모색되어야 한다.

참여와 심의성을 확보하기 위한 정책담론 제도를 정리하면 표 3-2와 같다. 일반적으로 정책담론 제도들은 자문적 또는 협의적 성격을 갖는다. 따라서 의

제설정은 시민들이 직접 제안하는 것이 아니라 정부나 의회 혹은 전문가 집단이 제시한 것에 대하여 국민들이 참여하여 자기들의 선호를 제시하거나 조언하는 것으로 위로부터의 제도라는 한계를 갖는다.

이런 점을 감안할 때, 시민배심제와 합의회의 등은 잘 알려진 담론적 민주제도이다. 일부국가에서 활용되고 있는 이 제도들은 직접민주제의 단점을 보완하는 데 많은 도움이 된다는 평가를 받고 있다. 그렇지만 이 제도들은 그 의제들이 국민들이 직접 제안한 것이 아니므로 일종의 통제된 심의적 제도라는 한계를 여전히 갖는다.

또한 공공서베이, 공론조사 등은 정부에서 그 조사결과를 수집하여 정책결정에 참고하는 일종의 소비주의적(consumerist) 민주주의에 지나지 않는다는 지적도 있다.

표 3-2: 심의 민주주의적 정책 담론제도

제도	참여자	정책결정 특성
공청회	관심 있는 모든 시민들	법률안, 정책대안에 대한 토론으로 발제와 토론 및 질의응답 등으로 의견수렴
공공서베이	비교적 많은 수의 시민들	주최측이 제시하는 설문 내용에 대해 시민들이 의견을 제시하거나 문항을 선택
포커스 그룹	소규모 5-12명 시민대표	특정 의견과 행태에 대해 진행자의 간섭을 받고 자유롭게 토론
시민자문위원회	정부 등 주최자 선정 소집단	이해관계자들의 참여로 정부, 기업측 입장을 지역사회 차원에서 승인하는 의사결정
기획배심제	정부 등 주최자 선정 소집단	임의, 공식 선발된 시민대표들이 도시계획 등 이슈에 관한 공개 세미나에서 대안을 선택
규제적 협상	이해당사자 소집단	규제에 직접적 이해당사자들이 참여해 규제안에 대한 토의를 거쳐 합의 모색
중재위원회	이해당사자 소집단	환경분쟁 등 분쟁 당사자들의 자발적인 참여와 중재자의 중재에 의해 합의 모색
합의회의	12-20명의 시민대표	시민패널이 전문가패널의 의견을 듣고 며칠간 수차례 토의를 거쳐 의사결정
시민배심/평가단	12-20명 시민들 이해당사자	배심원, 평가단은 며칠간 집중적인 문제 분석, 수차례 토의를 거쳐 대안에 대한 의사결정

5 정책담론 제도의 정착 조건

세상에 어떤 제도도 저절로 그 기능을 다하는 경우는 없다. 그 제도가 제대로 운영되기 위해서 지켜져야 할 조건들이 있다. 정책담론에서 필요한 심의는 사리 분별이 있는 주장, 비판적 청취 그리고 진지한 결정과정 등을 포함한 토론이지만, 현실적으로 이 모든 요건을 충족시키는 의사소통은 쉽지 않다.

성공적으로 정책담론 제도가 정착되기 위한 조건을 소개(김영평, 2000: 15)하면, 다음과 같다.

첫째, 비판의 제도화이다. 이는 정책결정 과정에서 참여자들 간에 서로 경쟁적으로 제시하는 정책대안을 비판하는 기회가 보장되어야 한다는 것이다. 비판은 이성적 판단의 출발점이며 비판을 통해 정책결정 절차의 여러 지점에서 부적절한 추론이 지적되어 교정되도록 하여 부적당한 방안을 배제한다. 이런 절차를 통해서 어떤 정책대안의 독단과 편견이 배제될 것이다.

따라서 비판의 제도화를 통해서 최선의 방법을 찾기 위해 노력해야 하고 그렇게 되지 않더라도 최악의 방안을 걸러낼 수 있을 것이다.

둘째, 토론의 절차와 내용은 공개되어야 한다. 정책결정 과정에서 토론된 내용이 다른 사람에게 알려져야 한다. 공개성은 담론과정에서 제기되는 주장이 증거에 의존하도록 하는 조건이 된다.

다만, 공개성이 모든 사람의 참여를 허용한다는 의미는 아니다. 문제의 성격에 따라 한정된 사람만 참여할 수 있다. 한정된 사람이 참여하더라도 참여자들의 주장이 모든 사람에게 알려질 수 있는 방법으로 전개되면 정책담론은 증거에 의존하게 될 수밖에 없다.

따라서 토론 절차와 내용의 공개성은 토론이 진행되기도 전에 특정인의 의도에 따라 토론의 결론이 미리 정해져버리는 일을 방지하기 위한 조건이 된다.

셋째, 절차의 공평성은 정책결정의 참여자들에게 자기의 주장을 전개할 수 있는 기회가 균형 있게 제공되어야 한다는 원칙이다. 그러나 정책담론에서 개별 참여자들은 자기의 주장이 더 타당하다는 이유를 경쟁적으로 제시하기 때문에 모든 의견에 대해 기계적으로 동등 대우를 하는 것은 현실적으로 불가능하다.

따라서 절차의 공평성은 정책담론의 결론을 미리 알 수 없는 절차에 따라 토론이 전개되는 것을 말한다.

넷째, 절차의 적절성은 어떤 유형의 문제를 해결하는 데 모든 절차가 똑같이 유효한 것은 아니기 때문에, 경우에 따라서는 특정 절차가 유효하다는 것을 인정하고 그 절차에 의존해야 한다는 조건이다.

6 성숙된 민주화·정보화 사회에서 정책담론이 나아갈 방향

앞에서 일부 논의하였지만, 집단수준의 실질적 합리성 기준에 비추어 볼 때, 과연 우리 민주주의가 높은 평가를 받을 만한 것인지에 대해 적잖이 의문을 제기하는 사람들이 있을 것이다. 이는 우리의 정치과정 또는 정책과정에 대한 불신이 상당하기 때문이라고 생각된다.

현실적으로 우리의 민주주의 하면 떠오르는 것이 국회에서 몸싸움과 날치기 통과라는 보도도 있다. 이런 일이 발생하는 근본적인 이유는 국회의 행정부 견제가 정책적인 것이 아닌 정치적 방식에 의존하고 있기 때문이라는 견해도 있다(강원택 : 조선일보 2011. 1. 1일자 A24). 이제는 국회와 정당이 정책역량을 끌어올리는 데 역점을 두어야 할 것이다.

이런 요구와 함께 눈여겨보아야 할 현상이 최근 인터넷 매체가 대중화되면서 여론 형성 과정에 온라인 공간의 영향력이 커지고 있다는 사실이다. 이런 매체의 대중화가 가져온 변화 중에 하나는 공공담론의 장에 국민들의 직접적이고 능동적인 참여가 증가하고 있다는 점이다.

이런 추세에 발맞추어 국민들의 참여가 늘어가고 있는 담론의 장을 세부적으로 구분한다면 세 가지로 나눌 수 있을 것이다.

첫째, 물리적인 장소가 필요한 대인적인 담론의 장이다. 둘째, TV, 신문 등 대중매체를 활용한 정책담론의 장이다. 셋째, 온라인(on-line)상에서의 담론의 장이다.

대인적 담론의 장과 대중매체를 활용한 담론의 장은 무대 위의 전문배우와 객석의 관객으로 분명하게 구분되고 이때 관객은 전문배우들이 제시하는 주장들에 단순히 예 또는 아니오를 양자택일하게 된다.

그렇지만 온라인상에서의 담론의 장은 참여자들 간의 직접적인 상호작용이 가능하다. 온라인에 연결된 사람들이라면 누구나 어떤 방향에서든지 원하는 사람들과 연결되어 정치 시사적인 이슈에 대해 대화하고 토론할 수 있다. 온라인 공간에서는 물리적으로 분산되어 있는 대규모의 시민이 참여한다고 해도 원하는 사람은 누구나 직접 무대에 올라가서 자신의 목소리를 낼 수 있다(한혜경, 2010: 619-620).

이제 우리는 위와 같은 시대상황의 변화에 발맞추어 온라인상의 담론의 장을 정책담론의 장으로 전환하는 노력이 필요하게 되었다. 법령 제·개정과정과 주요정책 결정과정에서 의견수렴을 위해 대인적인 공청회를 실시하고 있지만, 여기에는 일정한 한계가 있다. 따라서 온라인상의 정책담론을 정책결정을 위한 정식 의견청취 및 심의 과정으로 제도화할 필요가 있다고 하겠다.

오늘날 대안적 민주주의 방편으로 거론되는 참여민주주의와 심의민주주의는 이제 거스를 수 없는 대세가 되었다. 과거와 같이 소수의 정치 엘리트나 오피니언 리더들이 대중을 이끌어 나간다는 것은 거의 불가능한 사회가 되었다. 따라서 SNS를 통한 온라인상에서의 정책담론을 정부의 여론 수렴과정의 필수적인 절차적 제도로 정착시키는 방안을 강구할 것을 제안한다. 정부는 물론 정당도 국민들의 자발적인 정책 참여를 이끌어내기 위해 인터넷 정책담론의 장을 활성화하는 노력을 해야 할 것이다.

SNS를 통한 온라인상에서의 정책담론에서 한 가지 우려되는 것은 간혹 SNS상의 영향력이 있는 오피니언 리더들의 등장으로 그들이 의도하는 대로 여론이 형성되거나 쌍방향이 아닌 일방향화되는 사례가 발생할 수 있다는 것이다. 그렇지만 이런 문제를 해결한다는 명분으로 정부 또는 공적기구가 개입해서도 안 될 것이고, 국민들의 높은 의식수준과 이성적 참여만이 이런 부작용을 자연스럽게 해결할 것이다.

이런 우려에도 불구하고 우리는 온라인상에서 정책토론을 더욱 활성화하고 여기에서 도출된 결론을 정부의 정책결정 과정에 포함시키는 방안을 적극적으로 추진해야 한다고 본다. 이와 같은 전자 공공토론은 전자민주주의의 발전에 지대한 영향을 미칠 것으로 생각한다.

4장

집합적 의사결정 모형의 대안 모색 : 정책시장론

제2장에서 정책을 사회의 구성원인 각 개인들의 선호가 조정·결집되어 공동체의 집단적인 선호로 결정된 것이라고 하였다. 제3장에서는 집단수준의 실질적 합리성을 도출하는 과정을 정책과정으로 볼 수 있고, 이런 과정을 통해서 사회구성원들이 스스로 자신의 가치체계와 선호를 변화시켜 집합적 사회선호를 형성할 수 있음을 살펴보았다.

이처럼 정책은 집합적인 의사결정과정을 통해서 결정된다고 할 수 있는데, 이에 대해 비관적인 입장의 이론들이 발표되고 있다.

먼저, 민주주의적 방식에 의한 정책결정의 한계를 지적하는 이론이 도출되었다. 즉 직접민주주의는 Arrow의 불가능성 정리에 의해, 간접민주주의는 Condorcet 등의 투표의 모순에 의해 개인 선호가 공동체의 선호로 조정·결집되는데 한계가 있음이 밝혀진 것이다.

또한 일부 경제학자들은 시장주의 방식에 의해서 모든 사회문제가 해결되기 어렵다는 점도 지적하고 있다.

이 장에서는 이러한 한계를 극복하기 위해서는 정치적 시장 모형이 필요함을 역설하고, 정치적 시장(정책시장) 모형의 구성 가능성을 살펴본 후, 정치적 시장을 구체적으로 설명할 것이다.

1_ 민주주의와 시장주의 그리고 정책학 연구 방향

1 여는 글

정치학적 입장에서 볼 때, 정책은 기본적으로 자유, 평등, 재화와 용역 등을 포함하는 가치의 생산과 분배를 어떻게 할 것인가의 문제를 다룬다(Easton, 1953: 130). 가치의 생산과 분배는 사람들이 모여 사는 사회를 전제로 하고, 사회 구성원간의 상호관계와 불가피하게 연계되어 있다고 할 수 있다.

더 나아가 정책현상을, 국민들이 관심을 갖는 사회 공동체의 이슈가 정치적인 논의를 거쳐 국가의 공식적인 기본방침인 정책으로 결정되어 집행되는 과정으로 정의한다면, 정책 연구는 합리성을 토대로 하지만 국민 참여적 민주주의와 자본주의적 시장경제 원리와 연계해서 이루어져야 한다.

따라서 정책학은 민주주의를 더욱 진전시키면서 민주주의의 약점을 보완하는 방향으로 연구되어야 하고, 시장경쟁 원리가 확대 적용되도록 하면서도 시장경제의 부작용을 최소화하는 방향으로 연구되어야 한다고 본다.

여기서 민주주의는 가치의 생산과 배분에 있어서 국민이 선거를 통해 선출한 대표의 결정이나 지시 또는 그로부터 위임받은 대리인에 의해 사회구성원의 활동을 일정한 방향으로 조정하는 것을 말하고, 이때 일정한 방향으로 조정된 결과가 정책을 의미하는 경우가 많다.

이와 대비하여 시장주의는 어떤 지시가 없는 상태에서 구성원 각자의 판단에 의지한 채 상대방과 교환관계를 맺는 방식으로 사회구성원의 활동이 조정되는 것을 말한다(조홍식, 2007: 22).

결론적으로, 민주주의가 지배하는 공적 영역에서의 행위는 다수결 원칙(majority rule)에 기초하게 되고, 시장주의가 지배하는 사적 영역에서의 행위는 개인의 자발적 선택(voluntary choice)에 기초하게 된다는 것이다.

이글에서는 먼저 민주주의와 시장주의를 기반으로 하는 민주사회 · 시장경제에서 과연 정책이라는 영역이 필요한 것인지를 살펴보고자 한다.

이를 위해 Arrow의 불가능성 정리와 Condorcet 등의 투표의 역설(paradox) 이론을 통해서 민주주의의 다수결 원칙과 투표를 통해서는 집단적인 사회적 선호가 도출되기 어렵다는 점을 밝히겠다. 아울러 모든 경제 문제를 시장에 맡겨서 해결하는 것도 비현실적이라는 점도 밝힐 것이다.

이런 논증을 통해 민주주의와 시장주의 하에서도 정책결정 영역이 필요함을 역설하고자 한다. 그런 후에 정책결정의 민주화 및 시장화를 위한 정책시장 이론의 도입 필요성과 정책시장 모형을 설명할 것이다.

이와 같은 결론을 토대로 정책학의 기본 주제의 논의는 민주주의와 시장주의를 보완하는 방향에서 전개되어야 하고, 민주주의와 시장주의의 발전 정도에 맞게 이론들이 재조정될 필요가 있다는 점을 강조하고자 한다.

2 (논제1) 민주주의 체제 하에서 정책영역이 꼭 필요한가?

1) 민주주의 개념들

'민주주의란 무엇인가?' 에 대한 답은 사람들의 이념과 가치관에 따라 각양각색이 될 것이다.

먼저 민주주의에 대한 가장 간결하면서 많이 인용되는 정의는 미국 링컨대통령의 '국민의(of the people), 국민에 의한(by the people), 국민을 위한(for the people) 정치'라고 할 수 있다. 이는 민주주의의 핵심요소로 국민주권과 국민자치, 위민·복지주의를 담고 있다. 이 정의는 민주주의에 대한 가장 통상적인 사전적(辭典的) 정의이지만 실현가능성이 없는 하나의 희망사항일 뿐이라는 비판도 있는 것이 사실이다.

시스템적인 측면에서 민주주의(democracy)는 국가의 중요한 의사를 결정하는 데 시민권을 가진 모두에게 열려 있는 선거 또는 국민투표 등의 방법을 통하여 전체적인 구성원의 의사를 반영하고 실현시키는 사상 및 정치 사회체제이다. 일반적으로 국민 개개인이 나라의 주인된 힘, 즉 주권을 행사하는 이념과 체제라고도 한다.

한편, 민주주의 개념을 민주적 경쟁의 제도화로 정의하는 학자도 있다. 정치경제학적 입장에서 자유민주주의의 이론적 틀을 정립한 Schumpeter는, 민주주의를 국민의 표를 얻기 위한 자유롭고 공정한 선거경쟁에서 다수표를 얻은 정당 및 정치인들이 정치적 결정에 필요한 국가권력을 획득하는 제도적 장치라고 하였다. 그는 기업인들이 시장에서 이윤을 극대화하기 위해 노력하는 것처럼 정치인들도 정치적 시장에서 국민들의 표를 얻는 데 최선을 다하는 행위자로 보고 있다(임혁백, 1997: 35).

이보다 더 섬세한 개념화를 시도한 Dahl은 민주주의를 정치적 경쟁 및 참여를 보장하는 최소한의 절차적 요건(procedural minimums)으로 상정한다. Dahl은 선출된 공직자, 자유 공정선거, 포괄적 투표권, 공직 출마권, 표현의 자유, 대안적 정보, 결사체의 자율성 등을 민주주의의 절차적 요건으로 제시하고 있다.

끝으로 법학적인 측면에서는 민주주의를 자유주의와 민주주의의 결합으로 이해하면서 민주주의라 함은 국민에 의한 지배 또는 국가권력이 국민에게 귀속되는 것을 특징으로 하는 정치원리 정도로 해석하고 있다. 민주주의가 우리 공동체에 제시하는 실천적 의미에 대해서는 별다른 설명이 없다.

2) 직접민주주의 하에서 국민들의 자발적인 합의에 의해 집단적 사회 선호로서의 정책이 형성될 수 있는가?

민주주의가 정당성을 갖기 위해서는 민주주의적 정치과정을 통해 도출된 결론으로서의 사회문제 해결방안, 즉 정책이 그 사회의 각 구성원들의 선호를 합리적으로 그리고 공정하게 집약한 결과여야 한다. 다시 말해, 민주주의 그 자체가 제대로 기능할 수 있는 사회선호 함수가 존재해야 한다.

실제로 다수결원리를 전제로 하는 민주주의 원리를 신봉하는 사람들은 민주주의가 비록 완벽한 제도는 아니지만, 그것을 통해 사회의 구성원들의 개별적인 선호들을 이른바 공익이라는 이름으로 사회전체의 선호체계로 변화시키는 데 아무런 문제가 없다고 생각하는 정치학자들도 있다.[22]

사회적 선호를 결집할 필요성을 고려할 때, 민주주의의 초보적이고 이념형에 가장 가까운 개념은 바로 링컨의 '국민의, 국민에 의한, 국민을 위한 정치'이다. 이에 가장 적합한 민주주의 형태는 대의제 민주주의가 아닌 직접민주주의일 것이다. 고대 아테네에서는 평등을 기초로 한 전시민이 모인 집회에서 나랏일, 즉 정책을 결정하였다.

기원전 500~300년경에는 아테네의 아고라 광장은 시장바닥과 같이 북적거렸다. 장사꾼들의 호객하는 소리와 물건을 사려는 사람들의 흥정소리로 항상 시끌벅적하였다. 그런데 이따금 장사는 접고 모두들 언덕 위의 아고라 광장으로 향할 때가 있었다. 대형 원형극장 프닉스로 모인 것이다. 민회인 에클레시아가 열리는 곳이다. 6000명 가량의 민회 구성원들은 평의원 500명이 준비한 의제를 놓고 번갈아 가며 단상에 올라 연설을 했다. 그리고 거수를 하거나 도자기 조각을 항아리에 던져 표결을 했다. 과세, 공공사업, 전쟁의 개시 등의 결단이 이곳에서 이루어졌다. 안건이 정리되면 시민들은 다시 일상생활로 되돌아왔다. 이런 현상은 열흘에 한 번꼴로 반복되는 연중행사였다.

그렇다면 이처럼 아테네와 같이 국민들이 직접 나서서 당면한 사회문제의 해결방안을 스스로 결정한다면 현재와 같은 정책학 논의가 필요 없는 것이 아닌가? 과연 별도로 정책학이라는 학문 영역이 필요한가? 하는 의문이 제기될 것이다. 이에 대한 대답을 살펴보면, 정책학은 그 필요성이 부정되고 민주적인 의사결정 절차 또는 주요정책의 선정기준 등만을 연구하면 충분하다는 정치학자들도 있고, 적어도 민주주의와는 별개로 진행되는 정책학의 자체 논리와 논의 방식이 있어야 할 것이라는 주장도 있다.

이렇게 국민들이 직접 정책을 결정해야 하고, 결정할 수 있다는 증명되지 않

---

22 주로 정치다원주의자들은 낙관적으로 정치과정을 평가한다.

은 명제(믿음)는 Arrow의 '불가능성 정리'에 따를 때 여지없이 무너지게 된다. 국민 대다수가 만족하는 최적의 사회문제 해결방안은 도출되기가 어렵다는 것이다. 다시 말해, 가장 초보적인 직접 민주주의 하에서도 사회전체의 문제를 합의에 의해서 해결하기 어렵고, 공공정책을 결정하는 절차와 이를 담당하는 공무원이 필요하다는 것이다.

사실, 정책과 관련하여 사회 구성원들이 개인별 선호를 사회전체적인 선호로 전환하는 데 있어 민주주의의 역할에 대한 실증적 평가는 우리가 일반적으로 생각하는 만큼 긍정적이지 않다.

구체적으로 설명하면, 집단적으로 합리적인 문제해결 방안이 민주적인 방식으로 선택될 수 있겠느냐는 문제가 제기되었는데 단순다수결의 원리에 의해서는 사회 구성원들의 개별적인 선호를 제대로 반영하여 사회공동체 전체의 선호를 도출해 낼 수 없다는 점이 Arrow에 의해 이미 밝혀진 것이다.

Arrow는 여러 가지 다양한 선호체계를 가진 주체들로 구성된 사회에서 어떤 사회문제 해결책이 사회전체의 후생의 크기를 증가시킬 수 있는가의 문제에 대해 연구하였다. Arrow는 단순다수결의 원리뿐만 아니라 2/3찬성제(two-third majority rule), 만장일치제(unanimity rule), 순위투표제(rank-order voting) 등 어떤 방식을 통해서도 낙관적 다원주의자들이 민주주의에 대해 내린 긍정적인 평가와 기대가 환상에 불과하다는 것을 수학적으로 증명하였다.

그는 공정한 선호결집을 위해 필요한 최소한의 전제조건을 충족시킬 수 있는 사회후생함수는 존재하지 않는다는 사실을 밝혀낸 것이다. 사회후생함수로서 사회구성원들의 선호를 공정하게 결집해내기 위해서 반드시 지켜져야 할 다음의 다섯 가지 전제조건이 있는데, 이들 모두를 충족하는 집합적 의사결정과정(collective decision process)은 존재하지 않는다는 것을 수학적으로 증명하였다. 이것을 Arrow의 불가능성 정리(Arrow's Impossibility Theorem)라고 한다.

그렇다면 사회적 선택규칙이 윤리적으로 수용될 수 있기 위해서 최소한으로 준수되어야 할 조건들로서 제시한 Arrow의 다섯 가지 전제조건을 살펴보자.

첫째, 최소한의 합리성(minimum rationality)이다. 집합적 의사결정에서의 합리성이란 개인들이 어떠한 선호체계에 대해서도 완전성과 이행성을 충족하는 선호의 순서 매김이 가능해야 한다는 것이다.

이때 완전성(competeness)이란 의사결정에 참여하는 사람들은 그들이 가장 좋아하는 것이 무엇인지를 알고 있다는 것을 의미한다. 따라서 완전성이란 모든 결과를 비교하여 순서지울 수 있어야 한다는 것을 말한다.

그리고 어떤 개인이나 사회가 B보다 A를 더 선호하고, C보다 B를 더 선호한다면 그 사회는 A를 C보다 더 선호하는 이행성(transitivity)을 가져야 한다.

둘째, 파레토의 기준(Pareto principle)이다. 적극적 연관성(positive association)이라고도 하는데, 어떠한 집단적 선택 규칙에서도 개인의 선호가 왜곡된 형태로 반영되어서는 안 된다는 것이다.

다시 말하면, 개개인들이 어떤 대안을 더 많이 선호하면 할수록 그러한 대안이 공동체의 정책으로 될 가능성이 더 높아져야 한다는 의미이다. 예를 들면, 사회의 어느 한 구성원이 B보다 A를 더 선호하고, 나머지 다른 구성원이 그 문제에 대해 특별한 의견이 없다면 그 사회는 B보다 A를 더 선호한다. 만장일치로 이를 설명하면 모든 사람이 B보다 A를 선호하면 A는 사회적 선호가 된다. 이 조건은 모든 사람이 원하는 것이 바로 민주적인 선택이라는 것이다.

셋째, 비독재 원칙(non-dictatorship principle)이다. 어떤 특정인의 선호가 사회적 선호로 대체되어서는 안 되며, 사회선호에는 개별적인 개인의 선호가 무차별적으로 반영되어야 한다. 어느 누구의 선호도 다른 사람들의 선호에 관계없이 사회적 선택이 되어서는 안 된다.

사회의 선호는 그 사회의 한 구성원의 선호에 의해 독재적으로 결정되어서는 안 된다는 것이다. 민주적인 집합적 의사결정에서는 이와 같은 독재자가 존재해서는 안 된다.

넷째, 무관한 선택 대상으로부터의 독립성(independence of irrelevant alternatives)이다. 일련의 대안들 가운데서 행해지는 어떠한 집합적 선택도 이러한 의사결정과 직접적으로 무관한 다른 대안에 의해 좌우되어서는 안 된다는 의미이다.

다시 말하면, 특정한 두 가지 대안에 대한 사회적 선호 결정 시 그 두 대안과는 무관한 다른 대안들과 관련된 선호가 이에 영향을 미쳐서는 안 된다. A와 B에 대한 선호의 우열을 결정하는데 있어서, 현재 안건에 상정되지 않은 C는 A, B에 대한 선호결정에 영향을 주지 않는다.

그리고 이때의 사회적 선호의 결정은 서수적 선호(ordering)에만 근거하여야지 선호의 강도(intensity of preference)에 영향을 미쳐서는 안 된다.

다섯째, 보편성(universal applicability)이다. 이는 개인 선호에 대한 비제약성이라고도 한다. 의사결정에 참여하는 각 개인의 선호에 어떠한 제약도 주어져서는 안 된다는 뜻이다.

따라서 어떤 특정 형태의 선호를 가진 사람들도 사회적 선택과정에서 배제되어서는 안 된다는 것이다. 사회후생함수는 특정한 상황에 있는 개인들의 선호만을 반영하는 것이 아니라, 모든 경우에 개인들의 선호를 반영할 수 있는 것이어야 한다.

Arrow는 위의 요건을 모두 만족시켜야만 민주적인 사회적 선택이 이루어졌다고 할 수 있는 데, 이를 만족시키는 사회적 후생함수(social welfare function)는 존재하지 않는다는 것이다(조홍식, 2007: 48). 이와 같은 Arrow 정리의 현실적인 함의는 매우 충격적이다.

이를 좀더 자세히 설명하면, 먼저 민주주의 방식에 의해서 구성원들의 선호를 집약해서 이를 사회의 선호 즉, 공익(public interest)으로 표현하려는 어떤 노력도 결국 실패할 수밖에 없다는 충격적인 결론이다. 공익내용의 확정을 위한 바람직한 방법, 사회적 선호를 만들기 위한 개인 선호의 바람직한 결집방법은 존재하지 않는다는 결론에 이르게 된다.

둘째, 위의 이유로 인해 구성원 개개인의 선호체계의 통합인 사회적 균형(social equilibrium)의 불안정성이 나타나 어떠한 대안도 안정적인 균형점이 될 수 없다는 것이다.

셋째, 모든 구성원을 만족시킬 사회적 후생함수는 존재하지 않지만, 대안선택의 순서나 대안선택의 방법 등을 조작하면 어떠한 대안도 사회적 최적안, 즉 공익을 위한 정책이 될 수 있음을 의미한다. 이는 정책결정권자에 의해 사회적 선택결과의 조작가능성(manipulability)이 나타날 가능성이 있다는 것이다.

이처럼 Arrow는 그의 불가능성 이론을 통해 비록 개인적으로 합리적인 선택이 가능하더라도 집단적으로는 사회구성원이 합리적인 선택을 하는 것은 불가능하다는 사실을 증명해 낸 것이다. 따라서 별도의 조치나 대책이 마련되지 않은 상태에서 민주주의 방식에 의해 국민들이 자발적으로 합의하여 사회적 선호로서 정책을 도출할 수 있다는 가능성에 치명적인 상처를 남기게 되었다.

결국 민주주의 과정을 통해 국민들의 합의에 의해 형성된다고 보이는 공익적인 정책방안이란 것이 실제로는 실체가 없는 것이거나, 정책결정자들의 자의에 의해 언제든지 바뀔 수 있다는 결론에 이르게 된다.

이는 직접민주주의하에서 조차도 다수결 등 민주주의에 의한 정치과정과는 별개로 '토론이나 협상에 의한 정책형성과정(policy formation process)'에 대한 연구가 필요함을 강력히 시사해 주고 있다고 할 수 있다.

결론적으로 사회적 합의에 있어 본질적으로 모순적인 원리를 내포하고 있는 민주주의적인 정치과정을 보완하기 위한 정책학의 연구가 별도로 이루어져야 할 필요가 있다고 하겠다. 이에 대한 방안으로 정치시장의 가능성과 정치시장 모형을 제시하는 등 정책시장 이론의 토대를 모색할 것이다.

3) Arrow의 불가능성 정리에 대한 비판과 정책학적 함의[23]

위에서 보았듯이 Arrow는 불가능성 정리를 통해서 '집합적 의사결정의 합리성의 요건인 완전성(competence)과 이행성(transitivity)을 만족시키는 사회적 선호관계를 도출할 수 있는 완벽한 방법은 있을까?' 라는 질문에 대하여 '없다'라는 명확한 답을 던지고 있다.

이런 입장에 대한 비판도 제기되고 있는데, 그 비판을 두 가지 측면으로 나누어 설명하고자 한다. 하나는 사회적(집합적) 선호 그 자체의 존재에 대한 비판이다. 다른 하나는 비록 집합적 선호 그 자체를 인정한다고 할지라도 그런 선호를 도출하기 위하여 Arrow가 제시한 윤리적 기준에 대한 비판이다.

먼저, 개인의 선호에 견줄 수 있는 사회적 선호를 생각한다는 것 자체가 어리석은 짓이라는 것이다. 사회는 자기 나름대로의 이해관계를 가진 개개인들의 단순한 집합체에 자나지 않기 때문에 사회적 선호(social preference)를 생각할 필요가 없다는 것이다. 다시 말하면, 개인들이 지니는 특성들을 사회에 귀속시키는 것은 인격화(personification)의 논리적 오류를 범하는 것이라는 생각이다.

다음은 Arrow가 집합적 의사결정 시에 윤리적으로 갖추어야 한다고 주장한 조건중 이행성 조건에 대한 비판을 살펴보자.

Arrow는 기본적으로 Bentham류의 공리주의 입장을 취하고 있다. 그는 이행성 조건을 중시하고 있다.

이에 대해 Feldman(1980)은 이 이행성의 조건도 생략하거나 아니면 준이행성(quasi-transitivity) 또는 비순환성(acyclicity)의 조건으로 완화할 수 있음을 주장한다. 만약 이행성 조건을 완전히 생략한다 해도 다수결투표는 수용될 수 있으며, 뒤에서 설명할 투표의 순환성(voting cycle)이 발생하지 않기만 하면 된다는

23 전상경(2001)의 정책분석의 정치경제. pp 93-97를 재구성하였다.

것이다. 즉, 그러한 순환가능성이 있다고 하더라도 위원회나 의사결정 규칙 등은 그러한 상황이 발생되지 않도록 하는 방안이 될 수 있다고 본다.

또한 Buchanan은 Arrow의 불가능성 정리가 민주적 정치과정의 생동력에 대해서 아무런 시사점을 주지 못한다고 주장한다. 그에 의하면 다수결 투표는 민주사회에서 얼마든지 수용될 수 있는 제도이다. 만장일치가 적용될 수 없을 경우에 다수결제도는 몇 가지 대안들의 실험적 채택을 가능하게 해 주기 때문이다.

요컨대, 경쟁적인 대안들 중에서 하나가 한시적으로 채택되어서 검증을 받게 되며, 또한 채택된 대안은 언제나 끊임없이 새롭게 구성되는 다수의 집단들이 승인하는 새로운 타협대안으로 대체될 수 있다는 것이다.

바로 이 논리가 정책학의 존립근거가 된다고 말할 수 있다. 정책학의 정체성 확립차원에서 정책시장 모형과 정책설계 전략 모형을 구상하여 정책동학(dynamics)현상을 설명하고 예측해 나갈 필요가 있다.

4) 선거를 통해 주요정책을 결정하는 대의민주주의하에서도 별도의 정책학 연구가 요구되는가?

앞에서 이상형으로서의 직접민주주의하에서도 '사회선택의 불가능성' 때문에 개인들의 선호가 집단적인 사회의 선호로 전환되기 힘들다는 점을 알게 되었다.

현대 국가에 있어 직접민주주의는 현실 여건상 시행되기 어렵기 때문에 대부분의 국가들이 대의제 간접민주주의를 택하고 있다. 간접 민주제에서는 대표를 선출하기 위한 주기적인 선거과정에서 중요정책이 형성된다. 다시 말해, 정치과정의 일부로서 정책 형성과정이 진행된다고 할 수 있다.

일정한 주기로 정당과 정치인들이 유권자들을 대상으로 표를 얻기 위해 공약의 형식으로 정책대안을 제시하고, 유권자들은 자기에게 유리한 정책대안을 제시하는 정당이나 정치인에게 투표하게 된다. 이런 과정에서 다수결 원칙에 의해 승리한 정당과 정치인은 자기가 맡은 공직에 취임하여 자기들이 공약으로 제시한 정책대안을 공식적인 국가정책으로 채택하려고 다양한 조치를 취하게 된다. 이때 입법이 필요한 경우 국회의 동의를 얻어 법률로 제정하여 그 정책을 시행하게 된다.

요컨대, '선거과정을 통해서 국민들이 어떻게 집단적인 선택에 도달하게 되고, 선거에 의해 선출된 정치인 또는 공무원들은 이러한 집단적 선택을 어떻게 권위 있는 정부정책으로 전환시킬 수 있는가?' 하는 문제를 살펴보아야 할 것이다.

이에 대한 답을 찾기 위해 우리는 투표의 기능을 정책형성과 관련해서 분석해 보고, 여기에서도 어떤 모순이 발견된다면 '선거과정를 통한 정책형성과정'과는 별도로 '토론이나 협상에 의한 정책형성과정'의 이론, 다시 말해 정책시장 모형과 정책설계 전략 모형을 축으로 하는 정책동학 이론이 그 대안으로 구성되어야 할 것이다.

먼저, 대의제 민주주의의 주요 특징인 선거의 기능을 '투표의 역설 이론'을 통해 알아보자.

만약 어떤 개인이 선거 입후보자의 정책대안 x, y, z 중에서 x〉y, y〉z, z〉x라는 선호를 갖고 있다면 그의 선호는 일관성이 없으며 그의 선호의 표현은 비합리적이다. 이때 x〉y, y〉z의 선호를 갖고 있으면 당연히 x〉z 의 선호를 나타내야 하기 때문이다. 이렇듯 집단적인 선택에 있어서도 개인적 선호의 합이 위와 같은 전이성을 보여주지 못한다면 합리적이고 민주적인 선택은 불가능해진다.

예를 들어 설명하면, 투표자 A, B, C가 후보자의 정책 x, y, z에 대해 표 4-1과 같은 선호도를 갖고 있다고 하자. 이 경우 x는 y를 2:1로 패배시키고 y는 z를 2:1로 이기고 z가 2:1로 x를 이김으로써 어떤 후보자도 유일무이한 승자가 될 수 없고, 하나의 정책이 선정될 수도 없다. 이 경우 투표의 순환(cycling) 또는 순환적 다수가 형성되어 다수결 균형점을 만족시키는 합리적 선택이 불가능해진다(임혁백, 1997: 36).

표 4-1: 투표의 역설

순위 \ 투표자	A	B	C
1	x	y	z
2	y	z	x
3	z	x	y

이처럼 투표행위로 이루어지는 민주적 절차에 대해 실제적인 비판을 가한 Riker 등 일부학자는 모든 투표절차는 투표자의 선호와 관계없는 자의적인 결과를 산출해 낸다고 주장한다(Riker, 1982).

비록 각 투표제도가 민주적인 선택에서 필수적인 절차적 공정성을 만족시킨다고 하더라도 모든 투표제도는 투표자의 선호와는 관계없는 자의적인 또는 의미 없는 사회적 선택을 낳는다는 것이다(임혁백, 1997: 38).

이를 구체적으로 증명해보자. 대안 a, b, c, d, e에 대한 투표자(1, 2, 3, 4, 5)의 선호도가 표 4-2와 같이 나타나고 있다고 가정하고 콩도르세(Condorcet) 규칙, 보르다(Borda) 방식 등 여러 가지 투표방식에 의해 표를 계산할 때 그 결과는 각각 다르게 나온다.

표 4-2: 5명의 투표자의 서수적 그리고 계량수적 효용[24]

순위 \ 구분	1	2	3	4	5
높음 1	a(1.00)	d(1.00)	e(1.00)	b(1.00)	b(1.00)
2	d(0.90)	a(0.61)	c(0.80)	d(0.90)	e(0.96)
3	b(0.60)	b(0.60)	a(0.70)	a(0.75)	c(0.70)
4	c(0.55)	e(0.59)	b(0.55)	e(0.74)	a(0.60)
낮음 5	e(0.50)	c(0.50)	d(0.50)	c(0.50)	d(0.50)

* ( )안이 계량수적 효용

24 William H. Riker, Liberalism against Populism: A Confrontation between the Theory of Democracy and the Theory of Social Choice (San Fransisco: W. H. Freeman, 1982), p.37 (임혁백, 1997:38 재인용)

먼저 콩도르세 규칙에 따르면 a가 승자가 된다. 콩도르세 규칙은 어떤 후보가 일대일 경쟁에서 다른 모든 후보를 물리칠 때(pairwise winner) 승자가 된다. 표 4-2에서 a는 일대일 경쟁에서 다른 모든 후보들(b, c, d, e)을 3:2로 이기고 있으므로 승자가 된다.(임혁백, 1997: 38)

다음으로 보르다(Borda) 방식에 의하면 선호의 서수적 순위에 점수를 매기고 이 점수의 합을 계산해서 가장 많은 점수를 받은 후보를 승자로 선출한다. 이 방식에 의하면 1순위에 4점을 주고 다음 차례로 3, 2, 1, 0점을 줄 경우, b가 13점을 얻어 승자가 된다.(임혁백, 1997: 39)

또한 단순다수결(plurality rule)에 의하면 제1 선호도를 가장 많이 얻은 후보자 b가 승자가 된다.(임혁백, 1997: 39)

이처럼 서로 다른 투표방식에 따라서 상이한 결과가 나온다면 투표를 통한 민주적 선택이 국민의 의사를 대표할 수 있다는 결론은 수정되어야 할 것이다.

여기에 더해서 사회의 어느 한 구성원이 단수정상선호(single-peaked preference)가 아닌 복수정상선호(multi-peaked preference) 또는 이중봉두선호(double-peaked preference)를 가지는 경우에는 단순다수결에 의한 투표의 결과가 순환(cycling)현상으로 인하여 다수의 의견이나 선호를 반영하는 것이 아니라 안건 상정을 반영하는 것으로 끝나게 된다. 그렇지 않으면, 투표자들의 전략적 행위로 인하여 투표의 결과가 투표자의 진정한 의견이나 가치를 반영하지 못하고 전혀 예측할 수 없게 되어 버린다.

여기서 개인 선호체계에서 단수정상선호란 그 주위의 모든 점들보다 더 높은 점을 말한다. 어떤 개인이 그가 가장 선호하는 점으로부터 어떤 방향으로든지 벗어나면 그의 효용이 언제나 줄어들게 될 경우에 우리는 단수정상선호를 가지고 있다고 말한다. 그렇지만 어떤 개인의 효용이 그가 가장 선호하는 대안으로부터 벗어남에 따라 일단 감소하였다가 다시 증가하게 되는 경우에는 그의 선호체계가 단수정상선호라고 말할 수 없다.

이런 사실을 그림을 통해서 구체적으로 설명해보자. 정책대안 x, y, z는 댐의 규모를 나타내는 것으로 x는 낮은 댐을, y는 중간 댐을, z는 높은 댐을 말한다고 한다. 이때 유권자 A, B, C중 A와 C의 선호는 선택대상사업의 규모에 따라 선호가 일률적이다. 그림 4-1에서 표시하는 바와 같이 A는 낮은 댐을 제일 좋아하고 그 다음으로 중간 수준의 댐 그리고 높은 댐 순으로 선호도를 보이고 있다. C는 중간 댐, 높은 댐, 낮은 댐 순으로 선호도를 보이고 있다. A와 C는 최고 봉우리가 하나 뿐인 단수정상선호(단일봉두)의 형태를 보이고 있다. 이에 반해 B는 높은 댐을 제일 지지하고 그 다음은 도리어 낮은 댐을 지지하고 중간 댐을 최하로 지지함으로서 선호의 봉우리가 두 개 형성되고 있다. B는 그 선호체제가 단수정상선호(단일봉두)라고 할 수 없다.

이처럼 유권자의 선호가 일률적이지 못하고 선호의 봉우리가 두 개로 나타나는 이중봉두선호 하에서는 투표의 순환성(cycling)이 어쩔 수 없이 발생하게 된다. 이때에는 다수결에 의한 사회적 선택이 이루어질 수 없다.

그림 4-1

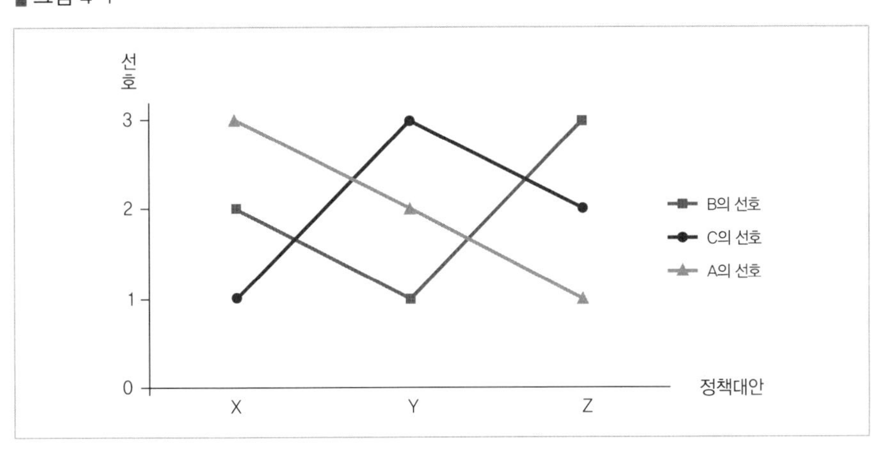

위에서 본 표 4-1를 그림으로 나타내면 그림 4-2과 같다. 여기서 투표자 A, B, C가 대안(x, y, z)에 대해 갖는 선호도를 선으로 표시하고 있다. 선의 높이가 높으면 선호도가 큰 것으로 보면 된다. 그림 4-2의 결과는 표 4-1에서와 같다. 다시 말해 어느 대안도 선택될 수 없는 투표의 역설이 발생한다.

■ 그림 4-2

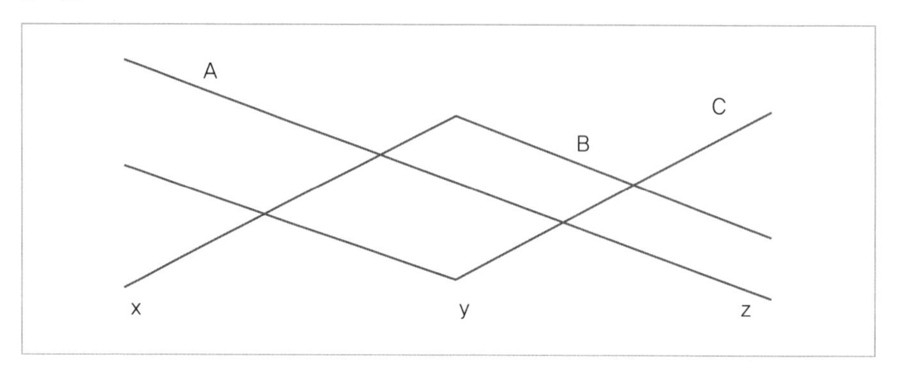

위에서 보듯이 공익의 내용이 민주과정에 의하여 왜곡될 수 있는 위험성이 있음이 밝혀지고 있는데, 이를 혼돈의 정리(chaos theorem) 또는 콩도르세 역설(Condorcet paradox)이라고 한다.

현대 정부는 대부분이 대의민주주의 형태를 취하고 있고 정부 밖에서 이루어지는 대부분의 결정은 선거를 통해서 투표에 의해서 이루어진다. 이때 민주적인 결정을 왜곡시키는 문제가 중위선호이론(median preference theorem)에 입각한 투표행태이다.

중위선호 현상이 나타나는 경우의 투표자들의 선호도는 표4-3와 같다.

■ 표 4-3

순위 \ 투표자	A	B	C
1	X	Z	Y
2	Y	Y	Z
3	Z	X	X

위의 표4-3를 그림 4-3의 선호표로 나타내면 다음과 같다.

그림 4-3

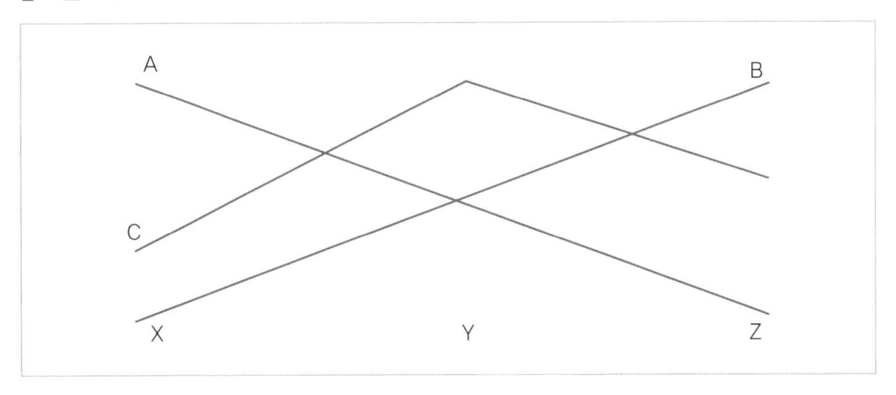

위의 그림4-3에서는 세 명의 투표자의 선호를 나타내는 선이 그림4-2와는 다르게 제시되어 있다. 여기서는 투표의 역설은 발생하지 않는다. 중간에 위치한 대안 Y는 다른 두 개의 대안 X와 Z에 비해서 선호될 수 있기 때문이다. 이때 Y는 중위선호라고 불리고 여기서 중위선호이론이 성립하게 된다.

만약에 개인들이 단일한 정점을 갖고 있어 정점으로부터 멀어짐에 따라 선호가 감소하는 방향으로 각 대안들을 수평축을 기준으로 정리할 수 있다면 '중위선호이론'이 적용될 수 있고 투표의 역설은 발생하지 않을 것이다. 이와 같이 중위선호이론은 상당히 단순한 이론이다. 만약에 두 정당의 후보가 선거에서 승리하기 위한 간절한 목표를 갖고 있고, 투표자는 자신들이 선호하는 정치적 견해에 가까운 정책을 제시하는 후보자에게 투표한다는 점을 가정한다면, 후보자들은 다양한 범위에서 양 극단에 있는 정책대안을 공약으로 제시하지 않을 것이다. 어떤 후보가 투표자들의 선호 분포에서 양 극단을 취한다면 선거에서 패배하게 되기 때문이다. 선거에서 패배하지 않기 위해서는 양쪽 후보자는 중도적인 입장을 취해야 할 것이다. 현명한 후보자는 자신이 상대에게 압도당하거나 선거에서 패배하는 것을 피하기 위해 중간에 가까운 위치의 정책대안을 제시하게 된다. 이에 따라 상대후보도 틀림없이 중앙으로 이동하게 될 것이다.

양당제를 취하고 있는 대부분의 국가에서 여당과 야당의 선거공약은 서로 수렴하는 경향을 보이는 점이 이를 증명하고 있다. 정책동조화 현상이 나타나기 쉽다는 것이다.

사례 4-1

제18대 대통령 선거(2012.12.19일) 길목에서 여당의 박○○후보는 지난 7월 대선 출정식에서 원칙을 잃은 자본주의가 중대한 도전에 직면해 있다고 세계경제를 진단하면서 경제민주화에 이어 일자리와 복지를 강조하였다.

야당의 문○○후보는 9월 대선 후보 수락 연설에서 우리 사회에 양극화가 심화되고 있는 것은 시장만능주의와 성장지상주의가 빚어낸 결과라고 주장하면서 일자리 창출을 먼저 꼽았고 복지와 경제민주화를 덧붙였다.

무소속의 안○○후보는 9월 출마선언 연설에서 한국의 경제위기 상황을 걱정하면서 '세계적인 장기 불황까지 겹쳐'라는 수식어로 세계경제와 오늘의 상황을 묘사하고 경제민주화와 복지는 성장동력과 결합하여 경제 혁신을 만들어야 한다고 주장했다.

이처럼 세 유력후보가 경제민주화, 일자리, 복지를 순서만 바꾸어서 주장하는 것은 정책동조화 현상을 보이는 것이지만, 한편으로 상대방 진영의 토픽을 선점하려는 선거용 배열이라는 인상이 강하다.

요컨대, 각 정당이나 후보자들은 선거에서 승리해야 한다는 당면 목표를 달성하기 위해 정책대안을 제시하는 데 있어 서로 수렴하려는 경향을 보인다는 것이 중위선호이론이 주는 시사점이다. 대의제 민주주의 하에서 선거를 통한 정책형성과정은 이런 중위선호경향 때문에 의미가 크게 퇴색된다는 결론을 내릴 수 있다.

따라서 선거를 통한 대의 민주주의하에서도 직접민주제처럼 정치과정으로서 정책형성과정에 대한 논의도 요구되지만, 이와 함께 '토론과 협상에 의한 정책형성과정'을 설명하는 이론을 별도로 구성하는 것이 필요하다고 하겠다.

다시 말해, 정책과정이 정치과정과 맞물려서 진행되고 있음을 살펴보았지만 대의제 간접민주주의의 경우도 직접민주주의와 마찬가지로 토론 및 협상에 의한 정책형성과정의 이론을 정책동학적 입장에서 정립해야 한다고 본다.

여기서 주의해야 할 것은 민주주의의 발전 정도에 따라 정책과정의 양상이 달라지고 있다는 점이다. 일반적으로 민주주의 수준이 낮은 단계에서는 민간분야보다는 전문성으로 무장한 공무원 집단에 의해 정책형성이 이루어지지만, 민주주의가 더욱 공고화됨에 따라 민간전문가들에 의해 주요정책이 추진되는 경우가 더 많아진다. 필자의 경험에 의하면 우리나라에서도, 금융정책 분야 등에서 이와 같은 현상이 일어나고 있다.

지금까지 정책 논의와 형성을 각 부처의 공무원 등 행정부가 주도하였다면, 이제는 민간분야도 정책의 논의의 중심이 되고 있다는 사실이 이를 증명해주고 있다.

결국 정책형성과정이 선거라는 민주주의 정치과정의 일부(선거를 통한 정책형성과정)로 진행된다는 점은 부정할 수 없지만, 이와 함께 기존의 정책학에서 주로 다루고 있는 협상에 의한 정책형성과정, 더 나아가 정책동학적 입장에서 정책시장 및 정책설계 전략 모형구성이 별도로 필요하다고 하겠다.

여기서 토론과 협상에 의한 정책형성과정은 선거과정이 아닌 입법부 중심의 의원입법 추진과정과 행정부 중심의 정책수립 과정에서 정치인과 정책담당자들이 각종 이해당사자나 이익집단 또는 압력단체 등의 건의나 압력을 받아 이를 공식적인 정책으로 결정하여 집행하게 되는 일련의 과정이라고 정의할 수 있을 것이다. 이런 과정을 제6장에서는 정책동학적 측면에서 다룰 것이다.

민주주의 체제하에서 선거기간이 아닌 평상시에는 행정부나 입법부를 통해 이해당사자들이나 민간전문가 집단이 앞장서서 기존 정책의 수정을 건의하거나 새로운 정책안을 제시하게 되고, 이에 대응해서 행정부의 공무원들이나 입법부의 국회의원들은 이들과의 타협이나 협상을 통해 정책을 조율하게 된다. 이처럼 정책과정은 영향력을 교환하는 시장의 형태를 띠게 된다.

결론적으로 말하면, 대의제 간접민주주의 하에서도 정책학 연구에 있어 정책형성과정을 '선거를 통한 정책형성과정'과 '토론과 협상에 의한 정책형성과정'으로 나누어 논의해야 할 필요가 있다고 하겠다. 특히 이런 과정을 정책시장 모형과 정책설계 전략 모형을 시론적으로 도입하여 공공선택 이론에 입각해서 다루어 볼 필요가 있다고 본다.

3 (논제 2) 모든 경제적 문제를 시장에 맡겨서 해결할 수 있는가?

여기서 시장을 중시하는 시장주의는 자본주의적 시장경제 체계를 의미한다. 자본주의는 사유재산과 자발적 교환에 근거한 체제이고 그 근본개념은 자발적인 협력과 교환이다. 즉, 강요가 없는 상호협력, 자발적인 교환, 그리고 자유시장체제이다. 여기서 자발적인 교환은 내가 얼마를 지불하면 당신이 나에게 어떤 것을 팔겠다는 식의 합의를 기초로 한다(Friedman/안재욱, 이은영 공역, 2005: 37-41).

시장경제(market economy)란 국민경제의 여러 문제들을 기본적으로 시장의 힘에 의해서 해결하려고 노력하는 체계라고 정의된다. 이는 통제경제(command economy)에서 가격이 계획당국에 의해서 인위적으로 결정되는 체제와 대조적인 개념이다. 시장경제는 모든 상품들의 가격이 시장에서 자유로이 결정된다는 것을 가장 중요한 특징으로 들고 있다(이준구·이창용, 1999: 21). 일반 경제학에서 시장이란 수요와 공급이 합치하여 단일의 가격을 형성하는 장소 또는 상품을 파는 사람과 사는 사람이 자기가 가지고 있는 상품을 다른 사람의 그것과 교환함을 목적으로 상호 의사소통하는 관계에 들어가는 장소로 정의된다.

정치경제학 입장에서는 시장을 개인의 경제적 자유(economic freedom)가 구현되어 나름의 질서가 형성되는 곳으로 본다(조홍식, 2007: 23). 시장은 무수히 많은 구성원이 서로에 대하여 맺는 개인 대 개인의 교환관계로 구성된다. 교환이 성립하면 노동의 분업과 기능의 특화가 일어나고 여기에 기업과 화폐가 가세해 시장경제체계가 완성되는 것이다.

교환관계는 상호협동관계로 거래 당사자 모두가 거래에 관한 정보를 지득하고 이를 토대로 하여 자발적으로 거래에 임하게 되는 관계를 말한다. 따라서 교환은 강제력이 동원되지 않고도 양자의 조정을 가능하게 한다.

시장은 중앙정부의 기획이나 조정 없이 수많은 독립된 개인 사이의 개별적이고 자발적인 교환관계만으로 형성되고 유지된다. 시장에서 움직이는 개인들은 시장에서 전체질서가 어떻게 형성될 것인가에 관해 알 수도 없고, 관심도 없다. 시장에 있어서 개인은 타인의 효용을 고려하지 않고 자유롭게 자기 효용을 극대화하기 위해 행동하는 것이 보장되고 있다.

시장은 교환의 자유, 즉 경제주체들이 교환관계에 들어가거나, 들어가지 아니할 자유가 보장되지만 어느 구성원이 다른 구성원의 활동을 간섭하는 것은 허용되지 않는다. 이것이 시장의 가장 중요한 장점이라 할 수 있다.

앞에서 살펴본 민주주의 결함과는 달리 시장 원리의 완벽함은 아래의 일정한 전제를 가정할 때 수학적으로도 증명되고 있다. 다시 말해, 아래의 네 가지 전제조건이 충족될 경우의 시장, 즉 완전경쟁시장은 효율적인 자원배분이 달성되는 균형 상태에 이르게 된다(이준구 · 이창용, 1999: 205).

첫째, 무수히 많은 판매자와 구매자가 있어 모두가 가격이 주어진 것으로 받아들이고 있어야 한다.

둘째, 이 시장에서 거래되는 모든 상품은 동질적이어야 한다.

셋째, 자원의 완전한 이동성(mobility)이 보장되어 있어야 한다. 다시 말해, 이 시장으로 진입하는 것과 이탈하는 것이 완전히 자유로워야 한다.

넷째, 이 시장에 참여하는 모든 경제 주체가 완전한 정보를 갖고 있어야 한다.

완전경쟁시장에서는 무엇보다도 경쟁의 압력 때문에 모든 경제 주체들이 최대한의 효율성을 추구하지 않으면 안 되는 분위기가 조성되고 그리하여 각 경제주체가 경쟁에서 살아남기 위해 스스로 효율성을 극대화하게 된다. 이처럼 완전경쟁의 조건만 충족되면 시장의 원리는 적어도 효율성의 관점에서는 완벽한 상태에 이르게 되지만, 완전경쟁시장이라고 해서 모든 측면에서 이상적이라고 말할 수는 없다. 여기에도 한계가 있다는 것이다.

우선 지적해야 할 것은 일정한 전제조건이 충족된 다음에야 비로소 완전경쟁시장의 균형이 있을 수 있다는 점이다. 만약 이들 중 어떤 것이 충족되지 않는다면 자원배분은 비효율적인 것으로 돌아가게 된다. 위의 조건 중에서 특히 두 번째와 네 번째 조건은 충족되기 어려운 조건이고 따라서 이 네 가지 조건을 모두 구비하고 있는 시장의 예를 현실 세계에서 찾는다는 것은 거의 불가능에 가깝다(조홍식, 2007: 51).

다음으로 지적할 것은 설령 전제조건이 모두 충족된다고 하더라도 완전경쟁시장은 공정한 분배라는 측면에서 여전히 한계가 있다는 것이다.

완전경쟁시장은 오직 효율적 자원배분을 추구하는 데 강점이 있는 제도이고 형평성의 추구 등과는 직접적인 관련이 없다. 수없이 많은 판매자와 구매자가 치열한 경쟁을 벌이고 있다는 사실과 이 시장에서 결정된 소득의 분배가 공평하다는 것 사이에는 아무런 관련성이 없다는 것이다.

또한, 시장은 공동체 유지에 필요한 윤리성을 담보하지 못한다는 근원적인 약점이 있다. 시장이 제아무리 자원을 효율적으로 배분한다고 해도 그것이 사회적 정의를 실현하는 데는 한계가 있기 때문이다. 시장 매커니즘은 인간의 필요에 대응하는 것이 아니라 소비자의 구매력에 의해 측정되는 수요에 대응하는 기제일 뿐이다.

따라서 시장은 빈곤한 사람들의 필요에 어떤 반응이나 조치도 할 수 없는 시스템이라는 약점을 갖고 있다(임혁백, 1997: 62).

이와 같은 약점이 있음에도 불구하고 사적 재화의 경우 시장이 정부보다 자원을 효율적으로 배분할 수 있다는 주장은 여전히 타당하다고 본다.

그렇지만, 공공재의 경우에는 정부와 시장 간에 효율성의 우열과 관련하여 논쟁의 여지가 있고, '시장의 실패' 가능성은 아직도 상존하고 있다. 역사적으로 1930년대에 세계를 강타한 경제공황과 2000년대 말 세계에 불어닥친 미국발 금융위기는 시장체제의 완전성에 대한 신뢰를 떨어뜨린 대사건이었다. 케인즈 방식의 재정정책이 다시 각광을 받고 정부의 시장개입이 거부반응 없이 받아들여지는 현실을 우리는 보게 되었다.

이러한 시장의 실패라는 역사적인 경험에 기초하여 정부의 개입을 강조하는 이론적 체계가 바로 '공공재 정부개입 이론'이다[25]. 이 이론에서 다루는 시장실패는 세 가지 정도로 나누어 볼 수 있다.

첫째, 규모의 경제가 엄청나게 크거나 기술 혁신이 이루어진 상황에서 발생하는 규모수익의 체증현상이다. 규모수익의 체증이 일어날 때 또는 한계비용이 체감할 때 자연적 독점화가 진행되어 경쟁은 불완전하게 되고 시장은 실패하게 된다.

둘째, 시장의 테두리 밖에서 존재하는 '외부 효과의 현상'은 시장이 효율적으로 작동하는 것을 막는다. 외부효과가 없는 시장의 경우에는 경제주체들이 자신들의 행위에 전적으로 책임을 진다. 행위자들이 이득을 얻거나 비용까지도 부담하게 된다.

그러나 현실에서는 시장기구 내에서 이득과 비용이 거래 행위자 당사자들에

25 임혁백은 이를 '공공재 국가 이론'으로 소개하고 있다.

게 돌아가지 않고 관계없는 제3자에게까지 의도되지 않은 이득이나 손실이 발생하는 경우가 많다. 그 대표적인 사례가 공장의 매연, 홍수 조절용 댐 등이다.

셋째, 공공재의 문제이다. 사적 재화는 외부성이 발생하지 않을 경우 경합적 재화(rival goods)가 되며 시장의 원리가 작동한다. 그러나 공공재는 항상 '비경합성'이 발생한다. 경합성이 있는 사적 재화의 경우 한 사람이 소비한 만큼 다른 사람의 소비 가능성이 줄어든다. 이에 비해 등대와 같은 공공재의 경우 아무리 많은 수의 사람들이 이용해도 줄어들지 않고 소비가 가능하기 때문에 비경합성이라고 한다.

또한 공공재는 '비배재성'의 특징을 갖고 있다. 등대의 서비스를 받는 배라면 일정한 서비스료를 내야 한다고 해서 서비스료를 내지 않는 배에게 등대의 불빛을 못 보게 할 수는 없다.

공공재의 비경합성과 비배재성은 한 사람을 더 소비에 참여시키는데 드는 한계비용이 제로가 되어 자유로운 시장경제 원리에 맡길 때 적정 수준의 생산이 이루어질 수 없게 된다. 그리고 공공재의 비배재성은 대부분의 사람들에게 공공재를 공짜로 소비하게 하는 '무임승차의 문제'를 발생시킨다.

이와 같이 규모수익의 체증현상, 외부효과의 발생, 공공재의 특수성 문제에 부딪힐 때 시장은 자원을 효율적으로 배분하는 데 실패하게 되고 정부의 개입이 필요한 상황이 발생하게 된다.

요컨대, 현실의 시장은 공동체의 유지 및 존속에 필요한 공공재의 생산과 외부성의 문제를 해결하는 데는 한계가 있다. 이런 점을 감안할 때에 정부 개입보다는 시장주의를 보다 확대해야 한다는 점에 대해서 동의하지만, 현실적으로 모든 경제문제를 시장에만 맡겨 놓기에는 한계가 있다.

따라서 정부는 여러 가지 명분을 가지고 국민경제 전체에 대한 거시적인 경제정책을 수립하거나 또는 개별 시장에 대한 분야별 경제정책을 시행하게 된다고 할 수 있다.

그러므로 시장의 실패에 따른 정부개입 이론은 신고전학파나 신자유주의자들의 근본적인 가정을 부정하는 것이 아니라, 이들의 가정을 완성하기 위해서 필연적으로 정부의 개입이 필요하다는 입장이다.

국가(또는 정부)는 세금을 부과할 수 있고 어떤 특정한 행동을 금지할 수 있으며 불성실한 계약자에게 규제를 가할 수 있다. 그리고 거래비용을 낮추기 위한 다양한 조치를 취할 수 있고 무엇보다도 공공재의 공급에서 무임 승차자를 배제할 수 있다.

바로 이러한 정부의 능력은 공공재 정부 개입이론자들로 하여금 시장의 실패에 대비하게 하고, 순수 자유주의 경제이론가들에게도 시장의 도덕성 부재 문제를 해결할 수 있는 정책을 형성하여 시행할 수 있는 근거가 될 수 있다고 본다.

결론적으로 사회생활을 하면서 발생하는 모든 경제문제들을 시장에 맡겨서 해결하는 것은 현실적으로 불가능하다는 사실을 인정할 수밖에 없다. 이런 결론은 경우에 따라서는 정부의 정책적 개입이 필요하다는 함의를 던지고 있다고 하겠다. 즉 시장은 모든 사람들이 좋은 음식과 좋은 옷, 충분한 의료혜택을 누리도록 보장하지는 못한다. 따라서 복지정책과 같은 정책들이 경제적 후생을 보다 공평하게 누리도록 하기 위해 설계되는 것이다.

4 결론 : 민주주의와 시장주의에 바탕을 둔 정치경제학적 접근이 필요

앞에서 민주주의 다수결 원칙에 의한 사회 전체의 선호함수를 도출하는 것이 거의 불가능하고, 시장경제 원리도 그 적용을 하는데 일정한 한계가 있다는 것을 입증하였다.

따라서 이러한 민주주의와 시장주의의 한계를 보완하면서 다른 한편으로 민주주의와 시장주의를 진전시키는 방향으로 정책학의 연구가 이루어져야 할 것으로 보인다. 더욱이, 도구적 합리성에 기반을 둔 분석적인 정책학에서 벗어나 이러한 민주주의와 시장주의 약점을 보완하는 정치경제학적 또는 정책동학적 정책학 연구가 필요하게 되었다.

정치과정의 일부로서 이루어지는 선거를 통한 정책형성과정이든, 일상적인 협상에 의한 순수한 정책형성과정이든 이를 포괄적으로 설명할 수 있는 모형이 바로 '정치적 시장(political market) 모형'이라고 본다. 이 모형은 민주주의적인 참여와 시장주의적인 선택을 동시에 고려하게 함으로써 실제적인 정책 현상을 적실성 있게 고찰할 수 있게 해 줌은 물론, 정책의 정치성을 고려하게 해 주기 때문이다.

이러한 정치적 시장 모형을 뒷받침하는 근거 이론이 바로 공공선택이론이다. 종래에 행정학과 정책학에서는 국가의 발전과 경제성장을 일차적인 목표로 삼아 공익 실현을 위한 구성원들의 공적인 의무와 역할을 강조한다. 다시 말하면, 국회의원들은 공익의 대변자로, 공무원들은 공익의 봉사자로, 국민들은 공공심을 함양한 시민으로 각각 규정하고 있다. 기존의 정부 관련 학문 분야는 이러한 인간관에 바탕을 두고 공공문제에 대한 주류이론을 형성해 왔다 (Tullock, Gordon 외, 김정완 역, 2005: 5).

그러나 이런 주류이론은 시장실패에 이은 정부개입에서 발생한 정부의 실패문제를 진단하고 규명하는 데 한계를 보였다. 이에 대응하여 새로운 대안으로 제시된 이론이 바로 공공선택이론이다. 이 공공선택이론이 정치적 시장 모형의 기본 원리를 제공한다.

공공선택이론은 시장실패의 문제로 정부가 개입할 수 있는 근거가 생겼다고 하더라도 또 다른 한편에서는 정부 부문의 재정적자를 비롯한 비효율성, 부정부패, 규제의 강화, 정부 조직의 확대 등 정부의 실패 문제를 들어 정부 개입의 최소화를 주장한다.

정부에 대해 비판적이면서도 새로운 시각 즉, 정치인과 공무원들도 자신의 효용 극대화를 추구하는 행위자라는 경제학적 기본 가정을 정치적 · 정책적 행위에 적용한 것이다.

다시 말해 공공선택이론은 경제학의 기본 가정을 시장이 아닌 공공부문의 연구에 원용하자는 것이다. 기존의 경제학에서 개인들이 자기 이익(self-interest)을 추구하고 기업가들은 이윤을 극대화하며, 소비자들은 효용을 극대화하는 데 목표를 두듯이, 공공선택이론은 공공분야에 근무하는 자들도 경제적 행위를 한다고 가정한다.

이 이론은 시장에서 물건을 구입하는 소비자나 관공서에서 업무를 수행하는 공무원 모두가 자기 이익을 추구하는 동일한 인간이라는 가정에서 출발한다. 다시 말해, 쇼핑몰에서 물건을 구입할 때 개인이 갖는 욕구와 본능이 정부기구에서 일한다고 바뀌지 않는다는 것이다. 관료제, 정당, 투표제도, 정부예산 등을 다루는 데 위의 가정을 그대로 사용한다.

따라서 공공선택론에 의하면, 국회의원은 재선을 위한 득표 극대화자로, 공무원은 재량의 증대를 위한 예산 극대화자로, 국민은 효용 극대화를 위한 소비자로 각각 규정한다.

이러한 접근 방식으로 공공선택론은 기존의 주류이론이 간과했던 부문에 대한 새로운 시각을 제공함으로써 정책학의 완성도를 높일 것으로 기대된다. 예를 들면, 정부실패라는 공공부문의 역기능에 대한 분석력을 높이고 있다. 정부실패에 대한 정책대안으로 민영화, 감축관리, 규제완화, 지방분권화 등의 이론적인 준거를 제공하고 있다.

따라서 공공선택적 접근방식에 기초한 정치적 시장 모형을 통해서 정책현상을 이해하고 예측하는 것이 필요하고, 다른 한편으로 이런 접근방식에 근거한 이론 구성이 요구되고 있다고 본다.

이러한 시각을 현실에 적용해보면, 우리나라의 경우에도 민주화의 진전과 국민 의식수준의 선진화 등으로 정치적 시장에서 일차적으로 정책이 결정된다. 정례적으로 치러지는 선거과정을 통해서 유권자들의 투표행위에 의해 기본적인 정책 방향이 결정된다. 선거를 통해서 메타적인 정책의 방향과 그 테두리가 결정된다는 것이다.

그리고 다시 이런 테두리 안에서 일상적인 정책과정으로서의 타협에 의한 정치적 시장이 형성되고, 여기에서 여러 이해관계자들과 정책결정자들 간에 토론과 협상을 통해서 구체적인 정책방안이 결정된다. 이렇듯 정치적 시장을 다차원적으로 접근할 필요가 있을 것이다.

2_ 정치적 시장모형의 가능성 탐색

1| 여는 글

앞에서 정책학은 민주주의와 시장주의의 원칙을 보다 확고히 하는 방향으로 연구되어야 하는데, 이런 요구에 부응하는 접근방법이 정치적 시장 모형이라고 제안하였다. 정책학은 일련의 선택 과정이기 때문에 선택에 관한 모형으로서 정치 또는 정책과정에 시장모형을 도입한 정치적 시장이론이 정책현상을 설명하고 예측하는 데 크게 유용하리라고 주장하였다.

정치적 시장은 정치경제학을 연구하는 학자들이 주로 사용하는 개념으로 경제적인 시장개념을 정치 분야에 도입한 것이라 할 수 있다.[26]

정치적 시장은 대의민주제하에서 이루어지는 정치적 경쟁시스템을 말한다. 이러한 의미의 정치적 시장이론은 Schumpeter로부터 시작되었다(Schumpeter, 1942: 제

26 런던대학교 Mark Pennington교수가 주장하는 개념에 따라 설명한다.

4부). 그는 고전적인 민주주의론을 비판하면서 민주주의의 주된 기능은 정당이나 정치인들이 유권자를 대상으로 득표경쟁을 하는 과정에서 대중이 정치적 결정권을 획득하는 데 있다고 주장한다. 이러한 선거를 통한 주권자들의 정치적 의사결정은 정당이나 정치인을 선택할 뿐만 아니라 정치적인 재화인 정책을 결정하는 역할을 한다. 경제적 시장의 '가격기구'에 해당하는 것이 정치적 시장에서는 '투표'이고 '재화와 서비스'에 해당하는 것이 정부의 '정책'이라 할 수 있다.

이렇듯 정치적인 의사결정이 유권자의 투표행위나 정치적인 이해당사자 상호간의 협상에 의해 이루어지는 게임의 공간을 정치적 시장이라 할 수 있다. 이러한 정치적 시장의 공급자에 해당하는 것이 정치인 집단과 정당 그리고 행정수반 등이고, 수요자는 선거 구민, 이익집단, 압력단체 등이다.

그리고 유권자들이 투표와 정치적 지지를 선출직 공직자에게 제공하면 그 대가로 선출직 공직자는 유권자에게 입법과 공공정책 또는 서비스를 제공한다고 할 수 있다.

앞에서 언급한 바와 같이 정치적 시장은 「선거를 매개로 하는 정치적 시장」과 「정책형성 과정에서 이해관계의 절충과 협상이 이루어지는 시장」으로 나눌 수 있다.

한 국가의 대통령선거 또는 국회의원 선거와 같은 거시적인 정치시장을 통해 큰 틀의 정책이 결정되고, 이와 같이 형성된 거시적인 정책기조 하에서 행정부의 장관과 공무원들이 이해당사자들의 의견을 수렴하여 각 분야의 정책을 결정한다. 물론 이때에도 국회에서 법률 형태로 정책이 결정되는 경우가 있다는 점을 감안한다면, 입법을 위한 정치적 시장 모형도 검토되어야 할 것이다.

정치적 시장 모형의 가능성을 살펴보는데 있어 먼저 시장경제의 수요공급의 원리를 정치적 시장의 투표의 논리로 설명할 수 있는지를 증명하여야 한다. 이를 위해 '사표의 크기'와 '사표기피 원칙'이 정책결정에 미치는 영향을 구체적으로 살펴보겠다.

2 정치적 시장이론의 논증이 가능한가?[27]

정치적 시장에 있어 경제시장에서 소비자의 구매행위에 해당하는 것이 일종의 투표행위라고 주장하는 학자들이 있다(Lindblom, 1977: 177). 이들은 가격기제에 따라서 경제적 시장에 참여하는 것과 투표를 통한 정치적 시장에의 참여하는 것은 동일하게 교환의 의사결정방식에 해당된다고 본다.

그렇다면, 다수결원칙인 투표의 논리로 시장경쟁을 설명할 수 있는가? 특히 투표자의 사표기피원리에 의해서 시장의 의사결정방식을 설명할 수 있는가? 라는 질문을 통해 위의 주장의 타당성을 논증하고자 한다. 이런 과정을 통해서 교환의 의사결정방식이 투표라는 주장이 타당하게 되고, 더 나아가서 교환방식으로서의 투표가 갖는 이론적 의의를 인정받게 될 것이다.

정치적 시장이론의 기본도구인 투표의 논리, 사표기피원리를 살펴보기에 앞서 사표의 개념을 설명하면 다음과 같다.

예를 들어, 양당제하의 대통령선거에서 두 후보가 출마하여 한 후보가 유효투표 중 60%의 지지를 받아 40%의 지지를 받은 후보를 제치고 당선되었다고 하자. 이때 낙선자가 얻은 득표 40%는 사표가 된다. 그리고 당선자가 얻은 60% 중 40%+α를 제외한 20%−α는 당선자가 필요 이상으로 획득한 무용의 잉여표라고 할 수 있다.

이와 같은 광의의 사표를 다시 구분한다면, 낙선자가 얻은 표를 '제1사표'(40%)라고 하고, 잉여표를 '제2사표'(20%−α)라고 한다(박지웅, 2000: 218).

또한 정치적 시장이론에서 확인해야 할 부분은 정치적 시장에서 1인 1표가 평등하게 사회구성원에게 부여되지만 경제적 시장에서는 1원 1표라는 투표권

---

27 박지웅(2000)의 논문(시장, 주식시장 및 정치적 시장의 의사결정방식으로서 투표에 관한 비교분석. 사회경제평론 15호)를 참조하여 재구성하였음 밝힌다.

이 각 경제주체들에게 유동적으로 부여되는 차이점이 있다는 것이다.

이 절에서는 이런 차이점에도 불구하고, 시장경제의 수요공급의 원리도 다수결 원칙인 투표의 논리로 설명될 수 있다는 점을 논증하고자 한다.

1) 시장의 수요공급 원칙은 투표의 논리에서 사표를 줄여나가는 것과 같은 의미를 갖는다.

먼저 제1사표를 없애나가는 사례를 보자. 예를 들어 어떤 상품 하나를 두고 소비자 A와 B가 서로 살려고 하는 상황을 가정한다.

만약 정치적 시장에서 소비자 A와 B는 그 상품에 대해 각각 200원, 100원을 투표하였다면 시장에서도 다수결원칙에 의해 상품은 A에게 귀속되게 된다. 물론 경제적 시장에서는 B가 투표한 100원을 판매자가 가지는 것이 아니라 B에게 되돌려준다.

따라서 정치적 시장에서는 B가 행한 투표가 제1사표에 해당되지만 경제적 시장에서는 사표가 되지 않는다는 차이가 발생한다.

다음으로 시장의 교환과정에서 제2사표가 어떻게 제거되는지를 살펴보자. 하나의 예를 들어 설명하면, 정치적 시장에서 사과의 가격이 500원이라면 500원을 그 사과에 투표하여 가질 수 있다는 것을 의미한다. 그렇지만 500원을 투표하여 사과를 가진 구매자라고 해서 500원의 투표의사를 가졌다고 볼 수는 없다. 시장의 수요공급곡선이 이점을 잘 지적해 주고 있다. 시장수요곡선은 소비자들이 상품 구매를 위해 기꺼이 투표할 수 있는 화폐의 크기 순서대로 상품 각각에 대해 순번을 매겼을 때 상품의 순번과 화폐의 크기의 양적 관계라는 점에서 알 수 있다. 이러한 투표의사가 상품구매를 위해 실제로 투표하는 화폐의 크기와는 다르다는 점은 소비자의 잉여라는 개념을 통해서도 알 수 있다. 따라서 800원을 투표할 의사가 있는 소비자도 500원을 투표할 의사가 있는 소비자와 마찬가지로 500원을 투표하여 사과를 획득한다.

만약 이 경우에 800원을 투표할 것을 고집하는 소비자가 있다고 하더라도 시장의 경쟁원리는 이러한 상황을 그대로 내버려두지 않을 것이다. 다시 말해, 시장에서는 800원을 요구하는 사과판매자 대신에 그 이하의 가격으로 판매하려는 수많은 공급자를 등장시켜 가격을 500원 정도에 낙찰되도록 만든다는 것이다.

이와 같이 정치적 시장에서 형성된 투표권의 양이 500원 인데도 불구하고 사과의 구매를 위해 800원을 투표하였다면 쓸데없이 투표권만 남발한 셈이 된다. 이 경우 300원은 정치적 시장의 제2사표가 될 것이다.

앞의 예에서 시장가격이 500원에 형성되었다는 사실은 정치적 시장의 투표논리에 따라 그들의 제2사표를 줄여 나가는 과정에서 가격이 책정되었다고 할 수 있을 것이다.

요컨대, 정치적 시장의 투표의 논리에서 사표를 줄여나가는 과정은 경제적 시장의 수요공급 원칙을 설명하는 데 부족함이 없다고 하겠다.

2) 경제적 시장의 경쟁은 정치적 시장의 사표기피 원칙과 동일한 원리이다.

위의 예는 주로 구매자의 입장에서 본 것이다 이제는 상품의 판매자 입장에서 살펴보자. 상품 판매자는 상품 구매자와 교환 관계에 있는 화폐의 구매자라고 할 수 있다. 단지 화폐를 획득하기 위해 자신이 갖고 있는 상품(즉 사과)으로 투표를 할 뿐이다. 상품판매자들의 화폐투표권의 구매 의도는 사과로 나타낸 화폐투표권의 수요곡선으로 나타낼 수 있다. 아래 〈표4-4〉는 사과의 공급곡선에서 사과공급자들의 화폐투표권의 수요를 도출하고 있다.

가령 사과 1개를 500원에 판매하는 상품판매자의 의도는 사과 1/500의 단위를 지불하여 화폐 1원을 구매하려는 의도와 같다. 화폐 1원은 사과 1/500 단위의 지급에 해당되는 데, 사과가격이 500원일 때의 화폐의 수요량은 판매총액 250,000(500×500)이 될 것이다. 이와 같이 사과의 공급가격과 공급량의 양적 관계에 대응하여 사과로 나타낸 화폐 1원의 수요가격과 화폐수요량의 양적 관계를 구할 수 있다.

■ 표 4-4: 사과의 시장공급과 사과공급자들의 화폐수요[28]

사 과	공급가격	…	300	500	800	…
	공급량	…	300	500	800	…
화 폐	수요가격	…	1/300	1/500	1/800	…
	수요량	…	90,000	250,000	640,000	…

위의 표에서 사과의 균형가격이 500원이라고 가정하고 균형가격을 이탈하여 초과수요와 초과공급이 발생한 경우를 생각해 보자.

우선 초과수요가 발생하는 경우로 사과가 300원에 거래되는 경우를 살펴보자. 이 때 공급자는 300원이라는 낮은 가격에는 300개의 사과를 공급하지만 수요자는 500개 이상의 사과를 원하여 초과수요가 발생하기 마련이다.

여기서 초과수요란 300원 이상 투표할 용의가 있는 누군가의 의사를 묵살하고 300원을 지불한 사람에게 사과를 귀속시킴으로써 다수결의 원칙이 지켜지지 않은 경우를 말한다. 이처럼 사과가 300원에 거래되는 경우에는 화폐 1원에 대한 사과가격(1/300)보다 낮은 가격(예를 들어 1/500)으로 사과투표를 하고자하는 사과 판매자(사과 공급자)의 의사는 묵살 될 수밖에 없다. 다수결 원칙이라는 투표의 논리가 지켜지지 않는 경우라고 할 수 있다. 반면, 다수결의 원칙 즉, 투표의 논리가 관철된다면 초과수요는 사라질 것이다. 다시 말해, 가격변동이 일어난다면 초과수요는 해소될 것이다. 사과 300개 공급에 해당하는 수요가격(300원 보다는 높은 가격)이 설정된다면 초과수요는 사라지게 될 것이다.

---

28 박지웅(2000). 시장, 주식시장 및 정치적 시장의 의사결정방식으로서 투표에 관한 비교분석. 사회경제평론 15호, p.225

다음은 초과공급이 발생하는 경우를 살펴보자. 사과가 800원에 거래되는 경우이다. 이때 상품판매자는 800개의 사과를 공급하지만 수요자는 500개 이하의 사과를 수요하여 초과공급이 발생할 수 있다. 결국 사과를 폐기처분해야 하는 경우도 발생할 수 있다.

이 때 공급자는 그의 화폐투표권을 얻기 위해 사과로 투표하였음에도 불구하고 자신의 의사를 관철하지 못하게 되고 마침내 사과투표권마저 회수하지 못하는 결과를 초래하게 된다. 그의 사과 투표권은 사표가 된 셈이다. 이 경우 사과 판매자는 화폐 1원에 대하여 1/800의 사과를 투표하였지만 그들의 의사는 묵살되고 어쩔 수 없이 1원을 얻기 위해 1/500의 사과를 투표하게 된다.

그렇지만 사표발생이 허용되지 않는 시장 투표의 원칙이 지켜진다면 이런 초과공급은 사라지게 될 것이다.

이와 같이 사표의 기피원리에 의해 사표를 완전히 제거함으로써 경쟁균형을 유도하여 시장의 수요공급의 원칙이 보장될 수 있다.

결론적으로 다수결원칙인 투표의 논리를 적용하여 시장경쟁의 현실을 설명할 수 있기 때문에 교환의 의사결정 방식인 투표가 이론적으로 의의를 갖는다고 할 수 있다.

따라서 시장경쟁의 원칙과 사표의 기피원칙은 별개의 대체적인 설명방식이 아니라고 주장할 수 있다. 또한 '시장경쟁의 방식이 투표이고 그것의 규칙이 곧 사표의 기피원칙이다'(박지웅, 2000: 228)라고 정리할 수 있다.

3 정치적 시장의 투표 논리에 의한 정책결정 양상의 설명 가능성

경제적 시장이 1원 1표에 의한 경제주체들의 재산권행사의 공간이라면 정치적 시장은 1인 1표에 의한 국민의 주권 행사공간이라 할 수 있다. 정치적 시장의 권리 및 책임의 배분구조를 살펴보면 그림 4-4과 같다.

■ 그림 4-4: 정치적 시장의 권리 및 책임 배분 구조[29]

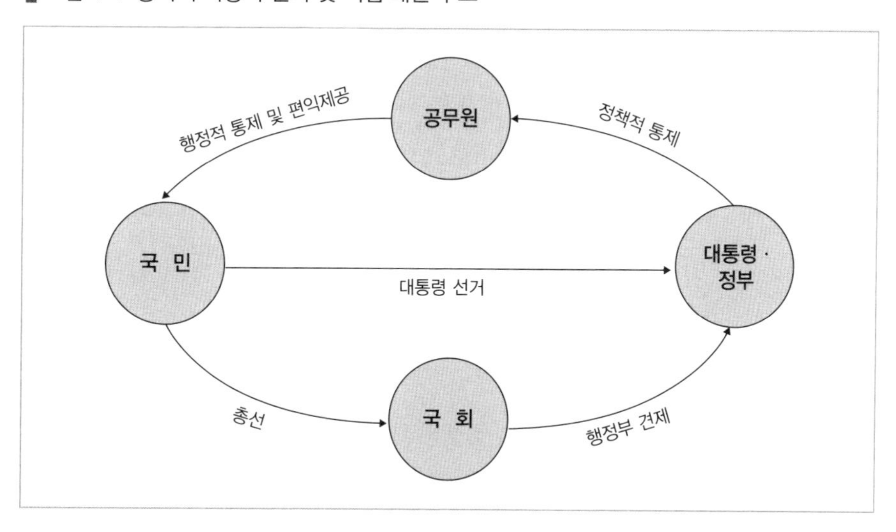

위의 그림에서 보는 바와 같이 정치적 시장의 구조는 순환적인 체계이다. 순환적인 체계이므로 정치적 시장에서는 최상위의 지위를 점하고 있는 부문이 따로 없는 것 같지만 실제에 있어 순환의 원천은 국민이다. 국민은 자신의 권리에 의해 정부와 국회를 선택하고 이러한 선택에 따른 결과에 대해 책임을 지는 것이다. 국민의 이러한 권리는 각종 정치적 선거에서 주어지는 1인 1표라는 투표권 행사를 통해 실현된다.

그런데 사람들이 의사결정을 할 때 누군가의 의사를 배제해야 할 상황이 생긴다. 선거를 통해 공직자를 선출할 때 더욱 그렇다. 다시 말해, 선거는 다름 아닌 낙선자를 지지하는 국민들의 의사를 배제하는 과정이라고 할 수 있다.

예를 들어 2007년과 2012년 대통령선거에서 ◇◇◇후보가 대통령에 당선된 것은 ○○○후보를 지지했던 사람들이 선거결과에 승복했기 때문에 가능했다. 이와 같이 정치적 시장의 투표절차는 승복을 끌어내는 과정이다.

29 박지웅(2000). 전게서.

따라서 정치적 시장의 투표는 사표발생에 의해 누군가의 의사를 배제시키지만 의사결정과정에서 야기된 갈등의 심화를 방지하는 기능도 한다.

여기서는 사표와 정책결정간의 관계를 살펴보고자 한다. 특히 제2사표 기피원칙에 따른 정책결정의 양상을 살펴보고자 한다. 이를 위해 두 후보가 출마한 대통령 선거에서 유력 후보가 60 : 40으로 큰 표 차이로 이긴 경우와 51 : 49로 박빙의 표차로 어렵게 이긴 경우를 사례로 상정하여 정책결정의 양상을 알아보고자 한다.

1) 제2사표가 다수인 경우(큰 차 승부)와 정책의 차별성

위의 사례에서 두 대선 후보에 대한 여론조사 결과 지지율이 60 : 40이라면 유력한 후보자가 당선되는 데 필요한 득표를 제외한 잉여 득표, 즉 20%정도의 제2사표가 예상된다. 이 경우 유력 후보자를 지지하는 상당수는 자신의 표를 제3의 후보에게 투표하고 싶은 유혹을 느낄 수도 있다.

여기서 후보자가 지지자 60%의 이해를 반영하여 정책을 세워 발표하는 것과 유력 후보자가 당선되는 데 꼭 필요한 40%의 지지자의 이해를 반영하는 정책을 고집하는 것은 엄연히 다른 결과를 초래한다는 데 유의해야 한다.

만약 집권여당 후보의 지지율이 60%일 때는 기존의 정책을 더욱 과감하게 밀고 나갈 것을 밝히면서도 제2사표 층을 끌어들이기 위한 새로운 정책을 개발하여 발표하려 할 것이다.

이에 비해, 만약 야당의 후보가 60%대의 높은 지지율을 유지할 때에는 현 정부의 정책을 과감하게 바꿀 것을 천명할 것이며, 따라서 정책의 대전환이 일어날 것이다. 예를 들면, 2007년 대선에서 보수 진영의 야당 후보가 그동안의 진보정권의 포용적 대북정책을 대결적 대북정책으로 과감하게 전환하는 경우를 들 수 있을 것이다.

결론적으로 여러 가지 상황이 발생할 수 있지만 선거에서 큰 차이로 승부가 전개될 때에는 정책의 차별성이 커질 가능성은 인정해야 할 것 같다.

2) 제2사표 해당자들의 잠재적 정책선호 표명 가능성과 정책의 다양화

위에서 보았듯이 선거에서 유력 후보자들이 제2사표를 끌어들이기 위한 노력을 기울인다. 그럼에도 불구하고, 유권자들이 자기표가 제2사표로 사장되는 것을 피하고 다른 제3의 후보에게 투표를 하게 되는 경우가 생긴다. 이는 단순히 유력 후보에 대한 지지를 철회하더라도 그 후보의 당선이 가능하기 때문만은 아니고 미래지향적인 투표경향에서 그 원인을 찾을 수도 있다. 자기가 지지하는 제3의 후보가 당선될 가능성은 낮지만 그 후보자에게 투표함으로써 그들의 정책선호를 분명히 해둘 필요가 있는 경우 미래지향적인 투표가 일어난다는 것이다. 야당후보가 크게 앞설 경우에 일부 야당지지자들은 또 다른 진보적인 야당후보를 지지할 수도 있다.

현재는 승리 가능성이 없지만 그가 선호하는 정당에 투표하여 미래의 선거에서 자신에게 보다 나은 정책을 선택하기 위한 방편이라 할 수 있다. 다시 말하면, 잠재적인 정책선호를 표명한 것이다.

한편, 유력 후보자가 선거 진행과정에서는 물론이고 당선 후에도 주어진 예산의 제약하에서 자신의 편익을 극대화한다는 명분으로 60%의 지지자 중에서 당선에 꼭 필요한 40%의 지지자의 이해를 반영하는 정책만을 집중적으로 시행한다면, 제2사표(잉여표)에 해당하는 지지자인 20%는 40%의 지지자에 비해 이러한 편익을 제공받는 과정에서 배제되게 될 수도 있다.

사실 이렇게 하더라도 정권은 유지되겠지만 집권당은 잉여 지지자 20%을 제외한 40% 지지자의 이해만을 반영하는 편파적인 정책으로 일관하기는 어려울 것이다. 왜냐하면 지지자들의 이탈과 함께 야당 후보자들 간의 제휴(coalition)가 일어나서 집권당을 위협하기 때문이다. 다시 말해, 제2사표에 해당하는 지지자들은 차기선거에서 집권당에 대한 지지를 철회하고 자신들의 이해

관계를 보다 더 잘 반영하는 후보를 찾아 투표할 경우, 정권을 넘겨줘야 할 상황이 올 수도 있다는 것이다. 따라서 어리석은 정당이 아니라면 20%에 해당하는 제2사표 층에 맞는 정책을 개발하여 시행하게 될 가능성이 커지게 된다.

3) 제2사표가 소수인 경우(박빙의 승부)와 정책의 수렴현상

위의 사례와는 달리 다당제 하에서 범여권과 범야권의 지지율이 51 : 49라는 박빙의 대결구도가 나타날 수도 있다. 혹은 진보진영과 보수진영으로 나뉘어 여·야 후보가 팽팽한 대결을 펼칠 수도 있다. 이 때 유력한 후보가 협소한 폭의 지지자들의 이해를 반영하는 편파적인 정책을 취할 경우, 반대 측 상대후보들은 제휴를 모색하게 될 것이다. 즉 야당 지지자들은 집권당의 재집권을 막기 위해 자신이 진정으로 좋아하는 후보자에 대한 지지를 철회하고 상대적으로 지지율이 높은 야당후보자에게 투표를 하게 될 수 있다.

투표자가 선호하는 정당이 승리할 가능성이 거의 없을 때에는 그가 가장 싫어하는 정당의 승리를 저지할 수 있을 것으로 판단되는 다른 정당에 투표하게 되는 경우도 있다.

이런 박빙의 승부 상황에서 야당의 제휴 강도가 높아질수록 집권당은 정권유지에 필요한 50%(이때 제2사표는 0이다)에 근접하는 지지자들의 호응을 얻어내는 정책을 제시할 것이다. 이런 상황에서는 어느 정당이 집권하든지 정책이 거의 동일하게 수렴되어 유권자들은 정책의 차별성을 느끼지 못하게 되는 정책의 수렴현상이 나타나게 된다.

지난 2012년 서울시장 보궐선거에서 여·야간 무상급식 등 복지정책을 놓고 서로 수렴하는 현상이 나타난 것이 그 증거라고 할 수 있다. 또한 2012년 말 18대 대선에서도 일거리 창출, 경제 민주화, 보편적 복지 등 여·야간의 정책에 큰 차이가 없고, 다만 각론에서 약간의 차이가 나타났다는 사실을 볼 때 똑같은 결론을 내릴 수 있을 것 같다.

결국 정치적 시장은 때로는 후보자가 난립하고 제휴하는 다소 혼란스러운 일들이 벌어지지만 결국 50 : 50의 세력의 균형을 가져와 투표자의 편익을 소수에게 집중시키는 결과를 방지하는 기능을 수행하게 되는 장점도 있다.

여기서 다당제일 경우 50 : 50의 세력균형은 아니지만 정치적 연합세력 즉, 진보연합과 보수연합 간에 50 : 50의 세력균형을 이루게 해 줌과 동시에 정책의 수렴이 일어나게 될 가능성도 커진다고 할 수 있다.

4) 선거모형이 정책결정 양상을 설명하는 데 있어 한계: 합리적 무지 이론

어떤 사안이 생길 때 최소의 비용으로 최대의 효과를 얻으려고 하는 경제학의 원리를 적용하는 데, 경우에 따라서는 어떤 정보는 얻지 않고 차라리 무시하는 것이 합리적일 때가 있다. 이런 경우를 경제학에서는 '합리적 무지(rational ignorance)'가 발생한 것이라고 한다.

합리적 무지는 유용한 정보를 얻는 데는 언제나 비용이 들게 마련이라는 사실에서부터 출발한다. 물론, 합리적 무지 이론의 가장 큰 단점은 우리가 특정 정보를 얻어서 혜택을 보기 전까지는 실제로 그 정보의 가치가 얼마인지 가늠하기가 어렵다는 데에 있다.

합리적 무지 이론에 따르면 유권자들이 선거나 투표를 앞두고 관련된 정치상황이나 후보들에 대하여 더 많은 정보를 얻으려고 애쓰지 않음은 물론, 투표장에 아예 가지도 않는 상황이 발생한다.

유권자들이 이런 행동을 보이는 이유를 구체적으로 살펴보면 다음과 같다.

첫째, 유권자들은 정치적인 이슈에 신경을 쓸 수 없을 정도로 일상생활들로 인해 너무 바쁘거나, 혹은 상대적으로 다른 이슈들에 비해 정치에 대하여 관심이 적어진 경우가 있을 수 있다. 이런 사람은 개인적으로 신문을 보거나 언론을 통하여 정치적인 이슈나 특정 후보들에 대한 가치 있는 정보를 얻으려는 노력을 기울이기보다는 차라리 그러한 정보를 무시하게 된다.

둘째, 자신이 바쁜 와중에 시간을 들여 정치적 이슈와 후보들에 대한 정보를 얻었다고 하더라도 그 정보에 근거한 자신의 결정, 즉 자신이 행사한 한 표가 선거 결과에 별로 영향을 미치지 않을 것이라고 판단하는 경우이다. 경우에 따라 자신의 투표가 수천만의 표 중에서 하나에 불과하여 자신이 투표를 하거나 하지 않거나 선거 결과에 별로 차이가 없을 것이라고 판단하게 된다는 것이다.

따라서 합리적 무지 이론을 응용하면 상대적으로 정보를 획득할 시간이 많고 정치적 상황에 대하여 보다 관심이 많은 중장년 층이 투표율이 높은 현상이 설명되고, 다른 일에 바쁘고 정치적 상황에 덜 민감한 젊은 층의 투표율이 훨씬 적은 현상이 자연스럽게 설명된다. 따라서 정당들은 중장년층을 겨냥한 정책을 더욱 부각할 것이다.

결론적으로 위에서 말한 합리적 무시 행태를 보이는 유권자들로 인해 선거를 통해 주요정책이 결정된다는 정치적 시장 모형의 설명력에 한계가 있다고 주장하는 의견도 있을 수 있다고 본다.

5) 맺음 글

우리는 위에서 제2사표가 큰가 아니면 박빙인가에 따라 정당 간의 정책의 차이가 날 수 있음을 보았다. 그리고 제2사표의 기피경향은 정당 간의 경쟁 또는 후보자 간의 경쟁을 유발하고 이를 통해 제2사표는 거의 사라질 수 있음도 보았다. 그러나 제1사표는 그대로 남게 됨을 알 수 있었다.

그렇지만 제1사표를 휴지조각으로 볼 수는 없으며 유권자들이 자신의 표가 제1사표가 될 줄 알면서도 투표를 하는 데는 나름대로 이유가 있었다. 유권자들은 제1사표를 던짐으로써 집권 정부를 견제하는 것이다. 51 : 49에서 49%의 사표는 견제 역할을 하면서 현 정부가 조그마한 잘못을 한 경우에도 현 정권을 다른 정권으로 교체할 수 있다는 징검다리 역할을 하게 된다.

따라서 선거 후 정책을 실제로 결정하여 집행하는 과정에서 특별히 자기정파의 정치적 선명성을 해치지 않는 한, 야당 지지자들을 고려하여 배려하는 정책을 시행하게 되는 경우가 많아질 것이다.

이러한 제1사표는 자신들의 의사에 반하는 정책을 구사하지 못하도록 현 정부를 압박하여 자신들의 이익을 어느 정도 지켜낼 수 있도록 한다.

요컨대, 정치적 시장은 경제적 시장과 달리 사표가 완전히 제거될 수 없다. 다시 말해, 현실적으로 제2사표는 정당이나 정치인들의 경쟁을 통해 어느 정도 제거될 수 있지만 제1사표는 제거되지 않는다는 것이다. 하지만 제1사표는 현정부를 견제하는 역할을 하게 되고 시장 투표의 사표처럼 휴지조각이 되는 것은 아니다.

결국 정치적 시장은 투표자의 사표 기피원칙에 따라 제2의 사표가 적을수록 여·야간의 정책동조화 현상이 나타나게 되고, 대다수 국민들의 의견이 정책에 반영되는 등 민주적으로 정책이 형성된다는 사실을 추론할 수 있다.

3_ 정치시장 모형

1 여는 글

정치학과 경제학 간의 학문적인 연계성을 강조하고 주장하는 수준에서 벗어나 실제로 경제학 방법론을 정치학 연구에 도입한 것은 1953년도에 Dahl과 Lindblom의 공저인 'Politics, Economics and Welfare'란 책의 발간이 그 효시라고 할 수 있다. 그 후 이렇다 할 진전이 없다가 1970년대 이후 정치경제학(Political Economy)에 대한 연구가 활발해지면서 많은 성과들이 나타나고 있다.

정치경제학의 발전은 사회적인 의미에서 정치적 교환 모형의 발전을 뜻하는 것이지만, 정치적 시장(political market)에서의 교환은 구조적으로 공공선택

(public choice)과 집단적인 선택(collective choice)의 개념과 그것의 제도화로 귀착된다고 할 수 있다.

원래 교환의 개념은 경제현상과 밀접한 관련이 있지만, 정치현상을 경제학에서 확립한 개념도구를 이용하여 설명하고 분석하려는 데서 정치적 교환이론이 시도되었다. 사실 정치경제학의 관심이 공공재의 최적배분을 위한 제도적인 틀을 지향하는 데 있다면, 정치경제학은 그 동기 면에서 정치적 교환이론과 궤를 같이 한다고 할 수 있다.

정치경제학적인 접근방식은 집합적인 선택 또는 사회적 의사결정에 관한 연구에 수없이 적용되었다. 정치적 교환의 이론에 따라 공공의 선택 또는 정책의 기능을 분석하려는 시도가 Tullock, Buchanan, Olson 등 경제학자들에 의해서 이루어졌고, Riker, Ostrom 등 정치학자들에 의해서도 진행되었다.

이런 연구들을 크게 네 가지로 나누어 볼 수 있을 것이다. 첫째, Samuelson의 공공재의 이론, 둘째, Downs, Tullock 등의 민주주의 이론, 셋째, Buchanan, Tullock, Arrow 등의 공공선택 이론 또는 의사결정 규칙(rule)의 이론, 넷째, Coase, North 등의 거래비용 이론을 들 수 있다.

위의 이론들이 대부분 정치적 결정과정을 고찰하는데 필요한 요소들을 개별적으로 연구하였기 때문에 유기체적인 성질을 띠는 정책현상을 이해하고 분석하는 데 설명력이 떨어질 수밖에 없었다.

구체적으로 설명하면, 공공재 이론의 경우, 의사결정의 과정과 메커니즘에 관한 논의가 없이 후생경제학의 균형조건에만 관심을 갖기 때문에 공공재와 사유재의 자원배분을 결정하는 변수들을 밝히지 못했다.

또한, Downs 등에 의해 전개된 민주주의 이론은 공공재적 요소를 고려하지 못하는 단점을 갖게 된다. Arrow 등의 의사결정의 규칙(rule)에 관한 이론은 제1절에서 살펴본 바와 같이, 개인 선호의 독립성만을 가정하는데서 정부의 개입 등 제도적 요소와 별도의 정책 결정과정 모형을 포함시키지 않았다는 약점이

지적되고 있다. 현실의 집합적 선택과정에서는 여러 가지 형태의 제도적 요소와 상호관계가 존재한다는 점을 고려했어야 했다는 것이다.

반면 Coase 등의 거래비용 이론의 경우는 가격이론 중심의 주류 경제학의 약점을 보완하려는 의도에서 주장되었지만 집합적인 행동을 이해하는데 기여함은 물론, 제도적 조정의 형태를 결정하는 데 중요한 역할을 하였다.

결론적으로 정책결정이 이루어지는 교환관계의 종합성 등을 고려할 때, 위의 개별적인 접근방식이 갖는 약점들을 보완할 필요성이 있다. 여기서는 공공선택 이론을 토대로 하여 정치적 시장 모형을 논의해 보도록 하겠다.

2 정치적 시장 모형

정치적 시장의 개념은 논자에 따라 다양한 관점에서 정의되고 있다.

첫째, 최광의 입장에서는 정치적 시장을 정치과정에서 정책행위자 간에 상호작용이 이루어지는 영역으로 정의할 수 있다. 이러한 정의는 전통적인 정치학이 분석의 대상으로 삼고 있는 모든 정치적 행위 영역을 포괄하는 장점이 있다. 그렇지만 정치적 시장에 담겨 있는 독특한 개념적 함축을 드러내 주지 못하는 단점도 있다.

둘째, 경제시장의 일반적인 개념 정의 방식에 따라 정치적 시장을 권력, 투표, 정책, 압력, 지지, 반대 등의 정치적 자원이 생산, 분배, 교환거래, 소비되는 행위 영역으로 정의하는 입장이다.

셋째, 정치가 갖는 공공성에 초점을 맞추어 정치적 시장을 개별 행위자들이 집합적인 의사결정을 통해 욕구를 충족하고 재화를 제공하며 자원을 할당해가는 공공영역으로 정의하는 입장이다.

여기서는 위의 두 번째 입장에서 정치적 시장은 정치적 교환이 이루어지는 공간이라고 정의하고자 한다. 정치적 시장모형에서는 '정책부담(policy burden)

또는 정책편익(policy benefit)'이 경제시장의 가격기제와 같은 역할을 한다고 보고 논리를 전개할 것이다. '국민들의 정책 요구(수요)'와 '정부의 정책 제공(공급)'을 하나의 교환관계로 보고, 정책은 수요측면의 정책행위자와 공급측면의 정책결정자들 간의 정치적 교환이 수요와 공급의 균형관계를 이루는 점에서 결정된다고 하겠다.

이때 정치적 시장의 수요 · 공급 곡선은 경제 시장의 수요 · 공급과 같은 원리가 적용된다. 경제시장의 가격과 같은 역할을 하는 것이 정책 부담(policy burden) 또는 정책편익(policy benefit)이라 할 수 있고, 정치적 시장에서 정책 제공의 양은 경제시장에서는 상품량에 해당한다고 하겠다.

그렇지만 정치적 시장에서 정책은 국민에게 부담을 주는 규제정책과 국민에게 편익을 제고하는 지원정책으로 크게 나누어지기 때문에 재화시장과는 다른 모습이 나타난다.

정치시장의 수요곡선은 규제정책의 경우 정부가 국민들을 규제함으로써 생기는 정책의 한계편익이 체감한다면, 지원정책의 경우에는 정부가 국민들을 지원하는데서 오는 편익이 한계적으로(또는 평균적으로) 체증한다는 점을 고려해야 한다. 이를 그림으로 나타내면 아래 그림4-5와 같다. 따라서 부담으로 작용하는 규제정책의 수요곡선은 우하향하지만, 편익을 제공하는 지원정책의 수요곡선은 반대로 좌상향한다.

한편 정치시장의 공급곡선은 한계비용의 체증 또는 체감여부에 따라 기울기의 형태가 결정된다. 정치시장의 정책의 수요 · 공급곡선의 형태는 재화시장의 형태와는 다르다. 이를 그림으로 나타내면 아래 그림 4-5와 같다. 정책부담을 주는 규제정책의 경우에는 한계비용이 상승하여 공급곡선이 우상향하지만, 지원정책의 경우의 한계비용은 체감하여 공급곡선이 좌하향하는 형태를 띠게 된다.

▮ 그림 4-5: 정책시장의 수요 · 공급 곡선

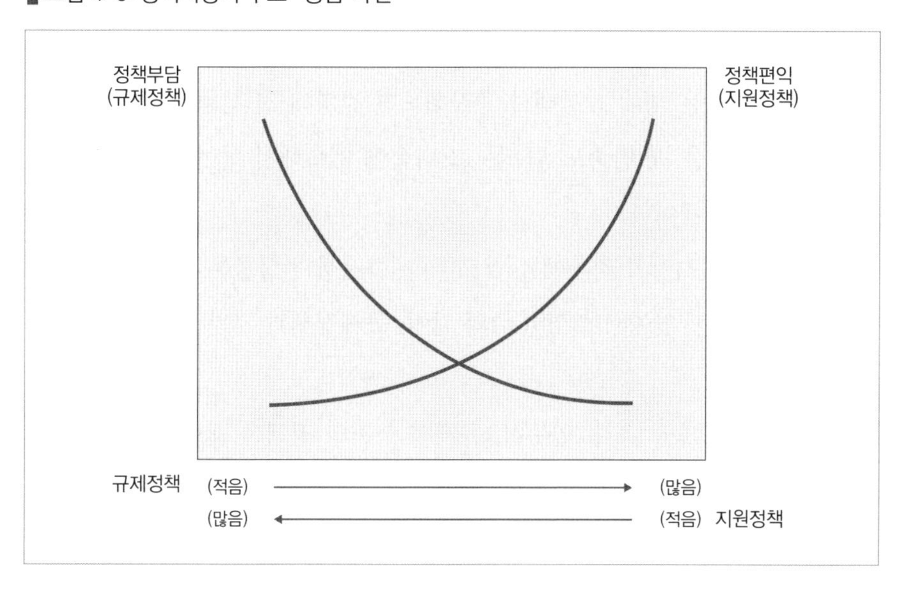

정치적 시장에는 두 가지 종류의 행위자가 있다. 하나는 수요 측면의 유권자이다. 유권자는 개별적인 유권자와 이익집단적 유권자로 나눌 수 있고 이들은 모두 자기의 효용이나 이윤을 극대화하려는 속성을 갖는다. 다른 하나는 공급측면의 선출직 공직자 또는 정치인이다. 이들은 정치적 지지를 극대화하려는 경향을 갖는다.

정치적 시장에서 이 두 행위자들은 정치적 지지와 정책 만족을 서로 주고 받는데, 유권자는 투표를 통해 정치적 지지를 선출직 공직자에게 제공하고, 선출직 공직자들은 유권자에게 정책 또는 법률을 돌려준다는 것이다.

한편 경제적 재화시장과는 달리 정치적 시장의 수요측면과 공급측면의 작동원리를 살펴보는데 있어서 고려해야 할 점이 있다, 수요측면에 있어서는 Olson의 집단행동이론과 정보수집비용 그리고 여기서 파생되는 합리적 무지이론 등을 고려해야 한다. 그리고 공급측면에 대해서는 정치시장의 독과점성 그리고 단기 임기주의(Short-Termism) 더 나아가 입법연합 및 관료정치론 등을 고려해야 한다.

1) 정치적 시장의 수요를 결정하는 변수

일반 재화시장의 경우 한계편익이 체감하는데 그 이유를 경제시장의 아이스크림 사 먹기와 같은 행위를 통해서 생각해보면 간명해 진다. 처음 아이스크림 한 개를 사 먹었을 때 만족도(편익)는 그 다음에 계속해서 아이스크림을 사 먹을 때 보다 높을 것이다.

그렇지만 정치시장의 경우에는 다르다. 재화시장의 상품은 대개 goods이지만 정책의 경우는, 앞에서 설명한 바와 같이, 규제정책과 지원정책으로 나누어 살펴보아야 한다.

먼저 그림4-5에서 알 수 있듯이, 규제적 성격의 정책은 재화시장의 수요·공급곡선의 형태를 취하나, 지원적 성격의 정책은 재화시장의 수요·공급곡선과는 반대의 형태가 나타날 것이다.

한편, 수요곡선 자체가 움직이는 경우를 예측할 수 있는데 그 요인으로는 국민들의 의식 수준의 변화 그리고 사회적 선호의 변화 등을 들 수 있겠다.

다음은 정치적 시장의 수요곡선과 관련하여 주의해야 할 점을 살펴보겠다. 유권자들이 집단적인 행동을 하는 경우 그 집단들의 크기나 결집정도에 따라 그 편익과 비용의 체감 정도는 달라질 것이다.

따라서 재화시장과 비교할 때 수요곡선이 상황에 따라 왜곡될 가능성도 있다. 이를 뒷받침하는 근거로서 Olson의 집단행동이론과 합리적 무지이론을 소개하겠다.

먼저 Mancur Olson의 집단행동이론을 살펴보자. Olson은 어떤 집단은 정책결정과정에서 로비활동을 통해 강력한 영향력을 행사하는 데 비해, 어떤 집단은 그렇지 못하는 이유가 무엇인지에 대해서 고민하면서 정책결정과정에 참여하는 여러 형태의 집단들의 행동원리 및 준칙과 관련된 이론을 제시하였다.

그 이론의 주요내용은 다음과 같다.

첫째, 어떤 집단 내에 소속된 개인들이 합리적이고 이기적이라면, 그들은 집단의 공동목적이나 이익을 실현하기 위해 최선을 다하지 않는 것이 당연하다. 다시 말해, 집단의 행동논리는 개인 행동논리의 연장선에서 설명할 수 없다는 것이다.

둘째, 개인의 효용함수를 극대화하는 개인이 집단이익을 위해 최선을 다하는 경우는 다음과 같은 경우에 한한다. 집단의 구성원의 숫자가 작은 특권적 집단(privileged group)이거나 중간집단(intermediate group)의 경우에는 집합적 행동이 가능하다. 그러나 대규모 집단인 경우에는 구성원들의 행동을 강제할 수 있는 수단이나 장치가 있거나 구성원들에게 별도의 특별한 인센티브를 줄 수 있는 경우에만 집합적 행동이 가능하다.

다음은 합리적 무지이론을 살펴보자. 앞에서 설명하였듯이 '최소의 비용으로 최대의 효과'를 얻는다는 경제학의 원리로 볼 때, 어떤 사안에 대해 이득을 저울질하게 되는데, 어떤 정보는 얻지 않고 차라리 무시하는 것이 합리적이라고 생각되는 경우가 발생한다. 이런 경우를 경제학에서는 합리적 무지(rational ignorance)라고 한다.

이 이론은 유용한 정보를 얻는 것은 언제나 비용이 꽤 많이 들게 마련이라는 사실에서 출발한다. 어떤 경우에는 그 정보가 가져다 주는 혜택보다 정보를 얻으려고 지출하는 비용이 더 큰 경우가 생길 때도 있다. 이런 경우, 그 정보를 얻지 않고 차라리 무시하는 것이 경제적으로 볼 때 합리적이라는 것이다.

따라서 합리적 무지 이론에 따르면 국민들이 선거를 앞두고 또는 중요한 정책에 대한 선호를 표시해야 하는 경우에 관련된 정책 정보나 후보들에 대하여 더 많은 정보를 얻으려고 애쓰지 않고 투표장에 아예 가지도 않는 상황이 발생할 수 있다.

이와 같이 집단행동이론과 합리적 무지이론에 따르면 실제의 정책수요가 정치적 시장에서 왜곡되어 나타날 가능성이 크다고 할 수 있다.

2) 정치적 시장의 공급을 결정하는 변수

일반적으로 정책의 제공량이 증가함에 따라 한계적 정책비용은 상승한다고 할 수 있다. 정치인이나 공무원들이 정책 입안 등 정책 활동을 하는데 여기에는 기회비용이 수반된다. 예를 들면, 국회의원이 입법 활동을 하는데 소요되는 시간을 유권자들과 접촉하는 지역구 활동에 사용할 수도 있다. 이 경우에 입법활동에 드는 비용은 지역구 활동에 대한 기회비용이 된다.

규제정책의 경우에는 정책을 제공하는 양을 늘리면 늘릴수록 그 한계비용은 더 늘어날 것이지만, 반대로, 지원정책의 경우에는 정책제공의 양을 늘리면 늘릴수록 한계비용이 체감하는 현상이 나타난다는 점을 유의해야 할 것이다.

정치적 시장의 공급곡선에 있어서도 주의해야 할 점이 있다.

첫째, 정치적 시장의 공급곡선의 경우 공급자의 구조가 경쟁구조라기 보다는 독과점적인 성격을 띠게 된다는 점에 유의해야 한다. 집권 정당과 행정부가 독과점 형태를 띠게 될 때, 독과점적인 정부는 국민들에게 각종 정책정보를 제공하는데 소극적인 자세를 취할 가능성이 매우 크다.

따라서 이런 정보제공의 불충실로 인해 수요자의 정보 수집비용이 늘어나게 되고 급기야 위에서 설명한 합리적 무지 현상이 발생하게 된다는 것이다.

둘째, 현대의 민주정부에서 중요 정책결정자들은 대부분 선거에 의해 선출될 수밖에 없다. 일정 주기마다 선거를 실시하기 때문에 정책결정자들은 일정한 임기 동안 공적 임무를 수행하게 된다. 이와 같은 단기 임기주의(Short-Termism)는 정책공급을 왜곡시킬 가능성이 있다고 생각된다.

다시 말하면, 어떤 정책결정자는 단기적인 실적주의에 매달려 정책공급을 과도하게 서두르게 될 것이고, 또 다른 정책결정자는 정치적으로 민감하고, 정책시행 결과에 자신감이 없는 정책에 대한 결정을 다음 임기의 정책결정자에게 미루는 경우도 있을 것이다.

요컨대, 정치적 시장의 공급곡선은 경제시장과 달리 독과점 현상이 일반적으로 나타나고, 단기 임기주의에 의해 공급이 왜곡될 가능성이 크다고 할 수 있다. 이와 같은 정치적 시장의 공급곡선의 특성을 고려해서 정책동학 현상을 분석해야 할 것이다.

4_ 정책의 비용·편익 측면에서 본 정치시장의 수요와 공급

1 여는 글

정책학에서 그동안 정책결정과정을 이해하고 설명하는 데 흔히 응용되는 이론으로서 자유 민주주의 체제, 제3세계 권위주의 체제 등이 있었다. 다시 말하면, 정치체제를 유형화하거나 정치문화 성격에 따라 몇 가지로 분류하여 상당히 획일적으로 정책과정을 설명하는 경향이 있었다. 이런 거시적인 모형에 의한 분석은 정책결정이나 제도변동이 이보다 훨씬 더 복잡하고 다양한 형태로 전개되고 있음을 간과하고 경험적 설명과 분석노력을 보이지 않은 데서 시작되었다(정용덕, 1984).

물론 앞 장에서 소개한 국가이론에 근거한 국가정책의 결정과정에 대한 분석들도 획일화의 함정에 빠지기 쉽다고 본다. 이들은 정책을 자본의 이익만을 위한 것으로 간주하거나 아니면 관료기구를 포함한 국가 자체의 이익을 위한 것으로 단순화하기도 한다.

Wilson(1980)은 이러한 접근방식에 반기를 들면서 규제정치에 있어 보다 미시적인 입장에서 정책 사안 별로 다양한 이해관계가 얽혀있고, 사안의 특성에 따라 순편익(편익과 비용의 비교)에 차이가 있음을 강조하면서, 이를 네 가지의 정치적 상황(political circumstances)으로 나누어 정치적인 타협이나 협상, 투쟁이 어떻게 전개되는가를 보여주는 '정치적 비용편익모형'을 제시하였다.

여기서 제시하는 정책형성의 정치경제적 분석 모형은 Wilson의 모형을 원형대로 활용한 것이다. 정치적 비용편익 분석모형으로서 Wilson의 모형은 방법론적인 개체주의와 정치경제적 합리적 행동(political-economic rational action)을 결합하여 만든 모형이라 할 수 있다.

이 모형에서는 공공선택 모형의 기본가정을 그대로 적용하고 있다. 다시 말하면, 정책변경과 관련된 대부분의 사람들이 자기 이익을 추구하며 상황에 맞게 정치적 행동(political action)을 한다고 가정한다. 즉 시민, 이익집단, 공무원, 그리고 입법권을 가진 국회의원도 자기이익을 추구하고 정치적 이해득실을 따져서 의사결정을 하고 행동을 한다고 보는 것이다(Mancur Olson, 1971: 48-50).

개인의 재산권의 구조를 조정하는 정부정책이 설계될 때, 이와 같은 변동으로 파생될 편익과 비용에 따라 이익집단 그리고 정부의 당국자들은 각각 상이한 정치적 연합형태로 지지연합이나 반대연합을 형성하여 정책형성과정에 참여하게 된다.

이처럼 자기이익을 추구하는 사례를 예로 들면, 법률제정권을 가진 국회의원들은 주기적으로 치러지는 선거를 의식하지 않을 수 없고, 정책변동과 관련된 입법안에 대한 유권자 및 이익집단들의 동향에 누구보다도 더 민감하게 대응하게 된다.

따라서 시민들에게는 크지 않으면서 즉각적이지도 않은 비용을 부담시키되, 가급적 많은 편익을 가시적으로 제공하는 정책의 경우에는, 그 정책변경과 관련된 입법과정의 정책연합(입법연합)에 보다 적극적으로 가입하고 입법화에 앞장선다.

반면에 즉각적으로 많은 비용을 가시적으로 부담시키면서도 단지 적은 편익밖에 가져다주지 않을 것으로 예상되는 정책의 경우에는 소극적인 자세를 보일 것이다.

이때 정책연합(입법연합)의 행태는 정책의 비용·편익을 기준으로 하여 정책

사안별로 나누어지는데, 다시 말해, 사안에 따라 소극적으로 또는 민감하게 반응을 보이는 여러 가지 정책연합이 나타나는데 이들 행태를 네 가지 형태로 나누어 볼 수 있다. ①대중적 정치(majoritarian politics) 상황 : 편익과 비용이 모두 분산되는 경우 ②이익집단간 경쟁(interest group politics) 상황 : 편익과 비용이 모두 집중되는 경우 ③이익집단 편향(client politics) 상황 : 편익은 집중되고 비용은 분산되는 경우 ④정치적 캠페인(entrepreneurial politics) 상황 : 편익은 분산되고 비용은 집중되는 경우 등이다.

표 4-5: 정책의 비용 · 편익 분포에 따른 정치경제 모형[30]

		편익(Benefit)	
		좁게 집중	넓게 분산
비용 (Cost)	좁게 집중	이익집단간 경쟁 (Interset Group Politics)	정치적 캠페인 (Entrepreneurial Politics)
	넓게 분산	이익집단 편향 (Client Politics)	대중적 정치 (Majoritarian Politics)

여기에서 편익이 넓게 '분산'되어 있다는 것은 정책서비스에 대한 약간의 가격인하 또는 세금의 인하, 서비스의 질 향상 등을 의미하고, 위와 반대로 편익이 좁게 '집중'된다는 말은 특정 산업이나 직종에 보조금을 지급한다거나 특정인에게 사업의 면허를 주는 경우 등을 말한다. 편익의 대칭개념인 비용의 분산과 집중도 같은 의미로 설명될 수 있을 것이다.

30 James Q. Wilson, American Government: Institutions and Politics (Lexington, Mass: D.C. Heath and Co., 1980), p.419 (최병선, 2004:126 재인용).

2 대중적 정치상황 : 분산된 편익과 분산된 비용의 경우

정책변동으로 발생될 것으로 인식되는 편익과 비용이 쌍방 모두 이질적인 불특정 다수에 미치거나, 개인 또는 기업의 입장에서 보면 그 크기가 작은 경우이다.

비용이 다수 국민들에게 널리 분산되어 부과되고 그 편익도 다수의 국민들에게 고루 돌아가는 경우, 또는 적어도 그럴 것으로 인지되는 경우에 그와 같은 정책변동 과정은 대중적 정치의 특징을 보인다. 다시 말해, 서로 경쟁적인 이익집단들 간의 밀고 당기는 각축으로 정책화(입법화)가 이루어지기보다는 다수 국민들의 지지를 획득하기 위해 대다수 국민에게 호소하는 방식에 따른다. 특정 이해관계가 없으므로 이익집단의 압력으로부터 상대적으로 자유로운 상황이라 할 수 있다.

이런 상황에서는 정책변동으로 인해 어느 누구도 특별히 큰 이익이나 큰 손해를 보는 것이 아니기 때문에, 정책과정에 적극적으로 나서는 정치인이나 행정공무원들이 없을 것이다. 그러면 이런 경우 정책변동과 관련하여 어떻게 정치적 의제화(political agenda)가 이루어지는가? 이것은 사회의 발전에 따라 새로운 사상이나 신념(new ideas and beliefs)이 대두하거나 국민들의 일반 감정(popular sentiment)이 뒷받침될 때, 선도적인 정치인이나 행정가들이 이를 정치적·정책적으로 이슈화할 때 가능해진다.

이런 상황에서 도입된 정책은 의료보험정책과 공정거래정책이라 할 수 있다. 공정거래정책의 경우 모두에게 도움이 되는 측면과 모두에게 손해를 끼치는 측면이 동시에 존재한다고 보는 데서 대중적 정치로 보지만(최병선, 2004: 137), 초기 대기업의 독점 규제위주의 공정거래제도 도입과 관련해서는 정치적 캠페인 상황(창도자 정치)으로 보는 견해도 있다.

3 이익집단간 경쟁상황 : 집중된 편익과 집중된 비용의 경우

상대적으로 작고 단합된 집단에게 편익을 주지만, 또 다른 작고 일체화된 집단에게는 비용이 부과되는 경우에 이익집단간 경쟁상황이 발생한다. 여기에서 상반된 이익집단 간 즉, 지지연합과 반대연합 간에 치열한 경합이 일어날 것이다. 쌍방이 모두 조직화되어 있고 정치적 행동의 유인을 강하게 갖고 있기 때문에 첨예하게 대립하게 된다. 이 때 어느 일방이든 국외자들과의 연합을 통해 자기들의 정치적 입장을 강화하기 위해 노력하기도 한다(최병선, 2004: 136).

이 유형에서 입법자인 국회의원들은 어느 한쪽이 상대적으로 우위를 점할 때까지 입장을 밝히지 않고 유보적인 자세를 취할 가능성이 크다. 상대적으로 어느 한쪽이 우위를 점하는 상황이 오면 비로소 정책연합(입법연합)을 구성할 것이다.

여기에 해당되는 정책이 의약분업 정책, 최저임금 정책 등이라고 할 수 있다.

4 이익집단 편향 상황 : 집중된 편익과 분산된 비용의 경우

이익집단 편향 상황을 고객정치 상황이라고 하는데 비용은 상대적으로 작고 이질적인 불특정 다수인에게 부과되지만, 그것의 편익은 상대적으로 일체화된 동질적인 소규모 집단에게 귀속되는 상황이다. 여기에서 고객이란 정책의 편익 수혜자를 말한다.

이때 편익을 얻을 수 있는 고객집단은 빠르게 정치 조직화하고 정치적 압력을 행사한다. 따라서 입법연합은 이들 고객인 강력한 이익집단들의 요구에 즉각적으로 반응하게 되고 조용한 막후교섭이나 로비 등이 이루어지게 된다. 이럴 경우 소비자 단체 등의 공익단체의 항의나 반발이 없는 한, 정책결정이 은밀하게 진행되는 경향이 있다.

이런 상황에서 형성되거나 변동되는 정책은 농산물에 대한 최저가격 정책,

수입규제 정책, 각종 직업 면허제 정책 등이다.

5 | 정치적 캠페인 상황 : 분산된 편익과 집중된 비용의 경우

위의 이익집단 편향 상황과는 정반대로, 비용은 소수의 동질적인 집단에서 부담하고 그 대가로 대다수 국민들이 편익을 얻는 경우이다.

이런 경우 정책변동이 일어나기가 대단히 어렵다. 비용을 부담할 것으로 예상하는 소수의 일체감이 강한 집단이 정책을 저지하는 데 총력을 기울일 것이기 때문이다.

기존의 특혜나 이익을 상실하거나 새로운 부담을 꺼리는 집단은 대개 한정된 소수인 것이 보통이며 강렬한 반대운동을 전개하기에 충분한 동기를 부여받게 된다.

반면에 수혜자가 될 대규모 집단은 그 혜택을 거의 의식하지 못하거나 그 혜택이 분산되어 주어짐으로 인해 그것의 정책화(입법화)를 위해 투쟁할 만한 동기를 지니지 못하는 것이 보통이다.

그렇다면 도대체 이런 상황에서도 잘 조직된 소수의 동질적 집단에게 불리한 정책변동이 일어나는 원인이 어디에 있는가? 우선, 사회 경제적 위기 및 재난의 발생 등 사회적으로 커다란 충격과 분노를 일으키는 사고가 발생하는 경우가 이에 해당한다.

또 다른 이유는 정권의 변동이다. 새 정권이 들어서서 그들의 참신한 모습을 국민들에게 보여주기 위해 창도자적 정치를 하게 된다. 이때 공익단체들이 앞장서서 제도변동에 필요한 사회적 분위기를 조성하고 정치적 동기(political momentum)를 형성하게 되는 경우가 많다.

이런 상황에서 생겨난 정책은 도시관리(greenbelt)정책과 자연환경보호 정책 등 사회관련 정책들이라 할 수 있다.

5장

정책동학 현상과 관련이 있는 기존 정책이론들

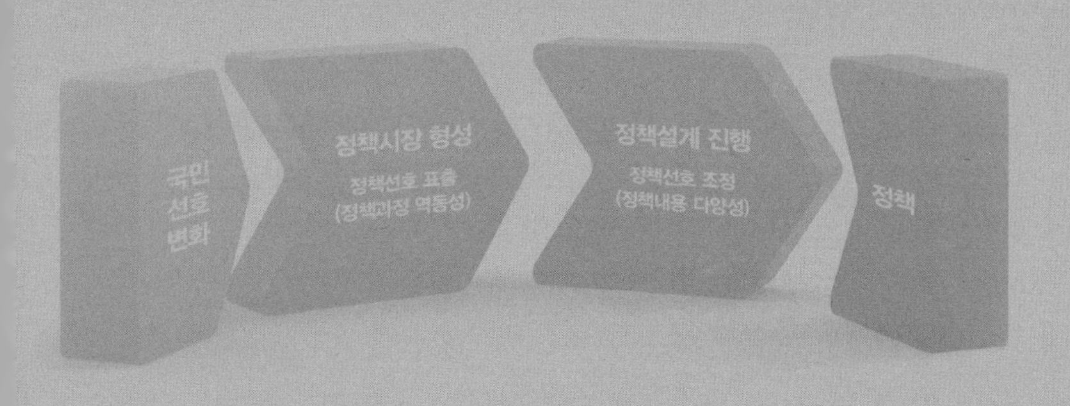

제2장에서 정책내용의 다양성과 정책과정의 역동성을 포괄적으로 설명하는 정책동학(the dynamics of policy)적 접근이 필요함을 역설하였다.

이 장에서는 정책동학 현상을 설명하는 데 도움이 되는 기존의 정책이론들을 살펴보겠다. 다시 말해, 신제도주의 이론, 정책 네트워크 이론, 관료정치론, 정책지지연합 모형, 정책의 창 모형 등 기존 이론을 모아서 소개하고자 한다.

이 이론들은 정책행위자들의 선호형성과 변경을 설명하는 데 유용한 측면이 있다고 하겠다. 먼저 정책동학 현상을 설명하는데 유용한 기존의 접근방법을 개관하고, 신제도주의 이론, 정책 네트워크 이론, 관료정치론, 정책지지연합 모형, 정책의 창 모형이론을 차례로 설명하면서, 각각의 이론들이 갖는 정책동학적 의미도 함께 살펴볼 것이다.

1_ 정책동학을 설명하는데 유익한 주요 접근방법

1 주요 이론 개요

무릇 사회과학에서는 인간행동의 주요 원인이 무엇인가에 대한 합의가 이루어지지 않고 있으며, 사회현상에 대한 접근방식에 대한 합의도 이루어지지 않고 있다. 사실 정치학과 정책학에서도 그 예외는 아니다.

접근방법을 논의하는데 있어, 경우에 따라서는 한 가지 종류의 이해방식 또는 이론적 관점의 틀 안으로 축소시켜 버리는 경우도 종종 있다. 사회과학에서 논의되는 접근방법들은 서로를 보완하는 관계에 있음에도 불구하고, 때때로 서로 배타적인 관계로 보는 경우도 있다는 것이다.

이 장에서는 정책동학 현상을 설명하는데 유용하다고 생각되는 5가지 접근방법을 소개하려고 한다.

이 접근방법들은 정책이 어떻게 만들어지고 변화하는지를 설명하는데, 다시 말해 정책동학을 설명하는데 도움이 되는 것들이다. 각각의 접근방법들은 각 분야와 국가별로 정책이 다른 이유가 무엇인지, 그리고 일부 정책이 안정적인 것에 비해 다른 정책들은 변화하는 이유에 대하여 설명할 수 있다.

일반적으로 하나의 접근방법은 정책동학 현상을 부분적으로 설명할 수 있는 프레임을 제공하지만, 일부 접근방법은 정책이론 그 자체가 될 수 있다는 주장도 있다. 이 접근방법들의 간략한 내용을 소개하고, 이 접근방법들이 제공하는 정책동학 현상을 바라보는 시각과 프레임을 살펴보겠다.

먼저 제도주의이다. 제도주의 중 구제도주의는 의회 등 입법부, 법관으로 구성되는 사법부, 공무원으로 구성된 행정부 등과 같은 국가 조직이나 공공정책 결정시스템 및 정책 결과의 피드백 방법 등 정책결정의 메커니즘이 정책내용이나 정책결정 방식을 좌우한다고 보는 접근방법이다. 이에 비해 신제도주의는 인간행위와 사회현상을 연구하는 데 이들을 둘러싼 '맥락(context)'의 중요성을 강조하면서 이러한 맥락을 제도로 보고 있다.

신제도주의 이론이 나오게 된 시대사적 배경으로 사회과학의 연구방법론이 변화한 과정을 간단히 살펴보면 2차 대전 이후 1960년대에 행태주의(behavioralism)와 이익집단이론(interest group theory)이 발달하였고, 이러한 이론이 구조적인 측면을 보지 못한 점이 한계점으로 지적되면서 1980년대에 들어서면서 국가론(state theory)의 대두와 함께 합리적 선택이론(rational choice theory)이 등장하게 되었다. 그 이후 사이먼(H. A Simon)의 제한된 합리성(bounded rationality)이 제기되면서 그 전의 이론들의 한계점을 보완하는 차원에서 정치·경제·사회현상을 설명하는 데 제도의 개념을 중심개념으로 설정하는 경향이 나타나고 이를 신제도주의라고 칭하게 되었다. 이런 신제도주의는 일반적으로 역사적 제도주의(historical institutionalism), 합리적 선택 제도주의(rational choice institutionalism) 그리고 사회학적 제도주의(sociological institutionalism)의 세 가지로 분류되고 있다.[31]

첫째, 역사적 신제도주의(historical institutionalism)는 정책결정 과정을 설명하는 데 유용한 이론이다. 역사적 신제도주의에서는 '정치와 경제 각 부문에서 개인들 간의 관계를 구조화시키는 공식적 규칙, 순응절차, 표준화된 관행'이라고 정의한다. 여기에서 더 나아가, 사회학적 신제도주의는 '인간의 행동을 지도하는 의미의 준거 틀(frame of meaning)을 제공하는 상징체계(symbol system), 즉 문화(culture)'라고 정의한다.

정책동학 현상과 관련하여 역사적 신제도주의적 접근방법은 정책행위자들이 제도적 맥락이라는 제약조건 하에서 게임규칙을 따르게 된다는 사실에 주목하고, 이 점이 바로 정책의 경로의존성, 안정성에 대한 설명을 가능하게 한다는 점을 강조한다. 상황에 따라서 제도가 모든 것을 아우르는 성질을 갖는데, 이것은 제도가 헌법적 규칙과 전통에 내재된 규범을 담고 있기 때문이다.

둘째, 합리적 선택 신제도주의(rational choice institutionalism) 접근방법이다. 위의 역사적 신제도주의에 비해 합리적 선택 신제도주의에 속하는 Ostrom, North 등은 제도를 '인간행위의 범위와 형식을 제약하는 게임의 규칙(rules)'으로 정의하고 있다. Ostrom은 '특정한 인간의 행위를 요구, 금지 또는 허용하는 규칙의 집합(a set of rules) 또는 반복되는 교환행위 혹은 관습 가운데 개인에게 인센티브를 제공해 주는 것'으로 정의한다(하연섭, 2008: 44). 그리고 North는 '인간의 정치적, 경제적, 사회적 상호작용을 제한하는 인간에 의해 고안된 게임의 규칙'이라고 정의한다.

이와 같은 신제도주의적 접근방법은 정책행위자가 직면하는 제약조건들을 고려할 수 있도록 하고, 각각 다른 정치제도하에서 그리고 정책 하위체계에서 규범과 관행을 고려하도록 한다.

---

31 Peter A Hall and R. C. R Taylor. 1996. Political Science and the Three New Institutitonalism. *Political Studies*.

한편에서는 제도주의와 같은 정태적인 접근방법은 한계가 있다는 비판이 일어나고, 보다 동태적인 접근방법이 모색되어야 한다는 주장이 제기되었다(Peter, 2012). 다시 말하면, 정책학에서는 '제한된 지적·인지적 능력을 갖고 있는 의사결정자가 어떠한 과정을 거쳐 선택 가능한 대안을 탐색하는가? 그러한 대안들의 결과를 예측하고, 행동하는 기준이 되는 신념체제가 어떻게 형성되는가?' 에 관심을 가져야 한다는 것이다.

합리적 선택 신제도주의의 기본 입장은 사회 공동체의 개별 주체들이 제도를 만듦으로써 순편익을 증진시킬 수 있다고 판단하면 자발적인 합의에 의해서 정책을 만들어 나간다는 것이다. 그 이유는, 제도가 사회 내의 개인의 행동을 완전히 결정하는 것이 아니고, 오히려 개인들이 자신들의 재산권을 증진시키고, 거래비용을 최소화하기 위해 기존의 정책이나 제도를 바꾸어 나갈 수 있다고 보기 때문이다. 이 입장을 더 확장하면, 정책행위자들이 전체 사회의 선호를 결집하기 위해 다양한 방법으로 선호를 표출하면, 정책선도자들이 중심이 되어 정책방안을 설계하게 된다는 사실을 유추할 수 있다. 따라서 합리적 선택 신제도주의는 정책동학을 설명하는데 상당한 시사점을 갖는다고 하겠다.

요컨대, 합리적 선택 신제도주의가 정책결정 과정에 주는 시사점이 상당하듯이, 정책학은 정책문제의 해결을 위해서 정책 주체들이 어떠한 일련의 발견과정을 거치는가에 관심을 가져야 한다. 정책행위자들의 신념체제가 어떻게 변화해 나가는가를 살펴볼 필요가 있다는 것이다.

위에서 살펴본 신제도주의에 이어 정책동학 현상의 접근방법으로 정책네트워크, 정책환경 등 외부변수, 정책설계 능력을 소개하겠다.

셋째, 집단 및 네트워크 접근방법이다. 정치조직 안팎에서 이루어진 연합이나 비공식적으로 형성된 관계가 정책을 결정한다고 보는 입장이다. 보다 정교하게 말한다면, 집단 접근방법은 정책행위자들 사이의 관계 네트워크가 정책을 결정한다는 견해라고 할 수 있다. 이와 같은 집단적 접근방법은 공공 정책결정 과정에서, 다시 말해, 정책동학 현상과 관련된 정책지지 또는 저지연합 형성, 네트워킹, 자기집단 이익에 유리한 정책이 결정되도록 각종 영향력의 동원 등을 분석할 수 있도록 한다.

이와 같은 집단적 접근방법은 기존제도를 우회하거나, 공무원과 기타 정책 행위자들의 역할을 요구하거나 제한하는 정책 추진 또는 저지 연합의 형성에 초점을 맞춘다. 가장 극단적인 의미에서, 이 집단적 접근방법은 기존의 정치제도 및 관료제 안팎에서 일어날 수 있는 모든 행위를 집단 동력의 한 가지 형태로 간주한다.

넷째, 정책환경 등 외래변수 결정론적 접근방법이다. 정책이 결정되는 외부 환경적 요소가 공공 정책행위자의 정책결정 방향을 결정짓고, 정책대안 선택에도 영향을 미친다는 주장이다. 외래변수 결정론적 접근방법은 정치적 행위에 대한 실질적 제약조건 또는 이념이라는 측면에서 정치경제적 요소와 사회경제적 요소의 중요성을 강조한다.

외래변수 결정론적 접근방법은 정책결정이 이루어지는 시스템의 외부세계, 특히 경제나 사회로부터의 압력 등 외부 요인의 중요성을 강조한다. 또한 이 접근방법은 경제 및 사회관계를 유지하는 권력구조의 특징을 밝히는데 중점을 둔다.

다섯째, 아이디어 기반 접근방법이다. 정치나 정책을 이야기하는 데 있어 아이디어를 빼놓고 논의하는 것은 상상할 수 없는 일이다. 정책문제로 부각되는 사회적 이슈에 대한 논의나 토론이 진행되는 데 있어, 그 해결방법은 대부분의 경우에 그 분야의 전문가들의 아이디어에서 나오게 된다.

이와 같은 정책문제의 해법에 대한 아이디어는 그 스스로의 수명을 가지고 있는 것도 사실이다. 아이디어는 순환하며, 정책결정 과정에서 각종 이해관계에 대해 독립적으로 또는 그 이해관계들과 연계되어서 영향력을 가진다는 것이다. 이 접근방법은 정책과정에서 행위자의 아이디어가 정책동학에서 얼마나 중요한 역할을 하는지를 알게 해 준다.

아이디어 기반 접근방법에서는 모든 개개인의 선호, 집단들 간의 역학관계, 그리고 분석틀 역할을 하는 제도도 중요하지만, 정책과정 참여자들이 사회현상에 대해 정확히 읽어내는 분석 능력과 정치적 감각을 가지고 사회적 선호를 반영한 정책을 구성하는 능력이 무엇보다 중요하다고 보는 견해이다. 우리 속담에 구슬이 서 말이라도 꿰어야 보배가 된다는 말과 상통한다고 본다.

위에서 살펴본 접근방법을 종합해 볼 때, 학자에 따라 자신들의 정책연구를 위해 한 가지 접근방법을 선택할 수 있고, 한 가지 접근방법으로 모든 정치적 행위를 설명할 수도 있다. 예를 들어, 어떤 정책학자는 모든 정책이 정치경제적 과정을 거쳐 결정된다고 보고 연구를 진행할 수 있다.

그러나 일반적으로는, 한 가지 접근방법이 매우 지배적이지만 다른 접근방법들은 비교적 덜 중요한 역할을 한다고 보는 경우가 많다. 예를 들면, 정책결정의 설명방법으로서, 외래변수 결정론적 접근방법은 한 국가가 경제 변화에 어떻게 반응하는지를 연구할 때 주로 적용하고, 제도가 정책결정 과정의 형태를 지배한다는 시각도 고려하여 연구를 진행한다. 이 경우에도 장기적으로 볼 때 제도가 경제적인 변화 요구 등 파워를 억누를 수 없다는 결론에 도달할 가능성이 크다.

보통 다양한 접근방법들이 정책학 연구에 있어 동시에 적용되지만, 어떤 접근방법은 다른 접근방법에 대한 불만족에서 도입되기도 하고, 이전의 정책변화 및 정책의 다양성에 대한 설명을 하는데 실패한 결과로서 도입되기도 한다.

특히 2000년대에 들어서 인간 행태의 근원에 대한 보다 폭 넓은 설명을 하고자 하는 움직임이 나타나고 있다. 이러한 접근방법은 개인 수준(individual-level)의 분석에 의존하면서도 기존의 합리적 행위이론의 한계점을 인정하고 정책설계능력의 중요성을 인정하게 된다.[32]

이런 움직임에서 보듯이, 위에서 소개한 5가지 접근방법들은 인간 행위의 가능성, 체계의 영향, 권력의 본질, 공권력의 속성 등에 대한 나름대로의 가정들을 기반으로 하는 자기 중심적인 패러다임에 여전히 갇혀있다고 볼 수 있다.

따라서 이 접근방법들은 서로 경쟁적 관계에 있는 것이 아니라, 서로를 보완하는 역할을 하도록 정책현상을 해석하는 시야를 넓힐 필요가 있다.

한편, 위에서 살펴본 접근방법들을 너무 과대평가할 경우, 정책은 제도적, 집합적, 사회경제적 요인 또는 아이디어에 기반을 둔 정책과정을 통과한 단순한 혼합물에 불과한 것이라고 생각할 수도 있으나 실제는 그렇지 아니하다. 이러한 점을 감안할 때, 위의 접근방법들을 단순하게 하나의 복합이론적 분석 틀로 묶는 것은 정책결정 현상을 사실적으로 묘사(describe)하고 설명(explain)하는 데는 도움이 되지만, 이를 예측(prediction)하는 데는 별다른 도움이 되지 않는다는 점을 유의해야 한다.

따라서 정책과정의 역동성과 정책내용의 다양성을 포괄하는 정책동학 현상의 인과관계 설명이 분명하게 이루어지도록 하나의 이론체계를 구성하는 방안을 모색하여야 함을 다시 한 번 강조한다.

2 사회적 선호의 결집을 위한 정책동학의 설명이론 탐색 : 진화론 또는 계약론적 모색

앞에서 살펴본 다섯 가지 접근방법 중에서 합리적 선택 신제도주의 접근방법이, 부분적으로는 개개인을 구성요소로 보고, 정책동학 현상을 과거-현재-미래를 통한 일련의 선택으로 간주함으로써 다른 접근법들에 비해 더 나은 설명

---

32 Sabater(2007)판에는 Social Constrution and Policy Design을 다루고 있다(pp 93-126).

을 제공할 것으로 생각한다. 이 접근방법은 구조적 맥락 안에서 행위와 동기에 대한 이론이라는 점에서 현실 적실성이 크다고 할 수 있다.

물론 집합적 접근방법도 합리적 선택 신제도주의라는 통찰력에 의해 더욱 다듬어질 수 있다. 또한 정책환경 등 외래변수 결정론적인 접근방법은 주의 깊게 분석해보면 정치적 행동에 대한 근거를 제시하기보다는 한계점을 보여주며, 따라서 이론이기보다는 분석 틀로서 역할을 한다.

요컨대 합리적 선택 신제도주의는 개별적 선택을 연구할 뿐만 아니라 제도와 집단, 정치 · 경제 · 사회적 요소들의 역할을 통합할 수 있는 장점이 있다. 이러한 점에서, 합리적 선택 신제도주의는 가장 설득력 있는 정책동학에 대한 설명방법이다.

만약 각 정책대안들이 독립적으로 정치적 행위에 영향을 미친다면, 정책대안은 단순히 과거의 개인적 이익을 반영하는데 그치지 않을 것이다.

이와 달리 심의민주주의에 의해서 정책행위자의 선호가 형성된다면, 사회전체의 선호로서 정책은 개인선호의 단순한 합계 이상의 의미를 가지게 될 것이다.

일단 이러한 주장이 받아들여진다면, 개인의 선호는 말할 것도 없고 국가별 정치체계의 특성까지도 정책설계 과정에서 구체화되거나 일부만 반영될 것이기 때문에 개인의 합리적 선택의 범위는 축소된다. 정책결정 과정에서 모든 문제를 해결해주는 역할을 하는 것은 결국은 정책행위자들, 특히 정책선도자들의 아이디어와 정책설계 능력이다.

따라서 개인이 자신의 선호와 이익을 추구한다는 사실을 받아들이되, 이를 어떻게 추구할 것인가? 즉 개인들의 선호가 사회전체의 선호로 결집되는 과정에서 입법부의 국회의원들과 행정부의 공무원들의 정책설계를 통해서 정책대안이 마련된다는 점을 고려하는 정책학이론을 만들어 내는 것이 우리의 당면과제라고 할 수 있다.

위에서 소개한 접근방법들을 진화론 또는 계약론을 이용하여 구체화하고 결합하는 방안을 살펴보자.

Screpanti와 Zamagni(1993: 384)에 의하면, 정책과 제도를 분석하는 시각을 두 가지로 분류하는 데 그 하나는 진화론적 접근방법이고, 다른 하나는 계약론적인 접근방법이다.

진화론적 접근방법은 이미 1950년대 초와 1970년대 말 사이에 하이에크에 의해 확립되었다. '보이지 않는 손'의 신봉자인 그는 각 개인들이 경제활동은 물론 사회활동을 영위하는 과정에서 자유로운 접촉을 통해 사회의 정치적 또는 경제적인 행동규범과 제도적인 장치를 진화시킨다고 주장한다(웬들 고든, 존 애덤스 공저(임배근, 정행득 공역), 1995). Hayek는 정치적 또는 사회적 질서가 집단의 목표를 위해 의도한 방향으로 형성되는 것이 아니고, 자유스런 개인들의 무의식적이고 자연발생적인 행동의 결과로 형성되는 것으로 이해하였다.

결론적으로, Hayek는 제도가 인간의 의도적인 산물이 아니고 무의식적인 인간의 행동의 산물이라고 믿었다.

정책현실을 볼 때, 범죄발생율의 증가, 교육성과의 부진, 교통 혼잡 등과 같은 공공문제를 어떻게 해결할 것인가에 대한 아이디어가 끊임없이 나오고 있다는 점에서 진화론과의 관련성이 발견된다.

그러나 이러한 아이디어들은 외부와 단절된 진공상태에서 저절로 나타나지는 않는다. 하나의 아이디어가 형성되고, 그것이 정부의 정책으로 성공하기 위해서는 선도적 실천가들이 필요하다.

이들은 우리가 정책선도자(policy-entrepreneur)라고 부르는 사람들인데, 정책변화를 위해 자기의 시간과 에너지를 써 가면서 공공의 선을 이룩하고자 한다. 이 선도자(entrepreneur)들에는 정치가, 관료, 전문가, 또는 이익집단의 로비스트가 포함될 것이다. 이에 비해, 현재의 정책에 나타나 있는 기존의 아이디어를 수호하기 위한 행동가들도 있다.

이처럼 정책행위자들의 선호와 정책설계 간에는 서로가 없으면, 다시 말해 연계되지 않으면 무의미하기 때문에, 진화론적 접근법으로 이 둘을 연결할 필요가 있다.

이처럼 진화적 이론은 단순히 유익한 진보나 목적론만을 의미하지는 않는다. 대신, 변화의 급격성, 불확실성, 협력을 가로막는 여러 가지 장애물, 인간 능력의 한계성 등의 요인들은, 우연의 일치와 기회라는 변수가 정책 선택을 설명하고 특정 아이디어의 특징을 설명하는데 오히려 중요한 역할을 한다는 점을 보여준다. 정책행위자들은 자기들의 아이디어와 이익을 정책화하기 위한 투쟁 및 지속적인 토론이 정책동학 현상으로서 지속되도록 미시적 원동력 역할을 한다.

따라서 정책의 다양성과 변화를 야기하는 것은 바로 특정 아이디어가 채택되는 방식, 즉 정책설계 방식이라 할 수 있다. 아이디어는 정책 선도자들의 경험과 지혜, 노련함에서 나오거나, 사람과 사건의 우연한 기회의 일치, 혹은 우호적인 환경에서 나온다.

정책동학에 영향을 미치는 다양한 요소들은 뒷장에서 더 구체적으로 살펴보겠지만, 진화론은 정책동학에 대한 설득력 있는 이해를 도와준다. 진화론이 매력적인 이유는 아이디어, 즉 정책설계를 중시하지만, 개인들의 선호와 이익이 지배적 위치를 차지하고 있음을 인정하기 때문이다. 아이디어가 가능성의 범주를 벗어났을 때, 개인들의 선호는 이해관계의 패턴 및 구조적인 제약조건과 조화를 이루어 나가는 경향이 있기 때문이다.

이러한 점에서, 진화론은 합리적 행위자 모델의 연장선이라고 할 수 있다.

다음으로 계약론적인 접근방법은 한 사회의 제도가 성립되고 운용되는 이유를 경제적인 효율성의 측면에서 합리적인 개인들이 합의한 결과라고 설명한다. 예를 들어, 시장의 거래관행에 대하여 계약론적인 접근방법은 경제주체들이 자신들의 사회생활을 조직화할 수 있는 능력이 있다고 가정하고 그들이 자신의 문제에 대한 해결책을 찾다보니 얻어진 결과라고 생각한다.

이러한 시각에서 Buchanan은 공공선택 이론을 수립하였는데, 그는 사회의 자유로운 개인들이 상호 합의한 경제관행(economic constitution)에 따라 경제조직을 구성하고 이후에 개인들은 이 경제관행에 맞추어 행동한다고 보았다(Pennington, 2000: 1-26).

또한 합리적 선택 신제도주의 경제학자인 Williamson은 Coase의 거래비용의 개념을 이용하여 경제조직을 설명하였으며, 그 결과 경제조직에 대한 연구가 신제도주의 경제학의 중심적인 연구 분야가 되었다(정용덕 외, 1999: 52-62).

Coase는 거래비용이야말로 경제조직을 이해하는 데 있어 가장 중요한 개념이라고 주장하고, 이러한 주장을 실제적인 비교연구를 통해 실증적으로 증명해 냈다(유동운, 1999: 36-38). 아담 스미스가 부의 근원으로서 시장을 설파하였다면, Coase는 시장에도 거래비용이라는 것이 있기 때문에 어느 사회나 시장을 자연 발생적으로 발전시킬 수 있는 것은 아니라고 지적을 하였고, Williamson 등은 거래비용을 해결할 수 있는 제도에 의해서 시장을 발전시킬 수 있다는 열쇠를 찾아냈다.

특히 North 등 신제도주의 경제학파들은 재산권 변동과 거래비용의 증감, 그리고 제도학습을 통해 제도가 변한다는 점을 밝혀내게 된다(North, 1990).

위에서 살펴본 것처럼 합리적 선택 신제도주의는 하이에크의 진화론적인 입장보다는 인간의 의식적인 행동의 결과에 따라 제도가 형성된다고 보는 계약론적인 접근방법에 의지하고 있다고 생각된다.

2_ 신제도주의 접근방법과 정책동학 현상

1 여는 글

1990년대 이후 정치 · 경제 · 사회현상을 설명하는 데 제도를 그 중심 개념으로 설정하는 학문적 흐름을 포괄적으로 일컬어 신제도주의(new institutionalism)라고 부른다. 그렇지만 신제도주의 이론들은 애당초 어떤 공통의 학문적 목적이나 지향을 갖고서 출발한 것이 아니었다. 사회현상을 설명하는 데 있어서 인간행위에 대한 구조적인 제약요인을 무시하는 기존의 학문흐름, 즉 행태주의, 환원주의, 기능주의, 방법론적 개체주의 등을 비판하는 동시에 이러한 시각을 극복하기 위한 시도라는 공통점이 있을 뿐이었다.[33]

정치학, 경제학, 사회학의 일부 학자들이 사회현상을 연구하는 데 엄격한 합리성을 가정하고 자연과학적인 접근방법을 사용했던 '합리적 선택 모형'이나 '행태주의' 등에 한계가 있다고 비판하면서, 사회현상이나 사람의 행태를 설명하고 예측하는 데 '제도'라는 변수를 고려해야 한다고 주장한 것이 신제도주의의 출발이었다.

그동안 주류 사회과학의 접근방식이 현실에서는 거의 존재하지 않는 진공상태의 사회현상을 상정하여 구성한 합리성 모형에 기반을 두고 있었음을 반성하고, 보다 적실성 있는 합리성 모형을 추구하였던 것이다.

다시 말해, 신제도주의는 인간행태와 사회현상을 연구하는 데 사회적 맥락과 완전히 유리된 '원자화된 개인'을 중심으로 설명(atomistic explanation)하는 행태주의 등 전통적인 합리주의 접근방법에서 벗어날 것을 주장하였다.

---

33 이러한 설명은 역사적 신제도주의와 사회적 신제도주의에 해당되고, 합리적 선택 신제도주의는 방법률적 개체주의나 환원주의 등을 극복하기 보다는 오히려 이 방법률을 유지하면서 제도를 설명하고 있다.

신제도주의는 인간행위와 사회현상을 연구하는 데 이들을 둘러싼 '맥락(context)'의 중요성을 강조하고, 이러한 맥락을 제도로 보았다. 따라서 제도는 개인행위에 영향을 미치는 구조적 제약요인(structural constraints)이라는 의미를 지닌다.

신제도주의라고 부를 수 있는 학문분야는 실로 다양하지만 일반적으로 분류하는 경향에 따라 간단히 세 가지 정도로 분류할 수 있다. 정치학 분야의 역사적 신제도주의(historical institutionalism), 사회학 특히 조직이론에서 출발한 사회학적 신제도주의(sociological institutionalism), 경제학에서의 합리적 선택 신제도주의(rational choice institutionalism)등 이다.

위의 세 가지 분파가 갖는 접근방법과 방법론 그리고 이론적 함의에 있어 강조점이 다르지만 그럼에도 불구하고 몇 가지 공통점을 발견할 수 있다. 이를 설명하면 다음과 같다(정정길외, 2010: 732).

첫째, 제도란 사회의 구조화된 어떤 측면을 의미하며, 사회현상을 설명할 때 이런 구조화된 측면에 초점을 맞출 필요가 있다.

둘째, 제도는 개인행위를 제약하며, 제도적 맥락 하에서 이루어지는 개인행위는 규칙성을 띠게 된다. 따라서 신제도주의는 원자화된 혹은 과소 사회화된 개인이 아니라 제도라는 맥락 속에서 이루어지는 개인 행위에 초점을 맞춘다.

셋째, 제도가 개인 행위를 제약하지만, 개인 간 상호작용의 결과 제도가 변화할 수도 있다. 따라서 제도는 인간행위에 대해서 독립변수인 동시에 종속변수로서의 속성을 지닌다.

넷째, 제도는 공식적 규칙, 법률 등 공식적인 측면을 지닐 수도 있고 규범, 관습 등의 비공식적 측면을 지닐 수도 있다. 마지막으로 제도는 안정성을 지닌다. 일단 형성된 제도는 그때그때의 상황이나 목적에 따라 쉽게 변화하는 것이 아니다.

여기서는 먼저 역사적, 사회학적, 합리적 선택 신제도주의 등 3가지 신제도주의를 전체적으로 개괄할 수 있는 Elinor Ostrom의 'Institutional Rational Choice

Theory'의 제도분석의 틀(A Framework for Institutional Analysis)과 그녀의 수준별 제도의 개념을 살펴보겠다.

이런 개관 후에 세 가지의 신제도주의 이론의 배경, 주요 특징, 주요 논의점 등을 살펴보겠다. 이를 위해서 다음 네 가지 관점에서 합리적 선택 신제도주의의 접근방법 및 특징을 역사적 신제도주의, 사회학적 신제도주의 등과 비교하여 살펴볼 것이다.

첫째, 제도와 인간의 행태를 분석하는 데 접근방법은 무엇인가? 다시 말해, 방법론적 개체주의(methodological individualism)[34]를 사용하는가, 환원주의적 접근(reductionism)[35]을 하는가 아니면 형이상학적 신비주의(metaphysical holism)[36] 입장에서 거시적으로 접근하는가를 살펴보겠다.

둘째, 제도와 인간의 행위 간의 관계가 독립변수인가 아니면 종속변수인가? 제도가 인간의 선호(preference)나 유인(incentive)에 어떤 영향을 미치고 궁극적으로 인간의 행태(behavior)에 어떤 영향을 어떻게 미치는지, 아니면 제도는 단순히 사회 공동체의 집단 선호체제를 반영하는지, 즉 사람들의 선호가 제도를 형성한다고 보는지를 살펴볼 것이다.

셋째, 제도는 어떻게 형성되는가? 제도는 공동의 문제를 해결하기 위한 협력행위의 결과로서 나타나는가 아니면 권력을 가진 사람이 자신의 이익을 증진시키기 위한 수단으로서 만드는가를 살펴보겠다. 더 나아가서, 제도는 개인의지의 산물로서 나타나는 것이 아닌 역사적인 과정의 결과인가를 살펴보겠다.

넷째, 제도는 어떻게 변화하는가, 제도는 그것을 만드는 사람들이 의도한

34 사회과학에서 사용하는 용어와 이론은 모두 개인 수준의 용어와 이론으로 정의 할 수 있다는 입장이다.

35 사회수준의 설명을 개인수준의 이론으로 설명할 수 있다는 입장이다.

36 집단수준의 분석단위는 개인들의 속성들만으로는 정의할 수 없는 독자적인 개념(용어)이 있고, 개인수준으로 환원될 수 없는 집단수준의 독자적인 이론이 있다는 입장이다.

대로 설계될 수 있는가? 개인행위가 제도를 변화시킬 수 있는가, 아니면 제도는 외부적 충격에 의해서만 변화하는 것인가, 또는 제도의 내부적 모순이 제도변화를 야기하는가를 살펴볼 것이다.

2 신제도주의 제도 분석 틀(Framework) 이해

신제도주의의 각 분파별로 제도의 개념을 다양하게 정의하고 있다. 역사적 신제도주의에서는 '정치와 경제 각 부문에서 개인들 간의 관계를 구조화시키는 공식적 규칙, 순응절차, 표준화된 관행'이라고 정의한다.

사회학적 신제도주의는 '인간의 행동을 지도하는 의미의 준거 틀(frame of meaning)을 제공하는 상징체계(symbol system), 즉 문화(culture)'라고 정의한다.

이에 비해 합리적 선택 제도주의에 속하는 North, Ostrom 등은 제도를 '게임의 규칙(rules)'으로 정의하고 있다. 특히 North는 '사람들 간의 상호작용을 형성하도록 인간이 고안한 제약조건'이라고 정의하고, Ostrom은 '특정한 인간의 행위를 요구, 금지 또는 허용하는 규칙의 집합(a set of rules) 또는 반복되는 교환행위 혹은 관습 가운데 개인에게 인센티브를 제공해 주는 것'으로 정의한다(하연섭, 2008: 44).

신제도주의는 1980년대까지 주류를 이루었던 행태주의, 합리적 선택이론을 비판하면서 그 대안을 모색하는 가운데 발전해 왔다. 기존의 주류 사회과학에서 주장하는 전통적인 '합리적 선택이론'과 신제도주의 이론(특히 합리적 선택 신제도주의)의 Paradigm을 대표하는 Ostrom의 '제도분석 틀'을 비교함으로써 신제도주의의 접근방법의 기본적인 특징을 파악하고자 한다.

합리적 선택 모형은 신고전파 경제학의 '완전한 정보' 가정에 근거하여 '도구적 합리성'을 추구하는 인간상을 상정하고 있다. 여기서 '도구적 합리성'은 단순히 목적을 달성하는 효율성을 의미하고 그 목적이 무엇인지에 대해서는 관심이 없다. 이모형에서는 각 개인이 완벽한 정보를 갖고 자기의 효용을 극대화하는 방향으로 의사결정을 한다는 것이다. 그림 5-1은 이를 나타내고 있다.

그림 5-1: 전통적인 합리적 선택이론 모형

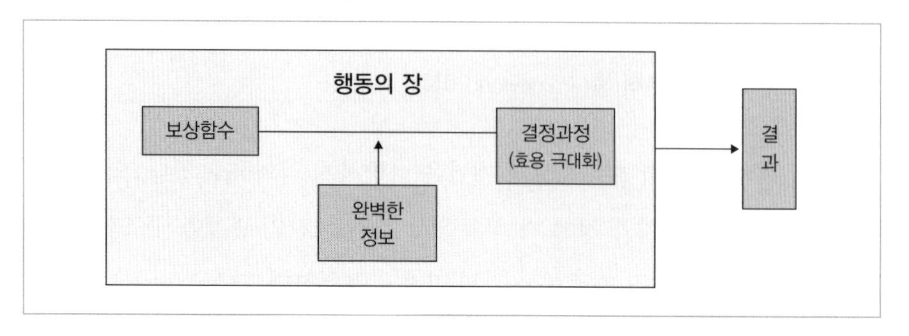

이에 비해 신제도주의에서는 '다양한 정도의 합리성(varying degree of rationality)'을 가정한다. 그리고 어떤 선택을 하는 데 요구되는 정보가 개인의 인지능력을 벗어날 경우에는 최적의 선택을 하기 위해 노력하기 보다는 행위지침(behavioral heuristic)을 학습하고 이에 따라 행동할 것이라고 가정한다.

따라서 사람들이 추구하는 합리성도 아래의 Ostrom의 제도주의 분석틀에서 말하는 물리적 속성, 규칙(제도 또는 정책), 공동체의 속성 등의 영향을 받는다고 할 수 있다. 다시 말해, 맥락에 의해 조건 지워진 합리성(context-bound rationality)을 고려한다고 할 수 있다. 그림 5-2는 이를 나타내고 있다(정용덕외, 1999: 22-25).

그림 5-2을 통해서 Ostrom의 제도 분석틀을 설명하면 다음과 같다.

먼저 사회현상을 이해하는 데 필요한 요소로서 물리적 속성(physical attributes), 규칙(rules), 공동체의 속성(community attributes) 그리고 행동의 장(action arena)과 행위자(actors) 등을 들고 있다.

이 모형에서 분석의 중심이 되는 것은 개인들의 의사결정이 이루어지는 '행동의 장'이다. 행동의 장은 물리적 속성, 규칙, 공동체의 속성 등 환경이나 제도의 영향을 받는다.

물리적 속성은 개인들의 상호작용이 일어나는 사회현상에 관련되는 자연적 조건을 말한다. 예를 들면 상호작용의 대상이 공공재(public goods)인가 아니면 사유재(private goods)인가에 따라 개인들의 유인구조(incentive structure)는 달라진다.

다음으로 규칙은 행동의 장에서 실제로 적용 준수되는 규칙(rules in use)을 말한다. 이 규칙들은 행동의 절차, 개인들의 보상함수 등을 규정한다. 일반적으로 규칙 중에서 가장 중요한 것이 정책이다.

끝으로 공동체의 속성은 행동의 장을 구성하는 공동체의 특성과 이들이 공유하는 규범 등을 말한다.

Ostrom은 이들 세 가지 구성요소가 유인구조(incentive structure)를 결정할 뿐이고 '행동의 장'에서 활동하는 개인들의 상호작용의 결과인 사회현상을 결정하지는 못한다고 본다.

요컨대, 과거 법·제도적인 접근방식(구제도주의)에 반발하여 사회과학의 과학화를 기치로 인간의 행태를 합리성에 근거하여 설명하고 예측하려고 했던 행태주의가 주변환경과 제도를 무시한 진공상태의 이론이라는 점을 비판하는 데서 Ostrom의 이론은 출발한다. 이때 제도가 규칙 또는 규범으로서 인간행태에 영향을 미친다는 점을 그녀의 '제도분석 틀'에서 알 수 있고 이 점이 신제도주의 전 분파를 관통하는 일반적인 공통점이라고 할 수 있다.

그림 5-2: 신제도주의 제도분석 틀

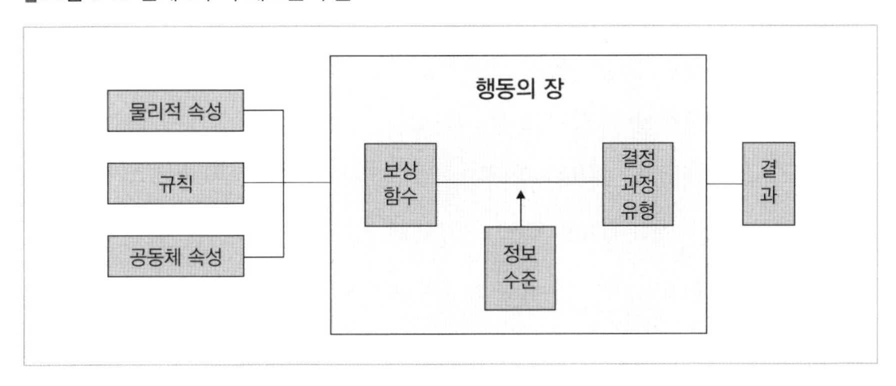

그리고 Ostrom은 그녀의 제도 분석틀에서 제도의 중첩성을 강조하고 있다. 제도를 운영수준(operational level), 집단 선택 수준(collective choice level), 헌법 선택 수준(constitutional choice level) 등 세 가지 수준으로 나누고 있다(정용덕외(1999b): 25).

먼저 운영수준이란 개인들의 상호작용이 일어나고 그 결과 사회현상이 발생하는 수준을 말한다. 여기에는 공식적인 정책이나 법률 등이 있다.

집단 선택 수준이란 운영수준을 제약하게 될 규칙을 제정하는 수준을 말한다.

헌법 선택 수준은 집단 선택 수준에서의 행위자들의 권한과 의무 그리고 상호작용의 규칙을 제정하는 수준을 말한다. 예를 들어 행정부, 입법부, 사법부의 권한이 무엇이며 서로 어떻게 견제하는가? 국민들은 행정부나 입법부를 어떻게 통제할 수 있는가? 등의 규칙이 헌법수준에서 이루어진다.

위와 비슷한 개념을 역사학적 제도주의의 선구자인 Hall의 세분화된 제도 개념에서도 살펴볼 수 있다. 그는 포괄적인 수준의 제도, 중범위 수준의 제도, 협의의 제도 등으로 제도를 나누고 있다(정용덕외(1999a): 17).

먼저 가장 포괄적인 수준의 제도는 민주주의, 자본주의와 관련된 기본적인 조직구조이다. 대표적인 예로서는 선거에 관한 헌법적인 규정, 생산수단의 사유화 등 경제제도 등이다.

중범위 수준의 제도는 국가와 사회의 기본 조직구조와 관련된 틀로서 사회집단 간의 세력관계와 정책의 형성 및 집행에 영향을 미치는 조직적 특성을 말한다. 이 수준의 제도는 국가간 정책의 상이성을 설명하는 변수로서 역할을 한다. 대표적인 예로는 노동조합의 조직화율, 집권화의 정도 등을 의미하는 '노동조합의 구조' 생산자 조직의 특성, 자본분파 간의 관계, 국제경제와의 관계 등을 의미하는 '자본의 조직화 형태'그리고 선거제도, 정당체제의 특성, 관료제의 조직형태 등 '정치체제의 특성과 국가의 조직구조' 등을 들 수 있다.

끝으로 가장 협의의 제도는 공공조직의 표준화된 관행, 규정, 일상적 절차 등을 의미한다.

3 합리적 선택 신제도주의

1) 이론적 배경

1980년대 후반부터 제도분석을 경제학에 끌어들이려는 연구가 진행되었고 그 대표적인 학자로는 Coase, Williamson, North 등이다. 이들은 신고전파 경제학이 시장에서 교환관계 혹은 계약관계가 형성되는 데 소요되는 비용 즉 거래비용(transaction cost)를 0이라고 가정하는 데 문제가 있다고 지적하고, 거래비용을 고려하는 '거래비용 접근법(transaction costs approach)'을 주장한다. 요컨대, 거래비용을 낮추어 줌으로써 경제가 발전할 수 있는 제도를 어떻게 설계할 것인가에 관심을 갖기 시작한다(정정길 외, 2010: 734-737).

또한 합리적 선택 제도주의는 정치학 분야에서 Shepsle, Weingast 등이 미국 의회의 정치적 균형(political equilibrium)을 연구한데서 시작되었다. Arrow의 '불가능성 정리(impossibility theorem)'에 따라 미국 의회에서 입법을 위한 안정적인 다수표를 지속적으로 얻기는 매우 힘들 것이며 정치적 균형은 매우 불안정할 것이라고 예상하였지만, 실제는 이런 예상과는 달리 의회의 투표결과는 상당히 안정적이라는 것이다.

이러한 불일치를 어떻게 설명할 수 있을 것인지에 대해 의문을 갖기 시작하였고, 그 답을 제도에서 찾았다. 이때 제도란 기존안(status-quo)은 제일 나중에 투표에 붙여지는 의사진행 규칙, 여러 가지 중복적인 차원을 지닌 정책이슈는 관련 상임위원회에서 이를 개별적으로 고려하는 심의방식 등을 의미한다(하연섭, 2008: 77-78).

2) 주요 특징

합리적 선택 제도주의 주창자인 Coase와 Williamson은 신고전파 경제학의 시장에 대한 가정인 '완벽한 정보와 마찰 없는 거래'를 수정하여 '제한되고 비용이

드는 정보(limited and costly information)와 거래비용의 존재'라는 가정을 도입한다.

따라서 합리적 선택 제도주의의 기본명제는 '시장이 효율적으로 자원을 분배할 수 있는 경우는 거래비용이 없는 경우이고, 거래비용이 발생하는 경우에는 자원의 분배가 소유권(property right)의 구조(재산권을 어떻게 만들고 누구에게 부여하는 가?)에 따라 변할 수 있다'는 데에 있다(김난도, 1997: 134).

여기서 '거래비용'은 거래의 상대방을 물색하고 교환의 대상을 정하며, 계약을 체결하고, 계약을 유지하는 데 소요되는 모든 비용을 말한다.

Coase는 신고전학파 경제학의 '완전경쟁'의 가정은 사람들이 완전한 합리성을 가지고 있고 모든 정보가 완전할 때, 어떤 계약이든지 시장가격이 주는 신호에 따라 즉각적인 조정이 가능하다고 하면서 이런 세계에서는 개인들의 위계적인 집단(즉 기업)을 형성할 이유가 없다고 주장한다. 그러나 현실세계는 그렇지 않고 거래비용이 존재하고 따라서 누구에게 재산권을 인정할 것인가에 따라 경제적 효율성이 달라진다고 주장한다.

Williamson은 인간의 제한된 합리성, 불확실성, 기회주의, 자산의 특정성(asset specificity)에 따라 거래비용이 달라진다고 주장한다.

North는 거래과정의 불확실성을 제거해 주는 데 정보가 필요하다고 하면서 이런 정보를 얻는 데 드는 비용을 거래비용이라고 한다.

이런 거래비용을 감소시키기 위한 인간의 의식적인 노력의 발현이 바로 제도라는 것이다.

또한 '재산권'은 사물이 존재함으로써 발생하고, 사물과 관련된 사람들의 행동범위에 관한 권리를 정하여 주는 것이다. 따라서 재산권의 변동이 일어나면 행위자들은 행동범위에 변화를 일으키고 이런 변화는 행위자들에게 새로운 행동유인을 제공한다(이민창, 2001: 17).

요컨대, 합리적 선택 제도주의의 중요한 구성요소인 거래비용과 재산권의 증감 여부 및 정도에 따라서 제도가 새로 형성되거나 기존의 제도가 변동된다고 할 수 있다.

여기서는 주로 경제학 분야의 합리적 선택 신제도주의의 특징을 살펴본다.

❶ 접근방법: 방법론적인 개체주의(미시적 접근)/형이상학적 신비주의(거시적 접근)

합리적 선택 신제도주의의 접근방법은 방법론적 개인주의에 근거하여 사람을 '사회현상을 만들어 가는 존재(animating force)'로 본다. 이 입장에서는 제도란 '일반적으로 규칙이나 제약 또는 거버넌스 구조이면서, 재화와 서비스의 생산과 소비에 참여하는 인간의 행태와 의사결정에 영향을 미치는 것으로서, '인간에 의해 고안'된 제약'으로 이해한다(정정길 외, 2010: 734).

합리적 선택 신제도주의는 기존의 '합리적 선택 이론'에 '제도주의적인 입장'을 접목시킨 접근방식이라 할 수 있다. 이때 합리적 선택이론은 공공선택이론, 사회선택이론, 합리적 행위자 모형 등 다양한 이름으로 불린다.

합리적 선택이론은 모든 사회현상을 개인의 선호, 의도, 선택에 기초해서 설명하고자 한다. 다시 말해, 사회현상을 개인의 선호, 의도, 선택이 결집(aggregation)된 것으로 해석한다는 것이다. 이를 방법론적 개체주의라고 부른다.

다시 말하면, 합리성과 제도의 결합으로서 사회현상을 관찰하는 합리적 선택 신제도주의의 접근방법은 합리적 선택의 미시적 접근방법을 그대로 사용한다고 할 수 있다.

이에 비해, 역사적 신제도주의는 방법론적 개인주의보다는 형이상학적 신비주의(holism)의 입장을 취한다. 형이상학적 신비주의에서는 현상은 개별 행위의 합으로 설명하기에는 한계가 있고 개별 행위의 합을 초월하는 실체가 존재하기 때문에 그 실체 자체를 파악해야 한다는 것이다.

따라서 이 이론에서는 정치 행정구조나 정책이 정책과정에 참여하는 개별 행위주체들의 전략적 행위의 결과 내지 산물이 아니라 정책참여자를 둘러싸고

있는 제도적인 틀의 산물로 간주된다.[37]

또한 사회학적 신제도주의도 인지-문화적 접근을 통해 거시적 수준에서 사회현상 특히 조직현상을 분석한다. 이들은 미시적 수준에서 구체적 행위자들 사이의 상호작용이 어떻게 제도의 형성과 유지에 영향을 미치는가에 대해서는 관심이 없고, 문화적 의미를 갖는 제도를 개인행위의 단순한 합으로는 설명할 수 없는 초개인적인 분석단위로 보는 형이상학적 신비주의의 입장을 취한다.

❷ 제도와 인간행위 간의 관계 : 독립변수/종속변수

합리적 선택 신제도주의에서는 독특한 행태적 가정(behavioral assumption)을 가지고 제도와 행위 간의 관계를 설명하고 있다. 다시 말해, 사람들은 완전한 합리성을 가질 수 없으나 그런대로 합리적이며 자기이익을 추구한다고 가정한다. 행위자들의 일련의 선호체계는 주어져 있고[38], 이를 바탕으로 자신들의 선호 혹은 이익을 최대로 달성하기 위한 광범위한 계산 하에 고도의 전략적인 행동을 함으로써 제도를 만들어 나간다고 본다.

여기서 독특한 점은 선호체제가 주어진 것으로 본다는 데에 있다. 다시 말하면, 제도가 변화하면 행위자들의 전략은 변하지만, 선호는 변화하는 것이 아니라고 본다는 것이다. 그 이유는 미시적인 접근을 하기 때문이라고 생각된다.

반면, 이와 같은 선호의 외생성에 대해서 North는 '선호의 내생성'을 주장한

---

37 Blom-Hansen은 'A New Institutional Perspective on Policy Network'에서 신제도주의 관점을 이용하여 정책망의 개념을 정의하고 종래의 정책망 분석이 성공적으로 다루지 못했던 연구과제에 대한 해답을 제시하고 있다(오석홍외(2000): 118-126). 정책망을 '중앙정부, 지방정부 및 다양한 민간조직 간의 상호작용을 규정하는 공식·비공식적 규칙의 총체'로 정의한다. 그리고 정책망을 정책공동체(policy communities)와 정책문제망(issue networks)으로 구분하고 있다.

38 이런 입장을 선호의 외생성 주장이라고 한다. 그렇지만 같은 합리적 선택 신제도주의자인 North는 제도가 행위자들의 경험을 제약한다고 하면서 선호가 내생적으로 생성된다고 주장한다.

다. 다시 말해, 선호가 제도적인 맥락 속에서 형성되고 변화됨을 인정한다. 제도는 개인 간의 상호작용에 영향을 미치며, 각 개인은 다른 사람들과의 상호작용과정에서 자신이 무엇을 원하는지를 배우고 터득하게 된다는 것이다. 제도가 행위자들의 전략만을 제약하는 것이 아니라, 행위자의 경험을 제약함으로써 선호를 형성한다고 본다(하연섭, 2008: 100).

어쨌든, 공동체의 구성원들의 전략적인 행동의 집합체가 제도라고 할 때 인간의 행위가 독립변수이고 제도는 행위에 대해 종속변수가 된다고 할 수 있다. 합리적 선택 신제도주의에서 사람들의 행위는 인간과 무관한 역사적인 힘(historical force)에 의해서 이루어지는 것이 아니고 전략적 계산(strategic calculation)에 의해서 이루어지는데, 다른 사람들이 어떻게 행동할 것인가에 대해 그 사람이 갖는 기대가 이러한 계산에 커다란 영향을 준다고 본다.

그렇지만 일단 형성된 제도는 선택대안의 범위와 순서에 영향을 주거나, 타인의 행동에 대한 불확실성을 줄이고 교환으로부터 이득을 창출하게 하는 대안을 제공하는 등 사람들 사이의 상호작용을 구조화하는 독립변수로 작용한다.

이러한 합리적 선택 신제도주의의 입장과는 달리, 역사적 신제도주의는 역사적 맥락하에서 형성된 전통, 문화, 제도 등 제도적 환경(institutional setting)이 독립변수로 작용하여 종속변수인 개인의 행위나 선택을 어떻게 형성하고 제약하는지에 관심을 갖는다.

역사적 접근법의 가장 중요한 특징은 행위자들의 선호(preference)가 제도에 의해서 형성된다고 보는 데 있다. North를 제외한 대부분의 합리적 선택 제도주의자들이 행위자들의 선호를 고정된 것 또는 주어진 것으로 보는 데 반해, 역사적 신제도주의는 개인의 선호나 이익이 제도적 맥락 속에서 형성된다고 본다. 즉 선호 형성의 '내생성'을 주장하고 있다.

그리고 사회학적 신제도주의도 제도로부터 개인을 설명하려고 한다. 개인의 정체성과 선호가 오직 제도적 맥락 속에서만 그 의미를 파악할 수 있다는 것이다. 제도를 독립변수로 보고 개인들의 행위를 종속변수로 보는 역사적 신제도주의와 같은 입장이다.

❸ 제도의 의식적 설계 가능성과 제도형성 및 제도 변화 등

합리적 선택 신제도주의의 또 다른 특징은 게임의 규칙을 공동체 구성원 스스로 만든다고 보는 데 있다. 제도의 의식적 설계(conscious design of institutions) 가능성이 이 이론의 핵심주장이라 할 수 있다(하연섭, 2008: 88–89).

다만, 합리적 선택 신제도주의는 제도의 진공상태(institution-free situation)에서 제도가 만들어지는 것으로 가정한다. 제도가 만들어지기 전의 이른바 원초적 상태는 각 개인들이 자기이익만을 개별적으로 추구하는 사회적 딜레마 상황만 있었을 뿐이며, 기존의 다른 제도는 존재하지 않는 것으로 가정한다. 그리고 제도는 누가 일방적으로 만드는 것이 아니라, 평등한 관계를 유지하고 있는 공동체의 구성원들이 합력관계를 통해 전체적인 편익을 증진시키기 위한 목적으로 제도가 만들어진다는 것이다.

요컨대 사회적으로 제도가 만들어져야 하는 필요성이 생겨나면 그러한 제도가 쉽게 만들어지는 것으로 보고 있다. 다시 말해, 인위적인 제도의 형성과 변화가 가능하다는 것이다. 여기서 필요성에 대해서는 구체적으로 설명하고 있지 않지만 재산권의 증대 요구, 거래비용의 절감 요구 등이 필요성에 포함되지 않을까 생각한다. 제도는 구성원들의 자발적인 합의(voluntary agreement)를 통해 만들어진다고 본다.

위와 같은 합리적 선택 제도주의의 입장과는 달리 역사적 신제도주의는 경로의존성 개념을 통해 제도의 안정성과 지속성을 설명하는데 치중하고, 제도의 형성과 변화에 대해서는 제대로 설명하지 못하고 있다. 간헐적인 급격한 제도의 변화에 이어 장기간에 걸친 안정성과 경로의존성이 수반된다고 주장한다. 사회경제적 위기나 군사적인 갈등과 같은 위기상황에 처하면 제도는 통상적인 기존 형태를 유지하는 것이 아니라 새로운 게임 규칙을 설정하게 된다고 본다.

한편, 사회학적 신제도주의 역시 제도적 동형화 과정, 문화, 상징체계, 의미체계가 제약요인으로 작용한다고 하면서 제도의 생성과 확산과정만을 강조할 뿐, 제도의 변화과정에 대해서는 관심이 소홀하다고 할 수 있다.

3) 합리적 선택 신제도주의 접근방법이 정책동학에 주는 시사점

합리적 선택 제도주의는 역사적 제도주의와 거의 동일한 시기에 등장하지만, 별반 연계성이 없이 별도로 발전하였다. 따라서 합리적 선택 신제도주의는 신고전 경제학파에 그 뿌리를 둔다고 하겠다.

고전학파 경제학의 태두인 아담 스미스의 주된 관심은 사회제도가 국부에 미치는 영향을 분석하는 것이었으며, 그는 사유재산권을 인정하는 자유 시장 경제 체계가 가장 큰 국부를 보장할 수 있는 제도라고 생각하였다. 이러한 가정에 근거하여 신고전학파는 대안적인 사회·경제 제도에 대한 구체적인 연구 없이 주어진 제도하에서 경제 현상을 연구해 왔다. 그러나 1970년대 들어 이러한 연구 경향을 탈피하여 제도적 제약이나 제도적 유형이 개인에게 미치는 영향에 관심을 두기 시작하게 된다.

앞에서 설명하였듯이, 이와 같은 연구 경향은 기존의 제도 연구가 현실과 괴리가 있다는 반성에서 출발하게 된다. 기존의 연구가 거래비용(transaction cost)을 무시하였는데 현실적으로 이러한 가정은 적절하지 않으므로 거래비용에 대한 구체적인 가정이 필요하다는 것이다. 이러한 동향은 주로 거래비용 경제학(transaction economics), 재산권학파(property right school) 등에서 나타나고, 이러한 경향을 후에 신제도주의 경제학(neo-institutional economics)라고 부르게 된다.

요컨대 전통적인 합리적 선택이론은 사회제도를 초월하는 일반적인 이론을 도출하기 위해 제도에 대한 일반적이고 고정적인 가정 하에서 개인의 행동을 연구하였다. 즉 완벽한 정보(complete information)와 거래비용 부재(zero transaction cost) 등의 가정하에 제도가 없는 진공상태를 상정하고 제도와는 무관하게 개인의 행동을 연구하였다.

이러한 전통적인 합리적 선택이론은 현실적용성에 대한 많은 회의를 초래하였다. 이러한 반성에 기초하여 제도에 대한 구체적인 가정을 포함하여 제도의 구조에 관심을 기울이고 제도의 영향을 연구하는 합리적 선택 신제도주의가 대두되었다. 공식적인 사회제도 자체에 관심을 두었던 구제도주의와는 달리 신제도주의는 제도가 개인에 미치는 영향에 초점을 두게 된 것이다.

다시 말해서 합리적 선택 신제도주의는 그 뿌리를 신고전학파 경제학에 두고 있으면서도 거래비용이나 재산권 등에 대한 제도적인 연구를 통하여 사람들이 사회적 비용을 줄이면서 합리적 선택을 하는 데 관심을 갖는다. 신고전학파들이 제도를 외생적으로 부과된 제약으로만 보는 것과는 달리, 합리적 선택 신제도주의는 개인들의 제한된 합리성에 의한 제약들을 극복하기 위하여 고안해 낸 메커니즘으로 분석하는 경향을 보인다.

다음으로 합리적 선택 신제도주의의 거래비용 문제에 대한 접근방법을 살펴보자.

일반적으로 한 사회에서 자원의 배분은 시장, 기업 혹은 이들이 혼합된 제도 형태들을 통해서 이루어진다고 보는 데, 거래비용 접근법은 거래비용을 최소화하는 방향으로 자원배분이 이루어진다고 주장한다. 거래비용이론을 집대성한 North와 거래비용 이론의 기초를 다진 Coase의 주장을 살펴보면 다음과 같다.

재산권학파의 태두인 Coase 교수는 재산권이 적절하게(appropriately) 정의되고 부과만 된다면 시장경제 원리가 적용되는 과정에서 가장 효율적인 사회적 결과를 얻을 수 있다고 주장한다. 다시 말해, Coase는 '자유 시장경제 체제에서 가격 메커니즘이 자원을 가장 효율적으로 배분하는 장치라면 왜 기업(firms)이 존재하는가?' 에서 논의를 시작한다. 이에 대해 시장에서 이루어지는 거래의 빈도나 복잡성이 크면 클수록 거래비용이 더 커진다는 결론을 내리고 이런 비용을 줄이기 위해 기업이 존재한다고 본다. 기업을 결합하여 조직 내로 거래를 내부화함으로써 비용을 줄여 나간다는 것이다.

이에 반해 North는 거래비용이 상당한 정도로 존재한다면 협상과정은 최적의 결과를 산출해 낼 수 없다고 주장한다. 다시 말하면 낮은 거래비용을 보장하고 재산권에 대한 확실한 계약이 이루어지도록 보장하는 제도라면 가장 효율적인 결과를 낳을 수 있다고 주장한다.

North에 따르면 이런 거래비용을 결정하는 외생변수라고 할 수 있는 제도는 사람들이 정치적, 경제적, 사회적 상호작용을 조정하기 위해 고안한 것으로 개인의 행동을 금지하거나 제약하는 게임 룰(Rule)로 작용한다고 한다. 또한 장기적 안목에서 볼 때 제도는 질서를 창조하고 교환과정에서 불확실성을 줄이기 위해 변화해 왔다고 주장한다. 한편 제도는 경제적 성과와 연계되어서 변화한다고 강조한다.

요컨대 제도는 점진적으로 변화하며 경제체계에 인센티브 구조와 제약 구조로서 작용하면서 경제요소의 가격 변동 등 경제 환경 변화와 함께 성장 · 침체 · 쇠퇴하는 과정을 거친다는 것이다.

특히 주목할 점은, North는 새로운 제도가 생성되는 주요 원인으로 토지, 자본, 임금 등 생산요소들의 상대적 가격 변동이라고 보고 있다는 점이다. 한편 기호와 선호의 변화도 상대가격과 함께 제도의 변화를 초래하는 원천이라고 할 수 있다. 상대가격의 변화는 사람들의 행동 패턴을 바꾸고 자신들의 행동을 합리화하는 기준을 바꾸게 함으로써 새로운 제도가 생성된다. 예를 들면 근로, 여가, 피임의 상대가격의 변화가 20세기에 가족의 구조를 변경시켰다는 것이다.

결론적으로 정책을 개인 선호의 합이나 정책행위자들 간의 타협·협상 등 상호작용의 산물이라고 정의한다면, 이러한 정책동학 현상을 설명하는데 유용한 접근방법은 바로 합리적 선택 신제도주의가 될 것이다. 합리적 선택 신제도주의는 정책을 국가의 구성원들이 합리적 선택을 통해서 이루어낸 산출물로 보기 때문이다. 다시 말하면, 개인들의 합리적 선택이 집합적으로 이루어져 정책이 나오게 되었다는 것이다. 예를 들면 우리나라에서 연장자 우대 정책이 시행된 것은 경노사상이라는 국민들의 선호가 표출된 것이라고 볼 수 있다.

그렇지만 합리적 선택 신제도주의도 정책의 형성과 변화를 규명하는데 간과한 한계점들이 있다. 정책동학 과정에서 정당 등 정치집단의 정략성, 정치적 이념, 정치경제적 환경 변화 등의 영향을 크게 고려하지 않는다는 점, 즉 미시적인 접근으로서 합리적 선택 신제도주의에는 한계가 있다는 것이다.

4 역사적 신제도주의

1) 핵심개념 및 주요논점

역사적 접근방법이란 제도가 형성된 과정의 특수한 상황을 이해하고 이를 사회적 맥락에서 인식하는 것을 말한다. 역사적 신제도주의에서 이해하는 제도의 개념은 다양하며 그 범위가 매우 넓다. 여기서 제도란 조직의 구조 속에 형성되어 있는 공식적·비공식적 절차, 관례(routines), 규범과 관습 등으로 정의되며, 사실상 개인과 집단의 행위에 대한 외적 제약요인으로 작용하는 거의 모든 것을 의미한다.

그렇지만, 역사적 신제도주의의 핵심개념은 '역사'와 '맥락'이다. 이 이론에서는 맥락에 대한 적절한 이해 없이 사회현상을 설명하는 것은 불가능하며, 이러한 맥락을 형성하는 것이 다름 아닌 역사라고 주장한다(하연섭, 2008: 37).

이 이론은 먼저, 제도의 형태와 모습(institutional forms and configurations)에 초점

을 맞추어 사회현상을 설명한다. 다시 말해, 제도의 구체적인 모습이 달라짐에 따라 사회적 결과 혹은 정책이 어떻게 달라지는지를 분석하려는 데 그 목적이 있기 때문에 '제도주의'라고 부른다.

두 번째 특징은 제도를 역사적인 산물로 파악한다는 것이다. 특정시점에 형성된 제도가 상당 기간 지속되어 그 이후의 사회현상에 대해서도 계속해서 영향을 미친다고 본다.

따라서 특정 시점에서의 맥락을 이해하기 위해서는 그 맥락의 배경이 되는 역사적 과정에 주의해야 한다고 주장한다는 점에서 '역사적' 제도주의라고 부른다.

역사적 신제도주의는 독립변수로서 제도가 종속변수인 개인의 행위나 선택을 어떻게 형성하고 제약하는가를 설명하고자 한다. 역사발전 과정에서 있어 동일한 원인이 어디서나 동일한 결과를 낳을 것이라는 가정을 부정하고, 사회현상은 과거로부터 전해져 내려오는 상황의 맥락적 특징들로부터 영향을 받는다고 본다.

다시 말해, 역사적 제도주의는 사회현상을 설명하는 데 경로의존성(path-dependence)[39]을 중시한다. t시점에서 당시의 기능적 요구에 부응하기 위해 성립된 제도는 사회적 변화에 따른 새로운 기능이 요구되는 t+1시점에서의 선택과 변화를 제약하게 된다는 것이다. 전혀 다른 환경변화에 대처하기 위한 목적으로 형성된 제도가 미래의 시점에서도 지속적으로 정책선택의 범위나 인간의 행태를 제한한다는 것이다.

따라서 제도는 t시점에서는 종속변수이지만 t+1시점에서는 독립변수의 의미를 지니게 된다. 이처럼 역사적 제도주의는 제도의 지속성, 제도의 비효율성

---

39 뒤에서 역사적 신제도주의의 특징으로 설명하고 있다.

을 강조한다는 점에서 앞에서 살펴본 합리적 선택 제도주의의 입장과는 차이가 있다고 할 수 있다.

역사적 신제도주의에서는 제도의 운영 및 발전과 관련하여 권력관계의 불균형성을 강조한다. 역사적으로 형성된 제도는 사회집단 사이에 권력을 불균등하게 배분하며, 이에 따라 이익이 결집되고 전달되는 과정이 심각하게 왜곡될 수 있다고 본다.

사회는 자유롭게 계약하고 거래하는 개인과 집단으로 구성되어 있는 것이 아니며, 제도적인 요인에 의해 의사결정과정에 대한 접근이 불균형하게 이루어진다는 것이다. 이와 같은 권력관계의 불균형성은 구성원들의 평등한 관계와 자발적인 합의를 가정하는 합리적 선택 제도주의와 차이점이 있다.

2) 주요 특징

역사적 제도주의의 핵심개념은 '역사'와 '맥락'이라고 하였다. 따라서 이 이론은 미시적 수준의 행위가 거시적 행위, 즉 집합적 행위를 설명하는 것이 아니라, 거시적 변수가 미시적인 행위에 지대한 영향을 미친다는 점을 강조하고 있다. 미시적이 아닌 거시적 맥락에 초점을 맞추는 동시에 역사적 과정을 분석한다는 특징이 있다.

역사적 제도주의자들은 계산적 접근방법(calculus approach)과 문화적 접근방법(cultural approach) 양자를 모두 사용하여 제도의 영향력을 설명한다(정정길 외, 2003: 899).

계산적 접근방식의 경우 합리모형과 같이 행위자의 선호가 외생적으로 주어진다고 보고 도구적이고 전략적인 계산에 의존하는 인간행태의 측면에 초점을 맞춘다. 반면에 문화적 접근방법의 경우는 행위자의 선호가 제도의 맥락 속에서 내생적으로 형성된다고 보고, 인간 행위가 합리적이거나 의도적임을 부인하지는 않지만 각 개인들이 그러한 목적을 달성하는 과정에서 확립된 관례

(routines)나 친숙한 행동유형에 의존하게 되는 점을 강조한다.

❶ 접근방법: 방법론적인 개체주의(미시)/형이상학적 신비주의(거시)

역사적 신제도주의는 분석수준 면에서 볼 때 방법론적 개인주의보다는 형이상학적 신비주의(holism)의 입장을 취한다. 형이상학적 신비주의에서는 현상은 개별 행위의 합으로 설명하기에는 한계가 있고 개별 행위의 합을 초월하는 실체가 존재하기 때문에 그 실체 자체를 파악해야 한다는 것이다.

따라서 정치·행정구조나 정책은 정책과정에 참여하는 개별 행위주체들의 전략적 행위의 결과 내지 산물이 아니라 정책참여자를 둘러싸고 있는 제도적인 틀의 산물로 간주된다.

역사적 신제도주의는 중범위이론(midrange theory) 수준에서 분석을 수행한다. 그들은 계급구조와 같은 거시적 변수나 개인의 선호체계와 같은 미시적 변수가 아닌 중범위적 제도변수(intermediate-level institutional factors)로서 자본가 단체나 노동조합 같은 경제적 이익집단의 조직형태, 정당체제 등에 관심을 갖는다.

특히 이러한 중범위적 제도변수가 개별 행위자의 행동과 정치적 결과를 어떻게 연계시키는지에 대해 연구의 초점을 맞춘다(정정길외, 2010: 738).

❷ 제도와 인간행위 간의 관계 : 독립변수/종속변수

역사적 신제도주의는 개인이 제도에 의해 완전히 개조된다거나 규범이 개인행동을 완전히 결정한다는 '결정론'을 주장하지는 않는다. 제도가 단지 선택을 제약하는 맥락을 제공한다고 본다.

이 이론에서는 사회현상이나 정책을 종속변수로 설정하고 역사적 전통, 문화, 제도 등의 맥락 속에서 장기간에 걸쳐 형성된 구조적인 틀을 독립변수로 채택한다. 역사적 맥락하에서 형성된 제도적 환경(institutional setting)이 독립변수로 작용하여 종속변수인 개인의 행위나 선택을 어떻게 형성하고 제약하는지에 관심을 갖는다. 물론 이들도 제도가 모든 것을 설명할 수 없다는 것을 인정한다. 그래서 제도가 다른 인과적 변수들과 어떻게 상호작용을 하는지에 관심을 가지며 변수 간 인과관계는 항상 맥락 속에서 형성됨을 강조한다.

다시 말해, 개별 독립변수의 영향력이 아니라 변수들의 결합이 인과관계를 설명하는 데 중요하다고 보고 이들 변수들이 결합하는 역사적 시점(timing)과 상황(circumstance)에 따라 결과가 전혀 다르게 나타날 수 있다고 생각한다.

역사적 접근법의 가장 중요한 특징은 행위자들의 선호(preference)가 제도에 의해서 형성된다고 보는 데 있다. 합리적 선택 제도주의는 행위자들의 선호를 고정된 것 또는 주어진 것으로 보는 데 반해 역사적 신제도주의는 개인의 선호나 이익이 제도적 맥락 속에서 형성된다고 본다. 즉 선호형성의 '내생성'을 주장하고 있다.

그렇지만 제도가 개인의 행위에 어떻게 영향을 미치는가에 대한 정교한 인과관계 사슬(precise causual chain)모형을 제시하지 못하고 있다.

❸ 제도의 의식적 설계의 가능성과 제도 형성 및 제도 변화 등

역사적 신제도주의는 경로의존성 개념을 통해 제도의 안정성과 지속성은 적절히 설명하고 있지만 제도의 형성과 변화에 대해서는 제대로 설명하지 못하고 있다. 간헐적인 급격한 제도의 변화에 이어 장기간에 걸친 안정성과 경로의존성이 수반된다고 주장한다. 사회경제적 위기나 군사적인 갈등과 같은 위기상황에 처하면 제도는 통상적인 기존 형태를 유지하는 것이 아니라 새로운 게임규칙을 설정하게 된다. 위기상황에서 이에 대처하기 위해 취해진 행위들이 새로운 제도의 모습을 형성하게 되는 것이다. 이렇게 새로 형성된 제도는 위기상황이 다시 도래하기 전까지는 그 구조와 형태가 그대로 지속된다.

이처럼 단절된 균형 등의 개념을 사용하고 있지만 무엇이 이러한 근본적인 변화를 초래하는가에 대해서 구체적으로 설명하지 못하고 있다. 이런 한계는 역사적 접근법이 미시적 아닌 거시적 접근에 의존하기 때문으로 생각된다.

3) 역사적 신제도주의 접근방법이 정책동학에 주는 시사점

역사적 신제도주의는 정치학에서 60년대와 70년대를 풍미했던 행태주의, 다원주의, 그룹이론과 구조기능이론에 대한 반발과정에서 생겨났다. 흥미롭게도 이들 이론을 극복하는 모습을 보이고 있지만 또 다른 면에서는 그룹이론과 구조이론으로부터 많은 영향을 받기도 하였다.

역사적 신제도주의는 다원주의와 행태주의가 집합적인 정치적 행위를 개인들의 선택이 집합된 결과라고 해석하기 때문에 개인들이 맺고 있는 사회적 관계, 다시 말하면, 행위가 이루어지고 있는 사회적 맥락과 제도가 개인들의 선택과 행위를 제약할 수 있는 가능성을 무시하는 경향이 있다고 지적한다. 역사적 신제도주의도 개인들이 자신의 효용을 계산하여 행동한다는 점을 완전 부정하지는 않지만 인간의 행위는 인간의 계산이나 통제의 범위를 넘어서는 구조적 제도적 요인에 의해 이루어짐을 강조한다.

또한 행태주의에서는 개인의 선택은 개인의 선호에서 파생되는 것이고 이로부터 행위가 이루어진다고 가정하지만, 역사적 신제도주의는 행위가 개인의 선호를 반영한다는 이 가정을 부정하고 동일한 선호를 가진 개인이라고 할지라도 제도적인 맥락에 따라 전혀 다르게 행동할 수 있다고 본다. 결국 개인들의 선호란 제도적 구조의 내재적 산물이라고 주장한다.[40]

다음으로 역사적 신제도주의는 희소한 자원을 획득하기 위한 집단 간의 경쟁이 정치의 중심이라고 파악하는 점에서는 집단이론과는 공통점을 갖는다.

그룹이론으로부터, 역사적 제도주의 학자들은 정치 및 경제 분야에 있어 제

---

40 Krasner. S. Sovereignty : An Institutional Perspective. *Comparative Political Studies* 21(1). 1988.

도적 조직체들이 어떤 이해와 관련하여 특권을 얻고, 반면에 다른 이해집단을 무력화시키고자 하는 갈등관계에 있다는 점을 받아들이고 제도의 중요성과 함께 그동안의 형식적인 제도의 개념을 보다 확대시켜 나간다.

한편 구조기능주의에 대해서도 기능주의는 개인이 처해 있는 사회적 문화적인 특징이 정치체계의 특성을 결정짓는 요인이라고 보는 반면, 역사적 신제도주의는 정치경제 체계의 제도적 구조가 집단행동을 구조화시키고 이를 통해 특정한 정책결과가 만들어진다고 보는 점에서 차이를 나타내고 있다. 다만, 정치조직을 상호작용하는 구성요소들의 포괄적인 시스템으로 보는 구조기능 이론으로부터는 긍정적인 영향을 받는다. 역사적 신제도주의는 시스템의 요구들에 맞추어 반응하는 기능주의보다는 정치체계의 제도들 속에 내재된 구조주의 이론에서 더 많은 시사점을 얻는다.

요컨대, 사실 역사적 제도주의에 대한 관심은 행태주의, 다원주의, 기능주의 이론이 해명할 수 없는 문제들에 대한 새로운 설명을 찾는 과정에서 발전하여 왔다고 할 수 있다. 전통적인 이론들이 미시적인 수준의 행위가 거시적인 수준의 행위인 집합적 행위(collective behavior)를 설명하는 것에 대해 반기를 들고, 오히려 거시적인 변수가 미시적 행위에 지대한 영향을 미친다고 주장한다. 이런 입장이 정책의 다양성을 설명할 때 각국의 고유한 맥락의 중요성, 더 나아가 이런 맥락을 형성하는 주요 요인인 역사의 중요성을 주요 변수로 부각하게 된다.

역사적 신제도학파는 행위자들이 합리적이고 목적지향적이라는 점을 부정하지는 않지만, 그들은 목적들을 성취하기 위해 습관이나 일정한 패턴을 형성하는 경향이 있다고 역설한다. 행위자들은 효용 극대화 보다는 오히려 그때그때 만족하는 경향이 있다고 본다. 제도는 전략적으로 유용한 정보를 제공할 뿐만 아니라 행위자의 정체성, 독자성 그리고 선호도에 영향을 미치기도 한다는 것이다.

이제 역사적 신제도주의가 갖는 중요한 특징인 제도의 지속성에 대한 두 가지 접근방법을 설명하고자 한다.

먼저, 계산적 접근방식에 따르면 개인들이 이로부터 이탈할 때 더 불리하다고 생각하는 어떤 행동 패턴이 있는 데, 사람들이 이와 같은 패턴에 집착하는 경향이 있기 때문에 제도가 지속 된다는 의견이다.

둘째, 문화적 접근에 의하면, 관습적이거나 당연한 것으로 여겨지는 제도는 어떤 한 개인의 적극적인 역할에 의해서도 좀처럼 변화되지 않는다는 점을 제도의 지속성의 이유로 든다. 제도는 개인들이 추진하는 개혁과 관련된 선택 그 자체에 영향을 미치고, 더 나아가 이 선택들을 결정하는 역할까지 수행하기 때문에 제도가 변화하는 것이 쉽지 않다고 할 수 있다.

이와 같이 제도가 어떤 특별한 상황이 발생하지 않는 한 지속하려고 하는 속성을 '경로의존성(path dependence)'라고 하고, 이는 정책 설명과정에서 자주 인용되는 개념이라고 할 수 있다.

이렇듯 경로의존성이라는 것은 제도의 발전과정에서 어떤 특정한 경로가 선택되면 현재의 문제를 해결하는 데 더 효율적일 수 있는 다른 경로를 밟을 가능성이 배제된다는 의미이다. 일단 창설된 제도들은 무시할 수 없을 정도의 학습효과를 갖기 때문이다.

다시 말하면, t 시점에서의 기능적 요구에 부응하기 위해 어떤 특정한 제도가 형성되었다면, 이 제도는 애당초 제도가 성립될 수 있었던 사회적 환경이 변화하고, 이에 따라 새로운 역할이 요구된다고 하더라도 그 자체가 지속되는 경향을 지닌다. 그리하여 t 시점에서 형성된 제도는 t+1 시점에서의 선택과 변화 방향을 제약하게 된다는 것이다.

따라서 제도는 t 시점에서는 사회적 변동 등의 종속변수이지만 t+1 시점에서는 정책결정 과정에서 독립변수의 역할을 수행한다고 할 수 있다. 경우에 따라서는 역사적으로 형성된 제도가 t+1 시점에서 제기되는 시대적인 요구에 적절히 부응하지 못할 수 있을 뿐만 아니라 오히려 역기능을 할 수 도 있다. 이를 그림으로 나타내면 그림 5-3과 같다.

이렇듯 역사적 신제도주의에서는 환경변화와 정책대응 간에 괴리, 최적의 정책대안과 실제의 정책결정 결과와의 간극을 설명하는데 유용하다고 할 수 있다.

그림 5-3: 정책설계와 제도 간의 관계모형

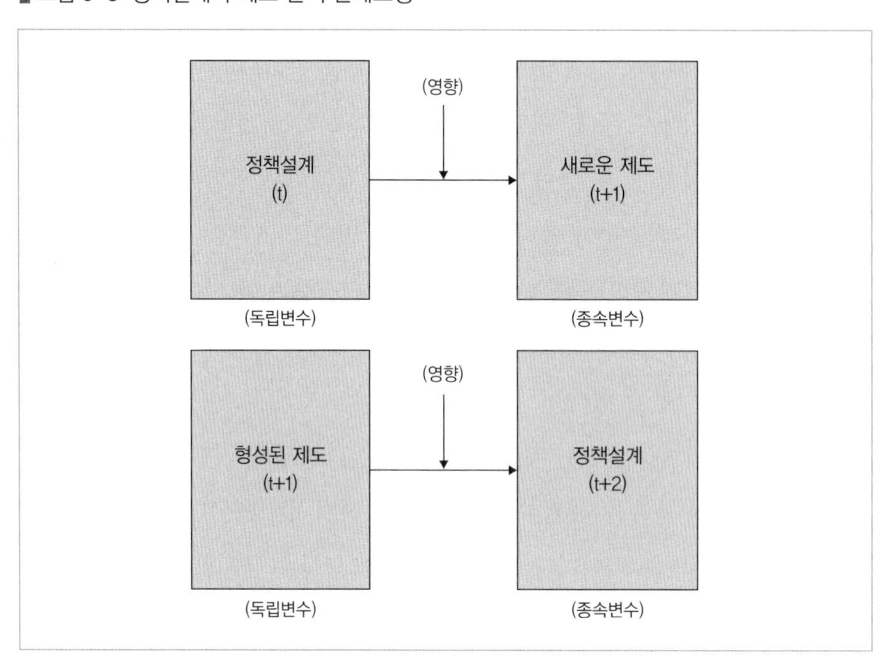

3_ 정책네트워크 모형과 정책동학 현상

1 여는 글

정책결정과정에 참여자들이 누구인가는 오랜 관심사였고, 이는 정책하위시스템에 관한 연구를 확산시켰다. 그 결과로 정치과정 또는 정책과정에 핵심적인 참여자가 누구이고 그들이 어떻게 상호작용을 하고 그런 상호작용이 정책에 어떤 영향을 미쳤는가?를 밝히려는 이론들이 발표되었다.

실제로 정책결정의 단계적 과정별로 공공부문과 민간부문에 걸쳐 다양한 분야의 이해당사자들이 참여하고 있다. 이런 정책행위자들 사이에 존재하는 관계를 범주화한 소위 정책결정 구조에 관한 이론을 정책네트워크[41](polcy network) 이론이라 한다.

이 정책네트워크 모형에는 하위정부 모형(subgovernment model), 이슈네트워크(issue network), 정책공동체(policy communities) 등 그 하위모형이 중요한 역할을 하고 있다. 미국의 경우 하위정부 모형, 이슈네트워크 모형을 시작으로 하여 정책과정에 참여하는 공식·비공식 참여자들 간의 상호작용의 양태를 포괄적으로 분석하기 위한 모형인 정책네트워크 모형이 논의된데 비해, 영국에서는 정당과 의회를 중심으로 정책과정을 파악하여 왔던 한계를 인식하고 정책공동체 개념을 부각시키면서 정책네트워크 모형을 발전시켰다(정정길 외, 2010 :251).

이런 모형들은 정책결정 과정이나 정치과정에서의 정책행위자들 간의 상호작용을 구조적인 차원에서 설명하는 틀로서, 정책동학 현상을 이해하는데 유용하다고 하겠다.

Heclo는 하위정부 모형, 정책공동체, 이슈네트워크를 하나의 연속된 스펙트럼(spectrum)에 놓고 그 한쪽 끝에는 폐쇄적인 철의 삼각으로서 하위정부 모형이 있고, 다른 한쪽 끝에는 개방적인 이슈네트워크가 있다고 보았다. 그리고 이들 중간 위치에 정책공동체가 있다고 본다.

여기서는 먼저 정책네트워크의 구성요소를 소개하고 이에 따른 정책네트워

41 네트워크 관계는 점(nodes), 선(lines), 수치(parameters) 등으로 나타내는데, 점은 행위자를, 선은 행위자들 간의 관계를, 화살표는 관계의 방향을 나타내고, 관계의 밀도는 구체적인 수치나 굵기로 나타낸다.

크의 유형을 살펴본 후, 이 유형들과 정책동학 간의 관계모형을 구상하여 정책 변동 가능성을 예측하도록 하겠다.

2 정책네트워크의 구성요소

정책네트워크란 '특정정책 결정과정에 참여하는 공공부문과 민간부문을 포함한 다양한 정책행위자들 간의 역동적이며 복합적인 상호작용이 일어나는 수평적 또는 수직적 연계구조와 권력교환의 장'을 말한다.

일반적으로 정책은 단순히 사회의 개별 이익집단들의 일방적인 요구에 의해서 만들어지는 것도 아니고 국가나 정치제도에 의해서 만들어 지는 것만도 아니다. 그런 점을 감안할 때, 사회 구성원의 역할을 중시하는 전자는 사회중심이론의 방법론적 개체주의(methodological individualism)에 입각하여 국민 개개인과 공식적인 정책행위자들이 아닌 사회집단 등의 주도에 의하여 국가정책이 결정된다고 보는 관점이라고 할 수 있다.

이에 비해 후자는 국가중심의 형이상학적 전체주의(metaphysical holism)에 입각하여 개별 행위주체의 역할보다 국가체제를 형성하고 있는 거시적인 구조가 정책현상을 설명하는데 주도적인 역할을 한다고 보는 관점이다.

이와 같은 사회중심이론과 국가중심이론이 그 두 축을 형성하고 있는 행위자 중심적 접근방식과 구조 중심적 접근방식 모두가 획일적인 이분법적 틀에 의해 어느 일면만을 주장하는 오류를 범하고 있다고 지적되고 있고, 정책과정의 역동적인 흐름을 파악하지 못한다는 한계점을 갖고 있다는 비판을 받고 있다(강동완, 2007: 32).

이런 비판에 따라 행위자 측면과 구조적인 측면을 주요변수로 간주함은 물론 이 둘 사이의 매개과정을 포괄하는 중간영역을 정책네트워크 모형으로 설정하여 연구하는 경향이 나타나게 되었다.

그런 의미에서 정책네트워크는 국가와 집단 간의 정치적 이익을 매개하는 제도적 틀로서 매우 융통성 있고 가치중립적인 중범위(mid-range)적 분석모형이라고 할 수 있다.

그렇다면 정책네트워크의 핵심 구성요소를 살펴보자. 여기서는 행위자(수와 주도집단), 상호작용(협력, 갈등), 관계구조(개방성 여부, 수직/수평 등 연계유형), 권력자원으로 나누어서 설명하겠다.

첫째, 정책은 정책 결정과정에 누가 참여하느냐에 따라 그 성격이 달라진다. 이 때 정책 결정과정에 참여하는 일련의 당사자들을 통칭하여 정책행위자라 한다. 정책행위자 변수의 하위변수로는 행위자의 수(member)를 들 수 있다. 그리고 '정책네트워크 내에서 어느 행위자가 주도적인 역할을 하며 영향력을 행사하고 있는가?' 라는 문제도 행위자의 하위변수라 할 수 있다.

둘째, 정책행위자 간의 상호작용의 성격이다. 이는 정책목표의 상이성에 따른 전략의 차별성과 연관이 크다. 행위자들은 달성하고자 하는 정책목표의 일치 여부에 따라 협력 또는 갈등 양상을 보이게 되는데, 정책네트워크도 행위자 간의 성격이 협력적인가 아니면 갈등적인가의 여부로 구분할 수 있다.

셋째, 정책행위자들 간의 관계유형으로서 어떠한 구조와 형태로 네트워크가 구성되는가의 문제이다. 이에 해당하는 것이 진입구조의 개방성 여부, 행위자간의 위계서열 형성 여부 등이다. 이때 진입구조의 개방성 정도는 개방적이냐 아니면 폐쇄적이냐로 나눌 수 있다. 그리고 정책행위자들의 상호의존성에서 기인하는 연계 구조를 수직적인가 아니면 수평적인가로 나눌 수 있다.

끝으로 정책결정의 참여자들은 어느 한 단계에서만 활동을 하고 멈추는 것이 아니고 단계에 따라 계속적으로 자기 이익을 위해서 노력한다. 이러한 과정에서 결국 자원(resources)이 많은 쪽의 주장이 관철될 가능성이 크다. 따라서 행위자들의 권력자원을 정책네트워크의 중요한 요인으로 보는 데, 이러한 권력자원으로는 아이디어, 전문지식, 인원 동원능력, 예산, 기금, 조직의 결집력 등이 있다.

3 정책네트워크의 유형

오늘날 실제로 정책과정에서 주로 나타나는 정책네트워크 유형으로는 하위정부 모형(sub-government model), 정책공동체 모형(policy community model) 그리고 이슈네트워크 모형(issue network model)이 있는데 이모형들을 위에서 살펴본 구성요소를 기준으로 설명하겠다.

1) 하위정부 모형(sub-government model)

어떤 분야 정책과 관련하여 행정부처의 고위공무원, 입법기관의 의원 또는 보좌관, 이익집단의 대변자 등 정책행위자들이 지속적이고 정례적으로 상호작용을 통하여 정책결정에 막대한 영향을 미치는 서클을 하위정부라고 한다(노화준, 2003: 379). 하위정부는 소수의 정책행위자로 구성된 폐쇄적 정책망을 의미한다.

미국에서는 이를 철의 삼각(iron triangle)이라 부르고 있는데, 이는 여러 측면에서 강철과 같이 견고하게 뭉쳐 상호 간에 막대한 영향력을 행사한다는 의미를 갖는다. 이처럼 제한된 행위자들이 정책이익을 상호 간에 공유하며 협상이 용이하기 때문에 갈등관계보다는 안정적이며 적극적인 협력관계가 형성된다고 할 수 있다.

또한 하위정부 모형은 각 영역별 이익집단이 의회의 관련 위원회와 행정부소관의 공무원 조직과 결합하여 상당히 독립성을 지닌 하위정부를 구축하여 해당 분야의 정책결정에 강력한 영향을 미치고 있다는 것이다. 이들 참여자들은 자기들만의 서클을 형성하여 정책형성을 통제하려는 목적을 갖기 때문에, 다른 참여자들의 진입에 제한을 두고 폐쇄적으로 운영된다.

그러나 이런 경향도 이익집단의 수가 급증하고, 시민단체의 수가 증가함에 따라 점점 사라지고 있고, 미국의 의회도 소위원회 수가 증가하면서 관할권이 중첩되고 있어 종래와 같이 철의 삼각의 힘이 발휘되기는 어렵다는 연구 결과가 나오고 있다(Guise, Peterson, Walker, 1984: 166).

우리나라의 경우도 국회의원들의 재선률(60%이하)이 매우 낮고 중앙부처 공무원들의 인사이동이 잦아서 이 모형을 우리의 정책결정과정에 그대로 적용하기에는 한계가 있다고 생각한다.

2) 정책공동체 모형(policy communities model)

정책공동체 모형은 폐쇄적인 하위정부 모형의 한계를 인식하고 이에 대한 비판적인 대안으로 제시된 모형이다. 하위정부 모형이 미국에서 발현된 것이라면 정책공동체 모형은 영국적인 상황에서 발전되었고 서구 정치체제하에서 다양한 정책형성을 이해하는 데 크게 기여하였다고 말할 수 있다.

여기서 정책공동체는 일반대중과 격리된 제한된 수의 참여자와 이들 간의 안정적이고 지속적인 관계, 그리고 구성원들 간의 높은 상호의존성 등의 특징을 갖는 하위 정책체계를 의미한다.

정책공동체에 참여하는 정책행위자들은 가치, 이데올로기, 정책에 대한 선호도 등을 공유하며 안정적이고 지속적인 관계를 형성한다. 그러나 협력과 합의에 의해 정책결정이 이루어진다는 하위정부 모형과는 달리 정책공동체에서는 반드시 협력적인 관계만 이루어진다고 볼 수 없으며 행위자 간에 갈등관계를 인정하기도 한다.

다시 말하면, 정책공동체의 구성원들은 정책문제가 공동체 내부에서 논의되어 해결방안을 모색해야 한다는 데는 동의하지만, 구성원들의 이해관계와 아이디어가 서로 다를 수도 있기 때문에 해결방안을 놓고 갈등이 야기되는 경우도 있다는 것이다.

한편, 정책공동체가 하위정부 모형과 뚜렷하게 다른 점은, 하위정부 구성원 외에 정책에 대해서 연구하고 있는 대학이나 연구기관의 전문가들이 추가적으로 참여하고 있다는 점이다(남궁근, 1998: 186-187). 구체적으로 정책공동체의 주요 구성원은 행정기관의 공무원, 개개 정치인과 그들의 집단, 조직화된 이익집단의 대표 그리고 정책에 대해서 연구하는 대학 및 기타 연구기관의 전문가들이다.

따라서 정책공동체 모형은 하위정부 모형과 비교할 때 참여자의 수가 덜 제한적이고 정책행위자의 참여범위가 확대된다는 특징을 보인다.

결국 정책공동체 모형은 참여자들 간의 합의, 의견 일치, 협력에 의하여 정책이 결정되고 형성된다는 점에서 하위정부 철의 삼각 모형과 차이가 있다.

3) 이슈네트워크 모형(issue network model)

이슈네트워크 모형은 정책이슈를 중심으로 유동적이며 개방적인 참여자들 간의 상호작용을 설명하는 모형으로서 제안되었다. Helco(1978)는 하위정부 모형이 잘못되었다기보다는 매우 불안전하다고 지적하면서 정책결정에 영향을 미치는 보다 개방적인 사람들의 네트워크가 고려되어야 한다고 하였다.

이슈네트워크를 하위정부인 철의 삼각과 비교할 때, 중요한 차이는 후자는 자율성이 큰 참여자들의 소규모 서클인데 비해, 전자는 그들 상호 간의 약속(commitment)이나 의존성 정도가 낮은 다수의 참여자들로 구성된다는 점이다.

현대사회에서는 정책과정이 보다 전문화되고 복잡해지며 참여자들 간의 경쟁이 치열해지기 때문에 정책결정의 전문성이 중요시된다. 다시 말해, 전문지식을 가진 새로운 참여자들이 이슈네트워크에 쉽게 접근하여 중심적인 역할을 수행할 수 있으므로 특정 사안에 대한 전문성 수준에 따라 네트워크에서의 영향력의 정도가 결정된다.

한편, 이슈네트워크는 불안정하고 참여자들의 가입과 이탈 비율이 높고 어떤 사안을 자기들의 의도대로 관철시키기 위해 '연합'을 형성하기 보다는 이슈를 통제하기 위해 '유대'를 강화하는 정도에 머무는 경향이 있다. 경우에 따라서는 네트워크에 참여하는 행위자들의 경계가 분명하지 않고 주도적 행위자에 의한 협의와 조정이 이루어지지 않아 오히려 이슈의 복잡성이 더욱 증대되는 경향이 나타나기도 한다.

이 모형은 현대의 정보화라는 시대성을 가장 잘 반영하고 있으며, 따라서 정보화 및 커뮤니케이션 이론에 의해서도 많은 영향을 받고 있다고 할 수 있다.

4) 정책네트워크 세 가지 모형간 비교

위에서 살펴본 세 가지 모형을 비교하는 준거적 기준은 참여자의 수, 멤버십, 게임규칙의 준수정도, 이해공유 정도, 사용전략, 정책내용의 변동 가능성 등이다.

먼저, 하위정부 모형은 참여자 수가 적고, 멤버십의 폐쇄성과 지속성이 높으며, 게임규칙의 준수정도와 참여자들 간의 이해의 공유 정도가 높다. 그리고 상호작용 측면에서는 동원하는 전략이 제도적으로 정해져 있고, 협의 지향적인 성향이 강하다.

둘째, 이슈네트워크는 하위정부 모형과는 반대적인 속성을 갖고, 셋째, 정책공동체 모형은 그 중간에 위치한다. 이를 표로 정리하면 아래 표 5-1과 같다.

표 5-1: 정책 네트워크의 유형별 속성

하위정부 ←	정책공동체 (연속성)	이슈네트워크 →
• 참여자의 수	적다	많다
• 멤버십의 개방성	폐쇄적이다	개방적이다
• 멤버십의 지속성 정도	높다	낮다
• 게임규칙 준수 정도	높다	낮다
• 이해공유 정도	높다	낮다
• 사용하는 전략	제도적, 협의 지향적	비제도적, 갈등 지향적
• 정책내용의 변동 정도	낮다	높다

사람들의 의식적인 노력에 의한 정책동학 과정을 거쳐 합리적으로, 한편으로는 정치적으로 산출되는 정책은 시장을 통해 자생적으로 형성되는 계약관계와는 본질적으로 다르다. 대부분 정책은 의회의 입법화과정을 거쳐서 법률로 확정되거나 국가의 최고지도자가 정부의 주요 방침으로 공식 발표하게 된다.

정책과 법률 간의 관계에 있어서는 국민의 권리, 의무와 관련된 정책은 행정법률의 형태로 제정되지만, 근래에는 정책형성 과정과 절차만을 규율하는 법률, 즉 정책법이 제정되고 있다는 점에서 정책과 법치행정 간의 새로운 방향의 연구가 요구되고 있다.

정책네트워크와 관련하여 입법연합이라는 개념이 부각될 필요가 있다. 일반적으로 법률은 법제정을 위한 국회의원들의 연대에 의해 입법이 추진되는데 이를 '입법연합'이라고 한다. 이를 행정부 입장에서 보면 정책연합이 될 것이다. 입법연합은 과거의 법률을 수정하거나 실질적으로 폐기하거나, 새로운 법률을 제정하기도 하는 막강한 권능, 즉 최상의 권한(sovereignty)을 지닌다고 할 수 있다.

우리의 경우 재적의원 20명 이상이 발의하여 법률(안)이 국회에 상정되어 관련 상임위원회의 심의를 거쳐 본회의에서 통과되고 대통령이 공포하여야만 법률의 제정이 완료된다. 이처럼 법률안의 발의 수준을 넘어 법률안을 통과시키는 데 충분할 만큼의 의원들로 구성되는 집단이 입법연합 역할을 한다. 집권당의원과 야당의원이 대개 따로따로 입법연합을 형성하기도 하지만 여당과 야당의원이 함께 참여하는 입법연합도 종종 나타나고 있다.

이와 같은 입법연합은 의원내각제 국가와 대통령제 국가에서 차이를 보이고 있다(오석홍 외, 2008: 791-792). 뉴질랜드와 같은 의원내각제의 경우 집권당의원 모두가 입법연합이 되며, 집권당의 고참 의원들이 내각의 장관을 역임하게 된다.

이에 비해, 미국과 같은 대통령제 국가에서는 입법과 행정기능이 의회와 대통령에 의해 중복적으로 공유되고 있다. 즉 의회가 행정부에 대해서 갖는 행정부의 행위에 대한 감독기능, 대통령의 관료 임명에 대한 거부권 행사, 정부사업 자금의 삭감 등이 의회의 행정적 역할이라고 할 수 있다. 한편, 행정부의 수장인 대통령이 갖는 의회의 의결 법률안에 대한 거부권 행사 등은 대통령의 입법적 역할이라 할 수 있다.

이렇게 기능이 중복적으로 공유되고 있기 때문에 입법연합이 법률안을 세밀하게 준비하는 과정에서 합의에 도달하기가 쉽지 않고, 의원내각제보다는 비효율적으로 입법연합의 역할이 이루어진다. 대통령제 국가의 경우 입법연합은 정책의 입법화를 추진하는데 충분한 정도의 의회연합과 대통령 간의 모종의 결합이라는 측면이 강하다.

일반적으로 의원들은 정기적인 선거에서 재선되기 위해, 자기 자신에 대한 지지를 끌어올릴 수 있는 정책을 법제화하는데 관심을 가질 수밖에 없다. 따라서 법 제정으로 인해 부담을 지는 사람들의 정치적 지지의 감소와 혜택을 입는 사람들로부터의 지지의 증가를 고려한 '순지지도'를 극대화함으로써 자신의 당선을 도모하게 된다.

결론적으로, 정기적인 선거를 통해 유권자의 지지가 바뀔 때, 기존의 입법연합이 다른 정책적 선호를 가진 새로운 입법연합으로 대체될 경우가 생기고, 이때 정책변동이 가능해 진다. 다시 말해, 정책연합(입법연합)이 교체되거나 새롭게 입법연합이 형성될 움직임이 커질 때 정책변동의 가능성이 높아진다고 할 수 있다. 정책네트워크 모형과 정책변동 가능성은 아래 그림 5-4와 같다.

그림 5-4: 정책네트워크 모형과 정책변동 가능성

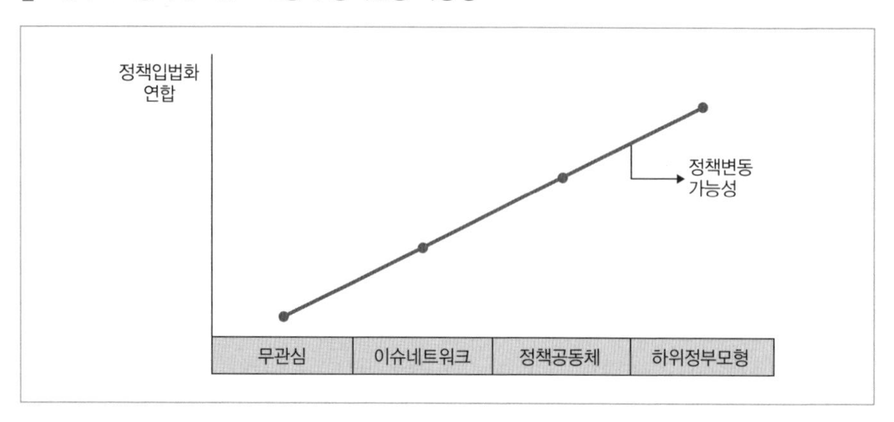

4_ 관료정치론

1 여는 글

관료주의는 많은 유럽국가에서 행정부의 중요성과 의회의 연약함 때문에 정치학 또는 정책학 연구의 중심이 되었다.

공무원은 행정부에 소속되어 정책을 단순히 집행한다고 생각하는 경향이 있지만, 사실 직업공무원들은 정년을 보장 받으면서 정책결정과정에 참여하는데 그들은 전문성을 갖고 일정한 영향력을 행사한다. 이러한 관점에서 관료정치 모형은 관료들 간의 상호작용, 즉 고위공무원들 사이의 협상과 조정이 정치인만큼이나 정책을 결정하는 데 중요한 역할을 한다고 본다.

이런 발상은 1962년에 발생한 쿠바 미사일 위기 때 미국 정부가 어떻게 대응하는가를 연구한 Allison의 'Essence of Decision'에서 시작되었다고 할 수 있다(Allison, G, 1971). 그는 정치 · 행정 2원론에서 주장하는 것처럼 정부의 공무원

집단이 명령과 복종에 따르는 통합된 계급제하의 집단만은 아니라고 주장한다. 오히려 공무원 집단들은 부처로 나누어져 정책과 관련하여 자원과 영향력을 더 차지하기 위해 서로 경쟁한다는 것이다.

따라서 정책은 정부부처들 간의 권한과 힘이 대등하지 않은 상태에서 이루어지는 경쟁과 타협의 결과라고 할 수 있다. 실무적인 경험에 의하면, 우리나라의 정부 부처들 간에도 권한과 힘에 있어서 상당한 차이가 있고 정책의 거부권한(veto players) 행사가 자주 나타나고 있다.

Allison은 외교정책의 결정과정에서 정책결정 참여자들 또는 조직들 사이에는 협상, 흥정 그리고 타협이 이루어지는 가운데 하나의 정책이 형성된다고 본다. 정책결정에 참여하는 사람들과 조직들은 기본적으로 자신과 자신이 몸담고 있는 조직의 이해를 반영하여 정책에 대한 방향을 정하기 때문에 정책결정을 둘러싸고 다른 사람 혹은 다른 조직들과 갈등을 빚는 것은 불가피한 현상으로 받아들여지고 있다.

외교정책이외 분야에서도 어떤 정책을 둘러싸고 정부기관들 간에 갈등이 발생할 경우 각 나라마다 설치된 공식적인 조정기구나 합리적인 의사결정과정을 거쳐 정책갈등이 해소되기 보다는 관련부처 간의 오래전부터 내려오는 상호작용의 관행과 기관장의 리더십에 따라 갈등이 조정되거나 해소되는 경향이 있기 때문에 관료정치 모형의 의미는 상당하다고 할 수 있다.

이런 관점에서 관료정치 모형은 정부를 정책선호와 이해관계를 달리하는 부처들이 권력행사와 자원배분을 둘러싸고 상호경쟁을 벌이는 갈등과 협상이 이루어지는 정치의 장으로 여기게 된다.

Allison은 정부의 정책결정과정은 각각 다른 이해관계를 갖는 각 부처의 고위공무원들에 의해 이루어지는 고도의 복잡한 정치 게임이며, 정책은 이들 각 기관의 고위공무원들이 보유한 제도적·개인적 역할을 수행하는 방식과 이들이 지닌 자원과 동원능력, 그리고 다른 부처 공무원들과의 연합 및 협상 능력에 따른 결과물이라고 주장한다.

Allison에 이어 Rosati(1981: 81)는 1960년대와 70년대에 SALT(strategic arms limitation talks)를 전후하여 미국의 외교정책을 담당한 관료들의 협상 및 교섭과정을 분석하였다. 그는 대통령의 스타일에 따라 관료정치는 달라진다고 주장한다. 대통령이 뚜렷한 리더십을 갖고 어떤 사안에 대해 명확한 지침을 내릴 때에는 관료들 간의 갈등의 소지가 줄어든다고 본다.

이에 반해, 국내 연구에서 배종윤(2002)은 대통령의 뚜렷한 지침 여부에 관계없이 우리의 대북정책 결정과 집행에 있어 공무원조직이 단순히 기능적으로 행동하기 보다는 정치적으로 판단하고 대처했다고 주장하면서 관료정치 모형을 적용할 필요성을 강조한다.

Rosati는 대통령을 압도적 개인(preponderant person)으로 보고 대통령이 정책결정에 적극적으로 참여할 경우 대통령 우세의 정책결정 구조가 성립한다고 보았다. 이와 같은 경우 관료정치의 영향력은 미미해진다. 하지만 대통령이 정책결정과정에 적극적으로 참여하지 않고 관료와 관료조직들이 정책결정과정에 적극적으로 나설 경우 관료 우세의 구조가 되어 관료정치에 의해 정책이 결정되는 상황이 발생하게 된다.

특히 문제가 되는 상황은 배종윤이 강조한 바 있지만, 실제 정책결정 사례들을 분석해 보면 대통령 등 정책결정자의 정책 선호가 공개적으로 표명되었던 경우에도, 그 이후에 진행되는 고위공무원들의 언행이 정책결정의 최고 책임자의 공개된 정책선호 내용과 상당한 차이를 보이는 경우가 생긴다. 이런 양자 간의 견해 차이들이 완성된 정책에 그대로 반영되는 경우에는 문제가 생길 수 있다.

여기에서는 위에서 설명한 바와 같이 정책갈등을 정부부처들 간의 수평적 갈등과 상하간의 수직적인 갈등으로 나누고, 각각의 상황에 맞는 관료정치 모형을 지금까지 개발된 이론들을 통해 소개하고, 정책의 변동가능성과 다양성을 예측하는 데 있어 이들 이론들의 유용성을 가늠해보겠다.

먼저 정부 부처들 간의 수평적인 정책갈등과 관료정치 모형을 살펴보겠다. 다음으로 정책결정의 상층부인 대통령, 정무직인 장관 등 정책결정자들과 직업공무원으로서 참모역할을 담당하는 고위공무원들 간의 정책 갈등 상황에서 고위공무원들의 역할 모형을 살펴보기로 한다.

2 행정기관 간 수평적 정책갈등과 관료정치

다원주의 정치체제에 있어서 정책결정과정에서 정책참여자 간의 갈등은 잠재적이든, 가시적이든 간에 필연적으로 나타난다고 볼 수 있다.

조직 간의 파벌주의(organizational parochialism)에 따라 정부 부처의 특성상 조직 목표와 정책수단에 차이가 나타나고 부처별 관할권이 중첩될 수 있다. 한편 정책결정권한이 여러 부처에 분산되어 있고, 부처마다 지원하고 지원받는 고객집단이 다르고, 기관별로 보유하고 있는 자원이 제한되어 있거나 차이가 나는 경우가 많다.

현대 정책과정에 있어 이러한 특성들로 인해 발생하는 부처 간 정책갈등(policy conflict)은 보편적인 현상으로 인식되고 있다.

민주화 이전의 권위주의 시대에는 국가정책의 우선순위가 대통령실 등 권위적인 갈등조정 기제에 의해 명확히 제시되었고, 따라서 정책갈등이 심각한 양상으로 전개되지 않았다. 다시 말해 경제개발이 국가의 중요한 정책 목표였던 시기에는 부처 간의 정책갈등이 첨예하게 드러나지 않았으나, 권위주의 체제가 다원주의적인 민주주의 체제로 전환되면서 지배적인 이념의 변화에 따른 정책의 우선순위가 불분명해지고 권위적으로 막강한 역할을 담당했던 대통령실조차도 영향력이 약해져 부처 간 정책갈등 양상이 더욱 빈번하게 나타나고 있다.

이러한 갈등상황에서 각 부처의 공무원들은 자기 부처와 관련된 정책의 정당성을 확보하고, 소속 기관의 기득권을 지키기 위해 대통령이나 다른 부처,

고객 집단, 의회 등 외부 정치세력의 지지를 얻기 위해 상호연대, 타협, 공격 등 다양한 전략과 연대를 통해 정치적 상호작용을 하고 있다.

1) 정부기관들의 영향력(influence) 및 권력(power) 요소

Rourke(1984)는 정부부처가 갈등과 경쟁상황에서 행사하게 되는 힘 내지는 영향력, 즉 파워의 근원은 조직 내의 특성과 조직 외적인 정치적 변수에 따라 달라진다고 한다. 조직내부의 변수로 부처 업무의 전문성, 조직구성원의 결속력, 리더의 수완 등을 들 수 있다.

첫째, 행정기관들은 전문지식의 수준에 따라 상이한 파워를 갖게 된다. 모든 유형의 전문지식들이 권력의 근원이 되는 것은 아니며 사회로부터 의존도가 높은 전문지식만이 이에 해당될 수 있다. 예를 들면 교육이나 외교보다 과학과 군사분야의 전문지식이 유리한 입장에 있다. 전문지식은 일반인이 쉽게 이해할 수 없을 정도로 수준이 높으면서 동시에 일반인들이 쉽게 볼 수 있는 업적을 생산해 낼 수 있다면 더 큰 영향력을 발휘할 것이다.

요컨대, 부처의 전문성은 복잡한 정책문제의 인과관계를 파악하고 정책대안의 장단점을 분석하고 평가하는 능력이라 할 수 있고 이런 전문성이 높은 부처일수록 그 영향력이 클 것이다.

둘째, 행정기관의 구성원들이 그 기관에 대해 갖는 열망과 정열에 의해 권력의 크기가 결정된다. 다시 말해 조직의 정신에 의해 그 기관의 영향력이 결정된다. 조직구성원의 응집력은 정책과정 전반에서 그 조직의 파워에 영향을 미치는 중요한 요소로서 구성원간의 응집력이 클수록 조직 목표에 대한 조직 구성원들의 일체감과 수용정도가 높다고 할 수 있다.

끝으로 행정기관의 파워는 그 기관장의 리더십에 따라 상이하다. 조직의 지도자는 내부적으로 구성원들의 결속력을 강화하며 외부적으로 다양한 전략을 구사하여 정치적 동맹세력들을 결집시키는 구심점이 될 수 있다는 점에서 기

관장의 리더십은 조직의 파워 요소로서의 의미가 크다.

위에서 설명한 부처의 전문성, 조직구성원들의 결속력, 그리고 조직수장의 리더십에 따라 각 부처의 파워에 차이가 생기게 된다고 할 수 있겠다.

다음으로 조직내부적인 변수 외에 관료정치의 파워를 좌우하는 조직외부의 변수를 살펴보면 다음과 같다.

먼저, 조직외부 변수 중에서 정부 관료제의 가장 중요한 정치권력의 기반은 최고 국정책임자인 대통령의 지지라고 할 수 있다. 대통령은 해당 부처의 소관 업무를 중요의제로 선정하거나 정치적인 비중이 큰 인물을 그 부처의 장관으로 임명하거나 그 기관의 예산을 증대시키는 방법 등으로 정책과정 전반에 영향력을 미칠 수 있기 때문이다(박천오, 박경효, 2001).

둘째, 외부의 정치적 세력으로부터의 지지에 의해 행정기관의 파워가 결정된다. 행정기관들은 고객의 수적 규모와 이들의 전략적 분산구조에 따라 상이한 권력을 갖는다.

한 행정기관의 권력의 크기는 고객의 수에 의해 측정될 수 있지만, 고객의 수적 규모는 비록 작더라도 자의식이 강하고 가시적인 목적을 추구하는 결속력이 강한 고객집단이 있다면, 이들의 존재는 정치적으로 큰 도움이 될 수 있다. 또한 외부의 고객집단들이 지리적으로나 사회경제적으로 적절히 분포되어 있을 때에 행정기관은 더 큰 권력을 갖는다.

2) Allison의 관료정치 모형

Allison(1971)은 쿠바 미사일 사건 대해 Kennedy 대통령이 쿠바를 공격하지 않고 해안 봉쇄 조치를 취하게 된 과정을 세 가지 모형, 즉 합리 모형, 조직과정 모형, 관료정치 모형을 적용하여 상세하게 분석하였다.

그는 기존의 합리적 행위자 모형(rational actor model)은 심리적 · 정치적인 변수를 고려하지 않은 약점이 있으므로 이를 보완해야 한다고 주장하면서, 정책결정과정의 분석에 있어 설명력을 높이기 위해 두 가지 대안적인 모형으로 조직과정 모형(organizational process model)과 관료정치 모형(bureaucratic politics model)을 제시한다.

일반적으로 합리적 행위자 모형에 의하면 정부 정책결정은 중앙집권적인 통제권과 완벽한 정보 및 가치극대화를 추구하는 합리적 의사결정에 의하여 선택되는 결과도출 과정으로 간주된다.

이에 비해 조직과정 모형은 합리적 행위자 모형과는 달리 정부를 나름대로 독자적인 영역을 가진 느슨하게 연결된 조직체들의 거대한 집합으로 이해한다.

따라서 정부의 정책결정은 정책결정자의 신중한 선택에 의해서가 아니라 정형화된 행동유형에 맞추어 움직이는 대규모 조직이 낳은 산출물로 이해된다. 특히 국가적인 중대사와 관련된 외교정책의 결정은 한 조직에만 국한되지 않고 관련부처마다 독자적으로 상이한 해결책을 제시하게 된다. 이런 조직별 상이한 대안이 최고 정책결정자의 조정과 결심에 따라 최종 정책으로 확정되게 된다.

그런데 이러한 정책은 정부의 표준운영절차(SOP)를 통해 만들어지기 때문에 급격한 정책의 변화를 기대하기는 어려우며 대신 조직학습 과정을 거쳐 점진적인 변화가 일어난다고 본다.

한편, 관료정치 모형은 오직 한 가지 전략적인 문제에만 관심을 쏟는 단일행위자를 가정하는 합리적 모형과는 달리 관료들의 전략적 목표는 일관된 것이 아니라 국가, 조직, 개인의 목표를 고려하여 결정된다고 본다.

따라서 정책이란 정해진 행동경로를 따라 이루어지거나 또는 조직의 관행에 따라 만들어지는 것이 아니라 특정 사안에 대해 긍정하는 측과 반대하는 측이 사용하는 파워와 정치적인 수완에 의해서 결정된다고 본다. 상이한 입장을 가진 정부 관료들 사이에 타협, 연합, 경쟁을 통한 흥정에 의해 산출된 결과물로서 정책을 본다.

정부 부처 간 관계인 수평적인 측면에서 보면 정책결정과정에서 각 참여자가 갖는 입장은 그가 속한 조직으로부터 다양하게 요구되는 정치적 압력에 의해 영향을 받는다고 할 수 있다.

3) 조직간 조정에 의한 정책결정 모형

현대 국가의 정책과정을 보면 어느 한 부처가 소관 정책을 단독으로 결정하는 것 같지만 사실은 그 부처는 물론 다른 부처들의 선택과 결정에 영향을 받게 된다. 우리나라의 경우에도 국무회의 심의과정에서 관계부처 간에 이견이 있는 정책안은 공식적인 정책으로 결정될 수 없다. 결국 이해관계가 얽힌 제 조직들 간의 관계(inter-organizational relationships)에 의해 커다란 영향을 받게 된다는 것이다.

이처럼 서로 단절적인 것 같지만 상호의존적(interdependent)일 수밖에 없는 제 조직들 간의 상호작용을 통한 조정과정을 거쳐 수립되는 정책결정 과정에 대한 연구가 요구된다고 할 수 있다.

이런 점에서 Scharpf(1978)의 조직 간 정책형성론(inter-organizational policy studies)은 큰 의미가 있고 주목받기에 충분하다. 그는 정책결정이 단일의 통합된 조직에 의한 선택과정이 아니라 서로 다른 이해와 목표를 갖고 상이한 전략을 구사하는 별개의 다수 조직들에 의한 상호작용의 결과로서 이해해야 한다는 점을 강조한다.

다만 그가 제시한 모형은 완성된 이론이라기보다는 하나의 접근방법이라는 한계가 있는 것은 사실이다.

Scharpf가 조직 간 정책형성론에서 강조하는 것은 정책결정에 참여하고 있는 다양한 제 조직들 간의 상호관계(interrelations)와 상호의존성(inter dependence)을 나타내는 네트워크 개념이다. 그리고 정책형성 과정에 정책조정(policy coordination)이 요구되는데, 정책조정에는 1) 자의적 의사교환(volitive communication)과 2) 자원이전(resource transfer)을 통한 상호적 조정(interactive coordination)과 3) 일방적 적응(unilateral adjustment)을 통한 비상호적 조정(noninter-active coordination)이 있다고 주장한다.

그가 특히 가장 강조하는 개념은 제 조직들 간의 교환관계의 구조(structure of exchange relationships)이다. 그는 교환구조를 양자관계와 삼자관계로 나누어 분석한다. 각각의 경우에 있어 교환관계의 구조가 지니는 특성은 어떤 정책의 결정에 있어 각 부처가 모색하게 될 영향력 행사전략에 내포된 실현가능성의 정도를 결정짓는 요인으로 작용한다는 것이다.

먼저, 양자관계의 교환구조를 살펴보면 표 5-2와 같은데 일방적인 의존(unilateral dependence), 상호의존(mutual dependence) 그리고 상호독립(mutual independence)의 세 가지 형태로 나눌 수 있다(오석홍 외, 2000: 190-192).

표 5-2: 조직간 교환관계 구조

구분		A조직의 B조직에 대한 의존도	
		높 음	낮 음
B조직의 A조직에 대한 의존도	높 음	상호 의존	일방적 의존
	낮 음	일방적 의존	상호 독립

여기서 일방적인 의존 관계의 경우, 양 부처 간에 이해관계의 비대칭성(asymmetry of interests)으로 인해 비교적 힘이 우위인 부처의 영향력 행사전략에 내포된 실현가능성은 열세 부처의 실현가능성보다 훨씬 높다. 이 같은 관계에 있어서는 양 부처간 정책조정을 통한 정책결정이나 정책변화는 충분하지만, 일방적으로 한 방향으로 흐를 가능성이 크다고 하겠다.

이와 반대로 상호 독립관계의 경우, 양 조직 간에 상대적 자율성(relative autonomy)으로 인해 정책조정을 통한 정책결정이나 정책변화가 일어날 가능성은 낮다고 하겠다.

위의 경우와 다르게 조직 간에 의존도가 높은 상호 의존관계의 경우에는, 상호대칭적 의존성(symmetry of dependence)으로 인하여 양 부처 간의 정책조정에 있어 다양한 영향력 행사전략이 모색 될 여지가 크고, 따라서 정책변화가 일어날 가능성도 커진다고 할 수 있다.

위에서 살펴본 양자관계가 아닌 삼자관계에 있어 교환관계의 구조는 그림 5-5와 같은 데, 여기에서는 정책조정 방식에 있어 나타나는 외부조정(external coordination)과 간접조정(indirect coordination) 등 두 가지 형태를 살펴보겠다(오석홍 외, 2000: 192).

그림 5-5: 조직간 삼자 교환관계

위의 외부조정의 경우에는 교환관계가 A조직과 C조직 및 B조직과 C조직 사이에서만 존재하기 때문에 C조직이 나름대로의 이유를 갖고 A와 B조직에 영향력을 행사함으로써 정책결정을 위한 조정이 이루어진다고 할 수 있다.

이에 비해, 간접조정의 경우는 A조직이 여러 가지 이유를 들어 C조직을 매개로 하여 B조직에 영향력을 행사하는 상황이라고 할 수 있다.

4) 정책갈등의 협조적 해결 모형

Quirk(1989)는 그동안 정책갈등을 제로 섬 게임(zero sum game)의 관점에서 분석하였고 정책갈등의 협조적인 해결보다는 갈등상황에 연루된 행위자들의 역학 관계를 주요한 분석 대상으로 하였음을 반성하고, 정책갈등을 협조적으로 해결하기 위한 조건을 도출해야 한다고 주장한다.

그러면 Quirk가 제기한 정책갈등 상황에서 협조적 해결(the cooperative resolution of policy conflict)이란 무엇인가? 이에 대한 대답은 갈등 당사자들이 상충되는 이해관계를 조정하고 합의에 도달함으로써 공동의 이익을 얻는 다는 것이다.

이때 두 가지 전제조건이 충족되어야만 한다. 그 하나는 갈등 당사자들이 상호 의존적이어야 하고, 다른 하나는 갈등 당사자들이 비제로섬게임의 상황에 처해 있어야 한다는 것이다.

다시 말해, 전자는 갈등 당사자들이 독자적으로 혹은 연합을 형성하여 정책결정에 영향을 미칠 수 있다는 것이고, 후자의 경우는 상호 보완적인 동시에 상충되는 이해관계를 가지고 있어야 한다는 것이다.

결론적으로 갈등집단들이 상충되는 이해관계를 극복하고 합의에 도달함으로써 공동의 이익을 실현할 수 있을 것을 조건으로 한다.

그렇다면 정책갈등의 협조적 해결방법은 무엇인가?

이해갈등 관계에 있는 두 조직 중 각 조직이 선택할 수 있는 전략을 회피전략(defect : D)과 협조전략(cooperation : C)으로 가정할 때, 두 조직 간의 갈등 상황은 아래 표 5-3과 같이 갈등, 거부 그리고 협상으로 나눌 수 있다(오석홍 외, 2000: 214-215).

표 5-3: 두 조직간 게임전략

구분		A조직	
		협조전략	회피전략
B조직	협조전략	협상(CC)	거부(CD)
	회피전략	거부(DC)	갈등(DD)

먼저 갈등상황(DD의 경우)은 두 기관 모두 회피전략을 선택한 경우로서 그 결과는 정치적인 투쟁으로 이어질 가능성이 있다. 이 상황에서는 공동의 이익이 존재하지 않을 것이고 정책도 변동 없이 현 상태로 유지될 가능성이 크다.

둘째 거부상황(CD 또는 DC의 경우)으로서 한 기관은 협조전략을 선택하고 다른 기관은 회피전략을 선택한 경우이다. 한 기관이라도 회피전략을 선택하면 정책의 변화가 일어날 수 없으므로 갈등상황의 경우와 비슷한 결과가 초래될 가능성이 크다.

마지막으로 협상상황(CC의 경우)에서는 각 기관들이 협조전략을 통하여 정책쟁점에 대해 양보하기도 하여 합의에 도달하고 그 결정이 정책으로 연결된다면 정책변화를 통하여 공동의 이익을 끌어낼 수 있을 것이다.

3 정책결정자 상하 간 수직적 정책갈등과 관료정치

행정부의 경우 대통령을 정점으로 하는 계층제적인 조직형태를 띠고 있기 때문에 어떤 정책을 형성하는 데 대통령과 정무직인 장·차관의 선호나 희망사항이 그대로 반영되어 결정된다면, 고위공무원 집단이라는 변수를 제외한 정무직에 있는 정책결정자 변수만으로 정책결정을 설명할 수 있을 것이다.

그러나 현실은 그렇지 않고 오히려 대통령이나 정무직의 선호내용이 정책결정과정에서 바뀌거나 전혀 다른 내용으로 대체되거나 반박당하는 상황이 발생함으로써 정책으로 연결되지 않는다면 정책결정과정에 참여하는 공무원 집단을 새로운 변수로 고려하는 것이 필요하다고 하겠다.

이처럼 정책과정의 중요한 변수는 고위공무원일 수밖에 없다. 고위공무원은 정책결정과정에 참여하는 분명한 당사자일 뿐만 아니라 정책이 형성되는 전반적인 과정은 물론 정책 집행을 담당하는 주요 행위자이기 때문이다.

1) 정책결정과정에서 고위공무원들의 영향력의 근원

정책결정과정에서 고위공무원들이 비교적 큰 영향력을 행사할 수 있는 것은 그들이 갖는 전문적 기술과 지식(expertise) 때문이다. 고위공무원들의 전문직업적인 기술과 지식이 없다면 현대 정부는 그들이 당면하고 있는 사회 경제적 문제들을 해결할 수 없을 것이다(노화준, 2003).

고위공무원들의 전문성의 원천을 살펴보면 다음과 같다. 먼저, 정부가 여러 분야의 숙달된 전문직업인들의 대고용주라는 점이다. 미국의 경우 전문가의 2/5가 정부에 고용되어 있으며, 정부가 고용하고 있는 고용인원의 약 1/3이 전문가들이라고 한다. 우리 정부도 모든 분야에 걸쳐 전문가들을 채용하고 있으며 군사부문이나 경찰부문과 같이 그 분야의 거의 모든 전문 인력을 정부에서 고용하고 있는 경우도 있다.

이처럼 공공부문에 고용된 공무원들은 그들이 가지고 있는 전문지식과 기술을 통해 정책결정과정에서 영향력을 행사할 수 있다.

둘째, 정부조직들이 분업과 협업이라는 원리에 따라 운영된다는 데서 찾을 수 있다. 공무원들이 과단위 또는 국단위로 나누어져 집단적으로 일을 함으로써 처음 고용 당시에는 숙련되지 않은 공무원들도 업무를 수행하는 과정에서 전문성을 갖게 된다. 소위 OJT(on the job training)을 통해 공무원들은 전문성을 축적해 나가고 있다는 것이다.

이와 같은 공무원들의 전문성과 아울러 공무원들의 고객집단 형성을 통한 대중의 지지 획득으로 정책결정과정에서 영향력을 행사하게 된다. 어떤 행정기관이 국민들로부터 전문직업적인 능력을 인정받고 또한 고객에게 질 높은 서비스를 제공할 경우가 바로 고객집단 형성에 성공한 경우라고 할 수 있다. 이 경우에 그 기관의 공무원들의 영향력은 더욱 커질 수밖에 없다.

2) 고위공무원들의 영향력 행사 모형

정책 결정과 집행에 있어 관료조직이 단순히 기능적으로 행동하기 보다는 정치적으로 판단하고 대처하는 경우가 많다는 주장에 귀를 기울인다면, 구체적으로 정책결정과정에서 임기가 정해진 선출직인 정책결정자와 경력직인 고위공무원들과의 역학관계에 대한 고려가 필요할 것이다.

여기서는 Nakamura와 Smallwood(1980: 111-142)가 제시한 정책결정자와 고위공무원간의 역할 모형을 통해 고위공무원들의 영향력 행사방법을 설명하겠다. 이들은 고위공무원의 역할을 고전적 기술자형(classical technocracy), 지시적 위임형(instructed delegation), 협상형(bargaining), 재량적 실험형(discretionary experimentation), 관료적 기업가형(bureaucratic entrepreneurship) 등 5가지 유형으로 분류한다.

먼저, 고전적 기술자형(classical technocracy)은, 정책집행자는 정책결정자가 결정한 정책내용을 충실히 집행하는 유형으로, 정책결정자가 구체적인 목표를 설정하고, 고위공무원에게 이 목표를 달성할 수 있는 기술적인 권한만을 부여하는 경우이다. 이때 고위공무원은 정책결정자의 정책목표를 지지하고 이 목표를 달성할 수 있는 기술적인 수단을 고안하는 역할을 수행한다.

둘째, 지시적 위임형(instructed delegation)은, 정책결정자가 정확한 목표를 설정하나 이 목표를 달성할 수단을 고안할 행정적인 권한(administrative authority)을 정책집행자에게 위임해 주는 경우이다. 고위공무원들은 목표를 제외한 행정적인 수단을 결정하는 등 정책 수단에 대한 재량권을 갖고, 이런 재량권의 범위 안에서 설정된 정책목표를 달성하기 위하여 고위공무원들은 기술적, 행정적인 권한을 행사할 수 있다.

셋째, 협상형(bargaining)은 정책결정자가 개략적인 목표를 설정하고, 구체적인 정책목표와 이 목표를 달성할 수단에 대해서는 고위공무원과 협상을 통해서 결정한다. 이처럼 협상을 하게 되는 것은 정책결정자가 명확하고 구체적인 정책 목표를 제시할 능력이 없기 때문이다.

넷째, 재량적 실험형(discretionary experimentation)에 있어서도 협상형과 비슷하게 정책결정자가 추상적인 목표만을 제시하고 고위공무원에게 정책 목표와 그 수단을 구체적으로 강구할 광범위한 재량권을 위임한다. 이처럼 위임하게 되는 이유는 정책이 너무 전문적이어서 정책결정자의 능력의 한계를 벗어나고 정책결정자가 필요한 정보를 소유하지 못하고 있다는 점을 들 수 있다.

다섯째, 관료적 기업가형(bureaucratic entrepreneurship)은 정책결정자가 직접 나서서 하는 일은 거의 없고, 오히려 고위공무원이 정책목표를 설정하고 이를 달성할 수 있는 정책 수단을 마련하여 이를 정책결정자가 받아들이도록 설득하는 적극적인 역할을 수행한다.

이 경우 고위공무원이 사실상 정책결정권을 행사한다는 우려가 발생한다. 이런 현상은 고위공무원의 정보 독점, 임기의 계속성과 안정성 등에서 생기는 공무원의 기업가적인 동기에서 연유된다고 할 수 있다.

노화준(2003)은 우리나라의 경우도 전문분야의 정책결정에 있어서 고위공무원의 역할이 정책 목표를 구체화하거나 정책결정권을 포괄적으로 위임받아 이를 결정하는 방향으로 나아갈 것으로 전망하고 있다. 그 이유는 사회문제가 점점 복잡해져서 전문지식이 요구되고 정책결정자인 정치인보다 평생 경력직인 고위공무원의 파워가 증대되고 있기 때문이다.

4 맺음 글

관료정치 모형은 어떤 사안에 반대하는 기관과 찬성하는 기관 간에 협상과 연합을 통해 그 사안에 대응한다는 단순한 논리에 그 매력이 있으나, 사실상 공무원 세계는 생각보다 더 복잡하고, 정책설계가 이해관계에 따라 예측하기 어렵게 전개되는 경향이 있다.

따라서 이 모형은 어떤 분야에, 어떤 시기에, 왜 관료집단들 간에 협상이 가능하고 또 반대현상이 일어나는가를 설명하지 못한다는 비판을 받는다. 또한 Bendor와 Hammond는 이 모형이 너무 많은 현상들을 포함하기 때문에 어떻게 정책이 형성되는가를 설명하는 데 한계를 보인다고 지적한다(Bendor.J. and Hammond.T, 1992: 86).

그렇다고 하더라도 관료정치 모형은 정책결정 과정의 관료정치의 수평적, 수직적 역학관계를 통해서, 정책과정의 역동성은 물론, 정책내용의 다양성이 나타나는 이유를 현실성 있게 설명하는 장점은 인정받아야 할 것 같다. 공무원들이 자기 분야의 정책방향을 설계하거나 입법절차를 진행할 때, 가장 신경을 곤두세워야 할 변수를 비교적 설득력 있게 설명하는 모델이라는 특징도 있다.

5_ 미시적 정책동학이론: 정책지지연합 모형

1 여는 글

Laswell에 의해서 개발된 전통적인 정책과정 모형(the stage heuristic)은 정책과정을 문제인지, 의제설정, 정책결정, 정책집행 그리고 정책평가로 구분한다.

Sabatier는 이러한 정책과정 모형의 문제점을 통렬하게 비판한다.

첫째, 정책과정 모형은 인과관계 모형이 아니다.

둘째, 경험적 가설 검증에 대한 명확한 기초를 제공하지 못하고 있다.

셋째, 정책과정 전반에 걸쳐 일어나는 정책 지향적 학습(policy-oriented learning)과 정책분석의 역할을 제대로 수행하지 못한다.

이처럼 정책과정 이론의 한계점을 지적하고, 이에 대한 대안으로 정책지지연합 모형(policy advocacy coalition framework)을 제시한다. Sabatier는 그동안 정책연구를 지배했던 정책과정론(過程論) 중심의 지침제공 방식(heuristic)의 초보적인 연구에서 탈피하여 새로운 대안을 제시해야 한다고 주장한다.

이를 위해 정책의 변화과정을 이해하고, 이에 대한 적실성 있는 설명을 할 수 있는 이론을 구성하기 위해 10년 이상의 연구가 필요하다는 점을 역설한다. 그는 Jenkins-Smith와 연구를 시작하여 신념체계와 정책지향적 학습이라는 개념을 도입하여 정책하위체제 내에서 각종 정책연합이 형성되어 이들의 활동에 의해서 정책이 형성되거나 정책이 변화한다는 정책지지연합 모형을 1988년에 발표한 이후 1998년에 1차 수정을 하고, 2005년에 재차 수정한 모델을 발표하고 있다.

동 모형은 장기간에 걸친 정책과정의 안정성과 정책변동을 설명하기 위해 특정정책을 옹호하기 위해 정치적으로 중요한 활동을 하는 정책지지연합을 분석단위로 상정한다. 이 모형은 정책변화를 이해하기 위해 분석단위로 정책하위체제(policy subsystem)에 중점을 두고, 정책하위체계 안에는 믿음체계(belief system)를 공유하는 두 개 내지는 네 개 정도의 정책지지(또는 반대)연합(policy advocacy coalitions)이 있다고 본다. 그리고 정책의 변화를 정책지지연합들이 그들의 믿음을 공공정책이나 프로젝트에 반영하기 위한 경쟁의 결과로 이해한다.

이때 믿음 공유 등을 위해 정책학습이 일어나는데, 정책지향적 학습은 정책목적의 성취 또는 수정과 관련이 있는 경험과 새로운 정보에 기인하여, 정책행위자들의 사고 및 행동 의도를 지속적으로 전환시켜 나가는 것을 의미한다.

정책지지연합 모형은 기존의 정책 네트워크 학파와 많은 공통점을 갖고 있으나, 정책지지연합은 네트워크 보다 넓은 개념이라고 할 수 있다.

2 정책지지연합 모형 개요

Sabatier가 오랜 기간에 걸쳐 완성한 후 계속 보완하고 있는 정책지지연합 모형을 살펴보자.

먼저 정책지지연합은 '근원적 가치, 인과적 전제, 문제 인식 등 특별한 신념계를 공유하고, 지속적으로 상당한 정도의 참여 및 조정활동을 하는 선출직 공무원, 임명직 공무원, 이익집단의 대표, 전문가 등 다양한 지위의 사람들'이라고 정의할 수 있다.

이와 같은 지지연합의 구성원들이 어떻게 활동하여 정책을 변동시키는가를 설명하는 정책지지연합 모형은 정책하위체계에 영향을 주는 외생변수로 비교적 안정적인 변수(relatively stable parameters)와 안정성이 덜한 역동적인 변수(dynamic external events)가 있다고 본다. 이들 외생변수들은 정책하위체계 행위자들의 행동에 제약을 주거나 기회를 제공해 주는 재원으로서 작용한다.

이때 안정적인 외생변수로는 문제영역의 기본적인 속성, 자연자원의 분포, 근본적인 사회문화 가치 그리고 헌정구조 등이다. 이러한 안정적인 변수들은 변화가 불가능하지는 않지만 마치 종교의 개종처럼 변화의 속도가 매우 더디고, 그 범위도 협소하다고 할 수 있다.

이에 비해 역동적인 외생변수로는 선거를 통한 정권교체, 경제위기와 같은 사회적으로 중요한 계기가 되는 사건, 국민들의 여론 변화 등이다. 이들은 정책하위체계에 단기간에 영향을 미친다.

정책하위체계 안에는 공 · 사를 불문하고 다양한 수준에서 활동하는 정책행위자들을 포함하는 정책지지(또는 반대)연합들이 있으며, 이들 연합들은 그들의 믿음체계가 정부의 정책과 프로젝트에 관철되도록 자신들이 동원할 수 있는 재원들을 최대한 이용하여 다양한 전략을 구사하게 된다.

이처럼 경쟁하는 정책지지(또는 반대)연합들이 선택한 전략들은 정책중개자(policy brokers)들에 의하여 중재된다. 주로 정치인과 공무원 등 정책중개자들에 의해 중재된 정책이 공식적으로 결정되고 집행되면서 그 결과가 정책하위체계에 내적 및 외적으로 다시 환류된다.

이러한 과정은 미시적인 정책동학 현상의 성격을 갖는다고 할 수 있다. 이런 과정에서 내적인 환류를 통해 정책지지(또는 반대)연합들의 믿음체계가 변경되고 이에 따른 정책대안의 변경이 이루어진다. 한편으로 외적인 환류에서는 정책집행 결과가 안정적인 변수와 역동적인 변수들에 영향을 미쳐 이들 변수들의 변화를 가져온다. 또한 정책지지연합 모형에서는 다양한 연합에서 활동하는 전문가들이 참여하는 전문적인 포럼이나 공개토론회를 통해서 자기연합의 믿음체계가 수정 내지 변경되기도 한다. 장기적으로 정책변화가 이루어지는 것을 정책지향적 학습(policy-oriented learning)의 효과라고 본다(전진석, 2003).

위와 같은 개략적인 내용을 포함하고 있는 정책지지연합 모형의 구조틀을 1988년 모형, 1998년 모형 그리고 2005년 모형으로 나누어 차례로 소개하면 다음과 같다. Sabatier는 정책지지연합 모형을 1988년에 발표한 이후 1998년에 일차 수정을 하고, 2005년에 재차 수정한 모델을 제시하고 있기 때문이다.

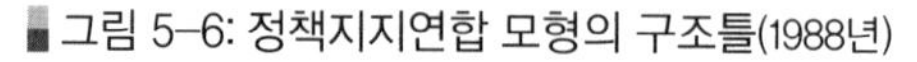
그림 5-6: 정책지지연합 모형의 구조틀(1988년)

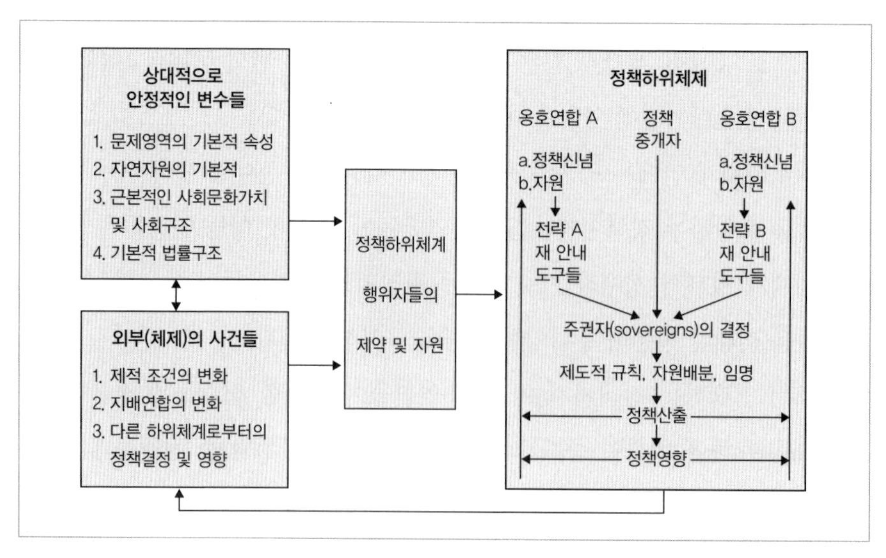

1988년 모델에서는 '정책하위체제 안에서 활동하는 행위자들의 제약 및 자원'이 외생변수인 안정적 변수와 역동적 변수의 영향만을 받는 것으로 보았으나, 1998년 모델에서는 '주요정책 변화에 필요한 합의의 정도'는 안정적인 변수들의 영향을 받지만, 이는 정책하위체제에서 활동하는 행위자들의 제약 및 자원에 영향을 미치게 된다고 보완하였다.

그리고 1998년도 모형에서는 역동적인 외생변수인 외부의 조건에 여론 변화를 추가하였다.

그림 5-7: 정책지지연합 모형의 구조틀(1998년)

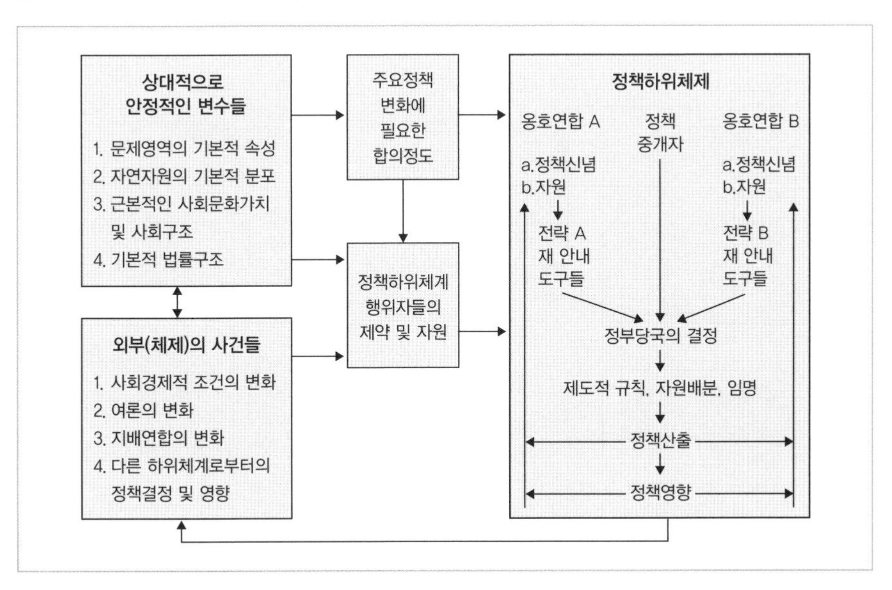

Sabatier는 2005년에 그의 모형을 다시 한번 수정하였는데 그 내용은 다음과 같다.

그는 안정적인 외생변수(stable system parameters)와 정책하위체제 간을 중재하는 매개변수로 '장기적 연합기회 구조(long term coalition opportunity structure)'를 새로 도입하였다. 이는 유럽의 정치적 기회 구조(political opportunity structure) 개념에

서 빌려 온 것이라고 한다.

연합 기회 구조는 '주요정책 변화에 필요한 합의의 정도'와 '정치체제의 개방정도' 등 두 가지 요소에 의해서 결정된다. 전자는 어떤 연합의 구성원들 간의 정책변화에 대한 합의의 정도가 높으면 높을수록 상대편 연합과의 타협, 정보공유 등에 보다 적극적일 것이고, 악의적 변절(devil shift)도 최소화 될 것이라는 의미이다. 한편, 후자는 주요정책 제안들이 공식적인 정책으로 결정되기 위해서 거쳐야 할 정책결정 절차 또는 통로(venue)의 수(number), 그리고 각 통로에의 접근 가능성(accessibility)을 의미한다.

그림 5-8: 정책지지연합 모형의 구조틀(2005년)

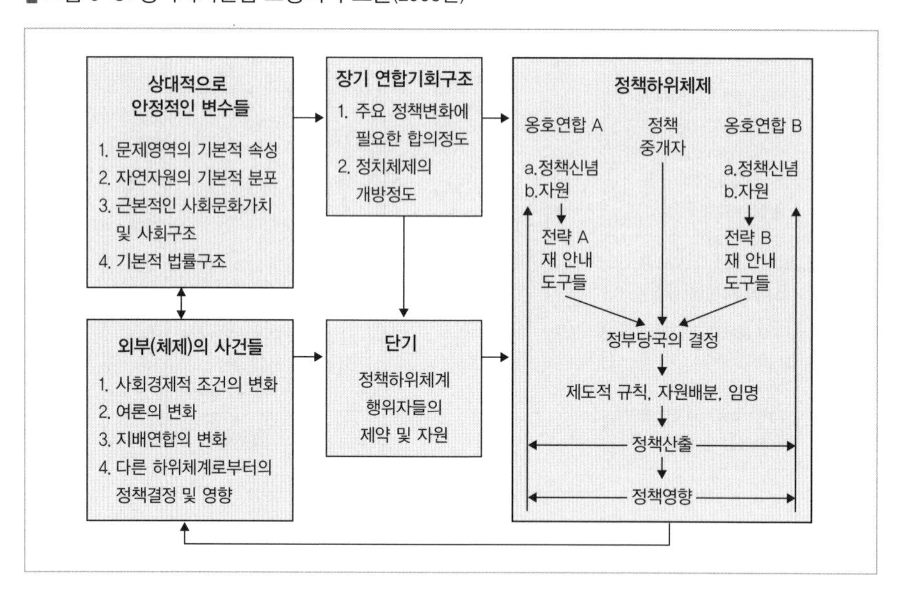

3 정책지지연합 모형의 주요개념과 가설

1) 정책하위체계(policy subsystem)에 영향을 주는 외적 변수

정책지지연합 모형에서는 정책변동을 설명하기 위한 분석 단위로 정부기관이 아닌 보다 폭넓은 정책하위체계를 설정한다. 정책하위체계들은 보건, 부패, 복지, 교통 등 정책 아젠다를 다루는 일단의 정책행위자들을 말한다. 이들은 공공조직과 사조직을 망라한 다양한 기관의 정책행위자들로 구성된다.

여기서 정책하위체계의 개념은 행정부의 공무원, 의회의 소위원회 그리고 이익집단들을 포함하는 철의 삼각(iron triangle)보다도 넓은 개념이다. 그리고 이슈 네트워크(issue network)와 비교할 때 정책하위체계는 구성원 간의 결속력이 더 강하다고 할 수 있다. 이슈 네트워크는 다양한 이해관계자들이 참여하여 구성하는 경계가 불분명한 집단이라고 할 수 있다.

이러한 정책하위체계에 영향을 주는 외생변수 중에서 다소 안정적인 변수들은 선택 가능한 정책대안의 범위를 한정하는 역할을 하고, 정책지지(또는 반대)연합들의 재원과 믿음체계에 영향을 미친다. 안정적인 변수와 구별되는 역동적인 외생변수들도 정책하위체계에 영향을 주는 것은 마찬가지이지만, 단기간에 즉각적인 영향을 주고 있다고 할 수 있다.

결론적으로 정책지지연합의 형성과 활동에 제약을 가하거나 전략적인 기회를 제공하는 결정적인 영향은 정책하위체계의 외생변수, 즉 안정적인 변수와 역동적인 외생변수에서 비롯된다고 할 수 있다.

2) 정책지지연합과 3차원 구조의 믿음체계(belief systems)

앞에서 설명한 정책하위체계 내에는 정치적으로 중요한 정책지지연합들이 구성되어 경쟁적으로 활동한다. 이들 연합은 정책지지연합 모형에서 상당히 장기간 동안에 걸쳐서 일어나는 특정한 정책변화를 이해하기 위한 분석의 대상이 된다. 이들 연합들은 특별한 믿음체계를 공유하는 공사 조직을 막론하고 다양한 기관에서 근무하는 사람들로 구성된다.

한편, 믿음체계는 이들 연합이 뭉치는 중심적인 조직원리로 작용한다. 정책지지(또는 반대)연합들이 그들의 믿음체계를 정부의 정책이나 프로젝트에 반영하는 능력은 이들이 소유하고 있는 자금, 전문지식, 지지자 그리고 법적인 권한 등 자원(영향력)에 달려 있다. 물론, 이들 연합들이 사용할 수 있는 자원은 시간의 흐름에 따라 변한다.

이처럼 정책지지연합의 구심점 역할을 하는 믿음체계는 계층적인 구조를 형성하고 있다. 구체적으로 보면, 규범적 기저 핵심(normative deep core), 정책핵심(policy core) 그리고 이차 도구적 측면(secondary instrumental aspects) 등의 계층을 이루고 있다.

여기서 규범적인 기저 핵심은 믿음체계 중 가장 상위 수준으로 자유, 평등, 발전, 보존 등 존재론적인 공리가치의 우선순위를 정하는 역할을 한다. 정부와 시장 간의 우선순위를 결정하거나 문제해결에 우선시되는 가정들을 결정하는 기준이 된다. 이러한 핵심적인 믿음체계는 연합을 형성하게 되는 가장 근본적인 시각이라 할 수 있다. 다만 그의 지향점이 광대하므로 특정 정책과의 직접적인 연관성은 아래 계층의 믿음보다 떨어진다고 볼 수 있다.

다음으로 두 번째 계층인 정책핵심은 특정 하위체계에서 실제 운용되는 정책과 밀접한 관련성이 있다. 정책과 관련되어 있는 특정 목표가 정해질 것인가 혹은 목표달성의 필수 조건들이 어떠한 것인지에 대한 인과적 사고가 포함되기 때문이다.

이에 비해 이차 도구적 측면의 믿음은 가장 범위가 좁은 것으로 행정상, 입법상의 운용과정에 나타나는 정책수단, 예산의 배분, 성과에 대한 평가, 법 개정 등을 말한다. 이는 특정한 세부적인 정책에만 국한되는 것으로 가장 구체적이고 변화 가능성이 많다고 할 수 있다.

이를 비교하는 도표는 표 5-4와 같다.

■ 표 5-4: 정책지지연합의 신념체계의 구조

	규범적 핵심	정책 핵심	이차 도구적
특징	근본적 · 존재론적 이치 또는 공리	하위체제 내의 핵심가치 성취하기 위한 기본적인 전략들과 관련된 근본적인 정책 입장	정책핵심을 집행에 필요한 도구적인 결정과 정보탐색
영역	모든 정책영역에 대해서 적용	관심있는 특정 정책규범에 적용	관심이 있는 특정 정책절차에 적용
변화에 대한 민감성	매우 어려움: 종교 개종과 비슷	어려우나 심각한 변혁이 일어나면 변화가능	비교적 용이: 가장 행정적이고 입법적 정책 결정의 주제에 해당
설명에 도움이 되는 구성요소	1. 인간의 본성 a. 내재적 악 vs. 사회적 치유가능성 b. 본성부분 vs. 본성지배 영역 c. 협소한 이기주의자 vs. 계약주의자 2. 다양한 궁극적 가치에 대한 상대적 우선 순위: 자유, 안전, 권력지식, 건강, 사랑, 미 등 3. 분배적 정의에 관한 기본적 기준: 누구의 복지에 기여 하는가? 자기 집단, 국민, 미래세대 등에 대한 상대적 비중 4. 사회문화적 정체성 (윤리, 종교, 성, 직업 등)	근본적인 규범적 지각대상 1. 근본적 가치 우선순위에 관한 정향성 2. 복지에 관심을 갖는 집단 또는 다른 실체의 정체성 실질적인 경험적 구성요소를 지닌 지각대상 3. 전반적인 문제의 심각성 4. 문제의 기본적인 원인 5. 정부와 시장간의 적정한 권위분배 6. 정부수준에 따른 적정한 권위분배 7. 다양한 정책수단에 부합되는 우선 순위(규제, 보험, 교육, 직접 지불제, 세금 공제) 8. 문제해결을 위한 사회에 필요한 능력(제로섬 경쟁 vs. 상호수용의 가능성, 기술적 낙관주의 vs. 비관주의) 9. 일반 국민, 전문가, 선출직의 참여 10. 정책핵심 정책선호도	1. 특정지역의 문제에 대한 특수한 측면의 심각성 2. 다른 지역과 시간의 흐름에 따라 다양하고 일상적인 연결성의 중요성 3. 행정규칙, 예산배분, 사건처리, 조항해석과 관한 대부분의 결정 4. 특정 시책 또는 기관의 성과에 관련된 정보

3) 정책중개자(policy brokers)

정책지지연합 모형에서는 정책옹호집단들에 의해 제기되는 서로 상반된 경쟁적인 정책대안(전략)들이 정책 중개자들에 의해 조정된다. 이들 정책중개자들은 정책지지 또는 반대 집단들 사이의 갈등을 줄이면서 합리적인 타협점을 찾도록 유도한다.

일반적으로 보면, 국회의원 등 정치인과 고위 공무원들이 정책중개자 역할을 한다고 할 수 있다.

4) 정책지향적 학습(policy-oriented learning)

정책지지연합 모형에서 정책지향적 학습은 앞에서 설명한 바 있는 정책학습과 동일한 의미이다. 다시 말하면 정책학습은 경험으로부터 초래되며 정책지지연합의 믿음체계의 변경과 관련되어 생각이나 행태의 변화를 의미한다. 따라서 정책학습은 정책연합들이 그들의 믿음체계를 수정하는 것을 의미한다고 할 수 있다. 이러한 믿음체계의 수정은 주로 믿음체계의 계층적인 구조에서 이차적인 도구적 측면에서 주로 나타나며, 반면에 정책 핵심에서는 변화가 일어나기가 어렵다고 할 수 있다.

상위 수준의 믿음체계의 변화를 초래하는 정책학습이 이루어지기 위해서는 정책지지연합들 간에 상당한 수준의 갈등이 유발되고, 이와 같은 연합들 간의 갈등은 심각한 논쟁을 촉발하게 된다. 이런 논쟁은 공개 포럼 등의 형식으로 진행되기도 한다.

5) 가설

정책지지연합 모형은 지지연합, 정책변화, 정책학습에 대한 아홉 가지 가정들을 설정하고 있다. 다만, 1번, 4번 가설은 1988년에 처음 모형을 발표했을 때의 가설이 아니고 1998년에 수정한 가설이다.

첫째, 지지연합(coalition) 관련 가설이다.

(가설1) 정책 핵심신념에 갈등이 있을 때, 성숙한(mature) 정책하위체제에서의 주요 논쟁에 관하여 동맹자와 반대자 대열은 10년 이상에 걸쳐 오히려 안정적인 경향이 있다.

(가설2) 정책지지연합의 행위자들은 이차적 측면(secondary aspects)보다는 정책

핵심(policy core)에 수반된 쟁점에 대한 중요한 합의(substantial consensus)를 보여준다.

(가설3) 행위자 또는 연합은 정책핵심의 약점을 인정하는 것보다는 차라리 그들의 이차적 측면을 포기할 것이다.

둘째, 정책변화(policy change) 관련 가설이다.

(가설4) 하나의 연합 내에서 행정기관들은 대개 이익집단의 동맹자들 보다는 온건한 중간자적인 입장을 취한다.

(가설5) 하위체계 외부의 중차대한 변화(perturbation), 예를 들면 사회경제적 조건, 여론, 체계전반에 걸친 지배연합, 또는 다른 하위체계로부터의 정책산출 등에 변화가 없으면, 정부 실천 프로그램의 정책핵심 속성은 변화되지 않을 것이다.

셋째, 학습(Learning)에 관련된 가설들이다.

(가설6) 정책지향적 학습은 두 연합간의 어느 정도 잘 알려진 갈등이 있을 때 가장 잘 일어난다. 이때 논쟁에 필요한 자원을 보유하고, 이차적 측면 간의 갈등이 야기될 것을 필요조건으로 한다.

(가설7) 질적이고 주관적인 또는 자료와 이론이 부족한 문제보다 양적인 자료와 이론이 있는 문제에 대한 신념체계의 정책지향적 학습이 용이하다.

(가설8) 순전히 사회적 · 정치적 체제와 관련된 문제보다 자연(natural) 체계와 관련된 문제에 대한 신념체계의 학습이 용이하다.

(가설9) 신념체계에 대한 정책지향적 학습은 첫째, 다른 연합들의 전문가들의 참여를 유도할 정도로 명성이 있거나 둘째, 전문적 규범이 지배하는 포럼(forum)이 존재할 때, 그 가능성이 커진다.

4 정책변동의 원인과 경로

Sabatier는 기본적으로 정책지지연합과 그 반대연합 간의 경쟁의 결과로서 정책이 산출된다고 본다.

정책변동과 관련하여 그는 어떤 정책연합의 구성원 대다수가 정책관련 신념 변화의 필요성을 인정하거나, 한편 소수파 정책연합이 지배적인 다수파 정책연합을 대체할 만큼 성장한 경우에, 정책변화가 생긴다고 역설하고 있다.

이러한 변화의 근본적인 원인은 정책 지향적 학습과 외부의 쇼크(충격)에 있다고 주장한다. Sabatier는 그가 제시한 3차원적 신념체제의 하위에 위치하는 정책 핵심신념이나 이차적인 측면의 신념은 정책 지향적 학습에 의해서 변화하나, 상위의 기저 핵심신념은 변화하기 어렵다고 본다. 전자의 경우 학습에 의해서 변화하는 내생성을 인정하나, 후자는 변화하기 힘든 외생적인 변수로 간주되고 있다.

특이할 점은 2005년 수정모델을 통해서 외부적 쇼크(충격) 뿐만 아니라 내부적 쇼크(internal shock)에 의해서 정책의 변화가 일어나고, 협상에 의한 합의(negotiated agreement)의해서도 정책의 변화가 일어난다고 설명하고 있다.

5 미시적 정책동학 현상으로서 정책지지(또는 저지)연합 모형의 재해석

이 모형은 정책동학 현상을 미시적으로 가장 잘 설명하고 있다는 평가를 받기에 충분하다고 생각된다. 정책변동의 원동력을 정책학습, 내외적인 쇼크, 협상에 의한 합의 등으로 보고 있다는 점도 정책동학의 역동성, 다시 말해 정책과정의 역동성을 설명하는 데 많은 도움이 되는 모형이다.

그렇다고 하더라도 정책동학의 내용적인 다양성을 설명하는 데는 분명한 한계가 있다. 물론 신념체제라는 개념을 통해 정책의 다양성을 설명할 수 있는

가능성을 제시하고 있다는 점은 인정해야 할 것이다.

따라서 이와 같은 약점을 보완하기 위해서는 정책동학 현상의 내용적 다양성을 설명하고 예측할 수 있도록 공무원 등 전문가 그룹들의 정책설계 전략 모형을 구성할 필요가 있다고 하겠다. 한편, 정책과정의 역동성을 간접적이 아닌 직접적으로 설명할 수 있는 모형을 구축할 필요성도 제기될 것이다. 이를 위해 정책시장 모형을 도입하고자 한다.

5_ 거시적 정책동학이론 : 정책의 창(the policy window) 모형

1 여는 글

정책학자들은 수많은 사회문제 중에서 어떤 문제들이 사회적 이슈로 대두되고, 이 이슈들이 어떻게 정책화 과정을 거치는가에 대해서 많은 관심을 갖고 연구를 하였다. 그렇지만 아직도 이 분야에 많은 부분이 속 시원하게 밝혀지지 않고 있다.

거시적 정책동학 현상에 대해서 연구를 진행한 학자가 Kingdon 교수이다. 그는 미국 연방정부의 보건·교통정책을 담당하고 있던 고위 공무원들과의 장기간 동안의 면접 그리고 정부의 문서, 정당들의 정강정책, 언론보도, 여론조사들을 토대로 정책의 창(the policy window)이론을 만들었다.

어떤 학자는 이 이론을 정책흐름 모형(policy stream model)으로 소개하기도 한다.[42]

42 정정길 외, 정책학 원론에서는 정책흐름 모형으로 소개하고 있다.

2 '정책의 창' 모형의 세 가지의 흐름

Kindon(1984)은 서로 무관하게 자신들의 규칙에 따라 흘러 다니는 정책문제의 흐름, 정치의 흐름, 정책대안의 흐름 등 세 가지의 흐름이 결합하여 정책화가 이루어진다고 한다(정정길 외, 2010: 219).

먼저 정책문제의 흐름(problem stream)에서 정책문제는 그 자체의 패턴을 형성하며 흘러 다닌다. 이 때 어떤 문제가 정책행위자들의 관심을 끌게 되는가 하는 점에 초점을 두고 있는데, 사회 · 경제적 지표(indicator)의 변동, 세상을 떠들썩하게 만들 재난이나 사건, 정책에 대한 환류 등이 크게 영향을 미친다고 한다. 정책문제는 정책행위자들이 사회적 이슈를 정책의제로 인식하거나 인식하는 과정이다.

이를 구체적 설명하면, 지표는 사회 및 경제현상을 수치로 나타내는 값으로서, 예를 들면, 경제정책에서 GDP, KOSPI, 이자율, 환율 등을 말한다. 경제정책을 준비하는데 있어서 이와 같은 지표를 반드시 고려하게 된다. 사건은 문제꺼리로 인식하도록 하는 재난 등을 말하는데, 2008년에 숭례문 화재 사건을 보면 문화재 보호정책이나 소방 방재정책에 대해 정책문제로서 큰 영향을 주었다. 환류는 이전의 정책이 평가를 잘 못 받으면 다시 정책문제가 되어 또 다른 정책의제로 설정될 수 있다.

둘째, 정치의 흐름(political stream)은 정책문제와는 별도로 독자적으로 이루어진다. 이 흐름은 국민적 여론의 변화, 정권의 교체, 국회 의석수의 변화, 이익집단의 압력 등에 의해 영향을 받는다. 정치인, 고위공무원 등 정책행위자들은 여론에 민감하게 반응함으로, 여론의 지지를 받는 사회의 문제는 정치적 관심의 대상이 되기 쉽다.

특히 정권교체나 의석수의 변화는 정책의제의 우선순위를 변경시킬 뿐만 아니라 새로운 의제를 등장시킨다. 우리의 경우 대통령 선거로 행정부가 개편되거나 국회의원 선거를 통해 입법부의 다수당이 변하기도 하는데, 이는 정책의 선택에 커다란 영향을 미친다. 예를 들어 설명하면, 종합부동산세 제도는 집권당의 이념적인 지향에 따라 제도의 내용이 수정되었던 것을 미루어 볼 때, 정권의 교체가 정치의 흐름에 미치는 영향력을 짐작할 수 있다.

국민 여론의 변화는 대다수 국민들의 생각의 방향이 변화하는 것으로, 정치인이나 고위 공무원은 이런 변화에 민감하게 반응하게 된다. 한편 정치인은 압력집단들의 지지 또는 반대를 파악하여 선거과정의 득표에 유리한 방향으로 이슈를 부각시키거나 무시하기도 한다.

셋째, 정책대안의 흐름(polcy stream)에는 정책네트워크의 존재 및 그 분화의 정도, 정책행위자들의 활동, 이익집단의 개입 등이 영향을 미친다.

각계에서 제시하는 정책대안은 가치 수용적이어야 하고 기술적 가능성이 커야 한다. 많은 정책대안들이 전문가 집단 등에 의한 정책공동체(policy community) 내에서 논의되고 제시되므로 정책공동체 또는 정책네트워크가 분화되면 될수록 더욱 다양한 대안의 흐름이 가능해진다.

이런 다양한 대안들이 논의되고 토론되는 과정에서 정책선도자(policy entrepreneur)는 자신들이 선호하는 정책대안이 채택될 수 있도록 적극적으로 활동함으로써 정책대안의 흐름에 영향을 미친다. 또한 이익집단들도 자신들에게 유리한 정책대안이 채택되도록 영향력을 행사한다.

3 정책문제 흐름 – 정치흐름 – 정책대안 흐름의 결합

Kingdon에 의하면 정책문제의 흐름, 정치의 흐름, 정책대안의 흐름 등은 서로 아무런 관련이 없이 자신의 고유한 규칙에 따라 흘러다닌다.

그러나 이 세 가지의 흐름이 대형 안전사고와 같은 극적인 사건(dramatic event)이나 정권 교체와 같은 정치적 사건(political event)에 의해 만나는 경우가 있다.

이처럼 극적인 사건이나 정치적 사건의 발생이 점화장치(triggering device) 역할을 하게 되어 세 가지의 흐름이 결합하는 현상을 Kingdon은 정책의 창(the policy window)이 열린다고 하였다.

정책의 창은 매우 중요한 정치적 사건이 발생할 때, 그동안 논의되고 있던 유력한 정책대안과 결합하여 매우 잠깐의 시간 동안에 열리게 된다. 실제로 정책의 창을 여는 데 결정적인 역할을 하는 것은 주로 정치 흐름의 변화라고 할 수 있다. 이처럼 창이 열려있는 동안에 공식적인 정책행위자들이 타협하고 조정하여 정책결정이 이루어진다.

이를 모형화 하면 그림 5-6과 같다.

그림 5-9: Kingdon의 정책의 창 모형

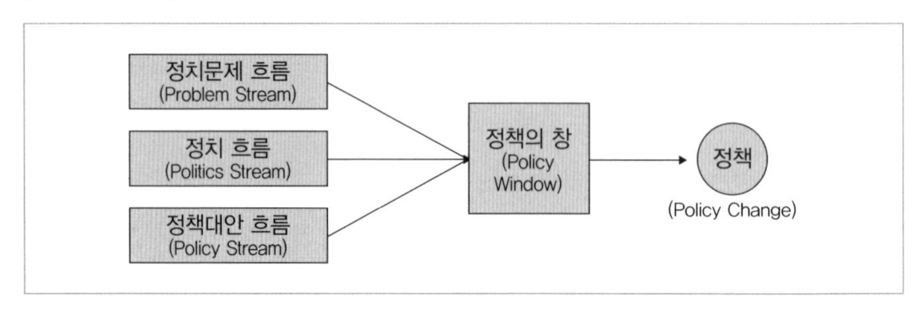

4 거시적 정책동학 현상으로서 정책의 창(the policy window)이론의 재해석

정책의 창 모형은 거시적 모형으로서의 성격이 강하지만, 정책문제의 흐름(problem stream), 정치의 흐름(political stream), 정책대안의 흐름(polcy stream) 등 세 가지의 거시적 흐름을 합류시키고 결합시키는 역할을 하는 정책선도자(policy entrepreneur)가 어떤 역할을 하는가에 대한 해답을 주기도 한다. 다시 말해 미시적 요소를 포함한 모형이지만 전반적으로 볼 때 거시적 흐름 모형이라고 할 수 있다.

거시적 모형 역할을 하면서 한편으로 이 모형은 불확실한 상황에서 정책이 어떻게 만들어지는지를 설명하는 분석틀의 역할을 한다는 데서 또 다른 의미를 찾을 수 있을 것 같다.

특히 위의 세 가지 흐름은 거시적인 정책동학 현상을 설명하는 데 있어 시사하는 바가 매우 크다. 정책동학 현상은 미시적으로 정책행위자들의 치밀한 계산과 정책설계에 의해 일어나는 면도 있지만, 공식적 국가정책의 형성점은 정책과정상의 여러 흐름에 의해 이루어지고, 그 흐름들의 일치점에서 폭발한다고 볼 수 있다.

이런 장점에도 불구하고, 정책의 창 모형은 정책내용의 다양성에 대한 설명력에 있어서 한계를 보이고 있다.

6_ 정책동학 현상을 설명·예측하는 새로운 모형 구상 필요성

앞에서 신제도주의, 정책네트워크, 관료정치론, 정책지지연합 모형, 정책의 창 모형을 살펴보았다. 이들 이론 또는 모형이 정책과정의 역동성과 정책내용의 다양성, 다시 말해 정책동학적 현상에 대한 변수중심의 인과적인 설명기제로서 역할을 하여야 함에도 불구하고 일정한 한계가 있음을 설명하였다.

신제도주의는 정책의 안정성과 정책의 변동성을 설명하는데 유익한 점이 있다. 역사적 신제도주의는 경로의존성이라는 도구를 통해 정책의 지속성 또는 안정성을 설명하고, 합리적 선택 신제도주의는 국민들의 선호의 표출에 의해 정책이 형성된다는 점, 자기에게 유리한 방향으로 정책이 선택되도록 선택적 행동을 함으로써 정책결정에 영향을 미친다는 점을 부각시키고 있다.

정책네트워크 이론은 정책과정에서 정책공동체들의 활동에 의해서 정책이 형성됨을 설명함으로써 정책과정의 역동성을 이해하는 데 도움이 된다.

관료정치론은 행정부 내의 수평적 정책갈등, 수직적 정책갈등이 정책과정 및 내용에 어떤 영향을 미치는지를 짐작하게 해 준다.

정책지지연합 모형은 정책변동의 원인과 경로를 미시적으로 설명해 주고, 정책의 창 모형은 정책변동이 일어나는 현상을 거시적으로 설명하고 있다.

이를 표로 정리하면 표 5-5와 같다.

표 5-5: 이론·모형의 정책동학현상 설명력

구 분	정책과정의 역동성		정책내용의 다양성	
	직접설명	간접설명	직접설명	간접설명
역사적 신제도주의				△
합리적 선택 신제도주의		△		△
정책 네트워크		○		
관료정치론		○		△
정책지지연합모형		○		△
정책의 창 모형		○		

위의 이론과 모형의 분석을 통해서 얻은 결론은 정책동학의 새로운 이론 구성이 필요하다는 점이다. 정책과정의 역동성을 설명하고 정책내용의 다양성을 설명하는데 있어, 위의 이론 또는 모형들이 주는 시사점을 토대로 하여, 정책동학 이론을 구성해야 할 것이다. 정책동학적 현상의 설명도구로서 정책시장 모형 및 정책설계 전략 모형을 구성하는 방안을 검토하는 것도 하나의 좋은 방안이 될 것이다.

구체적으로 설명하면, 대통령 선거나 국회의원 선거과정에서 후보자나 그 소속정당들이 제시하는 공약으로서의 정책안과 그에 대한 찬반 논쟁이 이루어지는 거대(meta)[43] 정책시장을 통해서 전반적인 정책 기조를 결정한다. 이때에

43 거대는 주로 'macro', 'mega'의 번역으로 사용되지만, 여기에서는 'meta'의 번역으로 사용하였다(Parsons, W(2003). 참조).

는 정치권의 정치·정략성이 크게 작용한다.

선거이후에는 행정부의 국무회의나 국회 상임위원회의 심의과정에서 정책 조정이 이루어지는데, 이 과정에서 행정부 공무원집단들의 실현가능성, 이익 집단들의 이해타산성 등이 개입하여 복잡한 정책동학 현상이 발생하는데, 이를 중범위(meso) 정책시장이라 할 수 있다.

거대 정책시장과 중범위 정책시장은 선거과정이나 일정한 입법절차 등에 따라 진행되지만, 그 과정에 관련이 있는 이익집단이 큰 영향을 미치게 된다. 각종 이익집단들은 그들의 이해에 유리한 방향으로 정책이 결정되도록 동원가능한 수단을 통해 로비를 하게 된다.

이와 같은 거대시장이나 중범위시장만으로는 정책이 구체적으로 설계될 수 없기 때문에, 구체적인 방안을 마련하는 미시적(micro) 정책시장이라는 개념을 도입하여야 한다. 이 시장에서 이루어지는 정책설계는 일반적으로 전문가들에 의해서 주도된다.

한편 위의 세 가지로 나뉜 정책시장에 흐르는 기본 특성은 전문성을 기반으로 하는 전문시장이라는 것이다. 이는 금융시장과 같은 특성을 지닌다고 할 수 있다.

위와 같이 정책시장 모형과 정책설계 전략 모형을 통해서 정책동학 현상을 설명하고 예측하는 이론은 제6장에서 구체적으로 소개할 것이다.

6장

정책동학이론

성숙한 민주주의적 정치체제와 시장경제 체제에 맞는 정책학의 이론 구성은, 국가주의의 입장에서 벗어나 다원주의적인 입장에서 다시 이루어져야 한다. 시장경제가 성숙한 사회에서는 각 개인들에 대해 경제학의 가정인 '모든 사람은 이기적이고 똑똑하다'는 점을 정책결정 과정에 반영해야 하기 때문이다.

이런 방향에서 그 논의의 시작이자 정책학의 출발점은 '선호(preference)'라고 하는 개념을 정책학의 중요 구성요소로 도입하는 것이다. 즉 개인의 선호이든, 사회적 선호이든 이런 선호를 결집한 결과가 공동체의 선호인 정책으로 결정된다는 것이다.

다시 말해, 정책은 사회적 선호 함수의 결과물이라고 볼 수 있다. 정책행위자들은 자신이나 자신이 속하는 그룹의 후생에 서로 다른 가중치를 부여하는 정책선호함수를 극대화하는 방향으로 특정수준의 정책을 결정한다고 할 수 있다.

그렇다면 민주주의가 고도화되고 시장주의가 제대로 작동하는 나라에서는, 이런 선호의 발현을 별도의 과정을 거치지 않고, 직접 민주주의 방식과 대의제 민주 방식에 의해서 해결하고, 시장의 게임 룰에 맡기면 될 것이 아닌가 하는 의문을 제기할 수 있을 것이다.

이에 대한 부정적인 대답을 제4장에서 살펴보았다. 다시 말해서 정책학의 존재 근거는 민주주의와 시장주의의 한계를 보완하면서 사회적 선호 함수를 풀 수 있는 이론의 전개와 접근방식에 있다고 할 수 있다.

이와 같은 논리 필연성을 만족시키는 새로운 정책학의 접근방식으로서 '정책동학이론(the dynamics of policy process or contents)'을 시론적으로 제시하고자 한다. 즉 개인들의 선호가 모여서 형성된 사회적 선호를 공동체의 공식적인 정책으로 조정하고 결집하는 과정을 '정책시장 모형'과 '정책설계 전략 모형'을 통해서 설명하고자 한다.

여기서 정책시장은 공공선택이론에서 시작된 정치시장이론에서 유추해낸 개념으로, 정치적 시장의 범위를 정책이라는 상품이 거래되는 시장으로 축소하여 구상한 개념이다. 정책설계는 국민들의 선호를 공동체의 선호로 전환하기 위해 정책시장의 유형에 맞추어 정책의 구체적인 수단과 방안을 배열해나가는 행위이다. 정책행위자들의 정책설계 전략은 정책과정에서 매우 중요한 역할을 한다.

이 장의 궁극적인 목적은 정책시장은 여러 가지 변수에 의해서 다르게 형성된다고 보고, 이렇게 형성된 정책시장의 유형에 맞추어 정책설계의 전략이 전개된다는 점을 밝히는 데에 있다.

먼저 정책시장의 유형을 결정하는 변수를 설명하고, 그 변수들 간에 어떻게 조합이 이루어져 어떠한 정책시장의 유형이 형성되는지를 알아볼 것이다. 다음으로 정책시장 유형별로 정책설계 전략이 어떻게 달라지는가를 밝힘으로써, 정책과정의 역동성 및 정책내용의 다양성, 즉 정책동학 현상을 일정한 논리를 가지고 변수 지향적이고 인과적으로 설명할 것이다.

1_ 정책동학적 접근 필요성

제2장에서 정책학의 정향성을 탐색하면서 정책의 개념을 수단적 정책개념, 정치성을 강조하는 정책개념으로 나누어 살펴보았고, 이런 범주의 정책개념은 여러 가지 한계가 있기 때문에, 정치경제학적 입장에 서서 정책의 개념을 '국가 구성원인 각 개인들의 선호가 발현되어, 각 개인들의 선호가 선거과정, 타협·조정 등을 거쳐 공동체의 집단선호로 결집되어 정부의 방침으로 결정되거나 법제화된 것'으로 정의하였다.

따라서 개인들의 선호(individual preference)가 공동체 선호(community preference)로 결집되는 과정을 정책과정이라고 정의할 수 있고, 정책과정은 갖가지 이해집단,

즉 정책행위자들이 참여하는 매우 역동적이고 정치적인 과정이라 할 수 있다.

이와 같이 정책을 개인들의 선호가 공동체의 집단선호로 조정 · 결집된 것이라고 보고, 이 조정 · 결집되는 과정을 동학(dynamics)적 입장에서 규명하여 국가별, 분야별 정책의 다양성 그리고 정책이 변화하는 변동성을 변수지향적으로 설명할 수 있는 이론이 필요하다.

한편, 그동안 정책학의 연구 경향을 보면, 정책학 전반에서 공통적으로 적용되는, 다시 말해 경제학에서 수요 · 공급의 원리와 같은 핵심적인 주제를 찾아, 이를 중심으로 다루는 정책학만의 독자적인 연구는 별로 없었다. 학자에 따라 '어떤 정책이 더 효과적인가?' '정책 성공과 실패의 원인은 무엇인가?' 그리고 '정책결정이 얼마나 민주적이며 책임감 있게 이루어지는가?' 등 다양한 목적에 따라 연구가 진행되었다.

이제 정책학을 연구하는 데 있어 정책학의 정체성을 확보하는데 필요한 주제가 무엇인가에 대해 진지하게 고민해야 하고, 그 목적을 분명히 해야 할 때가 되었다고 본다.

이런 입장에서 정책의 가장 기본적이며 근본적인 문제로서 정책학 전반에 걸쳐 공통적으로 제기되는 정책현상을 정책동학이론(the thoery on the dynamics of policy)이란 이름으로 시론적으로 논의할 필요성에 대해 알아보자.

1 정책의 다양성을 설명하는 이론의 필요성

여기서 정책의 다양성(policy variation)은 분야별 · 국가별로 정책의 내용이 다르게 나타나고, 정책결정 방식에도 차이가 있음을 말한다.

먼저 교육, 보건, 국방 등과 같은 정책 분야의 중요성을 고려한다면, 분야별로 정책결정이 어떻게, 왜 다른지에 대해서 이해하는 것은 매우 중요하다. 이와 관련하여 다음과 같은 질문을 던질 수 있다.

정책결정의 권한이나 이에 대한 영향력이 일부 정책결정자들의 손에 집중되어 있는가 아니면 분산되어 있는가? 정책 관련 지식과 전문성을 정부가 독점하고 있는가 아니면 민간 연구기관 등과 분점하고 있는가? 어떤 분야는 선출직 정치인들과 소비자를 대표하는 로비스트들이 상당부분 영향력을 행사하는 데 반해, 이 분야는 전문가 집단이나 노동조합 등이 영향력을 행사하는 것이 사실인가? 전자의 경우에는 소수의 강력한 조직화된 이익집단이 정책을 좌지우지하는 반면, 후자의 경우는 보다 많은 사람들이 관여하고 더 많은 혁신과 변화가 일어난다는 것을 의미한다.

이와 같이 정책결정에 차이가 생기는 이유를 설명할 수 있는 이론이 요구된다.

또 다른 측면에서 유의해야 할 점은 의사결정 과정에서 일어나는 활동의 성격과 관련된 문제이다. 정책분야 또는 국가의 정치적 문화나 제도의 역사와는 상관없이, 특정분야에서의 정책 결정이 같은 형태로 이루어진다는 것이다. 이렇게 비슷한 형태의 정책결정이 나타나는 원인을 규명할 수 있는 이론적 모형이 필요하다고 본다.

둘째, 국가 간에 정책의 상이성(policy difference)이다. 정책결정이 분야별로 차이가 나는 것과 마찬가지로, 국가에 따른 유사성과 상이성도 비교 가능할 것이다. 보통 어떤 분야가 정부에 의해서 관리되는 행정방식은 국가에 따라 매우 다르게 나타난다.

예를 들어, 프랑스에서 교육 분야의 행정이 중앙 집중적으로 집행되는 반면, 영국에서는 지방 분권적으로 관리된다. 이러한 상이성은 국가별 행정양식이 국가의 오랜 정치적인 전통과 정치 시스템을 움직이는 원칙이나 관행을 반영하는 데서 기인한다. 즉, 프랑스의 중앙집권적이며 국가통제주의 전통과 영국의 의회중심 전통의 차이에서 행정방식이 다르게 나타나는 것이라고 볼 수 있다. 전자의 경우, 중앙부처 장관들과 부분적으로는 국가 기관들에 의해 상의하달 방식으로 정책 결정이 이루어지는 반면, 후자의 경우에는 교육부가 관리자 역할에 그치고 각 지역에서 선출된 지방자치단체장이 주도하여 자기 지역의 정책을 결정한다.

이렇듯 정책결정의 패턴은 아마도 수세기 전에 발생한 중요한 정치적 사건들에 의해 결정된다고 말할 수도 있을 것이다.

2 정책의 변동성을 설명하는 이론의 필요성

우선 정책의 안정성(policy stability)은 농업이나 교통 정책 분야와 같이 정책의 변화가 비교적 느린 경우에서 찾아볼 수 있다. 이 경우에 중앙부처의 공무원, 강력한 이익집단의 대표자, 예를 들면 농업 분야에서 농민집단 등 동일한 정책 결정자들이 오랜 기간 동안 한 분야의 정책 결정을 지배하는 경향이 있다. 오랜 세월에 걸쳐서 이처럼 어떤 정책은 기존 엘리트 집단의 장기적 이익을 반영하게 된 것이다.

따라서 정책학은 정책의 안정성이 유지되는 정책분야에서 왜 정책 결정이 안정적인가에 대해 설명할 수 있어야 한다. 다시 말하면, 특정한 정책 결정방식을 자연스러운 것으로 받아들여 이 문제에 무관심하기보다는 '무엇이 특정 정책 결정자들에게 영향을 주었는지', '왜 정책 결정과정의 참여자들이 정책의 문제점과 해결방법에 동의하게 되는지' 등에 대한 대답을 찾는데 관심을 두어야 한다.

둘째, 위에서 설명한 정책 안정성의 반대개념이 정책의 변화(policy change)이다. 정책의 변화가 잦은 분야에 있어 새로운 정책이 출현하는 이유는 무엇인가? 정책의 안정성이 때로는 변화요구와 예측불가능성에 무너지는 이유는 무엇인가? 왜 정치권에서는 복지예산의 대폭 증가나 성과관리제의 폐지 등과 같은 주요한 정책의 변화를 일으키는가? 더 구체적인 사례를 보면, 과거에는 환경오염 관리가 전혀 시행되지 않았다가 최근 몇 년간 주요 정책으로 떠오르게 된 이유는 무엇인가? 이러한 변화의 근본 원인은 사람들의 인위적인 노력에서 기인되는가 아니면 사회경제적 요인에 있는가? 실제로 정치제도가 정책 결정자들로 하여금 변화에 적응하고 혁신하도록 유도하는가? 이러한 질문에 대한 더욱 명쾌한 설명이 필요하다.

3 정책시장의 유형 및 정책설계 전략 간의 연계모형

위에서 정책의 다양성(policy variation)과 정책의 변동성(policy stability or change)을 설명하는 이론의 필요성을 제기하였다. 다시 말해, 정책동학(the dynamics of policy) 이론의 필요성을 제기한 것이다.

따라서 정책학의 공통적인 관심사인 정책의 다양성과 변동성을 설명하기 위해서, 정책학은 개인이 그들의 선호를 형성하여 표출하는데 영향을 미치는 사회적, 경제적, 정치적 요소 등 정책환경적 변수들을 규명하여야 한다. 다시 말해, 개인의 선호변화를 일으키는 원동력으로서 정책선호의 독립변수들을 살펴보아야 한다는 것이다.

정책행위자들이 정치 시스템에 참여하여, 자기들의 선호를 구현하는 아이디어를 어떻게 제시하여 그것을 정책으로 만들어 나가는지를 설명하는 연구가 요구된다. 이를 위해 정책 관련 집단의 상호작용이 이루어지는 시장, 즉 정책이 형성되고 교환되는 정책시장의 유형을 구상하고, 그 유형에 따라 어떻게 정책설계가 진행되는가를 상세히 다루어야 할 것이다.

이처럼 정책동학이론의 구성이 필요하다는 점을 공감한다면 어디까지 설명할 수 있는 이론이 구성되어야 하는가? 학자에 따라서 다른 의견이 있겠지만, 필자는 정책학은 대체로 정책내용(policy contents)과 정책과정(policy process)에 관한 이론으로 이루어져야 한다고 본다.

따라서 정책동학이론도 정책내용의 다양성과 정책과정의 역동성을 설명하고 규명하는 이론으로 그 범위를 한정할 수 있을 것이다.

위의 가정들을 전제로 하여 정책동학 현상을 일으키는 원동력으로서 정책 선호함수의 독립변수 역할을 하는 개인들의 선호(preference)에 영향을 미치는 요인을 정치적, 경제적, 문화적, 정책학적 측면에서 살펴볼 것이다.

다음으로 정책내용의 다양성과 정책과정의 역동성 이론으로서 정책동학현상을 설명하는데, 정책시장, 정책설계라는 두 가지 새로운 개념을 도입하고자 한다.

다시 말해, 정책의 수요자와 공급자가 타협 · 협상을 통해서 정책대안을 만들어 가는 정책시장의 유형을 결정하는 변수를 정책이슈의 성격, 정책정보의 독점여부, 이해집단, 여 · 야 간의 관계, 관료조직, 의회와 행정부의 관계 등 일곱 가지로 설정할 것이다. 이런 변수들의 조합에 따라 다양한 정책시장의 유형이 결정된다.

정책행위자들은 각각 다른 정책시장에 참여하여 정책을 설계하는데 정책시장의 유형에 따라서 정책설계 전략도 달라진다는 점을 규명함으로써, 정책의 다양성과 변동성을 변수 중심적이고 인과적으로 설명할 수 있을 것이다.

2_ 정책동학의 의의와 철학적 · 이론적 배경

1| 정책동학의 의미와 그 함의

정책동학은 'The Dynamics of Policy'라고 영역할 수 있다. 동학(dynamics)은 움직임에 관한 학문이라는 뜻이고, 물리학에서 역학 또는 동역학과 같은 말이다. 동학의 물리학적 의미는 '이러저러한 힘을 받는 물체가 어떻게, 어떤 방향으로 운동을 하게 되는지를 밝히는 이론'이다.

따라서 정책동학은 기본적으로 '어떤 사회적 이슈에 대한 국민들의 선호가 이런저런 외부환경의 영향하에서 각계각층의 정책행위자들이 참여하는 선거과정, 논의와 토론 등 정책과정을 거쳐 국가공동체의 선호로 결정되는 현상에 관한 학문'이다.

여기서 선호(preference)란 용어는 사회과학 특히 경제학에서 사용되는 개념이다. 선호는 취향이라고 할 수 있는데, 가능한 대안들의 우선순위 사이에서 실제 존재하거나 또는 상상되는 선택들을 가정하여, 여러 대안들 가운데 특별히 가려서 더 좋아함을 의미한다. 이런 선호는 동기의 원천 역할을 하는데 이는 내생적으로 생기기도 하고, 외생적으로 형성되기도 한다는 입장으로 갈린다.

이와 같은 선호의 정의에 맞게 정책동학 이론을 구성해야 한다면 주로 어떤 현상을 설명하는 이론으로 짜여져야 하는가? 앞에서 설명한 바와 같이 정책학은 정책과정(policy process)과 정책내용(policy contents)에 관한 이론으로 이루어진다는 점을 감안할 때, 정책과정의 역동성과 정책내용의 다양성을 설명하고 예측하는 이론으로 그 범위를 설정하는 것이 바람직하다고 본다.

이러한 방향으로 정책동학 이론을 구성한다고 할 때, 이런 방향에 맞는 구체적인 접근방법은 무엇인가?

정책동학 현상의 결과적인 요소 또는 변수라고 할 수 있는 '정책과정의 역동성과 정책내용의 다양성'이 왜 일어나는가를 과학적으로 설명할 수 있어야 한다. 과학적 설명은 말의 뜻을 쉽게 풀이하거나 다른 말로 해석하는 것을 의미하는 것이 아니라, 이론적 근거를 토대로 현상이 발생하는 원인을 구체적으로 밝히는 것이다. 다시 말하면 변수지향적, 인과관계적인 접근이 필요하다는 것이다.

먼저 변수지향적인 접근을 위해 정책동학의 독립변수를 국민들의 선호(변화)로 설정한다. 국민의 선호는 정책동학의 원동력으로서 정치이데올로기의 변화, 삶의 양태로서 문화유형의 변화, 재산권·거래비용의 변화, 정책학습 등에 의해서 영향을 받는다.

다음으로 종속변수는 정책의 산출 또는 정책의 변동이다. 정책이 산출되기 위해서는 정책과정의 역동성과 정책내용의 다양성이 일어나는 정책동학 과정을 거치게 된다. 이때 독립변수가 직접적으로 정책의 산출 또는 정책의 변동 등 종속변수에 영향을 미치는 것도 사실이지만, 이보다는 매개변수를 통해서 영향을 미치는 경우가 더 많다고 본다. 이와 같은 매개변수의 작용, 즉 정책동학 현상을 설명하는 두 가지 모형을 구성하고자 한다.

첫째, 정책결정이 이루어지는 정책과정의 역동성을 설명·예측하기 위해서 '정책시장'모형을 도입한다.

둘째, 정책내용의 다양성을 설명·예측하기 위해서 '정책설계 전략'모형을 도입한다.

위의 이론 구조를 좀 더 부연하여 설명하고, 이를 구조화 하면 다음과 같다.

정책동학적 측면에서 정책과정을 개관하면, 민주주의하에서 유권자는 국회의원과 대통령을 선출하고, 국회의원은 국회 전체회의나 상임위원회에서 보통 다수결 원칙에 의해서 정책을 의결하며, 대통령은 행정부에서 각료들로 구성된 국무회의의 심의를 통해서 주요 국가정책을 결정한다. 이때 일반적으로 행정부의 공무원들에 의해서 정책방안이 법률안이나 예산안의 형태로 설계되어 국회의 의결을 거쳐서 정부의 정책으로 확정되는 경우가 많은데, 이는 국회의 입법권이나 예산 의결 권한이 있기 때문일 것이다.

한국은 1990년대 이후 민주화의 진전으로 입법부와 행정부 간의 균형이 이루어지고, 의회정치가 더욱 활성화되고, 이익집단들의 영향력이 확대되는 경향이 나타나고 있다.

따라서 정치권, 행정부, 이익집단 등 세 집단 간의 역학관계에 의해서 정책이 어떻게 결정되는가를 밝히는 것이 정책학의 연구과제로서 요구된다고 하겠다.

그렇다면 정책이 결정되는 역학관계를 살펴보자.

정치권에서 각 정당들의 정략성, 행정부에서 전문성을 바탕으로 하는 시행성, 이익단체의 이해성 등이 정책과정에서 복합적으로 작용한다. 정략성은 정당의 경우 집권전략을, 개별의원들의 경우는 당선가능성을 말하고, 시행성(실현 가능성)정책이 채택되어 시행되는데 있어 조작 가능성 여부 또는 통제가능성 여부, 재정능력 등을 말한다. 그리고 이해성은 정책집행의 대상이 되는 이익집단·압력집단의 이익 추구, 기존의 기득권 유지 등을 말한다.

이처럼 정책동학이 작동하는데 그 동력은 각 주체들이 갖고 있는 영향력에 의해서 결정된다. 국회의원은 의회에서의 법안심의 의결권, 예산심의 의결권 등 입법부 구성원으로서의 권한을, 대통령, 국무총리, 장관, 지방자치단체의 장은 거부권과 법령 집행과정의 광범위한 재량권을, 공무원들은 전문적 지식과 이익집단들에게 이어지는 수많은 연줄 등을 그 주요 자원으로 한다. 여기에 더하여 이익집단들은 그 구성원들의 로비활동, 시위활동, 재정적 지원활동, 의원이나 유력 공무원과의 개별적인 연고 등을 자원으로 활용한다.

위의 세 가지 측면을 행정부, 정치권, 시장 등 변수로 변환할 수 있고, 이 변수들이 사회적 이슈가 발생할 경우에 상호 간에 영향을 미쳐 사회이슈가 정책으로 결정된다는 점을 정치경제학적 정책과정이라고 할 수 있을 것이다.

이와 같은 정치경제학적 정책과정은 정책결정과 관련된 일반적 특징을 설명하는 데는 의미가 있지만, 정책과정과 정책내용의 동학(dynamics)적 특징을 설명하는 면에서는 일정한 한계가 있다.

따라서 이러한 한계를 보완하기 위해 정책시장은, '전문성을 기반으로 하는 전문시장으로서의 특성을 갖추고, 정치권, 행정부, 이익집단들이 수요자와 공급자의 입장에 서서 자기들의 부담을 줄이거나 편익을 증진시키는 방향으로 정책이 결정되도록 활동하는 공간'으로 정의되어야 한다. 정치권, 행정부, 이익집단들이 내면적으로는 자기들의 편익을 증진시키기 위해서 경쟁하고 있지만, 표면적으로 내세우는 논리는 합리성에 입각하거나, 현실여건의 반영 등 전문성을 주장한다는 점에서 전문시장이라고 하였다. 이런 특성을 갖는 정책시장을 통해 정책과정의 동학 현상을 설명할 수 있게 될 것이다.

1) 정책동학 현상과 정책시장

정책동학 현상은 뒤에서 설명할 정책선호함수를 결정하는 주요 요소인 정치·경제·문화적인 요인들이, 정책의 산출에 직접적으로 영향을 미치기도 하지만, 간접적으로 영향을 미치는 경우가 많다. 앞에서 언급하였듯이 간접적으로 영향을 미칠 경우에 독립변수와 종속변수 사이에서 매개적인 역할을 하는 매개변수로서 정책시장의 유형, 정책설계 전략을 설정할 것이다. 이 매개변수를 통해서 정책동학 현상을 변수 지향적이고 인과론적으로 설명할 수 있다. 이를 도표화하면 그림 6-1과 6-2와 같다.

그림 6-1: 정책동학현상과 정책

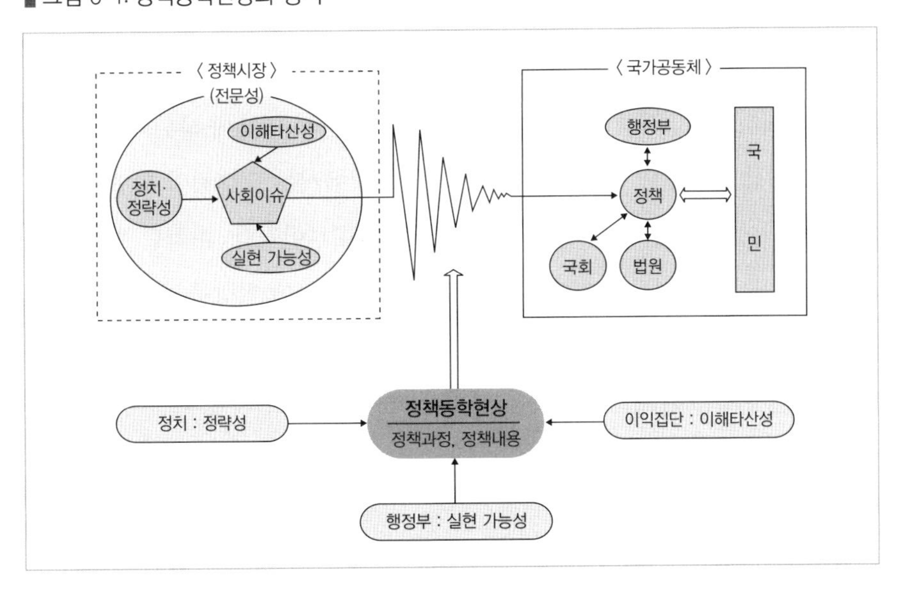

■ 그림 6-2: 정책동학 현상(dynamics of policy)

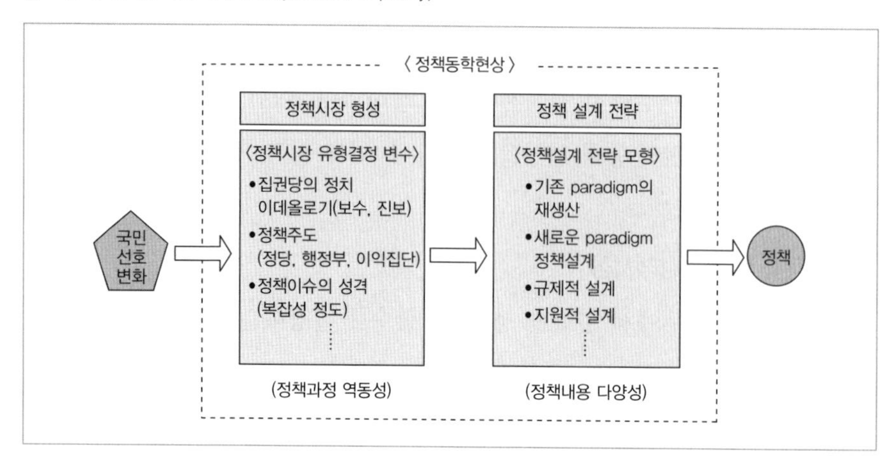

그림 6-1과 6-2는 정책과정의 동학적 현상(dynamics)을 설명하고 이해함은 물론, 정책결과를 예측할 수 있도록 정책동학 이론의 설명변수적인 구성요소로서 정책과정의 역동성을 설명하는 '정책시장 모형'을 구성하고, 정책내용의 다양성을 설명하는 '정책설계 모형'을 제시한 것이다.

정책시장은 '정치 · 정략성, 실현 가능성(시행성), 이해타산성 등이 교환되는 공론의 장'이다. 제5장에서 정책시장을 거대(meta) 정책시장, 중범위(meso) 정책시장, 미시적(micro) 정책시장으로 나누어서 설명한 바 있는데 상위 시장에서는 정치적 협상과 조정이 주로 일어나고, 하위시장에서는 구체적인 방안을 마련하거나, 이에 대한 실무적인 협의 또는 타협이 이루어진다. 이처럼 방식의 차이는 있지만 상위 시장이건 아니면 하위 시장이건 간에 협상을 통한 정책설계가 이루어진다는 점에서는 공통점을 찾을 수 있다.

이런 협상과정에서는 상호 간에 영향력 행사가 이루어지게 되는데, 이런 이유로 정책시장은 영향력 시장(influence market)[44]의 특징을 갖게 된다.

44 제5장 관료정치론에서는 영향력을 자원과 동일한 의미로 사용하였다.

2) 정책시장에서 전문성의 역할

앞에서 정책시장을 전문 시장이라고 하였는데, 정책시장을 시종 관통하는 전문성의 의미와 특징 등을 살펴보자.

현대사회는 지식기반 사회이다. 우리가 당면하고 있는 사회·경제적 문제를 해결하기 위해서는 전문적인 지식과 기술이 필수적이다. 따라서 전문성이 없는 공무원, 전문성이 없는 정부는 상상하기 힘들다. 우리 정부는 모든 분야에 걸쳐서 전문가를 채용하고 있으며, 군사 · 경찰 부문의 경우는 거의 모든 전문가들이 정부에 고용되어 있다고 해도 과언이 아니다. 한편 민간의 각 분야에서 전문가들이 활동하면서 정부의 정책결정 과정에 참여하거나 자문역할을 하기도 한다.

이처럼 전문성이 주도하는 사회는 과학기술은 물론, 사회과학까지를 포함하는 모든 분야에서 분야별로 개발된 이론들이 사회문제를 해결하는데 적용되는 사회이다. 현실에서 발생하는 대부분의 사실(fact)들이 주먹구구식으로 설명되는 것이 아니고, 이론에 의해서 설명되고 결정되며, 관찰자들의 측정에 의해 확인될 수 있다는 것이다.

실제로 거대(meta) 정책시장, 중범위(meso) 정책시장, 미시적(micro) 정책시장으로 나누어진 정책시장에 있어서 전문가들의 역할은 막대하다. 특히 미시적인 정책시장에서 정책설계가 이루지는 과정에서 전문가들이 주도적인 역할을 한다. 이때 전문가는 해당 공무원일 경우가 많지만, 민간 영역에서 활동하는 전문가일 경우도 있다. 근래에 와서 민간분야의 전문가들이 정책과정에 참여하는 비중이 급격히 늘어나고 있다. 이는 우리 사회의 다원화와 민·관 간의 협치방식인 거버넌스가 확대되고 있다는 증거이다.

2 정책시장과 정책설계 모형의 이론적 배경

여기서는 정책동학의 설명변수로서 핵심적인 역할을 하는 정책시장 모형의 철학적 근거와 정책설계 전략 모형의 이론적 배경을 살펴보고자 한다.

민주화가 진전되고 시장경제가 확산되면 될수록 일반적으로 수직적 사회가 수평적 사회로 전환하게 된다. 이런 상황전환에 따라 국가발전 전략을 수립하거나 사회문제를 해결하기 위한 정책을 수립하는 과정에서 접근방식의 변화가 요구된다.

권력을 가진 특정인이 영웅적으로 답을 제시하는 관행은 점차 역사의 뒤안길로 사라져가고, 의식 있고 소양이 있는 국민들이 담론과정을 거쳐 지혜를 모아 답을 찾아가는 방식을 취하게 될 것이다. 이는 경험적으로 추론된 명제이지만, 사람들이 그들의 신념과 과거에 체험한 경험들을 바탕으로 어떤 상황에 있는 현상에 대한 의미를 형성해 간다고 보는 사회구성(형성)주의에 기초하고 있다.

이와 같은 경험적인 명제에 비추어 정책동학 현상을 설명하는 데 중요한 역할을 하는 정책시장 모형과 정책설계 전략 모형을 논리적으로 뒷받침하는 이론들을 살펴보고자 한다.

1) 정책시장의 이론적 근거로서 거버넌스 이론

먼저 정책시장 모형은 최근의 정치행정적인 사조에 따라 거버넌스(governance) 이론을 토대로 구성될 수 있음을 설명하고자 한다.

권기현(2009: 475)에 의하면, 거버넌스는 Lasswell이 인간의 존엄성을 강조하는 민주주의적 정책학을 주창한 이래 정책학이 계층제적 관료제의 도구로 전락된 것에 대한 반성과 성찰의 결과로서 나타난 것이라고 한다. 거버넌스는, 다양한 이해관계자들의 참여를 제도적으로 보장함으로써, 정책의 민주성과 효율성을 동시에 추구한다는 것이다.

Kooiman(1993)은 거버넌스 개념이 등장하게 된 배경을 기존의 국가주의적 통치체제의 약화로 보고 있다. 사회가 복잡해지고 탈근대화하는 과정에서 조정(coordination)과 네트워킹(networking)을 통한 새로운 국가운영 방식이 새로운 각광을 받게 되었다는 것이다.

요컨대, 거버넌스 이론의 요체는 수평적 사회의 구성원들이 대등한 관계에서 일정한 게임룰에 따라 정책방향을 조정하는 국가운영방식이라는 데 있다. 이처럼 거버넌스는 공동체 운영의 새로운 메커니즘 또는 운영방식을 다루고 있고, 기존의 통치(government)방식을 대체하는 것으로 등장하였지만, 그 개념은 실로 다양하다.

첫째, 일반적으로 전통적 국가의 위계적 질서와 구별되는 세계화 시대의 새로운 관리양식으로서 거버넌스를 말한다.

둘째, 행정에 경영기법을 도입한 새로운 공공경영 방식(new public management)을 지칭한다.

셋째, 공공부문과 민간부문의 정책적 네트워크와 협력을 의미하는 경우이다.

넷째, 시장과 비시장적 제도를 아우르는 새로운 정치경제 모델로서 거버넌스를 말한다.

위의 개념 중에서 행정·정책학 영역에서는 세 번째의 개념에 입각하여 정부의 공무원 조직과 민간부문 간의 협치적 관계에 초점을 두고 이론을 전개하는 경향이 강했다. 최근 정치적 영역의 거버넌스 논의로서 정당정치와 시민정치의 이분법적 시각에서 벗어나 양자 간의 상승적 관계에 기초한 거버넌스 정치를 주장하는 학자도 있다.[45]

거버넌스 개념이 확산되기 이전의 전통적인 통치(government) 메커니즘은 그림6-3에서 보는 것처럼 모든 정치·행정적 권한과 권위가 주권을 가진 국민으로부터 나오지만, 그 권력은 선출된 대표자에 의해서 간접적으로 행사되었다.

---

45 김의영(2012). 포스트 신자유주의 시대의 한국정치: 거버넌스 정치에 대한 소고. 한국과 국제정치 제28권 제1호 2012(봄) 통권 76호에서 김교수는 행정의 협치(governance)처럼 정치에서도 거버넌스 도입을 주장하고 있다.

따라서 국민과 대표자 간을 연결하는 기본원리는, 정기적인 선거를 통한 투표에 기초한다. 선거에 의해서 구성된 의회는 국가의 공익적 사항을 법률로 제정하고 그 결정사항, 즉 입법에 의한 정책을 행정부로 하여금 집행하도록 하고 이를 감독한다. 행정부와 행정기관은 일반적으로 입법부가 설정한 정책 목표에 도달할 수 있는 수단을 찾고, 국민들에게 공공서비스를 제공하는 역할을 행정기관의 공무원이 담당한다(김의영, 2012: 198–199).

그림 6–3: 전통적 통치 메커니즘

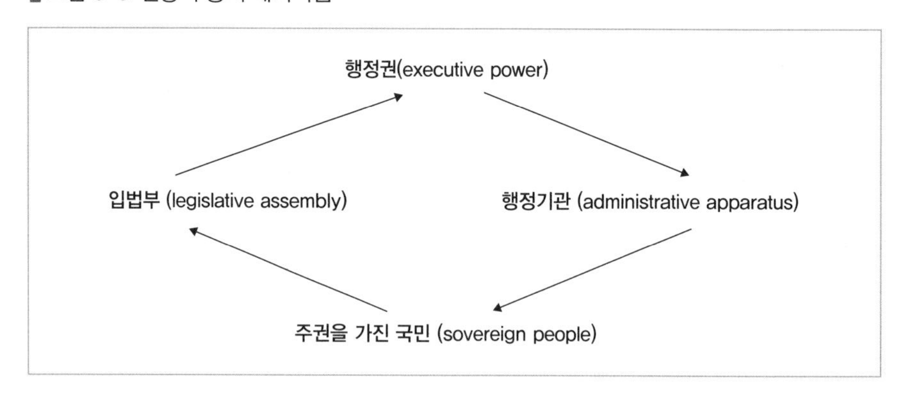

이제 우리나라도 수직사회에서 수평적인 사회로 괄목할만한 진전을 보았다. 따라서 '통치(government)에서 거버넌스(governance)로'라는 흐름에 따라서 정책과정을 설명하는 이론을 재구성할 필요가 있다고 하겠다. 다시 말해, 위에서 살펴본 네 번째의 거버넌스 개념에 맞추어 정책과정이론을 재정립할 필요가 있다는 것이다.

그림 6–4에서 보듯이 국민, 정당, 의회, 행정부, 전문가 그룹, 이익집단 간에 네트워크가 형성되어 있고, 이들 간의 협조와 조정과정에 일정한 룰이 적용되어서 정책이 형성되는 정책동학 현상이 일어나게 된다. 여기서는 일정한 게임룰에 따라 시장에서 계약이 성립되듯이 정책방향 및 대안이 형성되어 간다. 이때 다수결 방식에 의한 대안 채택, 이의가 있을 경우 채택 유보, 그룹들 간의 협조와 경쟁 등 게

임률이 적용된다는 점에서 정책시장 개념을 구상할 수 있을 것으로 생각한다.

물론 정책시장에서도 주권자인 국민이 중요한 위치를 차지한다. 국민은 선거권, 국민투표권 등 참정권 행사 및 여론형성, 집회·시위 등을 통해 정당, 행정부 등에 영향을 미친다. 행정부와 의회는 중개 및 조정자로서 역할을 하면서 정책 설계를 주도해 나갈 것이다. 정당, 이익집단, 전문가 그룹은 국민적 지지, 자원 동원력, 전문성을 토대로 정책시장에서 역할이 점점 확대되고 있다. 특히, 정당은 정책을 입법하는 과정에서 의회 내에서 상호 간 경쟁하거나 협조하게 된다.

그림 6-4: 거버넌스 메커니즘으로 정책시장

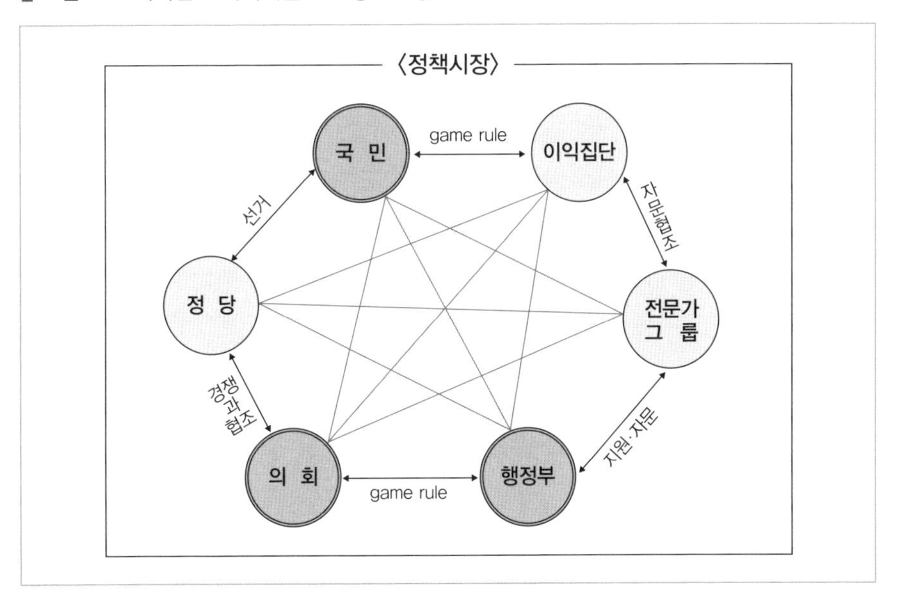

사례 6-1: 자살 면책기간 설정 정책[46]

자살한 사람이 생명보험에 가입한 상태라면 보험금을 줘야 하나, 말아야 하나, 생명보험의 자살 면책 기간을 놓고 논란이 끊이지 않고 있다. 자살 면책 기간이란 자살

46 조선일보 2011. 12. 1-2일. B6면에 발췌하였다.

한 보험 가입자에게 보험사가 보험금을 지급하지 않아도 되는 기간이다. 우리나라는 현재 생명보험 가입 후 2년이 지난 뒤에 자살을 하면 보험금을 받을 수 있으나 그 이전에는 돈을 목적으로 자살했다고 보고 보험금이 나오지 않는다. 보험업계와 소비자 단체는 자살 면책 기간을 놓고 수년째 공방을 벌이고 있다. 보험업계는 면책 기간이 짧다며 이를 더 늘리자고 계속 주장해왔다 2년의 유예기간으로는 자살로 보험금을 타려는 가입자를 막을 수 없다고 본 것이다. 일부에선 자살로 보험금을 타 내는 것도 일종의 '도덕적 해이'에 해당하는 만큼 보험금 지급 자체를 막아야 한다는 주장도 나왔다. 보험업계의 이런 주장에 대해 금융소비자연맹 등 소비자 단체는 '보험금 지급을 줄이려는 의도'라며 강하게 반발해 왔다. 이 갈등이 직접적으로 드러난 건 지난 2008년 상법 개정안에 예고되면서다. 당시 개정안에 '피보험자가 자살한 경우 보험사는 보험금 지급 책임이 없다'는 내용이 들어갔기 때문이다. 이 개정안은 소비자 단체 등의 강한 반발에 부딪혀 결국 통과가 무산됐다. 하지만 공방은 계속됐다.

보험연구원은 지난 2월 '면책 기간 조정을 통해 자살에 대해 한 번 더 생각할 수 있는 기회를 제공할 필요가 있다'는 내용의 보고서를 내 놨다. 지난 7월에는 금융위원회가 "면책 기간을 연장하고, 장기적으로는 자살에 대해 보험금 지급을 하지 않는 방안도 검토하겠다"고 밝혔다. 보험금을 탈 목적으로 보험에 가입하거나 보험이 자살 동기의 하나로 작용하는 것을 최대한 억제하겠다는 취지였다.

소비자 단체가 다시 나섰다. 금융소비자 연맹은 "면책기간과 자살 사이의 직접적인 연관성은 아직 밝혀진 바가 없다"며 "생명보험의 주요 목적인 유족의 생활보장을 위해서라도 자살자에게도 보험금을 지급해야 한다"고 말했다.

자살 면책기간은 최근 자살률이 급증하면서 다시 논란이 일고 있다. 1990년대 후반부터 급증한 우리나라의 자살률은 2000년대 초반 일본마저 추월했다. 2010년 기준으로 우리나라의 10만명당 자살자 수는 31.2명으로 2위 일본의 21.2명보다도 높다. 한국과 일본을 제외한 대부분의 OECD국가에서 자살률이 감소한 것과 대조적이다. 한화생명에 따르면 2009년 해당 회사의 보험 가입자 사망원인 8위였던 자살은 지난

해 암에 이어 2위를 기록했다. 자살로 인한 보험 지급액도 급격하게 늘고 있다. 2010년의 자살로 인한 사망보험금 지급액은 1646억원으로 2006년 대비 세배가량 늘었다.

외국의 경우 스웨덴, 덴마크는 모든 자살에 대해 보험금을 주고 있다. 벨기에와 그리스는 보험금을 지급하지 않다가 1990년대 들어 자살면책기간을 설정했다. 일본은 1998년부터 최근까지 면책기간을 1년에서 2년, 2년에서 3년으로 순차적으로 늘려왔다.

조만간 보험연구원이 '보험 가입자들이 면책 기간 이후부터 자살을 감행한다'는 내용의 보고서를 낼 것으로 알려지며 공방은 계속될 전망이다. 금융위 관계자는 "보험금이 자살을 부추긴다는 측면이 있어 면책 기간 연장을 위해 다양한 방법을 검토 중"이라고 했다.

2) 정책설계 모형의 배경이론으로서 '사회적 재편성 정책설계' 모형

Ingram, Schneider, deLeon(2007)는 '사회적 재편성과 정책설계(social construction[46] and policy design)'라는 논문을 통해 '대상집단의 사회적 재편성(social construction theory of target group)' 모형을 제시하고 있다. 이는 사회 재편성을 위한 정책설계 이론이라고 볼 수 있는데, 더욱 중요한 것은, 정책설계를 통해서 직접적으로 정책변동이 일어난다는 명제를 제시하고 있다는 점이다.

이 모형에서 정책결정자는 그가 인식하는 대상집단의 정치적 권한(political power)과 사회적 (이미지) 형성[47](social construction)에 따라 정책의 내용을 결정한다. 이때 정책의 대상집단은 고정적인 실체(reality)라기 보다는 사회적으로 형성된 실체라고 할 수 있다. 이 집단들은 정책설계에 의해서 다른 대우를 받게 되는데, 그 결정 요인은 정치적 권력과 사회적 (이미지) 형성이라고 할 수 있다.

먼저 정치적 권력은 집단의 크기와 그 집단이 보유하고 있는 정치적 자원에

47 이때 construction은 이미지의 형성으로 보면 이해가 쉬울 것 같다. 형성을 이미지와 동일한 개념으로 보아도 무방하다고 본다.

의해 결정된다. 다시 말해, 그 집단이 다른 집단과 쉽게 연합을 형성할 수 있는지, 얼마나 많은 자원을 보유하고 있는지, 집단 구성원들이 높은 전문성을 갖고 있는지에 따라 정치적 권력이 결정된다.

둘째, 대상집단의 사회적 (이미지) 형성인데, 이는 대상집단에 대한 긍정적 또는 부정적 인식을 의미한다. 사회전체에 유익한 집단이라고 판단되거나, 혜택을 받을 만한 자격이 있다고 받아들여질 경우는 긍정적인 사회적 형성이 이루어졌다고 할 수 있다.

그렇다면 사회적 재편성 정책설계 모형의 구체적인 내용을 아래 그림 6-5를 통해서 살펴보자.

그림에서 볼 수 있는 것처럼, 현재의 정책설계는 대상이 되는 집단을 확정하고, 그 집단에 대해 보상을 하거나 제재를 가한다는 점에서 장기간에 걸쳐 영향을 미친다.

일반적으로 정책설계는 규칙, 수단, 원리, 인과논리 등을 포함하기 때문에 대상 집단의 향후 경험을 구체적으로 결정하는 기능을 하고, 사회적 문제들이 어떻게 다루어질 것인가 그리고 대상집단들의 참여가 유효할지 여부에 대한 메시지를 보내는 역할을 한다.

한편, 정책설계는 정책의 수단적인 작용과 상징적인 영향력을 통해서 제도와 넓은 의미의 문화를 형성한다. 보다 구체적으로 설명하면, 정책설계는 국민이나 엘리트층의 여론, 대상집단의 사회적 재편성, 정치적 자원의 분배, 지식체제의 선호에 영향을 미친다.

결국 사회 전반적인 맥락에서 정책설계는 민주주의의 범위, 깊이, 진위 등 민주주의의 가치에 영향을 미침은 물론, 시민정신, 사회문제 해결 능력, 정의에 대한 이해력에 영향을 미친다.

이러한 정책설계 과정에서 정책동학 현상이 일어나는데, 여기에는 정책선도자, 이익집단, 사회운동 단체, 선거직 공무원과 그 참모들이 포함된다. 이들은 미래의 정책설계 과정에서도 더 직접적인 역할을 담당하게 된다.

앞에서 언급한 바와 같이 정책동학으로서 정책설계에서는 대상집단들에 대한 정치적 권력과 사회적 이미지 형성이 고려된다.

따라서 정책설계는 참여기회를 결정하고 물질적인 자원을 분배하며 국민과 정책 대상집단에 대한 정치적인 입장과 참여형식을 제시하는 메시지를 제공한다.

요컨대, 정책설계는 일반적으로 기존의 제도적 문화, 권력관계, 사회적 이미지를 재생산하지만, 때로는 이런 경향에서 벗어나 변화를 도모하는 원동력이 되기도 한다.

그림 6-5: 사회적 재편성과 정책설계[48]

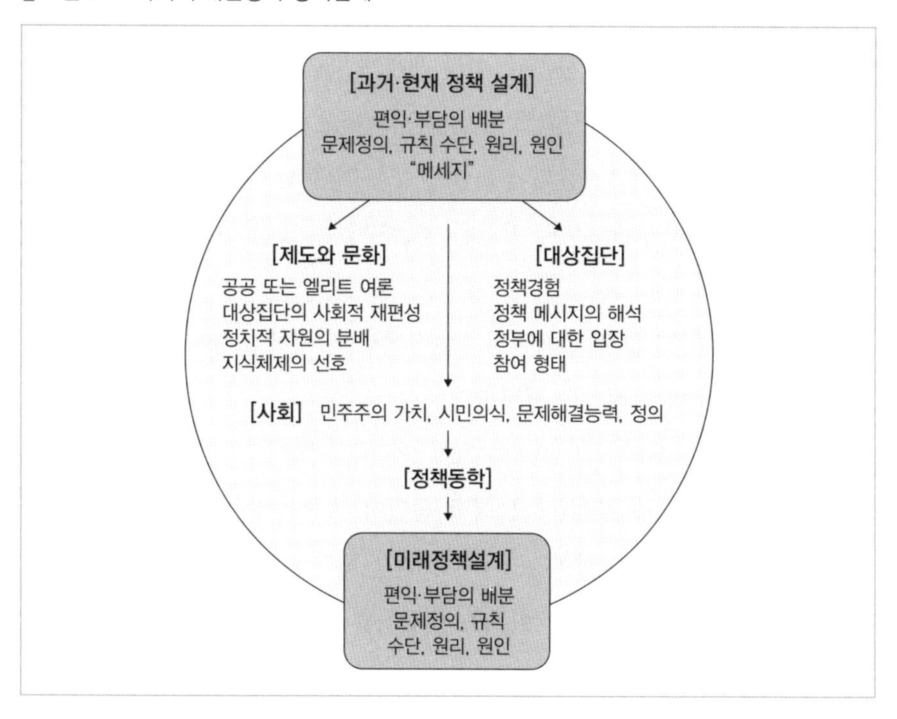

48 Sabatier(2007) p96의 'Social Construction and Policy Design'을 옮긴 것이다.

위에서 사회적 재편성과 정책설계를 살펴보았다. 이제 사회적 재편성 정책설계 모형이 제시하는 여섯 가지 중요한 명제를 알아보자.

(명제1) 정책설계는 기회구조를 형성하고, 정부가 정책 대상 집단을 어떻게 생각하고 있는지에 대한 메시지를 전달한다. 이는 향후 대상 집단이 처하게 될 정치적 방향과 참여 패턴에 영향을 준다.

(명제2) 공공정책에서 대상집단에 대한 혜택과 부담의 분배는, 그 집단의 정치적 권력 그리고 긍정적이거나 부정적인 사회적 (이미지) 형성에 따라 결정된다.

(명제3) 정책의 수단, 규칙, 원리, 전달체제 등을 포함한 정책설계 요소들은, 대상집단의 정치적 권력과 사회적 (이미지) 형성에 따라서 달라진다.

(명제4) 정책결정자, 특히 선출직 정치인들은 국민들로부터 지지를 받을 수 있는지 여부에 따라서, 대상집단의 사회적 (이미지) 형성에 반응하거나, 사회적 (이미지)형성을 더욱 공고히 하거나, 이를 새롭게 창출하는데 도움을 준다.

(명제5) 대상집단에 대한 사회적 재편성은 변화할 수 있으며, 공공정책의 설계는 이러한 변화를 일으키는데 중요한 영향을 미친다. 한편, 사회적 재편성의 근원은 이전의 정책설계로부터 기인된 예상치 않은 또는 기대하지 않은 결과에서 시작된다.

(명제6) 바람직하지 않은 정책결정 상황[49]에서는, 정책설계의 차이점이 정책변동의 여러가지 다른 패턴을 결정한다.

위의 명제들을 통해 우리는 '사회적 재편성 정책설계'를 통해서 정책대상집단의 혜택이나 부담이 달라지게 되며, 결국 해당정책도 변동됨을 알 수 있다. 이런 측면에서 볼 때, 정책설계는 직접적인 정책변동의 원동력이 된다고

49 이런 상황은 흔치 않지만, 민주주의의 바람직하지 못한 점과 일맥상통한다. 이런 경우는 부정적이고 분열적인 사회적 (이미지)형성을 회피하게 되고 정치적 이득을 위한 다원주의 경향도 무시된다.

주장할 수 있으며, 정책동학 현상의 설명변수로서 정책설계 전략 모형을 설정한 것은 이론적으로도 큰 무리가 없음을 엿볼 수 있다.

3_ 정책동학의 원동력 : 정책함수의 독립변수에 영향을 주는 요인

이 절에서는 정책의 내용 및 과정의 차이는 원초적으로 국민 개개인의 선호의 차이에서 생겨나게 된다는 입장에서 이러한 선호에 영향을 미치는 요인을 정치, 경제, 문화, 정책학적 측면에서 고찰하고자 한다. 이들 변수들이 한 국가 또는 한 분야의 정책선호를 독립적으로 결정한다고 볼 수 있다.

국민들의 정책에 대한 선호들이 조정되고 결집되어 공동체의 정책으로 결정된다는 가정 하에서 정책선호의 결정변수는 정책선호함수의 독립변수 역할을 한다.

1 정책선호함수의 정치적 변수 : 정치적 이데올로기

여기서는 정책동학 현상(the dynamics of policy process or cotents) 중에서 정책행위자들의 선호에 영향을 끼치는 정책환경으로서 민주주의와 시장주의 이념을 살펴본 다음, 민주주의와 정책결정의 관계를 설명하고, 시장주의를 정책(제도)의 변동과 관련지어 설명하고자 한다[50]. 그런 후에 집권세력의 정치적 성향인 정치적 이념성을 좌파/우파, 진보/보수 기준으로 살펴보겠다.

---

50 조홍식(2007), 민주주의와 시장주의, 박영사. 를 참조하여 구성하였다.

1) 민주주의와 시장주의

❶ 민주주의와 정책

정치경제학적 입장에서는, 사회를 조직하고 통제하는 두 가지 기본원리 또는 방법(basic principle or methods)을 정부와 시장으로 파악하는 경향이 강하다. 정부는 권력 또는 권한(power or authority)을 상징하고, 시장은 민간의 자유로운 교환관계(exchange relationship)를 상징한다(최병선, 2004: 7). 이때 정부는 구성원의 행위를 조정하기 위해서 권력을 사용할 독점적 지위에 있다. 정부는 권력을 독점하기 때문에 정부를 구성하거나 정부의 의사를 결정하는 정치행위에는 구성원 모두가 참여하여 결정하는 '1인 1표의 원리'가 적용되어야 한다. 이렇게 하여 정부의 정당성이 확보되는 것이다(조흥식, 2007: 29).

시장과 달리 정치과정에서 '1人 1票의 원리'에 의해 탄생한 정치권력은 본질적으로 중앙집권적일 수밖에 없고, 탈 중심화하기가 쉽지 않다.

이러한 정치과정은 그림 6-6과 같이 유권자 한 사람 한 사람이 바람직한 공동체의 질서에 관심을 두고 한 표씩 행사하여 정치적 질서 또는 정책을 새로 도입하거나 기존 정책을 변동시켜 나가는 과정이라 할 수 있다(Alford. R and Friedland. R, 1985: 83-111). 이렇게 결정된 집합적 결정(collective decision)은 전체 국민을 상대로 정부를 통해서 실현되고 그 실효성을 확보하기 위해 획일적으로 집행된다.

다원주의 정치학자인 Easton의 견해에 따르면 정치란 '사회적 가치의 권위있는 배분'라고 정의된다(Easton, D, 1953: 126-130). 그는 기존의 국가현상설, 권력현상설의 한계에서 벗어나 보다 확대된 정치적 삶의 지평을 함축하고 있는 정치체계(political system)를 도입하고, '한 사회의 권위적인 정책의 수립이나 그 집행에 중요한 영향을 미치는 모든 종류의 활동'을 정치라고 정의한다. 다시 말해, 정치를 '정책현상설'의 입장에서 고찰한다.

사회는 다양한 선호와 이해관계를 가진 무수한 정치적 개인들로 구성되는

데, 이들은 자신들의 선호와 이익을 최대한 누리기 위하여 이익단체를 형성하여 자기들의 선호와 이익을 결집(interest aggregation)하고 이를 대외적으로 표출(presentation)하는 과정을 거친다. 정치인이나 정당들은 대의기관으로 활동하면서 표로 환원되는 국민 또는 이익단체들의 정치적 지지를 획득하기 위해 상호경쟁 한다(선학태, 2005). 이런 경쟁을 통해서 정권을 쟁취하기 때문에 정치인들은 이익집단이 결집하고 표출한 선호에 관심을 갖지 않을 수 없다.

이와 같은 정치과정을 통해서 다양한 선호와 이익들이 경쟁적으로 결합하거나 수용됨으로써, 결국은 다수결의 원칙에 의해 우위를 점하는 집단, 단체 그리고 정당의 선호나 이익이 정부의 정책으로 반영된다(서울대 정치학과 교수 공저, 2007: 257-293). 구체적으로 말하면, 자기들의 이해관계에 부합되는 방향으로 사회적 가치를 배분한다는 것이다.

그림 6-6: 다수결 원칙에 의한 정책결정

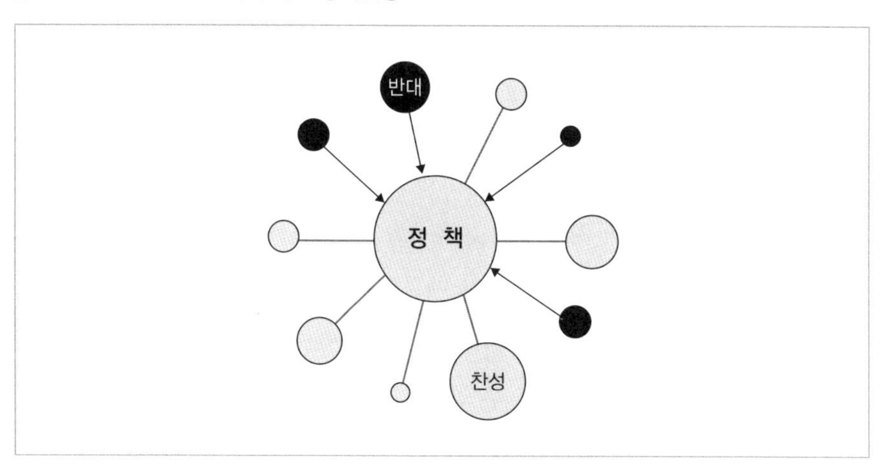

Hayek는 이런 과정을 거쳐 형성된 질서를 자생적 질서와 구별하여 인위적 질서(manmade order or taxis)로 칭한다(Parsons, 2003: 50-51).

결론적으로 말하면, 인위적 질서 또는 정책은 구성원들의 상대적 정치력과 기존 정치세력의 선호체제에 의하여 결정된다는 것이다.

❷ 시장주의와 게임 룰로서의 제도

시장에서의 자발적 교환관계는 중앙정부 차원의 계획과 조정을 발붙이지 못하게 한다. 시장은 무수히 많은 구성원들이 서로에 대하여 맺는 개인 대 개인의 교환관계로 구성된다. 따라서 교환은 강제력이 동원되지 않고도 거래 쌍방 간에 자발적으로 조정이 이루어지도록 한다. 시장주의 내지 경쟁적 자본주의는 이와 같이 자발적 교환을 통해 조직되고 조정되는 사회의 운영원리라고 할 수 있다.

요컨대, 시장은 중앙정부의 기획, 간섭, 조정 등 개입이 없이도 수많은 가계와 기업 등 경제주체들 사이의 개별적·자발적 교환관계만으로 형성되거나 유지된다(Friedman.M, 1982: 13).

그렇지만 시장에서 활동하는 모든 경제주체들이 상대방으로부터 자신들이 원하는 것은 무엇이든 취할 수 있다는 의미는 결코 아니다. 교환당사자 사이의 관계는 당사자의 '상대적' 교섭력(bargaining power)에 의하여 형성되기 때문이다. 교환관계는 그 당사자가 제3자의 개입이나 간섭 없이 오로지 자기의 효용만을 고려한 후 자유롭게 교섭 또는 거래하여 결정할 수 있다는 것이다. 그렇다고 하더라도 상대방의 자유의사를 좌우할 수 없고 시장에는 교환과 거래의 관행으로서 게임 룰(제도)이 존재하기 때문에 결국 교환관계는 완전한 교섭력이 아니고 상대적인 교섭력이다. 이런 교섭력은 교환관계의 당사자가 상대방에 대해 자신의 의사를 관철시킬 수 있는 의사추진력이라 할 수 있다.

교섭력은 교환관계의 상대방이나 거래관행에 따라 바뀌는 상대적인 개념이지만 본질적으로 경제주체의 '구매력'에 의하여 좌우된다. 구매력은 시장 수요자의 입장에서 보면 그들이 가용할 수 있는 화폐의 양이라 할 수 있고, 공급자 입장에서 보면 그들이 제공할 수 있는 제품의 질을 말한다. 더 큰 구매력을 가진 경제 당사자는 교환관계의 형성 및 거래관계의 일정한 패턴으로서의 제도의 정착에 그만큼 큰 결정력을 형성한다고 말할 수 있다. 시장에서의 거래관행으로서 제도는 시장에 참여하는 경제주체들의 구입가능성(availability)인 구매력에 바탕을 둔 '1원 1표의 원리'에 의해 그림 6-7와 같이 형성된다.

하이에크는 이렇게 자생적으로 생성된 제도 또는 질서를 자생적인 질서(spontaneous order or cosmos)라고 칭하였다(Hayek, 1982: 36). 다시 말해, 시장에서 자생적으로 생성되는 일정한 거래 패턴을 '수많은 사람들의 반복되는 행위의 결과이지만 인간이 설계한 결과가 아닌 자연발생적인 질서'라는 것이다. 이러한 자생적 질서의 형성에는 그 구성원인 개개인들은 자신의 선호(preference)를 오로지 1원 1표의 원리에 의해 비례적으로(proportional)행사 할 수 있다.

그림 6-7: 시장에서 제도변화

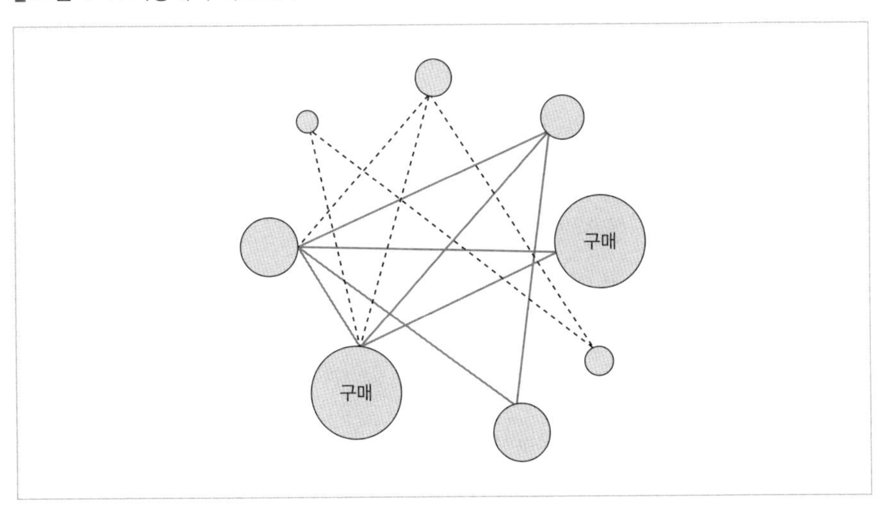

시장에서 활동하는 경제주체들은 가격 변동, 자기가 소유한 재산권의 변화, 거래비용의 변화를 가져오는 사회 경제적인 여건변화가 있을 경우 기존의 거래질서(그림 6-7의 점선부분)에서 탈피하여 새로운 방식(그림 6-7의 실선부분)을 모

색하게 된다. 그들은 자신의 이익에 침해를 받지 않는 방향 또는 자신의 이익을 극대화할 수 있는 방향으로 행위를 전개하려 할 것이다.

이런 현상은 정부정책이 시행될 때도 일어난다. 구체적으로 설명하면, 각 개인들은 자신의 이해관계와 직접적으로 관련이 있는 새로운 정책과 그 영향을 터득하고, 관련이 있는 지식, 정보, 기술 등을 습득해나가는 데, 이것을 North 등은 제도학습이라고 한다.

이런 제도학습은 재산권 변화나 거래비용의 변화가 초래될 때, 행위자들은 이 변화추이에 맞게 행위를 교정하게 되고 이런 관행이 축적되면 그로 인해 제도화 또는 제도변동이 일어난다.

2) 집권세력의 정치적 이데올로기

지금까지 우리나라에서 좌파와 우파, 보수와 진보라는 용어는 그것이 담고 있는 이념적 내용이나 가치에 대한 분명한 정의나 기준이 없이 그때 그때의 필요성에 따라 상대방을 정치적으로 공격하는 수단으로 사용되었다. 이러한 아픈 역사에도 불구하고, 민주화 이후 선거를 통해 집권한 정치세력의 정치적 성향이나 경제운영의 정향성은 정부의 정책기조로서 정책의 상부구조 역할을 한다는 점에서 정책동학의 중요한 설명변수가 된다.

❶ 좌파와 우파

학자에 따라 약간의 차이는 있겠지만, 좌파와 우파 그리고 진보와 보수는 추상적인 가치를 가지는 철학적 범주가 아니라 역사적인 시대상황과 관계가 있는 정치적 태도 내지는 가치지향성이라는 점은 일반적으로 인정되고 있다.

우선 좌파와 우파의 기준에 대해서 살펴보자. 널리 알려진 대로 좌파와 우파는 프랑스 혁명당시 국민공회를 구성할 당시 좌측 의석에 급진 혁명세력, 사회주의, 노동자와 농민, 빈민의 입장을 대변하던 자코뱅당이 앉고, 우측 의석에 온건 개혁세력, 자유주의·자본주의, 상공업 부르조아의 입장을 대변하던 지롱드당이 자리를 차지하고 대립하던 것에서 유래하였다. 따라서 좌파는 사회주의, 우파는 자유주의와 동일시되기도 한다.

좌 · 우파의 유래에서 알 수 있듯이 좌 · 우파의 개념 좌표는 바로 정치이념이나 가치지향성이다. 그렇지만 가치지향성은 곧바로 어떤 특정한 정치적 이데올로기, 즉 자유주의나 사회주의 등과 반드시 일치하는 것은 아니다. 따라서 기존의 지배적인 정치적, 사회적 가치와 이에 근거한 정치·경제 체제를 지지하는 세력을 우파로 규정하고, 이에 반해서 기존의 가치체계와 제도를 비판하고, 이를 대신할 수 있는 새로운 대안적인 정치적·사회적 가치와 제도를 모색하는 세력을 좌파로 부른다. 이를 변증법적으로 보면 우파가 정(正)이라면 좌파는 반(反)이다(김경미, 2009: 54).

이렇듯 좌 · 우파의 개념 좌표는 절대적인 것이 아니고 상대적이다. 따라서 특정된 역사적 총체성 속에서 구체화될 수 있다. 예를 들면, 유럽이 중세봉건사회에서 근대사회로 넘어오는 시기에 절대왕정과 봉건제도를 옹호하는 부류가 우파라면, 좌파는 자유주의자들과 사회주의자들이었다. 그러나 19세기에 서유럽을 휩쓸던 부르조아 혁명을 통해서 봉건제도는 철폐되고 자유민주주의와 자본주의가 정착됨에 따라 이제 자유주의를 옹호하는 사람들은 더 이상 좌파가 아니라 우파로 자리매김하게 된다. 어제의 좌파가 오늘의 우파가 된 것이다.

그렇다고 하더라도 지금까지의 역사의 진행에 비추어 볼 때 각 시대마다 좌파들이 주장해온 가치에는 여러 가지가 있지만, 일관되게 나타나는 가장 중요한 가치는 역시 평등이라 할 수 있다(김경미, 2009: 55).

이런 입장을 견지하는 Bobbio(1999: 105-118)는 좌파를 가능한 한 불평등을 축소하고 평등을 지향하는 평등주의자로, 우파는 상대적으로 불평등은 주어진 것이기 때문에 불평등한 현실을 불가피한 것으로 받아들이는 부류로 정의한다.

또한 Bobbio는 평등주의와 평균주의를 구분하는데, 평균주의는 모든 사람이 어떠한 구별도 없이 모든 것에서 평등해야한다는 입장인 반면, 평등주의는 사람들이 평등하기도 하고 반대로 불평등하다는 것을 인정하면서 사회적 불평등을 줄이고, 선천적으로 불평등한 것도 덜 고통스러운 것으로 개선해나가야 한다고 주장하는 입장이다. 평균주의는 평등주의의 극단적인 형태로서 일종의 기계적 평등주의로 보아야 한다.

한편, Bobbio는 자유주의도 하나의 실천체계이자 가치 체계인 민주주의를 의미한다고 하면서, 이를 권위주의와 대치시켰다.

Bobbio는 이처럼 자유주의와 권위주의를 대칭시키고, 평등주의와 불평등주의를 대칭 기준으로 하여 이를 조합하는 방법으로 네 가지 정치적 정향성을 제시한다. 구체적으로 설명하면, 극좌파(평등주의+권위주의), 중도좌파(평등주의+자유주의), 중도우파(불평등주의+자유주의적 경향), 극우파(반평등주의+반자유주의) 등으로 나누고 있다.

❷ 진보와 보수

위에서 보았듯이 좌파와 우파의 구별에 있어 정치이념이나 가치지향성을 좌표로 하지만, 진보와 보수는 이러한 이념이나 가치와는 무관하게 사회적 변화의 빠른 진행을 수용하느냐 여부 그리고 그런 변화를 주도하는 주체로서의 인간의 이성이나 자유의지에 대한 믿음의 정도에 따라 구별된다(김경미, 2009: 51). 사실 정재철(2002)은 좌파와 우파간의 구별 경향이 진보와 보수의 담론으로 대체되어 가는 경향이 있다고 주장한다. 이런 점을 감안한다면, 정책동학의 현상을 설명하는데는 진보와 보수의 구별 기준이 오히려 더 유용할 것으로 보인다.

사전적 의미를 살펴보면, 보수는 보전하고 유지한다는 의미이고, 보수주의는 국가나 사회의 현재 상태를 가능하면 유지하려는 태도와 정향을 뜻한다. 이에 비해 진보는 앞으로 나아간다는 것을 의미하며, 진보주의는 인간의 정신과 문명이 역사적으로 보다 더 완전하고 이상적인 상태로 발전해 나아간다고 보는 신념체계라고 할 수 있다. 여기에서 중요한 문제는 '무엇을 보전하고 유지할 것인가? 무엇이 앞으로 나아가는 발전인가?' 로서, 이 문제는 진보와 보수를 구분하는 기준을 암시한다.

이런 기준을 역사에 적용한다면, 고대 로마에서 Caesar가 지배하던 시기에 로마공화정을 유지하려는 Brutus같은 사람들은 보수주의자로 분류되지만, 공화정이 더 이상 역사적 생명력이 없다고 보고 왕정을 세우고자 했던 Caesar 추종자들은 진보주의로 여겨질 것이다.

그러나 유럽에서 절대왕정에 대항하여 시민계급이 혁명을 일으켰던 18세기에는 왕정을 그대로 유지하려는 세력은 보수주의자로 이와는 반대로 공화정을 세우려는 사람들은 진보주의자로 여겨질 것이다. 이렇듯 이 시기에는 개인의 자유와 사적 재산권을 신성불가침의 권리로 주장한 자유주의는 진보적 사상이었으나, 이러한 사상에 기초하여 정치경제 체제가 확립된 오늘날에는 자유주의를 옹호하는 사람들을 보수주의자로 칭한다.

따라서 진보와 보수의 개념은 어떤 정치적 이념이나 사상과는 별개로 분리된 상태에서 사회적 변화에 대한 일종의 실천적인 태도와 행동양식으로 정의되어야 할 것이다.

진보와 보수를 구분하는 기준은 역사적 진보 자체에 대한 긍정과 부정에 있는 것은 아니다. 왜냐하면 보수주의자도 역사가 더욱 가치 있고 고차원적인 단계로 발전한다는 사실을 부정하지는 않기 때문이다. 결론적으로 양자 간의 차이는 진보적 변화의 진행 속도와 추동력에 있다고 할 수 있다.

진보주의자는 총체적인 사회적 관계들을 인간의 이성과 자유의지에 의해 합리적이고 진보적으로 형성할 수 있다고 믿고, 그러한 진보를 위한 변화가 포괄적으로 가능하다면 빠르게 진행하는 것이 좋다고 보는 입장이다. 다시 말하면, 변화를 갈구하고 그것으로 인해 초래될 결과에 대해서도 낙관적이고 적극적인 태도를 가진다.

반면에 보수주의자는 가능하면 기존 체제의 계속성을 유지하면서 사회 전반에 걸친 또는 급격한 변화를 거부하고, 인간의 이성과 자유의지에 의한 계획된 변화가 아니라, 전통과 관례의 연속성 속에서 개량을 추구한다.

❸ 시장에 대한 정치적 성향

미국의 경우 보수정당을 공화당, 진보정당을 민주당으로 보는 것 같다. 일반적으로 공화당은 경제정책에 중립적인 입장을 취하고, 민주당은 사회·문화 분야에서 중립적 입장을 견지한다고 한다(Sandel, 2010: 344–345). 공화당은 자유시장에 정부의 개입을 반대하면서 개인은 자기 자신이 직접 경제적 선택을 하고 자기 돈을 마음대로 쓸 수 있어야 한다고 주장한다. 이에 반해 민주당은 정부가 경제에 적극 개입해야 한다고 주장하면서도, 정부는 성적(性的)인 문제나 출산결정에 대해 도덕적 입법화를 해서는 안 된다고 하면서 사회문화 분야에 대해서는 중립적인 입장을 유지하고 있다.

그렇다면 한국의 경우는 어떠한가? 남북대치 상황이라는 독특한 정치지형 때문에 한국의 보수진영과 진보진영은 모두 자본주의 시장경제체제에 대해 표면적으로는 강한 선호를 표시한다. 급진 성향의 정당을 제외한 대부분의 정당들은 시장을 매개로 하여 합리적인 경제인들의 자유로운 교환행위는 사회전체의 부를 극대화할 뿐만 아니라 참여하는 경제주체들에게도 최대한 만족스러운 결과를 가져다준다고 강조한다.

한국 보수주의 원류인 60년대 초의 군사정권은 권위주의적 국가주의와 시장중심의 자본주의를 교묘하게 결합하여 세계유례가 없는 경제발전을 이룩한다. 한편으로 민주인사에 대한 인권적인 탄압이 지속되었다. 이와 같은 소위 산업화 세력들은 고착된 남북분단 상황을 강조하면서 민주주의와 반공주의 그리고 시장자본주의를 근간으로 하는 기득권을 장기간 유지하게 된다.

그렇지만 오늘날 한국의 보수주의는 신자유주의적인 세계 정치사의 흐름과 1990년대 후반 온건 진보정당으로의 정권교체에 따라 급기야 국가주의를 버리게 되고, 반공주의와 시장자본주의에 의해 규정되는 자유민주주의를 고수하게 되었다.

한국의 온건 진보세력은 시장자본주의를 강조하면서도 보수주의에 비해 서구복지국가 체제를 뒷받침해 온 평등주의적 복지자유주의에 훨씬 더 호감을 갖고 있다고 할 수 있다.

특히 진보주의는, 시장경제 중심의 자본주의에 대해서, 보수주의에 비해 정경유착으로부터 자유로운 공정한 자유 시장경제를 확립하려는 입장을 견지한다는 데서 그 특징을 찾을 수 있을 것으로 보인다. 이런 경향은 공정거래 제도의 운영과 관련해서 뚜렷하게 나타나고 있다.

3) 맺음 글

지금까지 정책환경의 상부구조를 형성하는 정치 이데올로기를 살펴보았다. 어떤 정치적 성향을 갖는 정당이 집권하느냐에 따라 행정부의 정책기조는 크게 바뀌게 되고, 기존의 정책들이 요동을 치게 된다는 것은, 지금까지 몇 번에 걸쳐 정권이 교체되면서 그때마다 정부인수위원회 등의 활동을 보면서 경험적으로 알고 있는 사실이다. 진보적인 중도 좌파에서 보수적인 중도 우파로의 정권교체 그리고 그 반대의 경우에는 이런 현상이 더욱 뚜렷하다고 할 수 있을 것이다.

그렇지만 아직까지 시장에 대하여 미국과 비슷한 양상의 정치적 행태가 나타나고 있다고 말하기에는 아직도 이른 감이 있다. 즉 시장주의에 대한 정치권의 입장은 여·야할 것 없이 적극 개입주의적 입장을 취하고 있음을 볼 때, 정부의 경제정책 기조는 미국과 다르다고 할 수 있다.

결론적으로 정책행위자들의 선호에 정치 이데올로기가 미치는 영향력이 커졌음은 물론, 이것이 정책선호함수의 주요 변수로 작용하게 되었음을 알 수 있을 것이다.

2 정책선호함수의 문화적 변수: 삶의 양식

1) 삶의 양식 유형

정책선호의 문제를 해결하는데 유용한 거시적 이론으로서 문화 이론을 소개하고자 한다. 문화는 정책행위자들이 처해 있는 상황에서 그들이 무엇을 선택해야 하는지를 알려주며, 정책행위자들은 그들의 문화가 주는 지침에 따라 행동한다고 한다.

다시 말해, 문화는 정책행위자들의 정체성, 소속감, 공유의미 등을 만들어 주거나 사회적으로 구성해 줌으로써 정책행위자들의 선호에 영향을 준다는 것이다.

어느 사회든 구성원들의 상호작용을 규제하고, 이런 규제를 통해서 성립된 관계를 지속적으로 유지하는 한편, 이를 정당화하는 경향이 있다. 다시 말해 구성원들의 상호작용을 규제할 때 관계가 정립되고, 이를 정당화할 때 가치가 생겨남으로써 관계와 가치는 불가분의 관계를 맺게 되며, 서로를 강화하는 상승작용을 한다. 이처럼 사회적 관계와 가치 간의 상호작용은 사회를 이루는 기본요소로 작용하고 있다(박종민 편, 2002: 3).

여기서 말하는 사회적 관계는 사회가 구성원들의 상호작용을 규제하기 위해 권리와 의무로 상호 간의 유대를 맺어주는 작용을 한다. 이러한 사회적 관계를 맺어주는 형태의 하나는 역할이고, 다른 하나는 집단이다.

첫째, 역할이란 연령, 성별, 사회적 지위 등의 기준에 의해 두 사람 간의 상호권리와 의무가 정해짐으로 쌍방의 관계가 성립하는 것을 말한다. 이처럼 역할은 두 사람 간의 관계를 의미하지만, 집단은 두 사람 이상이 자기들만이 공유하고 있는 혈연, 지연, 학연 등의 공통점을 통해서 집합체를 이루는 것을 말한다.

둘째, 집단은 이렇게 전체 구성원들로 이루어지고, 개개인 구성원 간에는 상호권리와 의무가 정해진다. 권리와 의무가 느슨하게 규정될수록 그가 속해 있는 집단과의 관계가 약하고, 그것이 단단할수록 그 관계가 강하다고 할 수 있다. 전자의 경우에는 구성원이 자기가 속한 집단과 무관하게 자기의 의사대로 행동을 할 수 있는 범위가 넓고, 후자의 경우에는 통제가 강하므로 구성원이 마음대로 행동할 수 있는 범위가 좁다.

이런 사회적 관계와 상호작용을 하는 가치를 설명하면 다음과 같다. 사회가 특정한 관계를 유지하기 위해서는 그 관계가 도덕적으로 옳다는 것을 강조해야 하며 그것에 부합하는 행동은 격려하고 보장하고, 그것에 위배되는 행동은 억제하고 벌을 가해야 한다.

이렇듯 도덕적 판단이 기준이 되어 행동을 규제하면서, 그 기준을 많은 사람들이 하나의 도덕적인 이상으로 받아들일 때, 그런 기준들은 사회가 실현하고자 하는 가치로 정립되는 것이다.

위에서 설명한 바와 같이, 특정한 사회적 관계와 이를 뒷받침하는 특정된 가치의 상호작용이 안정적이고 지속적으로 유지될 때 삶의 양식이 형성되었다고 말한다.

Douglas(1982)는 위에서 설명한 역할과 집단이라는 두 가지 차원의 사회적 관계와 이를 뒷받침하는 가치를 기준으로 네 가지 유형의 삶의 양식을 제시한다. 아래 그림 6-8에서 볼 수 있듯이 역할과 집단을 일종의 스펙트럼으로 보고 역할을 수직적 차원으로 그리고 집단을 수평적 차원으로 나누어 4사분면을 만든다.

이때 역할을 망(grid)으로 보는데, 망은 상호작용을 하는 개인들을 규율하는 제약을 의미한다. 다시 말해 개인의 삶이 외부적으로 부과된 규정에 의해 제약되는 정도를 말한다. 이에 비해 집단(group)은 개인의 상호작용이 특정집단 내에 한정되는 정도를 의미한다. 이는 개인의 삶이 사회단위에 편입되어 있는 정도를 말한다(박종민 편, 2002: 56).

그림 6-8: 더글라스의 네 가지 삶의 양식

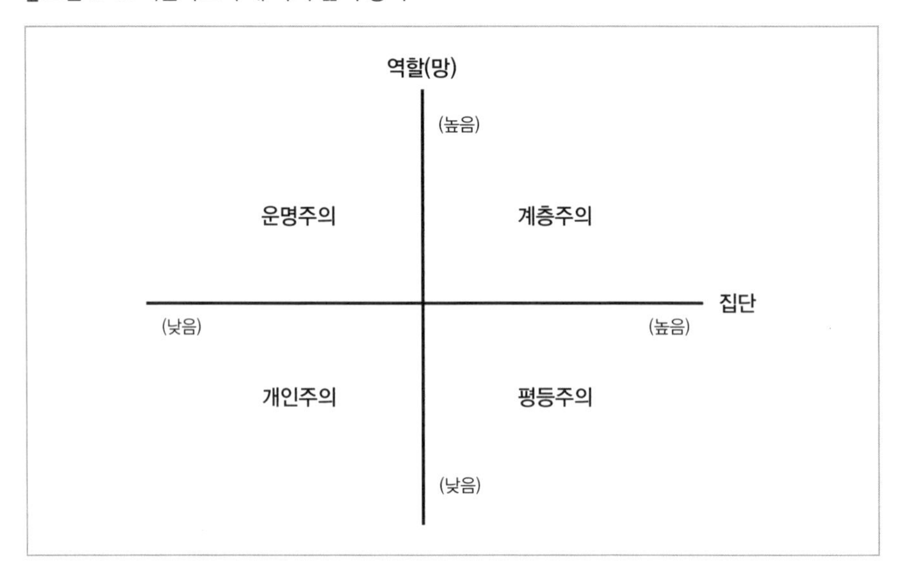

위의 그림에서 역할(망:grid)은 위쪽으로 갈수록 엄격하게 규정되면서 불평등한 관계를 지향하고, 아래쪽으로 향할수록 느슨하게 규정되면서 평등한 관계를 지향한다. 그리고 집단(group)은 왼쪽으로 갈수록 약해지고 오른쪽으로 갈수록 강해진다. 이렇게 구분된 네 가지 삶의 양식의 특징과 정책관을 살펴보면 다음과 같다(박종민 편, 2002: 8-10, 58).

첫째, 개인주의(individualism)이다. 이들은 대인관계를 맺는데 있어서 자율성이 최대한 보장되어야 한다고 보고, 사람들 간의 관계를 규제하는 집단과 역할을 개인이 자유의사에 따라 생활하는데 있어 귀찮은 저해요인으로 본다. 또한 평등의식이 강하여 위계질서에 대한 거부감이 있다.

따라서 외부적 규제가 정당하지도 그것이 필요하지도 않다고 믿는다. 개인주의자들은 인간이 본질적으로 자아추구적(self-seeking)이라고 생각한다.

이러한 인간관은 경쟁적 정치체제가 최상이라는 James Madison의 정치신념이나, 사회관계가 거래 및 교환에 기초해야 한다는 Adam Smith의 경제신념의 기초가 된다. 개인주의자들은 개인의 실패는 개인의 탓이며 분화된 사회관계는 정당하고, 사회는 보이지 않는 손에 의해 균형이 유지된다고 본다.

둘째, 운명주의(fatalism)이다. 운명주의자들은 자기 자신을 주어진 역할과 동일시함으로써 이를 수행하는 것과 상호간의 도리를 지키는 것을 중요시하고, 자신들의 우열에 따라 대우받는 것을 당연시하여 이러한 위계질서를 숙명으로 받아들인다. 그렇지만 자신들을 집단과는 동일시하지는 않음으로써 서로로부터 고립되어 있다.

운명주의자들에게 있어 어떤 사람들은 자애롭지만 대부분의 사람들은 적대적이고 무력한 자신들을 착취할 뿐이라고 생각되는 경향이 있다. 삶은 예측할 수 없고 변덕스러운 것이며 스스로 살아가기도 힘들고 타인은 위험하여 믿을 수 없다고 본다. 인간본성에 대해 의구심으로 가득 차 있어 자신들을 고립시키고 그런 고립된 사회관계를 정당하다고 본다.

운명주의자들의 주된 관심은 변덕스럽고 위험한 세상에서 어떻게 생존해가느냐에 있다.

따라서 이들은 오로지 주어진 상황에 적응하거나 현실과 타협하는 경향이 강하다.

셋째, 계층주의(hierarchy)이다. 이들은 자기 자신이 속한 집단과 주어진 역할을 자신과 동일하다고 간주함으로써 개인의 정체성보다는 집단의 보존과 번영을 중요시하며, 주어진 역할을 성실하게 수행하고 서로 간에 도리를 잘 지키는 것을 높이 평가한다. 또한 서로 간에 상하관계를 형성하여 서로 다른 대우를 받는 것을 자연스러운 현상으로 보고, 위계질서를 긍정적으로 받아들인다. 이들은 인간의 본성을 자아 추구적이지도 않고 배려적이지도 않다고 본다.

따라서 계층주의자들은 규제가 필요하고 계획된 개발이 허용되어야 한다고 본다. 인간은 많은 제도적 제약 속에서 사회적 삶을 살아간다고 주장한다.

넷째, 평등주의(egalitarianism)이다. 평등주의는 구성원들이 자신을 집단과 동일시함으로써 집단에 대한 충성심이 투철하고 집단의 일원으로서 자신의 가치를 찾는다. 그렇지만 구성원들 간에 우열을 가려 불평등하게 대우하는 것을 강력하게 거부하며 위계질서를 기본적으로 배제한다. 평등주의자들은 인간은 자아추구적이지 않고, 남을 배려하며 협동하면서 살아간다고 본다. 따라서 사람이 비위를 저지르는 이유는 바로 시장이나 국가와 같은 착취적이고 강압적인 제도 때문이라고 생각한다. 이들은 인간이 유순해서 착취나 강요가 배제된 사회환경을 조성함으로써 선하게 만들 수 있다고 믿는다.

사례 6-2

국민들의 삶의 양식인 문화의 차이가 실제로 어떻게 나타나는지를, 칠레에 이민가서 30년 만에 '도이테'라는 브랜드로 아웃도어 시장을 재패한 정재원 사장의 인터뷰 내용을 소개함으로써 대신하고자 한다(조선일보 2012. 11. 11일자, B4면).

칠레만의 독특한 문화는? 이를테면 직원이 세상없이 바쁜 일을 두고 갑자기 휴가를 간다는가 하면 저 사람 왜 저러나 할 때가 있습니다. 한국인 특유의 믿음이나 우정 같은 게 칠레 사람들과는 다르죠. 한국은 친해지면 내 것 네 것이 따로 없는데, 칠레는 우정이 깊을수록 내 것 네 것이 확실해집니다. 비근한 예로 칠레사람들은 코펠의 경우 2인용 두 개를 사면 샀지 4인용을 사지 않아요. 그만큼 개인주의적이라고 볼 수 있습니다.

2) 삶의 유형과 정책선호

이와 같이 삶의 유형으로서 문화유형에 따라 정책과 관련된 정책행위자들의 선호가 달라진다고 보는 데 동의하는 학자들이 많다.

우선 계층주의자들은 계층적 또는 수직적 권위관계에 기초하는 국가(state)에 더 의존하는 경향이 있다. 이들은 개인들의 선택을 중시하는 시장기제 보다는 국가기제를 통해서 공동선을 구현해야 한다고 본다.

이에 비해 개인주의자들은 계약관계에 기초한 시장(market)에 더 의존적이다. 다시 말해 자기규제를 강조하는 시장제도를 선호하며, 공공문제에 대한 의사결정은 최소한의 외부간섭 속에서 균등한 경쟁기회를 보장받은 개인들 간에 거래와 협상을 통해서 이루어져야 한다고 주장한다.

한편 평등주의자들은 모두의 참여와 동의가 보장되는 공동체(community)에 더 의존한다. 이들은 불평등을 조장하는 경향이 있는 시장기제에 대해 비판적이며 개인주의적인 삶에 대해서도 부정적이다. 뿐만 아니라 수직적인 권위관계에 기초한 국가제도에 대해서도 부정적이다. 다시 말해 집단의식은 강하지만 구성원들 간의 위계질서는 거부한다. 따라서 모든 구성원이 평등한 위치에서 직접 참여하여 집단적 의사결정을 할 것을 주장한다.

끝으로 운명주의자들은 고립되어 있어 공동목적을 이루기 위한 노력이 부족하고 매우 수동적이고 주변적인 경향을 보인다. 이들은 유력자와 사적인 후견관계(clientelism)를 통해서 자신을 보호하려고 하는 비굴함을 보인다.

위에서 삶의 유형에 따라 정책적 선호가 다르다고 하였는데, 그렇다면 문화유형에 따라 권위를 행사하는 방법과 부정한 권위행사에 저항하는 방법에 어떤 차이가 있는지 살펴보자.

먼저 권위를 행사하는 방법은 계층주의에서는 관료적이고 계층적인 방식으로 권위를 행사하는데 반해, 개인주의에서는 거래적이고 교환적인 방식에 의존한다. 그리고 권위 행사에 저항하는 방식은 평등주의에 있어서는 능동적 비판을 통해 저항하지만, 운명주의는 고립을 통해서 저항한다.

3| 정책선호함수의 경제적 변수: 재산권 변동과 거래비용의 증감

1) 여는 글

정책선호함수의 정치적·문화적 변수에 이어 여기서는 미시적 차원에서 경제적 변수로서 정책주체들의 재산권의 변동과 거래비용의 증감을 살펴보고자 한다. 개인의 선호와 사회적 선호가 공동체의 선호로 결집되는 정책결정 과정에서 모든 정책에 포함되는 공통의 핵심 요소는 재산권과 거래비용이라 할 수 있기 때문이다.

사실 현실 생활에 있어 재산권과 거래비용과 관련하여 수많은 다툼이 일어나고 이를 해결하기 위한 정책대결이 생기고 있다. 의약 분업, 노사분쟁, 안마사의 직업보장 주장, 국책사업을 추진하기 위한 정부보상 과정, 부동산 정책의 집행과정, 국회의원의 선거구 획정과정, FTA 협상과정, 각종 규제의 형성과 집행과정 등이 그 예라 할 수 있다.

이렇듯 재화와 서비스 등 재산을 차지하기 위해 다툼이 생길 경우 사회 구성원들이 받아들일 수 있는 재산 분할의 원리, 재산 처분에 관한 권리 등 다양하고 복잡한 상호 간의 재산관계를 규정하거나 해결하는 규범인 정책이 필요하게 된다. 이러한 필요성에서 정부는 사회구성원들의 상호작용의 원리 및 원칙으로서 정책을 새로 만들거나 기존의 정책을 공고하게 정착시키기 위해 시장에 개입하게 된다.

시장에 대한 개입 수단인 정부의 정책은 일반적으로 경제 주체들의 재산권 변동에 관한 사항을 다루는 경우가 많기 때문에 재산권 문제를 정책 연구과정에서 핵심요소로 다룰 필요가 있다.

따라서 재산권 및 거래비용에 관한 설명은 결국 정부의 역할과 정책과제에 대한 의미와 한계를 설명하는 노력이 될 것이다. 한편 재산권 및 거래비용의 이론은 기존의 정책이론이 설명하지 못하는 부분에 대한 연구 가능성을 제시하여 정책학 연구의 외연을 넓히는데 도움이 될 것이다(이민창, 2006: 281).

2) 재산권 이론

그렇다면 여기서 말하는 재산권과 거래비용은 무엇을 의미하는가? 먼저 재산권(property right)은 강제력이 수반되는 행동관계로서 모든 희소성이 있는 재화에 적용되는 개념이다. 물질적 재화뿐만 아니라 저작권 등 비물질적 재화에도 해당되며 일체의 희소성이 있는 재화와 개별 경제주체간의 사회경제적 관계의 총체를 말한다. 재산권이란 사람들이 어떤 경우에 이익을 받을 수 있고 어떤 경우에 손해를 감수해야 하는가를 규정한 것이라고 할 수 있다. 이와 같은 재산권이론이 정책연구에 주는 함의를 살펴보면 다음과 같다.

첫째, 정치경제학 입장에서 볼 때, 재산권은 인간행동에 가장 큰 영향을 주는 유인요소이다. 따라서 우리의 경제생활에 있어서 생산양식을 포함한 인류역사의 거시적 변화에 의해 새롭게 시행되는 정책들은 반드시 재산권 변화를 수반하게 된다고 할 수 있다.

둘째, 재산권을 정의, 보호, 집행하는 데에는 비용이 들지만, 잘 정의된 재산권은 호혜적 교환을 촉진한다. 현대 사회에서 정부의 기능은 경제주체들의 각종 유 · 무형의 재산권을 명료하고 효율적으로 확립하고 관리하여 거래비용을 줄이는 데에 있다.

그렇다면 재산권은 무엇인지 구체적으로 살펴보자. 재산권은 단일한 하나의 권리이기 보다는 행위관계를 규약하는 다양한 권리들로 구성되어 있다고 할 수 있다. 첫째, 소유와 사용에 관한 권리이다. 소유와 사용의 권리는 객체인 재화와 서비스의 배타적인 사용을 인정함으로써 다른 행위자의 사용을 배제할 수 있다는 것을 말한다. 둘째, 수익에 관한 권리이다. 이 권리는 재화를 사용함으로써 발생하는 수익을 배타적으로 취할 수 있는 권리를 말한다. 셋째, 처분에 관한 권리이다. 처분은 재화의 새로운 소유주가 될 사람과 자발적으로 계약의 내용을 정하고 그 계약을 집행할 수 있는 권리를 말한다. 재산권은 이 세 가지 권리의 복합적인 상호작용이며 재산권의 확정과정은 이 세 가지 권리의 상호작용 내용을 결정하는 과정이라고 할 수 있다(이민창, 2006: 283).

여기서 재산권은 누가 무엇을 할 수 있으며 만약 어떤 손해가 발생한다면 누구에게 그 손해를 배상해 줄 것인가를 결정하는 게임의 규칙이라 할 수 있다(Anderson & Huggins, 2003: 2). Coase 등에 의하면 잘 정의되고 이전 가능한 재산권의 존재는 거래를 촉진하고 거래비용을 감축시킨다고 한다.

이렇게 설정된 재산권은 분할되고 이전되어야 한다. 소유권, 사용권 등 여러 가지 권리의 집합체인 재산권은 다양한 방법으로 분할될 수 있어야 한다. 재산권을 분할하여 활용할 수 있도록 하는 제도적 장치는 자신의 자산(재산)이 없을 지라도 창의적인 아이디어와 사업계획을 가진 사람인 기업가들이 타인의 재산을 보다 쉽게 획득하여 이용할 수 있게 해준다. 이런 분할 제도는 새로운 형태의 재산권을 창출하기도 하고 거래를 더욱 촉진하기도 한다.

또한 재산권의 이전 가능성은 재산권의 품질을 높여준다. 이전 가능성이 없는 재산은 그 가치가 떨어질 수밖에 없다.

이와 같은 재산권의 형성과 분할 그리고 이전에 있어서 재산권의 가치를 발견하고 이를 권리화 하는 재산권 창도자(property rights entrepreneur)의 역할은 중요하게 작용한다. 자본시장의 금융기관이나 금융회사들이 이 역할을 주로 하게 된다. 이들 금융기관과 금융회사들은 다른 사람들이 발견하지 못하는 새로운 재산가치를 먼저 발견하여 새로운 혁신적인 방법으로 재산권을 만들려고 시도한다.

3) 거래비용 이론

다음으로 재산권에 이어 거래비용을 설명하면 다음과 같다.

경제활동에 소요되는 비용을 생산비용(production cost)과 거래비용(transaction cost)으로 구분할 때, 거래비용이란 물리적 생산과정에 드는 비용 이외에 모든 비용으로서 모든 경제조직을 유지하거나 거래를 하는 데 들어가는 정보탐색, 계약비용, 교섭비용, 외부효과의 내부화 비용 등을 포함한다.

거래비용 연구의 선구자인 Coase와 Williamson은 기업과 같은 조직이나 시장 활동에 필요한 제도가 존재하는 이유는 거래비용을 줄이기 위한 노력과 그 결과라고 본다. 이와 같은 Coase류의 접근방식은 Warlas류의 신고전학파 경제학과 차이가 크다. 이를 구체적으로 살펴보고, 자본시장에서 거래비용을 절감하는 방안을 살펴보면 다음과 같다(김일중, 1998: 40).

신고전학파 경제학에서는 가격이 핵심적인 역할을 한다. 한 국가의 자원배분은 가격이라는 신호체제에 의해서 적절히 수행될 수 있다는 철학이 그 기저를 이루고 있다. 이와는 달리 합리적 선택 신제도주의, 즉 신제도주의 경제학은 거래비용이 존재하기 때문에 가격에 의한 자원배분 이외에 비가격 자원 배분방법과 그에 상응하는 제도를 상대적으로 중요시 하게 된다.

예를 들어, 그 차이를 설명하면, 그동안 유지되던 시장의 균형이 깨졌다고 가정하자. 신고전학파들은 이런 불균형하에서 시장에 거래비용이 없기 때문에 곧바로 새로운 균형이 형성된다고 한다. 이에 비해 신제도학파는 거래비용이 존재하는 경제에서는 새로운 균형이 순간적으로 이루어지지는 않는다고 본다. 이런 균형회복에는 가격이라는 단일변수의 역할은 상대적으로 그리 크지 않다는 것이다. 오히려 다른 조건들이 균형복원에 더 중요한 역할을 한다고 본다.

이런 현상은 상점에서 물건을 사는 행위를 보면 쉽게 알 수 있다. 구매자가 결정해야 할 일은 가격 말고도 무수히 많다. 한가할 때 갈 것인가 아니면 주말에 갈 것인가, 원하는 상품은 과연 있는가, 배달은 어떤 방식으로 해 주는가 등

조건을 확인 한 후 구매를 결정한다. 판매자의 경우에도 시장가격 미만의 상태에서도 상품을 공급할 여지는 많다. 예를 들어 고객 서비스를 담당하는 종업원 숫자나 상점의 부대시설 등을 조절함으로써 가격 의존에서 벗어날 수도 있다.

사례 6-3: 파생상품 거래세 도입은 소탐대실 : 거래비용 문제[51]

바야흐로 선거시즌이다. 복지재원도 마련하고 조세 형평성도 제고하면서 파생상품 시장의 투기를 막겠다며 새누리당과 민주통합당은 파생상품거래세 부과를 19대 총선공약으로 발표한 바 있다. 때맞추어 8월 8일 발표한 세법개정안에 따르면 주가지수선물에 0.1p, 주가지수옵션에 1bp의 거래세를 부과하되 3년의 유예기간을 거친 후 세금을 도입하는 것으로 되어 있다. 이렇게 파생상품 거래세를 부과하게 되면 물론 세금은 걷히겠지만 파생상품거래자체가 크게 위축이 되어 세수는 2011년 증권거래세수인 6조 8000억원의 약 2%에도 미치지 못할 것으로 추정된다.

문제는 파생상품시장의 특성상 과세의 긍정적인 효과보다는 부정적인 효과가 훨씬 더 클 수 있다는 것이다.

본래 파생상품시장은 저비용 구조를 기반으로 해서 소수의 고빈도 거래자가 다수의 일반거래자에게 유동성을 제공하면서 이루어지는 시장이다.

따라서 빈도가 높고 거래비용이 낮은 투자전략을 구사하는 투자자일수록 파생상품거래세에 직접적으로 영향을 많이 받게 되어 있다. 이렇게 되면 파생상품시장의 유동성 공급자인 고빈도거래자의 거래비용이 기하급수적으로 증가하게 될 것이고 임계치를 넘어 가게 되면 그들은 시장을 이탈하게 된다. 이는 파생상품시장 전체의 거래급감으로 이어지게 될 것이다. 2011년 파생상품거래 대금의 반절 이상이 줄어

51 매일경제 2012. 8, 9. A35면, 장국현(건국대 경영대학장 한국파생상품학회 차기회장)교수의 컬럼에서 발췌하였다.

들 것이라고 추정하는 학자들도 있다.

가장 큰 문제 중의 하나는 파생상품거래세를 부과하게 되면 투기적인 거래를 일삼는 개인투자자들을 줄이자는 정책목표와는 정반대로 개인투자자의 거래비중을 증가하게 되고 유동성 공급자인 국내 기관이나 외국인의 거래비중은 감소할 가능성이 크다는 것이다.

그 실질적인 예가 대만의 금융시장이다. 아시아에서는 유일하게 파생상품거래세를 부과하고 있는 대만의 경우 외국인 투자자의 거래비중이 한국보다 낮고 개인투자자의 거래비중은 한국보다 훨씬 높은 실정이다. 한동안 금융시장을 떠들썩하게 달궜던 CD금리 담합의 문제도 결국은 유동성부족에 그 근본적인 원인이 있다.

섣부른 조세정책으로 15년 이상을 잘 성장해온 한국의 파생상품시장이 한순간에 훼손된다면 '아시아 금융허브'의 꿈은 다시는 돌이킬 수 없는 물거품이 될 확률이 크다. 투기적 거래의 축소 문제는 적절한 규제로도 얼마든지 해결할 수 있다. 파생상품시장에 대한 보다 장기적이고 예측가능한 정부의 조세정책을 기대해 본다.

4) 맺음 글

현대 사회에서 정부가 사회적 효율성을 높이기 위해 경제정책을 수립하는 데 가장 우선적으로 고려해야 할 사항이 재산권 문제와 거래비용이라 할 수 있다.

그러면 정부의 정책이 경제주체들의 재산권과 거래비용에 어떤 영향을 미치는가를 살펴보기로 하자.

재산권과 거래비용은 정책과 관련된 이해당사자들이 그들의 행동범위를 결정하는 데 중요한 요소일 뿐만 아니라 행위주체들이 변화하는 경제·사회적 환경을 어떻게 받아들이고 어떤 반응을 할 것인가를 결정하는데 가장 기본적인 요소가 된다.

이런 점을 감안할 때, 재산권과 거래비용은 정책결정 과정에서 가장 중요한 역할을 함은 물론, 고려해야 할 가장 중요한 변수라고 할 수 있다. 특히, 정부의 정책 중에서 국민의 권리와 의무에 관련된 정책은 법률의 형태를 띤 정책으로 시행되는데, 이런 정책의 대부분은 재산권을 생성하거나 변경시키거나 소멸시키고, 거래비용에도 영향을 미치는 결과를 낳는다고 할 수 있다.

결국 정부의 정책제공으로 새로운 재산권이 확립되면 사람들은 그 자신의 자산이나 인센티브를 자신들의 이득을 극대화하는 방향으로 새로운 정책상황을 활용할 것이다.

따라서 재산권 또는 거래비용에 변화를 초래하는 정부의 정책은 어떤 이유에서 시작되었건 간에 정책과 관련이 있는 경제주체들의 선호와 유인체제 및 행태에 변화를 가져오게 된다. 기존의 다른 정책에 대해서도 재산권과 거래비용에 유리하도록 하거나 그 기능이 보다 고도화하는 방향으로 변동을 초래할 것이다.

다시 말하면, 정책행위자들은 물론, 일반국민들도 재산권, 거래비용의 증감에 대해 민감하게 반응하게 될 것이다. 간혹 재산권을 손상시키거나 거래비용을 증가시키는 정책대안이 모색될 경우에 많은 반대에 부딪치게 될 것이 예상된다. 이처럼 정책을 구성하는 사회적 선호에 가장 민감하게 영향을 미치는 요소가 바로 개인의 재산권과 사회적인 거래비용이라 할 수 있다.[52]

4 정책선호함수의 정책학적 변수: 정책학습

위에서 살펴본 정책의 핵심적인 요소인 재산권과 거래비용에 대해서 경제주체들이 이들 변수의 변화를 어떻게 인식하고 이에 대처해 나가는가, 즉 정책학습 과정도 살펴볼 필요가 있다.

---

52 여기서는 재산권과 거래비용이 정책에 대해서 독립변수의 역할을 하는 것으로 설명하고 있으나, 학자에 따라서는 재산권과 거래비용이 변화하는 정책에 의해서 종속변수로 취급될 수도 있을 것이다.

다시 말하면, 미시적 차원에서 개별 행위자들의 정책학습 이론을 살펴 볼 필요가 있다는 것이다. 다만 제3장에서 자세히 살펴보았기 때문에 여기에서는 정책선호와 관련된 부분만을 소개한다.

정책학습의 정의와 그 역할에 대해서는 학자들마다 관점에 차이가 있지만, 여기서는 정책(또는 제도)의 학습을 '정책행위자들이 개별행위 주체의 편익을 극대화하기 위해 정책의 특성과 기능에 관한 지식, 정보, 기술을 습득하고 이해하는 등 적응해 나가는 과정'으로 정의하고자 한다(이민창, 2001: 70).

정책행위자들은, 정책의 변화로 인해서, 사회생활을 규정하는 게임의 규칙이 새로이 형성되거나 어떻게 변화하게 되는지를 그리고 그 게임에 참가하는데 필요한 기술은 무엇인가 등을 습득하여야 한다. 정책행위자들이 규범을 학습할 기회나 게임에 참여한 횟수에 따라 정책(제도)의 학습정도는 달라질 수 있다.

이와 같은 정책학습과 관련하여 North나 Stein 등의 주장을 살펴본다면, 이들은 정책(제도)학습에 있어 그 핵심적인 요소를 지식(knowledge)과 신념체제(belief system) 그리고 학습(learning)이라고 주장한다(유동운, 1999: 413-418).

합리적 선택 신제도주의자인 North는 지식을 전달 가능한 지식(communicable knowledge)과 암묵적인 지식(tacit knowledge)으로 분류한다. 전자는 행위자들 간에 전달이 가능한 지식을 말하고 후자는 오직 경험에 의해서만 습득이 가능한 지식을 말한다.

이런 지식이 일단 축적되면, 이를 바탕으로 신념체제가 형성되고, 신념체제는 행위자들이 어떻게 행동하여야 할 것인가를 결정하는데 영향을 미치게 된다. 결국 정책행위자들은 학습에 의한 신념체제에 따라 자신의 행위 유인을 결정하게 된다고 할 수 있다. 다시 말하면, 정책학습을 통해서 신념체제가 형성되고 그 신념체제는 행위 유인, 즉 선호를 규정짓는다고 할 수 있다.

이러한 학습과정은 반복적으로 이루어진다. 정책행위자들이 반복하여 지식의 전수를 받거나 경험을 할 때 새로운 신념체제가 형성되고, 이 신념체제에 따라 행위자의 행위양식이 바뀌게 된다.

결국 정책학습은 정책대안을 논의하는 과정에서 재산권과 거래비용의 변화 내용을 인식하는 행위 자체일 뿐만 아니라, 사회경제적인 변화에 따라 새로운 사회적 선호의 형성과정에서도 정책학습은 일어난다고 할 수 있다. 또한 정책동학 과정에서 정책행위자들은 정책학습을 통해서 자기의 재산권을 증진시키는 방향으로, 경제활동에서 거래비용을 절감하는 방향으로 아이디어를 구상하여 이를 정책화하려는 노력을 하게 된다.

따라서 정책동학이론은 새로운 정책을 논의할 경우 정책과 관련이 있는 이해관계인들은 재산권 및 거래비용의 변화에 대한 정책학습을 통해 이를 지지하거나 반대하게 된다고 보는 동태적 과정의 이론이라 할 수 있다.

5 정책선호함수

앞에서 정책과정은 개인의 선호가 공동체의 선호로 조정 · 결집되는 과정이라고 정의하였다. 이 과정에서 정치적인 색채가 강하게 나타나고 매우 다양한 이해관계가 혼재하며 역동적이고 변화무쌍한 상황이 전개된다. 그렇다고 하더라도 이 정책과정을 예측이 전혀 불가능한 오리무중 같은 암흑현상으로만 치부한다면, 정책학을 하나의 사회과학으로 발전시킬 수 있는 가능성을 포기하는 것과 다름 아닐 것이다.

따라서 복잡한 정책현상을 설명하고 예측할 수 있는 이론의 구축이 필요하다. 이를 위해 정책선호함수라는 개념을 도입하였다. 앞에서 살펴보았듯이 정책은 정책함수의 결과물이다. 정책동학 현상을 설명하기 위해 도입된 정책선호함수의 독립변수는 정치 · 경제 · 문화적인 환경과 정책학습 등이다. 종속변수는 개인 및 사회의 선호 변화이다. 결국 정책선호함수에서 한 단계 나아간 정책함수는 정책과정의 역동성과 정책 내용의 다양성을 규명함은 물론, 정책 변화를 직접적으로 설명할 수 있게 된다.

Douglas여사는 우리가 생각하고 선호하는 방식은 우리가 갖는 사회적 경험의 함수라고 하였다. 이런 구조주의(constructivism)적인 흐름에 기초하여, 사회생활을 하는 개인의 선호에 있어 차이가 생기는 것은 그들의 선호에 영향을 미치는 정치, 경제, 문화, 정책학적 요인이 있음을 살펴보았다.

정책은 국민 개개인들의 선호에 따라 결정되고, 그 선호에 변화가 생길 때 정책에도 변동이 일어난다는 정책함수의 한 영역을 설명하는 '정책선호 결정함수'를 다음과 같이 도식화할 수 있을 것이다.

$$Pp = \alpha_0 + \beta_1 X_1 + \beta_2 X_2 + \beta_3 X_3 + \beta_4 X_4 + \beta_5 X_5 + \epsilon$$

(Pp = 정책선호, α_0 = 상수, X_1 = 정치이데올로기, X_2 = 재산권증감, X_3 = 거래비용증감, X_4 = 문화유형, X_5 = 정책학습)

먼저 정치이데올로기(X_1) 변수를 보자. 어떤 국가의 경우에 기존의 중도 우파 정부가 계속된 실책으로 인기가 떨어져 국민들의 외면을 받아 중도 좌파경향의 진보적 색채를 띤 정부가 들어선다면, 거래비용(X_3)이 다소 증가하더라도 공정성이라는 이슈를 부각시키고 공정거래가 이루어져야 한다고 강조하면서 공정한 경쟁, 즉 정의를 경제정책의 방향으로 설정할 가능성이 커질 것이다. 반대로 중도 우파 정부가 들어설 경우에는 공정경쟁보다는 기업의 생산성과 국가 전체 차원의 국부창출 즉, 재산권의 증감(X_2)에 더 큰 비중을 두게 될 것이다.

한편 국민의 삶의 양식, 즉 문화유형(X_4)차원에서 보면, 국가의 발전 정도에 맞추어 계층주의를 지향하는 국가주의에 찬성하는 국민 보다 개인주의적 성향의 다원주의적 경향을 보이는 국민들이 더 많아질 때, 정부의 간섭보다는 시장의 자율성을 중시하는 정책이 채택될 가능성이 더 커질 것이다.

위의 함수관계를 도표화하면 그림 6-9와 같이 나타낼 수 있다.

그림 6-9: 정책선호 결정변수

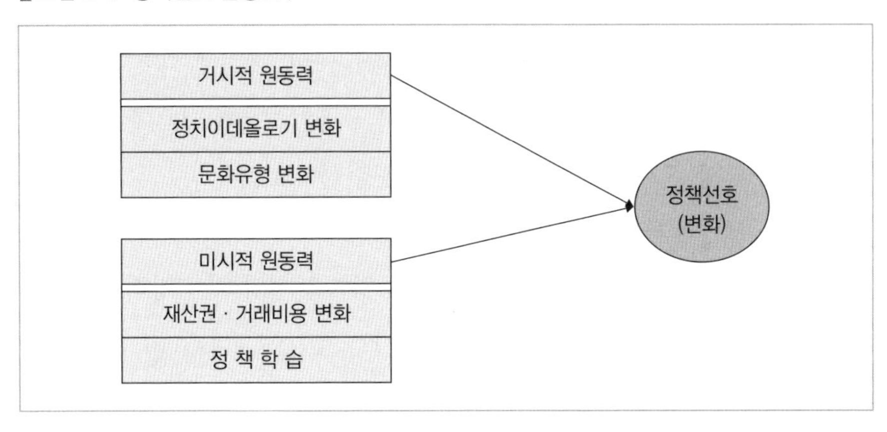

4_ 정책시장(policy market) 모형

1 여는 글

우리는 5년마다 대통령 선거를 하고, 4년마다 국회의원 선거를 한다. 또한, 4년마다 지방자치단체장과 지방의회의원을 뽑는다.

이렇게 주기적으로 실시되는 선거기간 동안 어떤 정당은 의·약 분업을 주장하면서 유권자에게 지지를 호소하는데, 이에 대해 의사협회나 약사협회는 크게 반발하면서 그 부당성에 대한 성명전을 전개하기도 한다. 어떤 정당은 복지정책을 선별적 복지에서 보편적 복지로 과감하게 전환해야한다는 공약을 발표한다. 한편 언론에서는 그 정당은 좌파의 진보적 성향이고, 다른 정당은 우파의 보수적 성향이라고 평가를 한다. 이에 대해 각 후보들은 자기들은 중도 성향의 개혁적 진보라고 반발하기도 하고, 어떤 정당은 보편적인 복지를 선거를 의식한 선심성 포퓰리즘이라고 비판하기도 한다.

이렇듯 선거과정을 통해서 국민들은 정책공급자인 정부를 구성할 정당을 선정하게 된다.

이러한 선거과정을 민주적인 정치과정이라고 하는데, 다른 한편에서 보면 이는 정책시장의 성격을 띠고 있다. 여기서 정책시장은 '정책을 놓고 수요자인 국민과 공급자인 정부 간에 선거과정 또는 타협·조정 등을 거쳐 공동체의 선호에 근접한 정책을 마련하는 역동적인 장'으로 정의하고자 한다.

선거에서 수요자인 국민으로부터 상대적으로 많은 지지를 얻어 이긴 정당과 후보는 자기들의 선거공약을 정부의 공식적인 정책으로 전환하여 추진하게 된다. 이러한 전환과정을 정책과정이라 할 수 있는데 입법절차를 거친다든지, 예산을 확보하여 공공사업을 추진하든지 또는 행정부의 각종 업무계획에 포함시켜 정부의 공식적인 방침으로 결정하여 추진하게 된다. 이때 국민여론이나 야당의 반대에 부딪쳐 입법이 좌절되거나 예산확보가 어려워 공약의 정책화에 실패하는 경우도 간혹 발생한다. 이런 경우는 대부분 정책대상자의 재산권이나 거래비용에 불리하게 영향을 미칠 정책이 추진될 때라고 할 수 있을 것이다.

위에서 살펴본 정책과정은 중앙정부 또는 지방자치단체의 정책기조역할을 하는 거대정책을 결정하는 과정이라 할 수 있다. 이는 거시적인 정책동학 현상이 나타나고 있는 과정이고, 거시 정책시장이라 할 수 있다.

요컨대 이런 선거과정은 정권획득, 다수 의석확보 라는 게임 룰에 따라 각종 정책공약을 제시하고, 이에 대한 국민들의 투표행위가 진행되는데 이런 과정을 거대(meta) 정책시장이라고 칭한다. 주기적으로 열리는 선거는 거대 정책시장으로서 역할을 하는데, 선거에서 승리하기 위하여 각 정당에서는 정당 내의 브레인이나 후보자의 참모들이 거시적인 정책안을 설계하게 된다. 이때 정치적 합리성에 기초하여 정책이 설계되기도 하지만, 경우에 따라서는 정략적인 정책설계가 이루어지기도 한다. 이런 거시 정책시장을 통해서 정책 기조가 형성된다.

이제 시야를 더 좁혀서 보다 실질적이고 구체적인 정책결정과정을 알아보자. 우리나라의 경우 연도별 정부정책이 어떻게 결정되어 시행되는가를 보면 다음과 같다.

먼저 대통령실에서 그해에 중점적으로 추진하거나 역점을 두어야 할 정부의 정책기조나 과제를 선정하여 중앙 행정기관에 연도별 정책수립 지침으로 통보하면, 각 부처에는 소관별로 자기 영역에서 추진할 수 있는 세부적인 하위정책을 수립하여 연두보고 형식으로 대통령에게 보고한 후 시행하게 된다. 예를 들면, 대통령실에서 금융산업의 세계화 추진 또는 공정사회 구현을 주요 정책방향으로 제시하면 금융위원회에서는 금융분야의 선진화 대책을, 교육과학부에서는 소외계층의 교육기회 확대정책을 마련하고, 기획재정부에서는 중소기업 육성을 위한 세제 개선방안 등을 내놓게 된다. 이를 위해 필요한 입법절차를 진행하거나 사업에 사용할 예산을 확보하기 위한 노력을 하게 된다.

그렇지만 일사천리로 이런 정책기조들이 실현되는 것은 아니다. 2010년을 전후하여 약국에서 팔던 일반의약품(OTC약품)을 슈퍼마켓 등 약국 외에서 팔 수 있도록 하는 정책을 대통령실에서 복지부에 요구하였으나, 복지부는 약사협회의 눈치를 보면서 미루다가 당시의 이 정책에 소극적이었던 장관이 물러나고 경제부처 출신의 새로운 장관이 취임한 후에 이 정책이 의욕적으로 추진되는 일은 정부조직 간의 관료정치 현상을 말해준다.[53] 이런 현상은 정권 초기보다는 정권 후반기에 들어서 자주 발생한다.

위의 사례는 하향식 정책과정을 나타내는데 이와는 반대로 아래 부처로부터 상향식으로 정책과정이 전개되는 경우도 있다.

이 과정에서 정부의 공무원들만의 활동이 이루어지는 것 같지만 공무원들의 정책결정 과정에 많은 정책행위자들이 참여하게 된다. 민주주의가 성숙한 사회에서는 오히려 민간 영역의 전문가들이 더욱 중요한 역할을 하고, 정책 아이디어 개발 등 정책설계를 주도해 나가는 현상이 나타나고 있다. 이는 '자본시장 및 금융투자업에 관한 법률' 등 경제관련 법률 제정과정에서 민간 경제연구소나 한국증권업협회 등이 주도적인 역할을 하였던 과거 사례 등에서 그 근거를 찾아볼 수 있다. 그리고 어떤 정책을 놓고 정부부처 간에 협조보다는 갈등이 생겨 정책결정이 좌절되는 경우도 발생한다.

요컨대, 이처럼 정책동학은 이해관계인 등 정책행위자들과 국회의원, 행정부 공무원들 간의 타협과 협상이 이루어지는 과정이다. 이를 미시적 정책동학 현상이라 하고, 이런 과정이 전개되는 장을 미시적(micro) 정책시장이라고 한다.

위에서 살펴본 거대 정책시장과 미시적 정책시장의 중간에 중범위(meso) 정책시장이 존재한다. 주기적인 선거 사이에 중범위 정책시장이 열리는데 행정부의 국무회의나 입법부의 상임위원회를 통해서 법령 수준의 정책이 결정되는 과정이라 할 수 있다. 이때 다양한 정책행위자들이 시장에서 계약이 성립할 때 적용되는 게임 룰과 같이 정책시장의 일정한 절차와 룰에 따라 정책안에 대한 토론과 타협 조정을 통해 공식적인 정책을 도출하게 된다. 여기서는 정략성 보

---

53 대통령실과 경제부처들은 일반의약품의 약국외 판매에 긍정적인 입장을 보였고 이를 긍정적으로 검토하고 추진하려고 했던 국무총리실장을 맡고 있던 임모 장관이 복지부 장관으로 자리를 옮기면서 이 정책은 속도를 내게 되었다. 임모 장관은 원래 경제부처 출신으로 국무총리실장을 마치고 복지부 장관에 취임하였다.

다는 실현가능성이 가장 중요한 판단기준으로 작용하고, 경우에 따라 공무원의 권한 확대, 이해타산성 등의 잣대가 적용된다.

지금까지 논의한 정책시장에서 일어나는 정책동학 현상은 국민 개개인의 선호가 공동체 사회의 선호로 결집되어 정책으로 결정되는 과정이라 할 수 있다. 이처럼 정책동학이 이루어지는 장을, 정책시장이라는 새로운 개념을 만들어서 이를 통해서 설명하는 것은 거버넌스 흐름(사조)이나 다원주의적 사조의 반영이라 할 수 있다.

사례 6-4: 민주주의와 투표[54]

기원전 399년 그리스의 철학자 소크라테스는 무신론을 퍼트리고 아테네 젊은이들에게 불손한 사상을 심어주었다는 이유로 재판에 회부됐다. 치열한 법정공방 끝에 최종판결에 나선 배심원단 501명중 280명이 불경죄를 물어 소크라테스에게 사형을 선고했다. 그의 제자인 플라톤은 이런 장면을 보고 민주주의에 대한 근본적 회의를 갖게 된다. 적법한 사법제도에 의해 다수결로 사형에 처해진 스승을 보고 '과연 정의가 무엇인가'하는 문제의식을 가졌다. 우매한 다수가 지배하는 중우(衆愚)정치를 경계했던 그였지만 결국 선거과정이 필요하다는 걸 인정할 수밖에 없었다. 현대 민주주의가 투표라는 도구를 통해 가치를 실현할 수밖에 없듯이 선거는 최선은 아니지만 최악은 피할 수 있는 현존하는 가장 합리적인 수단임에는 틀림없다. 우리나라도 민주주의가 정착되면서 한때 80~90%에 가깝던 투표율이 40%대 까지 줄어들긴 했지만 투표는 여전히 국민이 합법적으로 의사표시를 할 수 있는 최후의 수단이다.

1875년 프랑스가 단 한 표차로 왕정에서 공화국으로 바뀌는 새 역사를 창조했듯

54 문화일보 2012. 12.18일 38면, 이현종 논설위원 컬럼에서 발췌하였다.

1표가 가지는 위력은 역사의 방향을 뒤바꿔 놓기도 한다.

어느 정권이 들어서든 다수의 투표참여는 정권안정을 위해 필수적이다. 다수가 선거과정에 참여한 이상 정권의 정당성이 강고해지고 비록 자신의 선택과 다른 정권이 들어선다 해도 이를 수용할 준비가 되어 있기 때문이다.

■ 사례 6-5: 선거와 정책동학 현상[55]

투표로 뭉친 50대- 투표율 89.9%, 지난 12월 19일 치러진 제 18대 대선 출구조사에서 나타난 50대의 투표율(방송3사 출구조사추정치)이다.

사상 유례없이 높은 투표율이다. '이렇게 50대가 노풍(老風)을 일으킨 이유와 그것의 정책동학적 의미는 무엇일까?' 를 생각해보도록 하는 신문기사를 발췌하였다.

부산에서 사업하는 최모(53)씨는 "50대만큼 정치에 관심있는 세대는 없다"고 말했다. "젊은 세대는 정치에 관심이 있는 것 같지만, 사실 살펴보면 정치에 대한 관심이 없어요. 피부에 안 와닿으니까요. 저도 40대까지는 그랬어요. 당장 정치가 잘못되어도 한창 일하는 나이니까 별로 타격받을 일도 없고…근데 50대 되니까 생각이 달라졌어요. TV토론도 꼭 챙겨보고, 집에 오는 공약집도 꼼꼼히 읽게 되더라고요. 정부 정책 하나에 내 부모, 내 자식들의 삶도 달라지니까요."

자식 세대인 20~30대를 보고 투표장으로 달려갔다는 50대도 많았다. 경남의 한 공기업에 근무하는 김모(53)씨가 말했다. "아들이 이번에 처음으로 투표를 하는 데 자기 친구들에게 들었던 얘기를 막 하더라고요 조금만 깊이 물어보면 제대로 답을 못해요. 10분이 지나니까 바닥이 드러나더라고요. 내 아들이 이런 생각을 갖고 투표한다니 아빠 입장에서는 당연히 걱정이 되죠. 설득해도 안 따라오니 반대되는 쪽

---

55 조선일보 2012. 12. 21일 A1, A12면.

에 투표할 수 밖에 없었어요." 경기도 고양에서 중소기업을 운영하는 김모(51)씨의 말이다. "우리 세대의 아들, 딸들이 보통 부모랑 지지자가 다르잖아요. 그런 아들 딸들을 보면서 우리 입장에서는 이거 큰일 났다 싶은 위기감을 느낀 거예요. 사회 경험이 많은 50대 입장에서는 자식들 걱정을 할 수밖에 없으니까 오히려 자식들과 반대 되도록 모였던 거예요. 자식들을 위해 자식들이 지지하지 않는 후보에게 표를 던진 거죠."

경기도 안양에 사는 주부 최모(52)씨도 마찬가지였다. 최씨는 "젊을 때에는 죽어라 일하다가 IMF 터져서 쥐뿔도 남은 게 없는 세대가 50대"라며 "젊은 세대가 우리를 천대하고, 세상을 갈아엎어야 한다니 열 받을 수 밖에 없었다"고 말했다. "우리 세대도 이 나라가 이만큼 발전하는 데 충분히 지분이 있는 세대잖아요. 아무리 삶이 팍팍해도 젊은 애들이 바라는 것처럼 세상을 뒤엎을 순 없으니까…안정적으로 이 나라를 이끌 사람을 뽑아야한다는 생각에 서로서로 꼭 투표하자고 했어요." 서울에서 음식점을 운영하는 박모(여.57)씨는 "우리라고 자존심이 없어서 그렇게 박박 기어가며 이렇게 살아남은 줄 아느냐"며 "진짜 땀 흘리고 악착같이 해서 어떻게 해 볼 생각은 안 하고 맨날 대기업, 재벌 타령만 하는 모습에 질려버려서 꼭 투표해야겠다고 생각했다"고 말했다.

2 정책시장의 구성 가능성

제2장에서 민주주의와 시장주의를 보완하는 정책이론 구성이 필요하다고 주장한 바 있다. 여기서는 정책시장의 개념이 성립할 수 있다는 점을 논증하고자 한다.

어떤 학자가 말하기를 '앵무새도 수요와 공급이라는 말만 배우면 경제학자가 된다'라고 하였다. 이는 재미있는 농담이지만, 경제학을 대표하는 준거 틀이자 접근방법을 시사적으로 잘 말해주고 있다고 할 수 있다. 수요와 공급 개념 이외에도 시장, 가격 등을 경제학의 필수적인 요소라고 할 수 있다. 수요와 공급이라는 개념은 시장을 움직이는 원동력이고, 이런 수요와 공급은 각종 재화의 소비량과 생산량을 결정함으로써 그 재화의 가격이 형성되기 때문이다.

시장(market)을 특정한 재화나 서비스를 사고 파는 사람들의 모임이나 장소라고 정의하고, 수요와 공급을 시장에서 재화를 사고자 하는 사람들과 이를 팔려고 하는 사람들이 상호작용하는 행위라고 정의할 때, 소비자들은 집단적으로 그 재화에 대한 수요를 결정하고, 판매자들은 그 공급을 결정하게 된다.

위의 일반적인 경제시장의 개념에 정치적인 개념을 대입시켜 정치적 시장이론을 구성하는 경향이 공공선택이론으로부터 시작되었고[56] 이런 경향에 맞추어 정책시장 모형을 구성할 수 있다[57]. 다시 말하면, 정치현상과 정치적 의사결정과정에 경제학 모델을 적용하여 정치인·공무원과 국민·유권자들이 정치시장에서 자신들의 이익을 최대화하기 위해 활동하는 합리적인 행위주체라고 상정하는 공공선택이론의 가정을 정치시장 모형에도 그대로 적용할 것이다. 제4장의 정치적 시장 모형에서 보았듯이, 정치적 시장 논의에서 정치적 시장의 범위를 정책이라는 상품이 거래되는 시장으로 축소하여 새로운 개념을 구상한다면, 이는 정책시장이론이 될 것이다.

따라서 정책시장은 위에서 언급한대로 정책공급자(일반시장: 재화의 판매자)와 정책수요자(일반시장: 재화의 구매자) 간의 정치적 교환에 의해 정책결정이 이루어지는 공간이라고 정의할 수 있다.

---

56 정치적 시장이론에 대해서는 제4장에서 자세히 설명하고 있다.

57 입법과정을 이와 같이 정치적 시장으로 보고 한국의 로비활동을 연구한 사례가 있다. 이우영. 한국의 로비활동 법제화 노력에 대한 입법학적 관점에서의 분석, 서울대학교 법학 제46권 제3호, pp349-351. 가 그 사례이다.

정책시장에서는 '정책의 부담 또는 정책의 편익'이 경제시장의 가격기제(price mechanism)와 같은 역할을 한다고 본다.[58] 그리고 '국민들의 정책 요구(수요)'와 '정부의 정책 제공(공급)'을 하나의 교환관계로 보고, 그 수요측면에는 유권자인 국민과 이익집단 등이 있고, 공급측면에는 선출직 공직자, 즉 정치인과 임명직인 공무원 등이 있다.

요컨대 수요측면의 정책활동가와 공급측면의 정책결정자들 간의 정치적 교환이 수요와 공급의 균형관계를 이루는 점에서 정책은 결정된다고 하겠다.

정책시장에는 두 가지 종류의 행위자가 있다. 하나는 수요 측면의 유권자이다. 유권자는 개별적인 유권자와 이익 집단적 유권자로 나눌 수 있고 이들은 모두 자기의 효용이나 이윤을 극대화하거나 자기의 부담을 최소화하려는 속성을 갖는다. 다른 하나는 공급 측면의 선출직 공직자 또는 정치인이다. 이들은 정치적 지지를 극대화하려는 경향을 갖는다.

정책시장에서 이 두 행위자들은 정치적 지지와 정책적 만족 또는 부담을 서로 주고 받는데, 유권자는 투표와 정치적 지지를 선출직 공직자에게 제공하고 선출직 공직자들은 유권자에게 정책 또는 법률을 돌려준다.

지금까지 정책시장도 재화시장처럼 수요자와 공급자간의 계약관계가 성립할 수 있음을 살펴보았는데, 이 외에도 정책시장 역시 재화시장과 같은 시장의 게임 룰이 지배하게 된다는 점을 강조하고자 한다.

정부가 주도하는 정책수립 절차(정책시장의 운영)가 공권력과 상·하간에 명령체계를 통해 그야말로 경직되게 운영된다면 시장개념을 도입할 수 없겠지만, 정부가 중심이 되어 진행하는 정책과정은 일정한 게임 룰(game rule)에 따라 진

58 이에 대해서는 제4장의 정치적 이론 시장에서 수요·공급 곡선을 통해 설명한 바 있다.

행되고 그 결론이 도출된다는 것이다[59]. 다시 말해, 현대 정부의 경우 강압적으로 상명하복 방식으로 정책이 결정되는 것이 아니고, 정책행위자들이 일정한 게임 룰에 의해서 정책에 대한 논의를 진행하고 그 결과로 정책이 결정된다. 일반적으로 정치경제학자들은 정부는 공권력에 의해서 사회를 운영하고, 시장은 사적 자치 방식, 즉 게임 룰에 의해서 계약관계가 성립된다고 보는데, 정책시장도 시장의 게임 룰과 같은 원리에 의해서 운영된다면 정책시장이라는 개념이 구상될 수 있을 것이다.

거대 정책시장은 선거를 통해서 다수결의 원칙에 따라 정책기조가 형성되고, 중범위 정책시장은 국무회의나 국회 상임위원회에서 이견이 있을 경우 정책안을 보류하거나 타협 · 조정안을 마련하여 다시 논의하는 등 일정한 게임룰이 적용된다. 미시적 정책시장은 대개 부처 등 행정기관 단위에서 이루어지고 그 부처가 설계한 정책안에 대해서 관계부처 간에 의견조율을 거쳐 이해당사자, 일반국민을 대상으로 입법예고 절차를 밟는데, 이때 심한 반대의견이 있을 경우 그 정책안은 보류되거나 재설계되어야 한다.

이처럼 각 단계별로 일정한 게임 룰이 적용된다는 점은 일반 재화시장의 계약 성립의 게임 룰과 동일한 의미가 있다고 하겠다. 여기서 게임 룰은 재화시장에서 경제주체들 간의 거래관행을 통해서 자생적인 질서가 생성되듯이 정책과정에도 똑같은 현상이 발생한다는 점을 고려한 것이다.

다시 말하면, 정책시장은 정책행위자들 간의 경쟁(competition), 갈등(conflict), 협력(cooperation) 관계가 형성되는데, 이때 일정한 게임 룰에 따라 서로에게 로비(lobby) 등 영향력을 행사는 방법들을 동원하여 정책을 형성해나가는 영향력

---

59 정책과정과 행정(특히 집행과정)과정은 분리해서 보아야 한다. 정치행정 이원론과는 다른 차원의 이야기이다. 행정은 명령, 수직적인 상하관계 등 경직성이 있으나, 민주주의가 성숙한 국가에서 정책과정은 수평적인 시장운영의 원리가 적용될 수 있기 때문이다.

시장(influence market)[60]으로서의 성격을 띠게 된다는 것이다.

끝으로 위와 같은 정책시장 개념을 새로이 도입한 이유를 설명하고자 한다. 과거 민주주의 역사가 일천하고 정부중심으로 사회가 운영될 때, 소위 국가주의적인 사회에서는 정부주도의 정책결정이 일반적인 현상이었다. 그렇지만 민주주의가 정상 궤도에 오르고 국민들의 의식이 성숙한 현대 사회에서는 오히려 민간영역으로부터 정책형성의 요구가 크게 증가하고 특정 민간분야에 있어서는 정부보다 앞선 전문성을 갖는 경우가 흔하게 발생하게 되었다. 분야별 산업정책 특히 금융시장 분야에서 이와 같은 현상이 자주 나타나고 있다. 예를 들면 금융시장의 선진화를 위해 증권업 협회 등에서 자본시장의 통합을 주도했던 것이다.

따라서 공급자 중심의 정책시장에서 수요자 중심의 정책시장으로 바뀌고 있음을 반영한 정책이론의 구성방법 중에 하나가 정책시장 모형의 구상이라 하겠다. 최근 논의 되고 있는 로비스트(lobbyist) 양성화 문제도 정책 수요자의 전문성을 정책결정 과정에서 활용한다는 측면에서 보면, 정책시장의 논의 필요성을 간접적으로 주장한다고 볼 수 있다.

이런 근거에 의해서 구상된 정책시장은 어떤 정책에 대한 수요·공급 상황에 따라 여러 유형이 나타남은 물론, 시장 밖의 여건에 의해서도 상당한 영향을 받게 될 것이다. 이렇게 다양하게 형성된 정책시장 유형에 따라서 정책설계[61]의 방식과 능력에도 차이가 생길 수밖에 없다는 주장이 설득력을 갖게 된다.

정책의 설계는 정책동학의 현장에서, 즉 정책시장에서 공급 측인 정부조직

---

60 영향력의 구체적 행사 방법은 제5장의 관료 정치론 부분을 참고하기 바란다.

61 뒤의 정책설계 전략 모형에서 자세히 설명한다.

내에서 이루어지는 것이 지금까지 일반적인 현상이었다. 그렇지만 정부조직 이외의 준정부 조직이라고 할 수 있는 국책연구소 등에서 이루어지는 경우가 점차 늘어나고, 순수 민간연구소에서도 이루어지는 사례를 종종 찾아볼 수 있게 되었다. 특히 선거과정에서는 거대정책이 정당이나 대통령 후보자들에 의해서 주도되게 되었다.

이런 경향은 민주주의가 성숙하고 각종 정책문제가 과거보다 복잡하고 전문성을 요구하는 데서 그 원인을 찾을 수 있다.

따라서 지금까지 정책시장의 공급측면에서 정책설계가 주도적으로 이루어졌지만, 최근 들어 정책시장의 수요측면에서 정책설계가 주도되는 현상은 정책시장의 구성 가능성을 웅변적으로 뒷받침한다고 할 수 있다.

■ 사례 6-6: '게임 룰(game rule)'과 '보이지 않는 손(invisible hand)'의 관계

Adam Smith가 그의 저서 도덕감정론(the theory of moral sentiments)과 국부론(an inquiry into the nature and cause of the wealth of nations)에서 각각 한 번씩 사용한 '보이지 않는 손'을 어떻게 해석할 것인가? 이에 대해서는 아직도 명료한 학문적 합의가 이루어지지 않고 다양한 해석이 나오고 있다. 일반적으로 '가격에 의한 시장 수급의 자기조절 체제'라는 의미로서 시장경제의 자기조절 능력을 표현한 수사학적 장치로 해석되고 있다. 이에 대해 어떤 학자는 '저소득층의 빈곤은 확대하고 고소득층에 주로 이로운 논리'라고 하면서 비아냥 거리기도 한다.[62]

구교준(2010)에 의하면, Smith는 사회정의에 어긋나는 독점자본이나 탐욕스러운 특권집단의 사익추구를 주장하는 것이 아니고, 그의 도덕감정론에서 주장하는 동감의 원리에 부합하는 남을 배려하는 이기심을 강조한다고 한다.

---

62 Pack. S (1999). Adam Smith's Economic Vision and the invisible Hand. History of Economic Idea. 4(1-2), pp 253-265.

박길환(2011)은 도덕감정론, 국부론 등을 분석한 결과를 토대로 '보이지 않는 손'을 '어떠한 선험적 특질 또는 원리들에 의해 사익추구가 공익증진을 의도한 경우보다도 공익증진에 더 효과적임'이라는 의미를 부여하고 있다.

위의 연구 결과를 기초해서 볼 때 '게임 룰'과 '보이지 않는 손' 간에는 비슷한 점이 있지 않을까 생각된다. 다시 말해, 선험적 특질 또는 원리를 '게임 룰'이라고 해도 무리는 없을 것 같다. 이에 대해서는 앞으로 보다 심도 있는 연구가 요구된다.

사례 6-7: 선거는 정책시장이다[63]

우리가 치르는 선거란 '유권자라고 하는 소비자가, 표(票)라는 돈을 주고, 정당이라는 공급자로부터, 정책이라는 상품을, 선거라는 시장에서' 구입하는 과정이다.

유권자가 편익과 비용을 똑바로 계산하지 않고, 후보가 지출과 수입의 살림살이를 제대로 인식하지 않으면 전체 구성원들이 곤경속으로 직행할 수 있다. 그 곤경은 경제적 어려움과 사회적 갈등으로 가득한 가시밭길이다.

우리가 포퓰리즘의 역습을 예방하는 길은 두 가지이다. 정치 엘리트들은 책임의식을 가지고 정책을 구상하며 공약을 제시해야 한다. 그 공약이 공론화를 거쳐 신뢰를 획득하고, 사회적 합의를 획득하면, 정책은 갈등 없이 실행될 수 있다,

유권자들은 공약의 실행 가능성을 면밀히 따져보고 캐물어야 한다. 그래야 정권 초반 막연히 기대하다가, 정권 말기 구체적으로 절망하는 비극을 되풀이하지 않을 수 있다. 사회 전체적으로 보자면, 기득권층의 비민주적 특권을 해체하는 게 포퓰리즘을 나무끼지 않게 하는 예방책이다. 기득권층의 부조리와 민중의 무책임한 포퓰리즘은 서로 숙주(宿主)관계에 있는 사회적 병원균들이라 할 수 있다.

63 문화일보 2012. 12. 11일 31면, 이종수 연세대 행정학과 교수의 컬럼에서 발췌하였다.

3 정책시장 유형

앞에서 정책시장을 거대(meta) 정책시장, 중범위(meso) 정책시장, 미시적(micro) 정책시장으로 구분하였다. 거대 정책시장의 경우에는 정권획득, 다수당 확보 등 게임룰에 따라, 중범위 시장의 경우는 거부권(veto point)을 행사할 수 있는 관행이나 규칙이 게임룰로 작용한다. 미시적 시장의 경우에는, 행정부가 정책안을 주도할 때에는 국무회의 상정 요건으로서 관계부처간 협의·조정의 완료, 이해당사자들의 반대의견에 대한 사전 설득 완료 등을 요구받고, 입법부가 주도하는 때에는 여·야간의 합의, 이해집단의 설득 등 게임룰이 작용한다.

이러한 유형 이외에도 정책시장은 다양한 모습을 띠게 될 것이다. 여기서는 정책시장의 형성에 영향을 미치는 변수들을 하나하나 살펴보기로 하자.[64]

첫째, 집권정당의 정치적 성향에 따라 정책시장은 크게 달라진다. 이는 여·야당의 입장 차이로 나타난다. 앞 절에서 보았듯이 정당은 진보적 성향, 보수적 성향, 좌파 혹은 우파 성향 등 다양한 정치적 이데올로기를 지향하고 있다. 정치적 이데올로기의 차이에 따라 정책시장에서 제기되는 정책이슈에 대한 대응방식과 정책이슈를 해결하기 위한 구체적인 정책대안이 다를 수밖에 없다.

특히 여당과 야당 간의 입장 차이는 정책시장의 양상에 가장 큰 영향을 미치는 요소라고 생각된다. 여·야간 합의가 이루어진 정책이슈와 그렇지 않을 경우는 정책시장에 있어 큰 차이가 생길 것이다.

한편, 여·야 간의 입장차이가 크다고 하더라도 국민들의 여론추이에 의해

64 노화준 교수(1992)의 정책설계의 위치와 성격. 한국행정연구. 1(3)을 참고하였다.

서 여·야의 정책방향은 변할 수 있다는 점을 유념할 필요가 있다. 정당의 정치성향이 보수이든, 진보이든 간에 어떤 사회이슈에 대해 국민들의 전폭적인 지지나 반대가 있을 경우에는 국민여론의 추이에 따를 수밖에 없을 것이다. 따라서 국민의 여론이 정책시장의 유형을 결정하는 가장 중요한 변수가 된다.

둘째, 정책문제, 즉 정책이슈 자체의 성격이다. 정책이슈의 복잡성의 정도를 나타내는 것으로 정형화된 문제(well defined problem)와 정형화되지 않은 문제(ill defined problem)로 나눌 수 있고, 이러한 복잡성의 정도는 바로 정책시장의 정책행위자들의 판단능력과 참여정도에 영향을 미치게 된다. 다시 말해, 정책이슈의 복잡성이 높을수록 정책대안에 대한 아이디어 제기 수준이나 빈도 등이 상대적으로 낮아지게 될 것이다.

정책문제가 잘 정의되고 그 실현 수단이 잘 갖추어져 있고 통제가능한 경우에는 비교적 합리적인 정책설계가 이루어질 것이다. 반면 정책문제에 있어서 그 목표가 불분명하고, 그 실현수단도 조작이나 통제가 어려운 상황에서는 관념적이고 실험적인 설계가 이루어질 것이다.

셋째, 정책시장에 영향을 미치는 또 다른 변수는, 정책문제 해결에 있어 그 목적과 수단 간의 인과관계에 관한 지식 및 정보를 어느 정도 이용할 수 있는가이다. 정책목적과 정책수단 간의 인과적 연계에 관한 지식 또는 정보가 많이 축적되어 있을수록 정책시장에서 정책행위자들의 활동이 더욱 활발해 질 것이다.

한편, 이러한 전문 지식을 누가 소유하고 있느냐에 따라 정책시장의 주도방식이 달라지게 될 것이다. 다시 말해 정부조직이 가지고 있느냐 아니면 정부조직이 아닌 외부의 전문연구 조직, 예를 들면, 한국개발연구원이나 산업연구원 등 연구기관이 갖고 있느냐에 따라 정책시장에서의 주도적 역할이 달라지게 되고, 이는 결과적으로 정책설계의 능력과 방식에도 영향을 미칠 것이다.

만약 정책의 목표와 수단 간의 정보를 국회가 가지고 있지 못하고 행정부만 가지고 있다고 한다면, 정책설계에 대한 국회의 영향력은 약화되고 주로 행정부의 공무원 집단이 주도하여 정책이 설계될 것이다. 우리 정부의 경우 제1공화국에서 제5공화국에 이르기까지 정책설계는 행정부의 공무원들이 주도했던 데서 그 논거를 찾을 수 있다.

넷째, 정책이슈와 관련된 이해집단들의 정치적 영향력은 상대적으로 차이가 있는데, 이런 정치적 영향력도 정책시장의 유형을 결정짓는 요인이 된다. 우선 이익집단들 간의 동질성 여부가 정책시장에 영향을 미칠 것으로 보인다. 어떤 정책이슈와 연관이 있는 이해관계집단이 동질적이라면, 정책목적에 적합한 정책수단을 선정하는데 쉽게 합의를 하게 될 것이다. 이에 반해 이해관계집단이 이질적이고 다양한 경우에는, 정책목적 및 수단에 대한 합의가 어려워짐은 물론, 정책시장에서 조정·협상을 통한 합의가 이루어지기 어려울 것으로 예상된다.

다음으로 이해관계집단들의 조직화의 정도가 정책시장의 형태를 좌우할 수 있다. 정책에 이해관계가 있는 집단들이 조직화되어 있지 않으면 정책시장에서 그 집단들의 참여가능성과 영향력은 그만큼 감소되겠지만, 반대로 조직화되어 있을 경우에는 영향력 행사는 보다 활발해 질 것이다.

따라서 전자의 경우 공무원 조직에 의해서 정책시장이 주도될 가능성이 크지만, 후자의 경우에는 이해관계집단의 부설 연구조직이나 전문가들에 의해, 예컨대, 각 기업 산하의 연구소 등에서 마련한 정책대안이 정부의 정책시장에서 주요대책으로서 정책시장을 좌지우지할 가능성이 있다.

다섯째, 정책이슈가 발생하고 전개되는 정책상황에 따라 정책시장의 형성양태에 차이가 생길 것이다. 정책이슈가 발생하는 상황이 느리게 전개되고 안정적일 경우에는 정부의 중간계층에서 일상적으로 정책시장을 주도해 나가게 된다.

이에 반해 정책상황이 변화무쌍하고 국면전환이 빈번하여 예측불허의 상황인 경우, 정책시장은 최고 정책결정자 주변의 고위계층에서 주도해 나가게 된다.

한편 정책이슈가 갑자기 돌발적으로 대두되거나, 급속히 악화되는 양상을 띠게 되면 정책시장에서 규제강화, 유인체계 도입, 공적 자금의 투입 등을 주문하는데, 정상적인 상황에서 보다는 그 강도가 훨씬 높은 강력하고 혁신적인 수단을 모색하는 등 정책시장이 요동칠 것이다.

여섯째, 정부조직(부처) 간의 협조 또는 갈등관계인가에 따라서 정책시장이 달라질 것이다.

오늘날 정부의 정책 결정은 다양한 이해관계자 간의 상호작용에 영향을 받기 때문에 정책참여자간의 갈등은 필연적으로 존재한다. 중앙 행정부처에 따라 각 부처가 지향하는 정책목표와 정책수단이 다르고, 서로 다른 대상집단을 상대하기 때문에 부처 간의 정책갈등은 보편적인 현상으로 받아들여지고 있다.

한편, 정부 부처들 간의 수평적인 정책갈등과 정책결정의 상층부인 대통령, 장관과 직업공무원으로서 참모역할을 담당하는 고위공무원들 간의 정책갈등 등 다양한 방향으로 정책시장이 전개될 것이다.

▪ 사례 6-8: 중앙행정기관 간의 입장차이[65]

권도엽 국토해양부 장관과 김석동 금융위원장은 경기고 69회(1972년 졸업)동기동창이다. 이런 두 장수가 '부동산 불황'이라는 이슈 앞에서 평소와 전혀다른 스타일로 맞서고 있다.

최대 격전지는 DTI(총부채상환비율)규제다. 권 장관은 빚 상환능력이 있는 주택 실

65 매경데스크 2012년 8월 9일, A34면을 인용하였다.

수요자에겐 가급적 규제장벽을 허물어야 한다며 “돌격 앞으로”를 외치고 있다.

반면 김위원장은 DTI는 집값 하락이 은행 부실과 국가재정 파탄으로 전염되는 것을 막기 위한 최후의 보류라며 “수성이 먼저”라고 버틴다.

‘주택과 금융중 어느 쪽을 더 보호해야하느냐’는 문제 보다는 두 기관 간에 존재하는 근본적인 시장관 차이에서 답을 찾아야 한다. 한마디로 ‘집값 하락이 일본처럼 피할 수 없는 대세냐, 아니면 미국이나 중국처럼 경기만 살아나면 어느 정도 회복될 수 있는 사이클이냐’하는 점이다.

국토해양부의 권 장관 시각은 후자에 가깝다. 서울 등 수도권에선 사상 유례없이 집값이 4~5년 동안 계속 떨어졌기 때문에 더 추락하는 것은 위험하다고 본다. 1인당 주거면적(28㎡)등 질적수준은 물론 주택보급률(101.9%)같은 양적지표도 선진국에 아직 한참 못 미친다. 따라서 앞으로도 10년간은 신규 주택을 해마다 40만가구 가까이 꾸준히 공급해 나가야 한다는 게 그의 지론이다. 단기적으로 꽉 막힌 주택거래숨통부터 터야 서민경제, 나아가 내수경제가 되살아난다고 본다 DTI규제 완화는 우물펌프에서 물을 끌어올리기 위한 ‘마중물’정도로 보는 것이다.

반면 금융위원회의 김 위원장은 집값 하락이 상당 기간 지속될 수 밖에 없는 트랜드로 보는 시각이 강하다. 따라서 선불리 부양책을 쓰기보다는 충격과 국민부담을 미리미리 줄여나가는 ‘위험 관리책’에 치중해야 한다는 쪽이다. 무엇보다 1000조원에 달하는 가계부채를 더 늘리는 카드를 썼다가는 국가신용등급이 떨어질 수 있다는 점을 경계한다. 이 때문에 용적률 · 층수 · 분양가 같은 건축 규제를 대폭 완화하거나, 양도세 · 취득세 같은 거래세 부담부터 먼저 줄여야 한다고 주장한다.

일곱째, 국회와 행정부 간의 관계이다. 정책의 상당 부분이 법령의 형태를 띠거나, 국회를 통과한 예산의 형태를 띠고 있다는 점은 국민의 대표기관인 국회의 의결이 요구된다는 것을 의미한다.

따라서 행정부 공무원들이 수시로 국회를 들락거리고 국회의원을 접촉하는 하는 데는 정책을 조율하거나 협조를 구하기 위한 목적이 있다고 하겠다. 국회는 정책동학 현상이 일어나는 정책과정에서 비토 포인트(veto point)로서 역할을 한다. 민주화 이후 국회의 비토역할(veto player)은 점점 커지고 있다.

위에서 정책시장을 결정하는 데 영향을 미치는 일곱가지 변수를 살펴보았다. ①집권당의 정치적 성향에 따른 여당과 야당의 입장 차이 ②정책이슈의 단순성/복잡성, ③정책정보의 정부독점/민간분점, ④이익집단의 정치적 영향력 큼(이익집단의 동질성 · 조직화)/작음(이익집단의 다양성 · 비조직화), ⑤정책상황 전개의 안정성/불안정성, ⑥정부 조직간 협조/갈등, ⑦국회와 행정부 간의 관계 등이다.

위에서 제시한 정책시장의 결정요인들은 정책시장 유형의 독립변수 역할을 한다. 정책시장 함수는 아래와 같다.

(정책시장 함수) PM = α + f (Id, Is, In, Si, Com, Con, Co).

여기서 Id는 ideology(정치적 이념), Is는 issue(정책이슈), In는 information(정보), Si는 situation(정책상황), Com은 competition(경쟁), Con은 conflict(갈등), Co는 cooperation(협조)를 의미한다. competition(경쟁), conflict(갈등), cooperation(협조)는 이해집단, 행정부, 입법부 들 상호간의 관계를 나타내다. α는 현재의 정책시장 상태를 나타내는 상수이다.

뒤에서 설명하겠지만, 위의 7개 변수 중 2개 변수를 선정하여 4사분면의 테이블을 만들면 84가지의 정책시장 유형이 예측된다. 7개 변수를 전부 고려해야 할 경우에는 2520가지의 정책시장이 형성될 것이다. 정책시장별로 정책설계 내용과 방법이 달라지고 그것으로 인해 정책동학 현상, 즉 정책의 다양성과 역동성이 나타나게 됨을 알 수 있다. 위의 유형을 그림으로 나타내면 그림 6-10과 같다.

그림 6-10: 정책시장 개관도 : 7개 변수

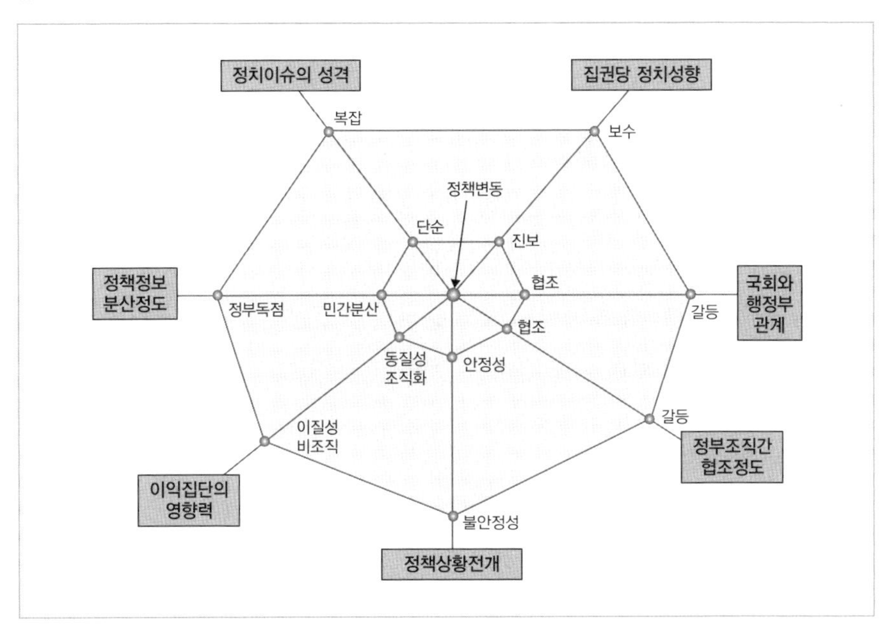

위의 정책시장의 전체적인 개관도를 보면, 집권당의 정책성향이 진보적일 때, 특히 보수진영에서 진보진영으로 정권교체가 된 경우에는 정책변동이 크게 일어날 것으로 예상된다.

그리고 정책 이슈가 단순할 때, 정책정보가 널리 분산되어 정책안에 대한 이해도가 높을 때, 이익집단들이 동질적이고 조직화되어 있을 때, 정책상황이 안정적으로 전개될 때, 정부조직 간은 물론, 여·야 등 입법부와의 관계가 협조적일 때에 정책변동이 일어날 가능성이 크다고 할 수 있다.

다시 말해, 넓이가 좁아질수록 정책동학 현상, 즉 정책과정의 역동성과 정책내용의 다양성이 커져서 정책의 변동이 일어날 가능성이 농후해진다는 것이다. 최종적인 정점에서 정책변동이 일어나는 현상이 그림으로 표시되어 있다.

이제 정책시장의 결정변수들 중에서 주요 2가지 변수를 선정하여 어떻게 정책시장이 형성되는가를 살펴보면 그림 6-11과 같다.

먼저 집권당의 정치적 성향과 여·야간의 관계를 중심으로 2차원적인 시장모형을 제시한 것이 그림 6-11-1 이다.

둘째, 정책이슈가 복잡한가 아니면 단순한가의 여부 그리고 정책상황이 안정적인가 아니면 급속하고 예측불허인가 여부에 따라 4가지 정책시장이 생기게 된다. 이는 그림 6-11-2에 나타나 있다.

셋째, 정책에 대한 정보가 어느 정도 분산되어 있는가 그리고 관련 이익집단의 조직화의 여부에 따라 시장 유형을 구별하였는데 그림 6-11-3이다.

그림 6-11: 2변수 정책시장 유형

그림 6-11-1: 집권당 정치성향 / 정부-입법부관계

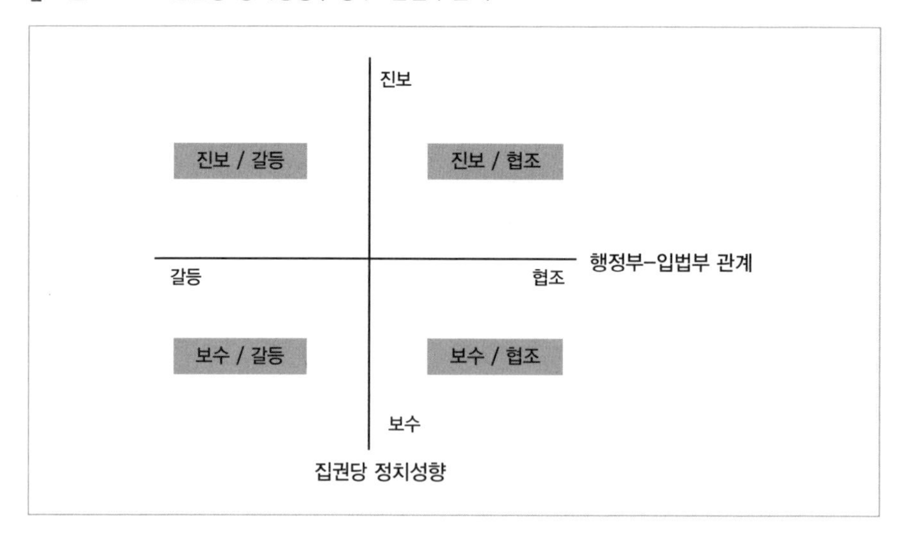

■ 그림 6-11-2: 이슈의 복잡성 정도 / 상황의 안정성 정도

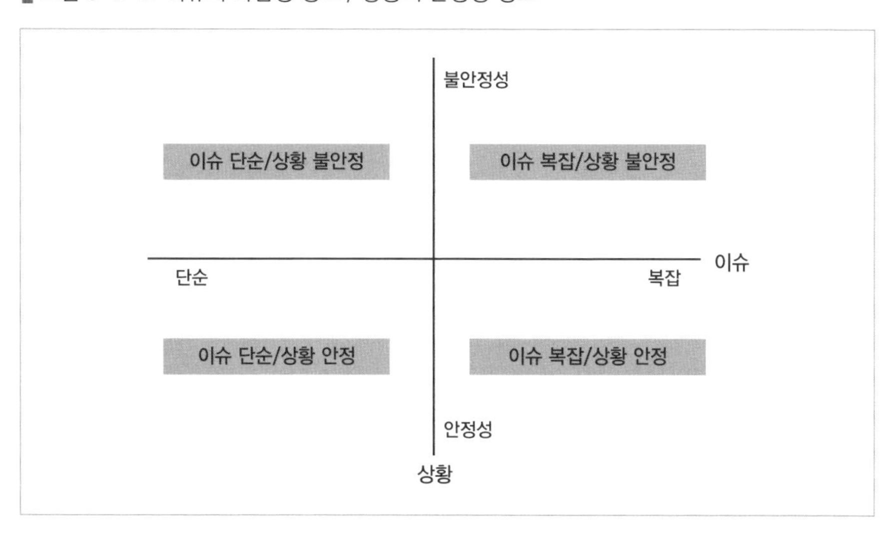

■ 그림 6-11-3: 정보분산정도 / 이익집단 영향력

5_ 정책설계 전략(the strategy of policy design) 모형

1 | 여는 글

정책학계에서 지적되고 있는 문제점 중에 하나는 정책이론과 정책실무 간에 여전히 괴리가 있다는 것이다. 특히 정책결정 과정에서 실질적이고 근본적인 역할을 하면서 큰 영향을 미치고 있는 정책설계[66]에 대한 이론이 진전되지 않은 점은 정책학 연구에 대한 비판 중 가장 심각한 사안이라고 할 수 있다.

다행히도 이런 우려를 불식시킬 수 있는 정도는 아니지만, 최근 정책학 연구의 경향을 보면 그동안 다른 분야에 비해 관심이 저조했던 정책설계에 대한 인식이 높아지고 있다[67]. Ingram 등은 정책행위자들에 의해 설계된 정책은 그 시행을 통해 사회를 재편성하는 의미가 있기 때문에 정책설계는 사회설계와 표리의 관계가 있다고 주장한다.

우리 속담에 구슬이 서말이라도 꿰어야 보배가 된다는 말이 있듯이, 정책결정 과정에서 모든 문제를 해결해줄 마법사 램프의 요정과 같은 역할을 하는 것은 결국은 정책행위자들, 특히 정책선도자들의 정책설계 능력이다. 만약 각 정책대안들이 독립적으로 정치적 행위에 영향을 미친다면, 정책대안은 단순히 과거의 개인적 이익을 반영하는데 그치지 않을 것이다. 만약 앞장에서 설명한 심의민주주의에 의해서 정책행위자의 선호가 형성된다면, 사회 전체의 공동체

66 Rose 교수는 시장설계(매칭시스템)이론으로 2012년도 노벨경제학상을 수상하였다. 2012년도 일어난 한국의 어린이집 대기 수요 등 제대로 작동되지 않는 정책시장에도 설계를 통해서 적절한 정책대응 방향을 도출해 낼 수 있다는 시사점을 얻을 수 있다.

67 Sabatier가 편집한 Theories of the Policy Proccess(1999년)에서는 정책설계를 다루지 않고 있었는데, 최근(2007)개정판에서는 Ingram, Schneider, deLeon 등의 논문 'Social Construction and Policy Design'을 싣고 있다.

선호로서 정책은 개인선호의 단순한 합계 이상의 의미를 가지게 된다.

따라서 국민 개개인이 자신의 선호와 이익을 추구한다는 사실을 받아들인다면, 이를 어떻게, 어떤 과정을 통해서 추구해 나갈 것인가? 즉 개인들의 선호가 사회전체의 선호로 결집되는 정책시장에 참여하는 입법부의 국회의원들과 행정부 공무원들이 정책설계 또는 협상을 통해서 정책대안을 마련한다는 점을 고려해야 할 것이다.

한편 정책설계 전략(strategy of policy design)이란 개념은 정책문제의 해법에 대한 아이디어는 그 스스로의 수명을 가지고 있다는 시각을 반영한 것이다. 정책아이디어는 순환하며, 정책결정 과정에서 각종 이해관계에 대해 독립적으로 만들어지기도 하지만, 그 보다는 이해관계들과 연계되어서 영향력을 갖는 경우가 더 많을 것이다.

이런 점에 비추어서 정책설계를 설명하고, 그 방향을 예측할 수 있는 정책학 이론을 만들어 내는 것이 정책학의 당면과제라고 할 수 있다.

2. 정책설계(policy design) 함수

1) 정책설계 개념

정책설계의 개념은 정책의 개념과 매우 밀접한 관계가 있다. 노화준(1992) 교수는 설계를 '어떤 목적을 달성하거나 문제를 해결하기 위해 조작가능한 요소들을 재배열 하는 것'이라고 정의하고, 여기에 맞추어 정책설계를 '사회가 당면하고 있는 문제를 해결하고 이를 통해서 국민생활을 향상시킬 수 있도록 사회의 시스템을 유지하거나 변경하기 위해서, 정부가 조작가능한 시스템 요소들을 목적과 수단의 인과관계에 따라 재배열하는 것'으로 정의한다. 다시 말해, 정책설계는 가치배분적인 측면과 목적지향적인 규범적인 측면을 가지고 있지만, 목적과 수단 간의 인과관계를 설정해주는 경험성을 가진다는 점을 강조한다.

Linder & Peters(1987: 738–741)도 공공기관이 정해진 목표를 달성하거나 관련된 문제를 해결하기 위하여 조작가능하거나 통제가능한 모든 요소들을 목적과 수단의 인과관계에 따라서 다시 배열하는 것이라고 정의한다.

정책설계 개념을 건축설계도의 작성과 같이 좁게 정의할 경우, 이런 정의에 의해서는 정치적 협상이나 조정에 의한 정책설계 행위를 포괄하지 못하게 될 것이다. 따라서 정책설계를 보다 넓은 개념으로 정의하는 자세가 필요하다고 본다.

Ingraham(1987: 611–128)은 정책설계의 능력이란 정책설계안이나 아이디어가 의식적으로, 체계적으로 구조화하는 정도, 다시 말하면, 정책문제를 해결하는 데 필요한 하위문제들의 원인, 인과적 연계, 해결수단의 범위, 전략의 선택, 전략을 실현하기 위한 각종 수단들 간의 정합성 등이 숙고되고 분석되어 최대한의 효과를 도출할 수 있도록 구조화하거나 조직화하는 능력을 말한다고 주장한다.

Ingraham의 견해는 정책동학 현장에서 이루어지는 정책설계의 담당자들은 사회현상을 정확히 분석하고, 정치적 감각을 가지고 사회적 선호를 반영하는 정책안을 구상하는 능력을 갖추어야 한다고 볼 때, 후자인 정치적 감각을 경시한 측면이 있다.

이런 점들을 감안하여 정책설계를 '국민들의 개별 선호를 공동체의 선호로 결집하는 정책의 구체적인 수단과 방안을 정책시장의 유형에 맞추어 최적의 효과를 낼 수 있도록 배열해 나가는 것'이라고 정의하고자 한다.

2) 정책설계 과정과 활동

정책설계의 개념에 대한 이해를 돕기 위해 비유를 들어서 설명하면, 정책설계는 도시건축의 중요한 분야 중에 하나인 도시설계와 같은 기능을 한다. 도시설계는 도시를 창조하는 작업이다. 도시를 설계하기 위해서는 우선 현존하는 도시의 자연경관과 장래의 모습을 모두 담아야 한다.

따라서 설계자는 자신을 둘러싸고 있는 도시와 자연환경을 예리하게 분석하여 감지하고, 보다 멀리 보고 도시의 미래를 창조적으로 설계해야 한다. 정책설계자도 도시설계에서 필요한 분석 능력과 창의성을 갖추어야 할 것이다.

그렇다고 하더라도 양자 간에는 차이점이 많다. 정책설계는 급변하는 정책환경, 복잡하고 애매모호한 정책목표, 가치와 이익 간의 끊임없는 갈등, 정책대상에 대한 통제의 어려움 등 특수성을 고려하여 이루어져야 할 것이다.

이번에는 정책동학에서 다루는 정책의 다양성과 정책의 변동성의 직접적인 원인행위가 되는 정책설계가 어떤 과정을 거치고, 그 과정마다 어떠한 활동들이 일어나는가를 살펴보겠다. 이를 그림으로 나타내면 그림 6-12와 같다.

그림 6-12: 정책설계의 과정과 활동

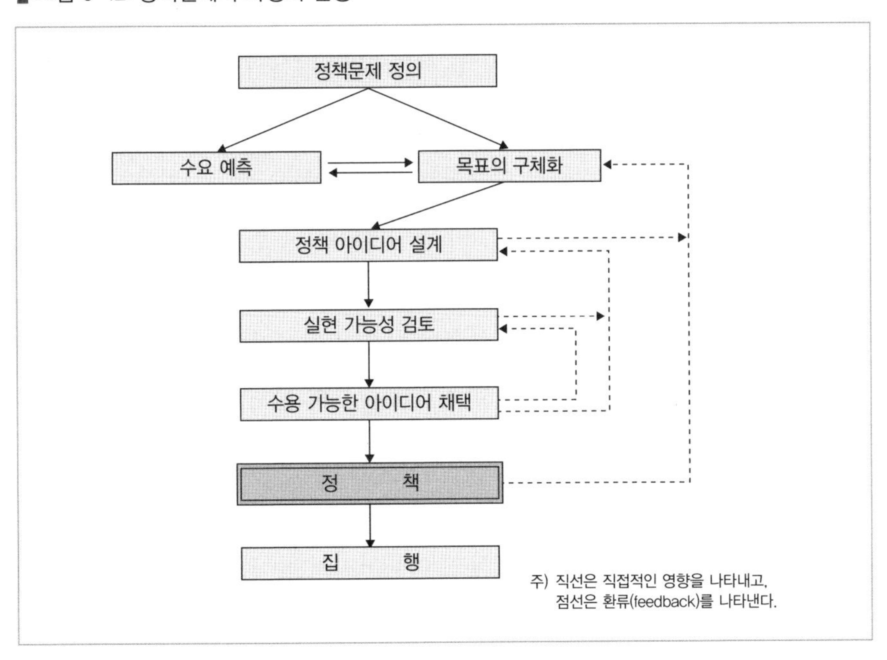

세상살이에는 많은 문제가 발생한다. 시장에서 경제주체들의 게임 룰에 의해서 자율적으로 해결해야 할 문제는 정부가 간여할 때 더 꼬이게 될 가능성이 있다.

그렇지만 정부의 예산이 투입되거나 법률로서 규제해야 필요가 있는 사회적 이슈에 대해서는 정책행위자들이 그 문제를 공적으로 해결하기 위해서 자기들의 선호를 반영한 갖가지 정책 아이디어를 제안하게 된다.

이렇듯 정책 아이디어를 제기하기 위해서는 사회이슈를 정책문제로 정의하는 활동부터 시작되어야 할 것이다. 정책문제의 정의활동은 문제가 발생한 원인을 규명하고, 이를 해결하는데 있어 추구해야할 가치를 제시해야 한다. 이를 구체적으로 설명하면, 달성해야할 목표를 구체적으로 정하고 수요자들의 욕구를 예측하여 정책설계의 방향을 설정한다.

이처럼 정책목표가 구체화되고 나면 그 다음으로 구체적인 대책방안, 즉 아이디어를 탐색, 개발, 설계하고 이들 아이디어들이 채택될 경우에 가져 올 결과를 추정하는 활동이 전개된다. 여기서는 목표와 수단 간의 인과적인 연계를 추론하고, 각 아이디어에 포함된 구체적인 해결수단들 간의 논리적 정합성을 확인하며, 각 수단들의 현실 적정성 여부 등 실현가능성을 검증한 후, 아이디어가 실행되었을 경우의 결과를 예측하기 위한 각종 모델들을 활용한다. 이런 과정을 반복하여 적절치 않은 수단이나 아이디어는 수정, 보완, 또는 재설계하도록 환류과정이 계속 전개된다.

이 과정에서는 합리성에 근거한 분석과 아울러 정치적 타협 · 조정이 이루어진다. 일반적으로 정책설계안에 대한 검토는 공무원 조직내부에서도 이루어지지만 공공조직 밖의 전문가 집단에 의해서도 이루어진다. 때로는 일반 이해당사자들을 대상으로 하는 공청회를 통해서도 이루어진다.

정책설계는 정치적 협상에 의해서도 이루어지지만, 정책설계 과정에서 중요한 기준으로 작용하는 실현가능성을 설명하면 다음과 같다. 정책설계 과정에서 받아들이기 어려운 정책안을 제안하여 그것을 계속 주장하는 것은 그 내용이 제아무리 이론적으로 세련되었다고 하더라도 정책적으로는 무의미한 일이다.

따라서 정책설계자는 실현 가능성을 고려하면서 정책을 설계해야 한다. 어떤 정책이 채택되어 그 내용이 충실히 집행될 가능성을 의미하는데, 정치적인 실현가능성과 행정적 실현가능성으로 나눌 수 있다.

먼저 정치적인 실현가능성을 결정하는 주요 요인은 지배적인 여론동향과 국민들의 보편적인 가치관이다. 현실의 여론과 가치관을 가장 잘 반영한 정책대안은 정치체제에 의해서 정책동학의 과정을 거쳐 정책으로 수용될 것이다.

이에 비해 행정적인 실현가능성은 경제적, 사회적, 법적, 기술적 실현가능성을 말한다. 구체적으로 설명하면, 정책대안을 실현하는데 소요되는 비용을 현재의 국가재정에서 부담할 수 있는가, 그 정책대안이 사회적으로 인정되고 수용될 수 있는가, 헌법의 이념이나 타 법률과 상충되지는 않는가, 정책을 집행할 수 있는 인력이나 조직이 확보되어 있는가? 등이 충분히 고려되어야 한다는 것이다.

3) 정책설계 함수

이제 위에서 살펴본 정책설계 과정 등을 감안하여 정책설계를 결정짓는 변수들을 살펴보자. 정책설계에 영향을 미치는 독립변수, 즉 정책설계의 함수를 살펴보자.

정책은 인위적으로 바람직한 상태를 실현하려는 노력이므로 사회공학적 성격을 띠게 된다. 다시 말해, 정책은 사회구성원들의 선호가 일정한 게임 룰에 의해서 공동체의 선호로 결집된 것이므로 설계(design)의 대상이 된다. 따라서 정책설계는 타협과 조정 등 결정과정에서 이루어지는데, 그것을 구상하는 사람들의 지적 능력과 창의력에 의해서 그 내용이 결정되게 된다.

일반적으로 정책설계의 능력은 사회과학의 발전에 따라 사회경제적 현상의 인과관계에 관한 지식이 확대되고, 각종 정보들이 대량으로 축적됨으로써 향상된다, 특히 행태과학으로부터 여러 가지 설계지식을 활용할 수 있게 됨으로써, 정책설계 능력은 더욱 향상되고 있다. 이런 이유로 실제 정책설계는 전문가들에 의해서 주도된다.

다음으로, 정책설계가 정치적 과정의 산물이냐 아니면 분석적 과정의 산물이냐에 대해 논쟁이 벌어질 수 있겠으나, 정책설계는 정치과정의 산물로서의 성질과 합리적 분석과정의 산물로서의 성질을 동시에 가진다고 할 수 있다.

이런 점에 비추어 볼 때, 정책설계에 영향을 미치는 독립변수 중 하나는 정책상황, 즉 정책시장의 유형이다. 이에 대해서는 앞 절에서 자세히 설명하였다.

위에서 설정한 두 가지의 변수에 대한 정책설계의 함수를 살펴보면 다음과 같다.

(정책설계 함수) PD = α + f(PM, IC)

여기서 PD는 policy design(정책설계), PM은 policy market(정책시장의 유형), IC는 intellectual capacity(지적 능력)를 말한다. α는 현재의 정책내용을 나타낸다. 다시 말해, 정책설계는 경로의존성의 영향을 크게 받을 것이라고 보며, α는 이를 나타내는 상수이다.

3 정책설계 전략 모형

정책시장 상황은 우리의 상상력이 미치는 데까지 펼쳐질 것이다. 그렇지만 우리에게 유의미한 정책시장의 상황은 이 보다는 더 한정적으로 전개될 것이므로, 이를 제한적으로 살펴보아도 무방하다고 본다.

구체적으로 말하면, 정치적인 이데올로기, 경제적인 재산권 또는 거래비용, 문화로서 삶의 방식 등 정책시장의 상부구조를 이루는 요인들과 정책시장의 결정변수로서 정책 이슈의 성질, 정책정보의 분산정도, 이익집단의 정치적 영향력 등 상황변수 등에 따라서 정책시장을 유형화해도 충분하지는 않겠지만 필요조건은 충족할 것으로 보인다. 이런 점을 감안하여 정책설계(plicy design) 전략 모형을 예시적으로 살펴보면 다음과 같다.

1) 정치·정략성-실현가능성-이해타산성 정책설계 모형

이 정략성-실현가능성-이해성 모형은 정책동학의 특징을 가장 잘 대변하는 모형이다.

현대사회에서 정당을 기반으로 이루어지는 정치의 기능은 여러 가지 얼굴을 하고 있다. 정치는 국민의 이익 표출과 조정, 정책의 조정 및 형성, 국민 대표 기능, 정치체제의 유지, 파당적·이기적 투쟁 등 많은 기능을 한다. 정치는 정책결정 과정에서 행정부의 합리성에 경도된 정책이슈 및 대안 모색의 편협성을 메꾸어 줌으로써 불확실한 미래와 혼돈의 시대를 헤쳐나갈 수 있는 큰 방향을 제시하여, 보다 미래지향적이고 융통성 있는 정책이 만들어지도록 선도자의 역할을 하기도 한다.

이런 순기능에도 불구하고, 일부 사람들은 정파 간의 정략적 힘겨루기를 정치로 보는 시각도 있다. 파당적이고 이기적인 투쟁을 정치라고 보는 시각이다.

여기서 정략은 정치상의 책략을 말하며, 정략성은 정당의 경우 집권전략을, 개별의원들의 경우는 당선가능성을 말한다. 정치적 합리성 보다는 더 냉소적인 감정이 개입된 말이다. 정치적 합리성을 정치적으로 보아 바람직스러운 것으로서 정치적 가치의 획득을 통해서 달성되는 것으로 정의(정정길 외, 2010: 400)할 때, 정략성은 정치적 합리성을 얻기 위한 수단성이라고 볼 수도 있다.

따라서 정치·정략성은 행정부의 상대적인 경직성을 뛰어넘어 보다 융통성 있고 미래지향적인 큰 방향의 정책을 선도하는 기능과 선거에서 이기기 위해 여론에 따라 포퓰리즘적인 정책을 제시하는 경향을 포괄하는 개념이다. 다시 말해, 정치적 합리성과 정치상의 책략성을 함께 포함하여 나타내는 개념이다.

여기서 정치·정략성에 입각한 정책설계는 국민들의 환심을 사기 위해서 포퓰리즘적인 정책안을 구상하거나, 개략적인 정책방향만을 제시하는 경향이 있다. 선거과정에서는 국민들의 표를 의식하여 정책동조화 현상이 나타나기도 한다.

이와는 달리 실현가능성 등 전문성에 기초하여 정책을 설계하는 그룹이 있다. 공무원 조직은 정책설계 과정에서 이 기준을 가장 중요시 한다. 한국 공무원은 정책설계 과정에서 그 역할이 매우 크다는 점은 대부분 인정하는 사실이다. 대개 행정부 공무원들은 비용/편익 분석, 실현가능성 등 합리성에 기초한 정책설계를 하는 경우가 많다.

그렇지만 때로는 혁신적 정책 설계(innovative policy design)을 하는 경우도 있다. 사회변화를 예측하고 새로운 정책 대안을 마련하기 위해 보다 진취적인 입장에서 기회를 탐색하고 규명하는 경우이다. 1980년대에 일부 경제부처 공무원들이 주도하여 공정거래법을 제정하려는 움직임은 그 대표적인 사례라 하겠다.

이와 같은 한국 공무원들의 역할을 Nakamura와 Smallwood(1980)의 모형을 통해서 가장 잘 설명할 수 있다. 이 모형 중 정책결정자와 고위공무원간의 역할 모형인 관료적 기업가형(bureaucratic entrepreneurship)에 따르면 행정부의 공무원들이 정책목표를 결정하여 공식적인 정책결정자인 대통령이나 장관 그리고 국회를 설득하고, 이 정책을 받아들이도록 한다. 이 때 공무원들은 자신들이 설정한 정책목표를 달성하려고 함은 물론, 이에 필요한 능력을 보유하고 있다. 이런 현상이 일어나는 이유는 크게 세 가지이다.

첫째, 공무원들이 정책을 결정하는 데 필요한 정보를 생성하고 통제하는 능력을 가지고 있어 정책과정 전반을 지배하기 때문이다. 둘째, 행정조직의 직업적인 안정성과 연속성으로 인해 공무원들이 공식적인 정책결정자보다 오래토록 자리를 유지하고 정책을 수행하기 때문이다. 셋째, 행정부에서 근무하는 공무원 중에는 소극적인 자세로 일하는 공무원도 있지만, 어떤 공무원은 진취적인 성향과 적극적인 자세로 정책을 주도하는 경우가 있기 때문이다.

과거에는 정책이 공급자인 정부의 입장에서 결정되는 국가주의적 정책설계가 주를 이루었다면, 현대의 다원주의적 사회에서는 수요자들의 요구에 따라 정책이 설계되는 경우가 크게 늘어나고 있다.

이에 따라 정책결정 과정에서 때로는 특정 이익집단의 사적인 이익(private interest)과 사회전체의 공적인 이익, 즉 공익(public interest)간의 선택의 문제가 종종 발생한다.

이때 정책의 내용은 사적인 이익을 추구하는 이익집단의 위상이 정책과정에서 어떤 위치를 차지하고 있느냐에 따라 달라질 수 있다. 이에 대한 연구가 Mucciaroni의 이익집단 위상변동 모형(Reversals of Fortune Model)이다.

이 모형은 이익집단의 위상변동을 설명하는 틀로서 이슈맥락(issue context)와 제도적 맥락(institutional context)이라는 두 가지 개념을 사용한다(정정길 외, 2010: 718).

먼저, 이슈맥락이란 정책의 유지와 변동에 영향을 미치는 요인을 망라한 것으로 주로 정책과정의 외부에서 상황적인 요소로 작용한다. 이러한 이슈맥락과 관련되어 나타나는 대중적인 정책선호가 특정 이익집단의 이익과 주장을 옹호하는 것인가 아니면 반대하는 것인가에 따라서 정책의 설계가 달라지고 정책의 내용도 달라지게 된다.

둘째, 제도적 맥락은 행정부의 공식적 정책결정권자나 입법부의 힘 있는 의원들의 정책선호가 특정 이익집단의 이익과 주장에 대해서 호의적인가의 여부를 의미한다.

위의 두 가지 맥락이 함께 특정한 이익집단에 유리하게 작용할 때에는 그 집단에 유리한 정책이 계속 유지되거나 새롭게 형성될 것이다. 이런 관계를 도표화하면 표 6-1과 같다.

표 6-1: 이익집단 위상 변동

구분		제도적 맥락	
		유 리	불 리
이슈 맥락	유 리	위상 상승 (Fortunes rose)	위상 저하 (Fortunes contained)
	불 리	위상 유지 (Fortunes maintained)	위상 쇠락 (Fortunes declined)

이익집단들이 자신의 위상을 계속 유지하거나 한층 높이기 위해서는 이슈 맥락과 제도적 맥락이 그런 방향으로 전개되도록 각종 수단을 동원하게 될 것이다. 그 결과에 따라 정책설계의 방향도 정해질 것으로 보인다.

2) 정책상황–정책가치–정책설계 모형

정책시장과 정책설계 전략의 관계를 정책가치-정책상황-정책설계 모형에 따라 설명하면 다음과 같다(Bobrow & Dryzek, 1987).

첫째, 국가전체적인 차원에서 이루어지는 자원배분과 관련이 있는 정책시장의 경우와 계층간 · 정파간에 정치적 갈등의 정도가 비교적 낮은 정책시장의 경우에는 후생경제학적 정책설계가 이루어진다.

둘째, 정부의 실패가 발생하는 분야의 정책설계는 공공선택이론에 근거해서 이루어진다고 한다.

정부 실패는 경제학적으로 시장에 대한 정부의 개입이 자원의 최적 배분 등 본래 의도한 결과를 가져오지 못하거나, 기존의 상태를 오히려 더 악화시키는 경우를 말한다. 다시 말해, 정부가 정책을 수립하여 집행한 결과 당초에 내세운 정책의 목표와 그 성과 간에 차이가 생기거나 오히려 더 나쁜 결과를 초래한 상태를 말한다. 이러한 정부 실패를 치유하기 위해 정책시장에서는 민영화 등 공공선택이론에 근거한 대책을 모색하게 된다.

셋째, 이해집단들 간의 갈등이 심하고, 분배의 불공정을 시정하라는 요구가 강한 정책시장, 특히 특정집단의 복지를 실현할 것을 요구받고 있는 정책시장의 경우에는 사회구조론적인 정책설계를 할 가능성이 크다.

넷째, 좌 · 우간의 대립은 물론, 진보와 보수간의 갈등이 심한 경우에는 정치철학적 정책설계 전략이 구사될 것이다. 이 경우에는 정치적 가치가 상충되기 때문에 정치적 협상에 의해 진단적 · 치료적 정책설계가 이루어지고, 개략적이고 점증적인 정책설계가 이루어지는 경향이 있다.

그러면 위에서 언급한 주요 정책설계 전략을 구체적으로 살펴보기로 한다. 먼저 후생경제학적 정책설계 전략이다. 여기에서 인간은 자기 자신의 이익을 극대화하는 존재라고 보고, 정부는 국민의 이익을 위해서 최선을 다한다고 가정한다. 이때 정책설계는 국민들의 이익을 극대화하기 위해 정책대안이나 아이디어를 마련하는 행위라고 할 수 있다. 특히 정책대안을 마련하는 데 있어 그 결정기준은 모든 비용과 편익을 금액으로 환산하여 이익이 많은 정책대안을 우선적으로 선정하게 된다.

그렇지만 후생경제학적 방법론에 대해서 여전히 비판이 제기되고 있다. 초기 이론은 사회전체의 후생이 단순히 경제체제 내의 모든 개인이 느끼는 만족도를 합한 것으로 생각하고 접근했으나, 개개인의 후생을 측정하는 것은 물론, 개인 간의 후생의 비교가 쉽지 않다는 주장이 제기된 것이다.

따라서 새롭고 제한적인 기준이 계속 개발되었는데, 그 기준에 따르면 다른 사람의 만족을 감소시키지 않고 최소한 한 사람의 만족이 증가된다면 그 상태는 후생학적으로 바람직하다고 본다. 더 나아가 몇몇 사람의 후생이 감소하더라도 전체의 후생 증가분이 그 감소분을 능가한다면, 즉 전체적인 후생이 증가한다면 그 상태는 바람직하다고 본다. 그러나 이런 조건을 충족시키기 위한 여러 가지 경제상태를 비교하는 구체적인 방법론은 아직도 개발되지 않은데 그 결정적인 약점이 있다.

둘째, 공공선택이론은 비시장 영역에 시장적인 의사결정방법을 연구하는 영역이라 할 수 있다. 즉 경제학적 시각으로 정책현상을 연구하는 접근방법이다. 여기서도 후생경제학적 입장과 마찬가지로 인간은 자기이익을 극대화하는 합리적 존재라고 가정한다.

다만 차이점은 정부에 대한 입장이 다르다는 것이다. 공공선택이론에서는 정부를 공익을 지향하는 선한 존재라고 보는 것을 거부한다. 시장의 실패를 해결하기 위해 정부가 개입하지만 정부의 개입에는 정부실패가 뒤따를 수 있다고 주장한다. 이런 정부실패를 막기 위해 정부의 기능을 제한해야 한다고 주장한다. 다시 말해 개인은 정부를 통해서 자기의 이익을 추구하되, 이 경우에도 정부의 구조에 대한 선택권은 다시 개인에게 주어야 한다.

공공선택론적인 정책설계 방식에 동원되는 주요 내용은 소규모의 국민의 여론에 즉각 반응하는 분권화된 정부를 제시한다. 또한, 시장존중, 규제완화, 민영화, 자율화 등 전략을 구사한다. 이 접근방법에도 한계가 지적되는데, 분배문제를 해결하는 데에는 무력하다는 것이다.

셋째, 사회구조론적 접근방법이다. 이 방식은 기본적으로 개인 간, 집단 간 재화의 분배에 관심을 갖는다. 이 때 기준은 비용 대 편의가 아니고, 개인이나 집단의 자산 비율이다. 이들의 관심은 '개인 간에, 집단 간에 지배적인 분배의 모습은 어떠해야 하며, 어떻게 변화해야 하는가? 그리고 어떤 정책적인 조치가 이런 분배에 어떤 방식으로 영향을 미칠 것인가?' 를 규명하는데 있다고 볼 수 있다. 이 방식은 빈곤문제 해결이나 교육정책 설계 등에 주로 이용된다.

넷째, 정의관에 입각한 정치철학적 설계전략이다. 분배의 정의는 고대 아리스토텔레스 이래 정치철학의 주요 관심사인데, 가치 있는 것들을 사람들에게 어떻게 분배하는 것이 정의로운가 하는 문제를 다룬다. Sandel은 정의를 이해하는 세 가지 방식을 구별해서 소개한다.

그 중 하나는 공리주의적인 시각으로, 무엇이 옳은가를 결정하기 위해서는 사회전체의 행복을 극대화하는 방법이 무엇인지 고민해야 한다는 것이다. 후생경제학적 사고와 비슷한 점을 발견할 수 있다.

두 번째는 정의란 사람들이 도덕적으로 마땅히 받아야 할 몫을 제대로 받는 것, 즉 재화를 분배해서 미덕을 포상하고 장려하는 것이라고 본다. 아리스토텔레스의 정의론에 가깝다.

세 번째는 정의를 자유와 연관시키는 시각으로 자유지상주의 이론이다. 이들은 소득과 부의 공정한 분배는 규제 없는 시장에서 재화와 용역을 자유롭게 교환하는 것이라고 말한다. 이들에 의하면 시장을 규제하는 것은 개인 선택의 자유를 침해하기 때문에 부당하다고 본다.

이는 칸트주의에 가깝다고 할 수 있다. 칸트에 따르면 자유롭게 행동한다는 것은 자율적으로 행동한다는 의미이고, 자율적으로 행동한다는 것은 천성이나 사회적 관습에 따라서가 아닌 자기가 자기에게 부여한 법칙에 따라 행동하는 것을 의미한다.

공리주의는 그것의 약점들을 지속적으로 수정했음에도 불구하고 많은 비판이 따르고 있는 것이 사실이다. 이에 비해 칸트주의는 현대에도 지배적인 정치철학의 위치를 고수하고 있다. 칸트주의의 기본적인 관심은 바로 인간 그 자체이다. 다시 말해 인간의 존엄성과 개인의 권리신장에 초점을 맞추어야 한다는 것이다.

따라서 정책을 설계하는 과정에 도덕적 이성이 적용되어야 한다. 이 접근방식은 추상성이라는 한계가 있다는 지적이 있을 수 있다. 그럼에도 불구하고 정책설계의 일반원칙으로서 역할을 하는 점은 폭넓게 인정받고 있다.

3) Rawls의 최소극대화 원칙(maximin principle) 모형

다음은 특별히 현대 정치철학 중에서 복지정책 설계 등의 기준이 되는 Rawls의 최소극대화 원칙(maximin principle)을 소개하고자 한다(이준구, 2003 : 542–543 재인용). 이 접근방식은 정치철학적 정책설계 방식에 해당된다.

Rawls는 사회의 기본구조에 대해 아무런 원칙도 정해지지 않은 상황에서 사람들이 어떤 기본원칙을 채택할 것인가에 대해서 합의하는 과정을 논의의 출발점으로 삼고 있다. Rawls는 이 가상적 상황을 원초적 상황(original position)이라고 하였는데, 이 상황에서는 어느 누구도 자신이 앞으로 사회에서 어떤 지위를 차지하게 될지 모르고 있다. 심지어는 자신의 지능이나 능력이 어느 수준이 될지조차 모르는 철저한 무지의 장막(veil of ignorance) 뒤에 감추어진 상태가 바로 이 원초적 상황이다.

이 원초적 상황에서 사람들에 의해 선택되리라고 기대되는 정의의 원칙으로 Rawls는 두 가지를 제시하였다. 첫 번째 원칙은 모든 사람이 다른 사람의 자유와 양립할 수 있는 한에서 가장 광범위한 자유에 대해 동등한 권리를 가져야 한다는 것이다. 두 번째 원칙은 누구에게나 그 기회가 개방된 직위나 직책과 결부되어서만 사회적·경제적 불평등이 주어져야 하며, 더 나아가 그 불평등이 모두에게 이득이 되어야 한다는 것이다. 후자를 차등의 원칙(difference principle)이라고 부르는데, 이 원칙의 논리적 연장이 바로 최소극대화 원칙이다.

최소극대화의 기준은 게임이론에서의 전략 가운데 하나로 일련의 최소값들 중에서 가장 큰 값을 선택하는 기준(maximin: the maximum among a set of row minima)을 말한다. 이는 최대극소화 기준과 대비된다. 최소극대화 원칙은 위험은 최소화하고 기대치는 극대화하는 전략이다. 선택가능한 여러 대안들의 우열을 가려서 어떤 대안의 최악의 결과(최소)가 다른 대안들의 최악의 결과보다 우월할 경우(극대화) 그 대안을 채택한다는 전략이다.

Rawls는 사람들이 위험부담에 대해 극도로 기피적인 태도를 가지고 있으면, 최소극대화의 원칙에 흔쾌히 동의할 것이라고 말한다. 이 원칙이 관철된다면 그 사회에서 가장 못사는 사람이라 할지라도 어느 정도의 물질적 안락이 보장될 수 있다. 다시 말해, 사람들의 생활수준이 그 밑으로는 떨어질 수 없는 일종의 안전망(safety net)이 설치되는 셈이 된다. 자기 자신이 앞으로 어떻게 될지 전혀 알 수 없는 원초적 상황에서 위험기피적인 사람이라면 이 안전망을 환영하게 되리라는 것이 Rawls의 주장이다.

최소극대화의 원칙은 진보주의 진영에 이념적인 기초가 되어 가난한 사람들을 위한 사회복지 정책설계에 많은 영향을 미치고 있다.[68]

사례 6-9: 최소극대화 전략(maximin strategy)

최소극대화 전략이란 각 전략(정책)을 선택했을 때 예상되는 최소의 편익(보수)를 비교하여 그 정책들 중에서 편익(보수)가 가장 큰 정책을 선택하는 것을 말한다. 다시 말해 각 전략(정책)을 채택했을 때 일어날 수 있는 최악의 결과를 비교하여 그 중에서 가장 덜 나쁜 결과가 나올 수 정책을 선택하는 접근방법을 말한다.

구체적인 전략 상황을 통해서 이를 설명해 보자.

정당A와 정당B의 정책대안의 예상되는 효과 또는 편익표는 표 6-2와 같다. 정당 A에는 전략대안 A_1과 A_2 두 대안이 있고 정당 B에도 마찬가지로 B_1과 B_2 두 전략대안이 있다. 여기서 (A정당의 편익, B정당의 편익)은 기대치이다.

표 6-2: 정책대안 예상 편익표 (단위: 억원)

구분		정 당 B	
		B_1	B_2
정당 A	A_1	(9, 7)	(−18, 4)
	A_2	(2, 5)	(6, 3)

만약 우월전략[69](내쉬균형)에 따르면 정당 B는 우월전략인 B_1을 항상 사용할 것

68 이 견해에 대해 진보진영에서는 거부적인 반응을 보일 수도 있다.

69 우월전략에 따라 대안을 선택하는 경우 내쉬균형이 이루어진다.

이고, 정당 A도 A_1대안을 선택할 것이므로 (A_1, B_1)조합의 전략이 이루어질 것이다. 그렇지만 정당 B가 B_2대안을 선택하면 정당 A는 18억원의 손실을 입을 가능성도 있기 때문에 정당 A는 이와 같은 최악의 상황을 피하고자 최소극대화 전략을 사용하게 된다.

정당 B가 B_2를 선택하면 정당A는 18억원의 손실을 입게되므로 정당 A는 이와 같은 최악의 상황만은 피하고자 한다면 최소극대화 전략을 사용하게 된다. 이처럼 정당 A가 최소극대화 전략을 사용했을 때의 균형은 어떻게 이루어지는지를 알아보자.

최소 극대화 전략은 각각의 대안을 선택했을 경우 최악의 보수 중에서 가장 덜 나쁜 대안을 선택해야 하고, 상대방의 전략에 관계없이 오로지 자신의 기대 편익에 따라 대안을 선택한다.

정당 A가 A_1대안을 선택했을 때 최소편익이 −18억원이고, A_2대안을 선택했을 때의 최소편익이 2이므로, 최소 편익 중에서 큰 편익을 보장하는 A_2대안을 선택할 것이다. 이럴 경우 정당 B는 바보가 아니라면 우월전략을 펼쳐 B_1대안을 선택할 것이므로 선택의 조합은 (A_2, B_1)이 될 것이다.

반대로 정당 B의 입장에서는 B_2대안을 택하였을 때 최소편익이 3이고, B_1대안을 선택하였을 때 5이므로, B_1대안을 선택하게 될 것이다. A도 이에 따라 A_2대안을 선택하게 되어 똑같은 결과가 나온다.

4) 정책목적–정책수단–정책설계 모형

우리나라의 경우 대개 행정법의 형태로 정책이 설계된다. 기존의 연구 중에서 행정법의 내용을 분석한 결과를 참고[70]하고 필자의 공직 경험에 비추어 볼 때, 우리 정부의 정책들이 추구하는 목적은 국민의 건강 향상, 근로자의 복리 증

70 노화준(1989). 정책설계에 영향을 미치는 요인과 정책설계과정의 유형. 한국행정학보.를 참고하였다.

진, 소비자의 권리 증진 등 직접적으로 국민생활의 수준을 향상시키는 것을 목적으로 하거나, 산업구조의 합리화, 금융구조의 선진화 등 경제·사회 관련 제도를 개선하는 데 있다고 할 수 있다.

이런 측면에서 정책은 국민의 생활 및 복지를 향상시키기 위해서 경제·사회적인 시스템이나 제도를 유지하거나 변경시키는데 대한 정부의 결정이나 행위라고 할 수 있다.

위와 같은 정책의 목표를 달성하기 위한 정부의 활동 수단들은 크게 세 가지로 나눌 수 있다.

첫째, 국가의 재정 투입 수단이다. 농업 지원 사업으로서 농수산물 도매시장을 개설하거나, 복지정책의 하나로 유아 보육시설을 확대하고 근로 여성을 위한 복지시설을 확장하는 등 국가의 예산을 투입하는 것은 그 대표적인 사례라고 하겠다. 따라서 이를 위한 정책설계는 정부의 재정 투입 방식이라 할 수 있다.

둘째, 규제적 방식이다. 기업간의 불공정 경쟁 및 과대광고의 규제 등이 그 구체적인 사례이다. 이 수단은 정부의 공권력 또는 강제력을 근거로 하여 행사된다는 데 특징이 있다.

전통적인 규제는 보호적 규제방식이 주를 이루었으나 현대 시장경제 하에서는 경쟁유발적 규제방식이 도입되고 있다. 일정한 요건을 갖춘 기업에게 라디오나 TV 방송권을 부여하면서 방송윤리규정을 준수하도록 하는 사례가 이에 해당된다고 할 수 있다.

셋째, 유인의 제공이다. 첨단 산업 장비에 대한 관세경감, 외국기업에 대한 각종 조세 감면 등 일정한 대상이나 행위에 대해 인센티브를 부여하는 경우가 이에 해당된다.

이처럼 정부의 주요활동을 재정투입, 규제, 유인(인센티브)으로 분류할 수 있음을 알 수 있다. 따라서 정책목적-정책수단-정책설계 모형에 의한 정책설계 방식은 재정 투입적 정책설계, 규제적 정책설계. 유인적 정책설계로 나눌 수 있을 것이다.

5) 형성적 정책설계(constructivism)와 진화적 정책설계 모형(evolutionalism)

정책설계를 보는 시각을 살펴보자. 정책을 인위적이고 작위적인 노력의 결과로 볼 것인가 여부에 따라 두 가지의 입장으로 나눌 수 있다.

첫째, 합리적인 형성(구성)주의(rational constructivism)이다. 이는 사회발전을 위한 정책설계를 통하여 더 바람직한 방향으로 사회를 만들 수 있다고 생각하는 사회주의자들로서, Popper(1950)에 의하면, 플라톤, 마르크스, 지식사회학자 등이 이에 해당되며, 이들을 개방사회의 적들이라고 부른다.

둘째, 이와 반대되는 입장으로 인위적인 정책설계 없이 그냥 놔두면, 사회 구성원들의 상호작용에 의해서 자연발생적으로 새로운 질서가 생성되어 더 좋은 사회로 발전한다고 보는 진화론자(evolutionalist)들이다. 이들은 세상은 특정한 의도대로 움직여주지 않는 체계이기 때문에 인위적인 설계(design)도, 통제(control)도 필요가 없다고 본다. 예를 들면, 의료정책 설계에 있어 보건당국이나 의사집단, 소비자인 국민들의 의도대로 움직여 나가지 않지만, 관련되는 이들의 상호작용에 의해 의료정책은 계속 진화한다는 것이다.

위의 두 가지 입장에 따라 정책설계는 합리적 분석에 의한 형성적 정책설계와 자연발생적으로 이루어지는 진화적 정책설계로 나누어서 각각을 설명할 수 있다.

형성적 설계는 마치 TV 프로그램을 제작하듯이 합리성이라는 기준에 따라 사회를 재구성하기 위한 정책대안을 설계하는 방식이다. 기존의 행정학에서 강조하는 과학적 의사결정 기법에 따라 문제를 해결해 나가는 경우가 이에 해당된다. 구체적으로 설명하면, system analysis의 기법인 선형이론(linear programming), 비용/편익 분석(benefit/cost analysis), 게임이론(game theory) 등에 따라

설계하는 경우를 말한다. 이때 정책설계의 목적을 목표의 극대화, 비용의 최소화 등에 두기 때문에, 이 모형을 최적화 모형(optimization model)이라고 한다.

위와 같은 형성적 정책설계는 정책현상에 인과관계가 명확할 때에는 가능하겠지만, 현실은 그렇지 않다. 현실세계는 기본적으로 불확실성이 내재되어 있기 때문이다.

따라서 혼돈상태가 주를 이루는 현실세계에서 미리 정해진 기준에 따라 정책을 설계하는 경우는 흔치 않을 것이다. 오히려 정책이 형성되어 가는 실제적인 양상은 진화적일 경우가 많다.

요컨대 진화적 정책설계의 모습은 마치 시장메카니즘처럼 수많은 정책행위자들이 적응적인 행동한 결과로서 자연발생적으로 나타난다는 것이다. 이처럼 진화적 정책은 미리 최종목표를 설정하지도 않고 단편적이고 부분적인 적응과정을 거쳐서 전체 모양이 바뀌어 가는 과정에서 생성된다.

김영평(1991)은 이런 과정을 통해서 확보된 합리성을 진화적 합리성이라고 하였다. 그는 진화과정에서는 새로운 변화양상에 새로운 대응방법을 발견하는 지식이 증가하게 되고, 이것은 단기적으로는 시행착오의 결과이지만, 장기적으로는 시행착오가 원활하게 이루어지도록 하는 절차를 제도화하는 것이라고 주장한다.

그렇다면 진화적인 정책설계는 어떻게 이루어지는 것인가? 누구도 의식하지 못하는 가운데 발전, 진보가 이루어지도록 설계하는 것이 중요하다. 의도되지 않지만 진화적으로 개선되고, 구성원들 스스로의 변화를 유도하는 절차 또는 게임 룰(game rule)을 만들면, 구체적인 정책설계 작업을 하지 않고도 절차에 따라서 새로운 정책이 생성된다는 것이다.

예를 들면, 인터넷 네트워크를 활용한 정책토론방을 설치하고, 여기에서 제기된 아이디어 중에서 채택되어 정책화할 수 있는 구체적인 선정기준을 정해

놓으면 진화적인 정책설계가 이루어질 것이다. 정책과제에 대한 중요한 정보를 미리 제공한 후에 전문가 그룹들의 의견을 듣고, 이어서 이에 대한 각계 각층의 의견을 수렴하여 토론을 진행한다. 이때 일정 수 이상의 찬성을 얻을 경우, 이를 자동적으로 정부의 공식 정책의제로 선정되도록 하는 방식은 하나의 예가 될 것이다.

6) 패러다임(paradigm) 재생산 설계와 새로운 패러다임 정책설계 모형

정책설계에 있어서 기존의 패러다임을 유지하면서 정책을 점진주의적으로 설계할 것인가, 아니면 새로운 패러다임에 입각하여 단절적 또는 단속적인 정책설계를 할 것인가?

정책의 패러다임 변동 여부는 한 사회의 패러다임 변화에 의해서 결정된다. 먼저 패러다임에 대해서 알아보자.

패러다임은 어떤 한 시대 사람들의 견해나 사고를 지배하고 있는 이론적인 틀이나 개념체제를 말한다. Kuhn(1962)이 그의 저서 '과학혁명의 구조'에서 새롭게 제시하여 자연과학은 물론, 사회과학 분야에서도 널리 통용되는 개념이다. 사회과학에서 패러다임이란 개념은 전통적인 철학적 사고인 이념(ideology)과 밀접한 관련이 있다고 할 수 있다.

패러다임 이론에서 과학의 진보는 패러다임(paradigm) – 정상과학(normal science) – 변이들(anomalies) – 과학혁명(scientific revolution)이라는 개념을 중심으로 이루어진다. 다시 말해, 어떤 학문분야에서 기존의 패러다임이 어떤 현상을 제대로 설명하지 못하고 불안정한 상태가 지속된다. 이러한 상황에서 그 현상을 보다 적실성 있게 설명할 수 있는 새로운 패러다임 등장하게 되는데, 이 패러다임이 많은 학자들에 의해서 인정을 받게 되고 과학적으로 검증이 될 때 패러다임 변동이 일어나게 된다. 따라서 패러다임을 공통적인 인식론적 비전(common epistemo-logical vision)이라고 한다.

이러한 패러다임은 Sabatier의 정책지지 연합모형에서 제시하는 핵심적인 신념, 즉 규범핵심이나 정책핵심과 동일한 의미라고 할 수 있다.

Hall(1993)은 '정책패러다임을 정책결정자들이 정책문제의 본질을 파악하고 정책목표와 이를 달성하기 위한 정책수단을 구체화하는데 있어서 적용되는 일정한 사고기준의 틀'이라고 하였다.

Hall은 정책형성(설계)을 정책목표, 정책수단, 정책환경이라는 세 가지 변수를 포함하는 과정으로 보고 정책목표와 정책수단에 있어서 급격한 변화를 초래하는 정책의 변동을 패러다임 변동으로 개념하였는데, 이는 패러다임 변화적 정책변동(paradigmatic policy change)이라 할 수 있다. 이때 정책설계는 단절적이고 단속적(punctuated)인 성질을 갖는다.

그는 1970년부터 1989년까지 영국의 경제정책변화 과정을 분석하여 다음과 같이 세 가지 유형의 정책변동을 제시하였다(정정길외, 2010: 717).

첫째, 매년 정부예산을 조정하는 것처럼 정책목표나 수단의 근원적인 변화 없이 정책수단의 수준만 변화시키는 1차적 정책변동이다.

둘째, 영국에서 1971년에 도입한 금융통제 제도처럼 거시경제정책의 목표에는 변화가 없으나 정책수단을 변경하는 2차적 정책변동이다.

셋째, 경제정책의 기본방향을 케인즈주의에서 통화주의로 전환함으로써 정책환경, 정책목표, 정책수단에 걸쳐서 급격한 변동이 일어나는 3차적 정책변동이다. 여기서 3차적 변동이 패러다임 변화적 정책변동(paradigmatic policy change)에 해당될 것이다. 이에 비해 1차적 또는 2차적 변동은 기존의 패러다임 하에서 새로운 정책수단이나 기술을 개발하는 점진주의적인 정책설계(점진적 정책설계)에 의해서 일어날 것이다.

3차적 정책변동 현상, 즉 케인즈주의에서 통화주의로 거시 경제정책이 전환된 결정적인 계기는 1979년의 총선에서 Thatcher가 이끄는 보수당이 집권 노동당을 누르고 승리한 것이다. 영국 최초의 여성 수상이 된 Thatcher는 통화주의적 경제정책의 도입에 본격적으로 나선다.

우리는 물론, 선진국의 경우 공공정책은 깜짝 놀랄 정도로 상당한 기간에 걸쳐 기존의 정책들이 계속성을 유지하고 있다. 우리의 산업정책이나 환경정책의 경우 연구개발 촉진정책이나 환경오염 배출 규제정책은 부분적으로 강화되거나 완화되었다고 하지만, 그 큰 골격은 그대로 유지되고 있다. 이와 같이 공공정책이 부분적으로는 계속 개선되고 있지만 기본적인 골격은 유지된 채, 작은 수단만 바뀌는 정도로 이루어지는 설계를 패러다임(paradigm) 재생산 정책설계라고 한다.

이때에는 과거의 정책과 현재의 정책 간에 한계적 변동(marginal change)이 일어나는데, 그 이유는 정책동학 과정에서 특정그룹의 정책행위자들이 어떤 정책시장과 그 정책의 설계를 그대로 독점하고 있기 때문일 것이다.

따라서 정책설계 과정에서 커다란 영향력을 행사하는 집권당이 바뀌는 정권교체야 말로 패러다임 전환적 정책설계가 일어나는 원동력이 된다.

실제로 2002년 12월 대통령 선거가 끝나고 경제, 산업, 노동, 복지행정 분야의 대통령직 인수위원회에 과거의 정책성향과는 근본적으로 다른 인사들이 참여하게 되는데(노화준, 2003: 537), 이는 패러다임적 정책변동을 가져오는 동인이 되었다. 중도 우파에서 중도 좌파로 정권이 바뀌거나 그 반대의 경우에 정책의 근간인 패러다임의 쉬프트(shift)가 일어나, 정책동학 현상의 파고는 그 어느 때보다 높아지고 거세지게 된다는 것이다.

7) Benchmarking 정책설계와 New Idea 정책설계 모형

일반적으로 정부조직에서 정책이슈가 발생할 경우에 어떻게 대처하는가? 첫째, 가장 쉬운 방법은 외국 사례를 벤치마킹하는 것이다. 외국에서 유사한 문제에 대해서 어떤 방식으로 대처했는가를 수집하여 이를 모방하는 방법이다.

외국의 과거 경험들은 정책아이디어 뿐만 아니라 그 효과에 대한 정보까지도 제공해준다는 이점이 있다. 특히 한국문제를 해결하는데 있어 미국은 유일한 준거 틀 역할을 해 왔던 것이 사실이다. 그렇지만 이제 성숙한 선진국 반열에 오른 우리에겐 미국의 효용도는 한계에 다달았다고 생각한다. 우리의 현실 속에서 우리의 상상력과 창의력을 동원하여 한국의 미래 문제를 풀 수 있는 해법들을 찾아 정책설계로 연결시켜야 한다. 한편, 미국 이외의 유럽의 현대사, 인도 등 다소 생소한 나라들의 현대사 속에서 보물처럼 숨겨져 있는 힌트들을 찾아, 이를 우리 문제의 해법으로 활용하는 것도 하나의 방법이 될 것이다.

둘째, 정책문제와 관련이 있는 분야의 학계의 이론, 특히 과학과 기술에 대한 이론을 활용하는 방법이다. 과학과 기술의 발전에 대한 지식은 정책문제 해결에 대한 다양한 접근가능성의 범위를 넓혀주고 다양화하는 데 도움이 된다 (노화준, 2010: 98-99).

그렇지만 정책설계 괴정에서 정책아이디어를 창의적으로 탐색하여 개발하는 것이 무엇보다도 중요하고, 국가발전 수준이 높아짐에 따라 이에 대한 요구가 점점 늘어나고 있다. 창의적인 아이디어 개발 방법 등 New Idea 정책설계 모형을 소개하면 다음과 같다.

먼저, 조사연구를 통해서 사회변화를 파악하고 이에 따른 국민들의 선호변화를 탐색하여 이런 변화에 걸맞는 새로운 정책아이디어를 창출해 내는 것이다. 이와 함께 각종 문헌을 조사하여 비슷한 문제 사례에 대한 해결방안을 수집하여 비교분석 방법을 사용하여 탐색된 아이디어의 허점이나 보완할 방안을 찾는다.

다음으로 정책문제를 해결하기 위해 유추법(analogies)을 사용하는 시네틱스(synetics)방식이다. 시네틱스는 다양한 분야의 사람들을 소집단의 자유토론에 참여시켜 문제의 발견과 해결을 구하는 창의적인 방법이다. 시네틱스 과정은 낯선 것을 익숙하게 만들고 아울러 익숙한 것을 낯설게 만드는 것을 포함한다.

전자의 경우는 아이디어 탐색가들이 문제를 정의하고 이해하려고 할 때 자주 사용하는 방식이고, 후자는 문제를 새로운 관점에서 보고 새로운 해결방안을 얻기 위해 사용한다(노화준, 2010: 103).

시네틱스는 다양한 유추법을 사용한다. 유추란 현재의 문제에 대한 해결대안을 식별하기 위하여 과거에 유사한 문제들이 어떻게 해결되었는지를 검토하는 것이다.

먼저 개인적 유추(personal analogy)는 자기 자신을 문제상황의 한 가운데에 놓고 문제를 식별하려고 하는 경우에 사용된다. 예를 들면, 배나 잠수함의 설계를 개선하기 위하여 탐색가는 자기 자신을 바다에 사는 물고기로 상상하는 경우이다.

둘째, 직접적 유추(direct analogy)는 다른 문제의 해결방안 가운데서 당면 문제의 해결방안을 탐색하는 것을 말한다. 즉 동물들이 추위를 극복하는 방법들이 에너지를 보존하는 방법들을 제시할 수 있다.

셋째, 상징적 유추(symbolic analogy)는 하나의 문제를 기술하기 위해 개별성을 벗어난 일반성에 의존한다. 연상(association)적인 방식에 의존하여, 기술적으로 정확한 것보다는 미학적으로 만족하는 것을 해결방안으로 상상하려고 한다.

넷째, 환상적 유추(fantasy analogy)는 작가나 화가와 같이 현실을 이상적인 형태로 묘사하고 가능한 모든 옵션들을 제안하는 방식이어서 탐색의 초기단계에서 많이 활용된다.

끝으로, 브레인스토밍(brainstorming)을 통해서 창의적인 아이디어를 창출해낸다. 브레인스토밍은 한 사람의 아이디어가 다른 사람의 아이디어를 촉발시키도록 고안된 공식적인 그룹과정 기법이다. 다시 말해, 창의적인 아이디어를 생산하기 위한 학습도구이자 회의기법이다.

브레인스토밍의 크기는 4인에서 12인 정도의 크기가 효과적이라고 한다. 모임은 두 단계로 진행한다. 첫 번째 모임에서는 아무런 제약조건이 없이 아이디어를 발표하도록 하고 아이디어에 대한 비판과 평가는 최소화한다. 그런 후 다음 모임에서 아이디어들을 평가하여 문제의 해결 가능성이 큰 방안을 선정한다.

얼굴을 맞대고 말로 하는 브레인스토밍 이외에도 글로 쓰는 브레인스토밍이 대규모 집단을 대상으로 사용되기도 하며, 요즈음은 전자메일을 통한 전자브레인스토밍(e-brainstorming)이 아이디어를 창출하는데 사용된다.

8) 이산형 또는 연속형 정책 설계 모형

고등학교 시절 미적분을 공부했던 때를 되돌아보자. 방정식의 그래프가 연속적이고 부드럽게 이어질 경우에 '미분이 가능하다'고 배웠다. 경제 · 사회의 문제에 있어서 어떤 선택과 그에 따른 보상(payoffs)을 함수로 나타낼 수 있다고 가정하면, 이를 최적화하기 위해서는 '미분가능'이라는 조건이 필요하다고 볼 수 있다. 다시 말해, 미분이 가능한 사회는 효율적인 자원 배분의 필요조건인 셈이다.

사회 전 영역에서 행정처분 방식이나 보상을 설계하는 데 있어 '전부 아니면 전무(all or nothing)'처럼 이산적(dircrete)으로 설계를 하느냐 아니면 연속적(continuous)으로 디자인할 것이냐하는 문제가 생긴다. 선택과 보상이 어느 정도 비례하지 않으면 아래에서 소개할 중소기업 사례처럼 중견기업 진입이 선택되지 않거나 과거 변호사 자격에서처럼 지대추구행위가 나타나고 너무 많은 젊은이들이 시험에 몰리는 등 사회적 비효율을 낳게 된다.

따라서 사회 이곳저곳에 남아 있는 문턱을 낮춰 경쟁을 촉진하는 동시에 지대추구행위를 최소화하게 하고, 취약 부문에 대한 보호가 사람들을 안주시키지 않고, 자생력을 기르는 수단으로 이어지도록 동기를 유발하는 메커니즘을 설계하는 것이 매우 중요하다.

이산형(dircrete) 정책설계이냐 아니면 연속형(continuous) 정책설계이냐를 예를 들어 설명하도록 하자[71].

사법시험 제도를 예로 들어보자. 얼마 전까지만 해도 사법시험은 매우 선별적이었고, 합격자에 대한 보상이 아주 컸다. 사법시험에 합격하지 못하면 보상은 제로에 가까웠고, 일부는 고시낭인으로 전락했다. 이처럼 공부량에 따라 보상 수준이 부드럽게 이어지지 못하면 최적화조건을 위배해 노력의 과부족으로 인한 손실이 나타난다. 더 큰 문제는 사법시험 문턱을 통과한 사람에 대한 보상이 일반 정서에 비추어 지나치게 컸다는 점이다. 이때 사회적 차원에서 직역별 보상곡선이 연속적이지 않게 된다.

결국 시험 합격자는 '렌트'를 누리지만 노동시장에서는 비효율과 자원배분에 왜곡이 나타났다. 마침 1990년대 후반부터 사법시험 정원이 늘어나게 되었고, 얼마 전에는 로스쿨도 도입되었다. 변호사 자격 문턱이 낮아지고 렌트가 줄어들어 사회후생이 늘어날 여건이 마련된 것이다.

최근 중소기업이 중견기업, 대기업으로 성장하는 선순환구조를 강조하는 분위기가 나타나고 있다. 이와 관련해 중소기업이 성장해 중견기업이 되는 순간 160여 개에 달하는 혜택이 끊기던 관행을 바꿀 필요성이 강조되고 있다. 이 제도 때문에 상당수 중소기업들이 중견기업이 되기를 포기했다고 한다. 이는 기업성장에 대한 정부 차원의 보상이 연속적으로 이어지지 않고 급격히 줄어들도록 돼 있다는 점에서 사회적 최적화 조건에 위배된다.

그 결과 더 성장할 수 있는 기업에 자본과 인력등 자원이 추가 투입되지 않는 비효율이 초래됐다. 중소기업들 사이에서 '피터팬 신드롬'이 나타났던 것이다. 정책설계 측면에서 중견기업에도 중소기업에 버금가는 혜택을 주는 방법이 논의되고 있다.

---

71 매일경제 신문 2012. 1. 18일 A35면, 심민영(LG경제연구원 수석연구위원)의 컬럼을 참고하여 재구성하였다.

이때 혜택이 크게 줄어도 문제이고 제도를 악용해 혜택을 크게 누리는 문제도 생겨날 수 있다. 혜택의 연속성을 확보하는 방안으로서 이론상으로는 중소기업과 중견기업 경계까지 규모에 대해서는 중소기업 혜택을 주고 중소기업 범위를 넘는 부분에 대해서는 혜택을 없애거나 그 부분에만 해당하는 혜택을 새로 고안하는 것을 생각해 볼 수 있다.

끝으로, 세금정책의 연속형 정책설계를 소개한다. 소득 2000만원을 올리는 납세자가 있을 경우 가장 낮은 세율구간인 1200만원에 대해서는 6%세율을 적용하고, 나머지 800만원에 대해서는 15%세율을 적용하는 것이 연속형 설계 방식의 본보기가 될 수 있다.

9) 경제위기 관리 정책 설계 모형

2008년 미국 발 금융위기에 이어 유럽 연합의 경제위기가 계속되고 있다. 이런 위기 상황은 새로운 글로벌 경제 시스템이 자리 잡을 때까지 계속 될 것이라는 전망이 우세하다. 이처럼 상시화 되어가는 경제위기 상황을 관리하기 위한 정책설계 모형을 알아보자[72]. 경제위기를 극복하기 위한 전략은 네 가지이다.

첫째, 디레버리징(deleveraging)이다. 부채를 감축하는 것으로서 이 과정에 많은 고통이 따른다. 이 전략은 시간이 오래 걸리지만, 상처를 도려내고 새 살이 돋도록 하는 방법이다. 과거 통계들이 의하면 평균 7년 정도 걸리는 것으로 알려져 있다. 보통 전체 경제 규모에서 4 분의 1 정도가 축소될 때까지 디레버리징이 진행되어야 회생이 가능하기 때문에 엄청난 희생이 수반된다.

둘째, 가장 흔한 방법으로 디폴트(default) 선언이다. 이는 채무불이행(non payment)으로 정부가 외국에서 빌려온 차관을 정해진 기간 안에 갚지 못하겠다

72 이헌재(2012) 86-88를 참고하였다.

고 선언하는 것이다. 이에 비해 모라토리엄(moratorium)은 국가가 빌린 돈을 당장 갚을 능력이 없으니 시간을 더 달라고 요구하는 것으로 채무상환유예라고 한다. 이런 전략은 2008년 이후 그리스의 행보가 대표적인 경우이고 과거 중남미 국가들이 디폴트를 선언한 적이 있다. 그렇지만 우리가 선택하기는 대단히 어려운 방안이다.

셋째, 인플레이션 정책이다. 돈을 풀어 물가를 엄청나게 끌어올리는 방안이다. 이렇게 물가가 오르면 화폐 가치는 계속 떨어지게 된다. 결국 정부가 갚아야 할 빚의 실질적인 규모가 줄어들게 되는데, 이렇게 되려면 대략 1년에 4~6% 정도의 물가가 올라야 효과를 볼 수 있다고 한다.

그러나 이 전략의 가장 큰 결점은 부의 불균형이 더욱 악화된다는 데에 있고, 일반 서민들이 가장 큰 피해를 본다는 데 있다. 더욱 위험한 것은 인플레이션이 정부가 기대하는 수준에서 멈추지 않고 계속되거나, 통제 불가능한 수준까지 진행될 수 있다는 것이다.

마지막으로, 가장 바람직한 전략은 성장정책이다. 생산력을 증대시켜 부를 축적한 후 부채를 털고 위기를 넘어 서는 방법이다. 이와 같은 성장을 하려면 성장동력이 있어야 하고, 생산 시스템이 바뀌어야 한다. 이런 방향으로 지혜를 모아 정책을 설계하는 것이다.

새로운 성장 동력을 발굴하여 국가 전체의 생산능력을 끌어올리는 정책과 함께, 단기적으로 국가의 재정지출을 통한 적극적인 위기 대응 정책이 있다. 예를 들면, 정부의 재정을 GDP 대비 1~2% 정도의 적자를 내도록 편성하는 확대 재정정책을 펼치면 성장률이 높아하고, 이런 성장은 소비심리가 일어나게 하여 세수증대, 재정적자의 개선으로 이어지게 된다.

위에서 여러 가지 경제위기 극복을 위한 전략을 소개하였지만, 사실 우리가 받아들일 수 있는 전략은 성장정책의 설계 하나뿐임을 알 수 있다. 나머지 전략은 엄청난 대가를 요구하기 때문이다.

6_ 정책시장 유형–정책설계 전략 연계모형

여기서는 정책동학의 핵심적인 설명모형인 정책시장의 유형과 정책설계 전략 요소 간의 대응모형을 살펴보고자 한다.

이상에서 본 바와 같은 정책설계 전략 모형은 7가지의 정책시장 변수들의 조합에 의해 형성된 정책시장의 형태에 따라서 결정되게 된다. 어느 정책시장 변수를 조합으로 선택하느냐에 따라 주된 정책설계 전략 요소들이 달라지게 되는데, 이는 양 변수들이 상당한 정도로 대응관계를 가지고 있기 때문이다.

정책시장과 정책설계 간에는 대응관계가 있지만, 먼저 정책시장의 유형에 관계없이 포괄적인 정책설계 전략을 개관하면 다음과 같다.

첫째, 보수 또는 진보와 같은 집권당의 정치적 이념은 주로 정책설계 방향의 급진성이나 점진성을 결정하게 된다.

둘째, 정책이슈의 복잡성과 난이도는 정책 설계의 주도자가 정치권인가, 아니면 고위 혹은 중간층 행정공무원인가, 아니면 민간 전문연구조직인가에 직접적인 영향을 미친다고 할 수 있다.

셋째, 정책 관련 정보의 독점과 정책상황의 긴급성 여부, 그리고 이해집단의 조직화와 영향력의 강도는 정책 설계과정에 이해당사자의 의견을 반영하는 민주성의 실현과 설계 주도자의 선택과 깊은 관계를 갖게 된다.

이 같은 개략적인 정책설계 전략과 함께, 정책시장 유형과 정책설계전략 요소들 간의 대응 관계는 정책 입안자에게 유용한 정책설계의 안내판 역할을 한다. 만일 정책설계자가 주된 정책시장의 변수를 정확히 파악할 수만 있다면 정책설계의 방향과 전략, 그리고 설계과정에 나타나기 쉬운 위험 요소를 예측하고 대책을 세울 수 있다는 것이다.

예를 들어, 정책 관련 정보를 정부가 독점하고 있으며, 이익집단이 잘 조직화 되어 있는 상황이라면 정책 설계 과정에 다양한 분야에서 활동하는 이해당사자의 의견이 충분히 반영되기 어렵고, 이익집단의 로비가 강하게 작용할 것이라는 것을 예측할 수 있으므로 이 같은 문제점을 보완하고 방지하기 위한 대책을 세울 수 있다.

또한 정책이슈가 복잡하고 이해관계 집단이 다양함에도 불구하고 정부 조직의 행정관료가 정책 설계를 주도하고 있다면, 이런 정책설계 전략을 수정하여 국회의 의원들을 끌어들여 정치적 협상에 의한 설계로 전환하는 것이 나을 것이다.

이제 구체적인 정책설계 전략 모형을 정책시장 유형별로 살펴보자. 앞의 제4절에서 살펴본 바 있는 정책시장 유형을 결정하는 7개 변수 중에서 2개 변수를 선정하여 4사분면의 테이블을 만들면 84가지의 정책시장 유형이 생성된다.

이 중에서 16가지의 정책시장 유형과 이에 맞는 정책설계 전개전략을 예시적으로 살펴보도록 한다.

첫째, 집권당의 정치성향(보수/진보) – 정책상황 전개의 안정성/ 불안정성

둘째, 정책이슈의 단순정/복잡성 – 이익집단의 동질성/다양성,

셋째, 정책지식(정보)의 정부독점/민간분점 – 이익집단의 조직화/비조직화,

넷째, 정책이슈의 단순성/복잡성 – 정책상황 전개의 안정성/불안정성 등을 기준으로 16가지의 정책시장 유형과 이에 연계 대응되는 정책설계 전략 모형을 살펴보고자 한다.

여기서 정책설계 전략 모형에 적합하다고 생각하여 예시하는 주요 정책사례는 민주화 이후 정부의 사례들이다. 다시 말해, 문민정부(김영삼 정부) 이후의 주요 정책사례들을 예시적으로 제시하였다. 민주주의와 시장주의가 어느 정도 궤도에 올라있는 상황에서 보수정권과 진보정권이 교체되면서 정책시장별 정책설계에 있어 유의미한 차이가 나타나고 있다고 보았기 때문이다.

시장상황에 따른 정책설계 전략 모형은 기존의 여러 연구 성과물들을 종합하여 추론한 것이고, 여러 가지 사례들을 종합 · 분석하여 귀납적(inductive)으로

도출한 것이 아니라는 데에 일정한 한계가 있다. 한편, 정책학이 사회과학으로서의 성격을 갖기 때문에 법칙성을 제시하는 것을 요구하겠지만, 여기서는 일정한 경향성을 제시할 것이다.

이런 점들을 고려하여 주요 사례는 연역적(deductive)으로 추론된 원칙에 맞는 것만을 제시하였는데, 일정한 경향성을 제시하고 있다는 점을 고려하지 않을 경우에는 이견이 있을 수도 있다.

1. 집권당의 정치성향(보수/진보) – 정책상황 전개의 안정성/불안정성

이를 그림으로 나타내면 그림 6-13과 같다.

그림 6-13: 정치성향/정책상황

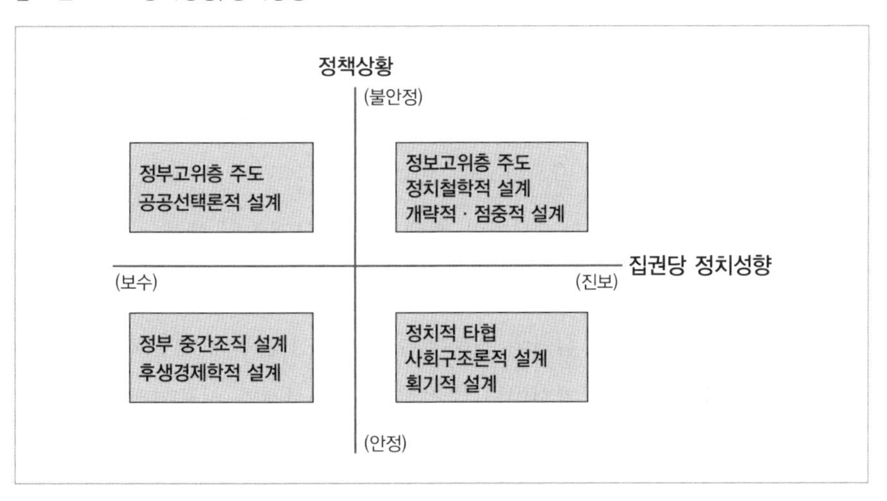

첫째, 집권당의 정치성향이 진보적이고 정책상황의 전개가 불연속적이고 불안정할 때에는, 정부의 고위층이 중심이 되어 정책설계를 주도하게 될 것이다. 대통령 이하 내각의 수장들이 전면에 나서서 정책방향을 직접 제시하는 행태가 나타날 것이다.

이런 정책시장이 형성되는 경우에 패러다임 변화적인 정책설계가 일어날 가능성이 가장 크다. 특히 중도 보수에서 중도 진보로 정권이 교체될 경우 또는 그 반대의 경우에 새로운 정치적 이념(ideology)에 입각한 정부의 정책이 설계될 것이다.

대개 보수진영과 진보진영 간에는 정책갈등이 심하게 표출되는데, 이럴 경우에는 국민의 입장에 서서 국민들의 지지를 받을 수 있는 인간의 존엄성, 개인의 권리신장과 관련된 조치, 자유지상주의에 입각한 경제정책 추진, 사회 안정망의 구축 등 정치철학적으로 정책대안을 설계할 가능성이 있다.

이때에는 정치적 가치가 상충됨은 물론, 정책상황도 급변하고 불안정하기 때문에 정책대안을 세부적으로 설계하기 보다는 전반적인 윤곽을 제시하는 개략적인 설계가 주를 이룰 것이다. 미래에 대한 확신이 없기 때문에 점증주의적 정책설계가 이루어질 가능성도 있다.

그렇지만 정책상황이 급박하다고 할지라도 어떤 정책이슈에 대해 국민들의 여론이 한 쪽으로 명백하게 집중될 경우에는, 국민들의 여론에 맞추어 인기 위주의 급진적인 정책설계가 일어날 수도 있다.

둘째, 정치적 성향은 진보적이지만 정책상황이 안정적일 때에는 정치적 타협에 의해 사회구조론적인 측면에서 정책설계가 진행될 것이다.

한편, 집단 간의 갈등이 심화되고 분배의 불공정성 논쟁이 격렬해질 경우에는 이를 해결하기 위해 획기적이고 단절적인 정책설계가 이루어질 가능성이 농후해 진다. 주로 분배 구조를 개선하기 위한 정책대안이 설계된다.

셋째, 집권당의 정치성향이 보수적인데 정책상황의 전개가 불안정할 경우에는 정부고위층이 주축이 되어 공공선택론적인 정책설계가 이루어질 것이다.

정부조직을 축소하여 작은 정부를 지향하고, 시장경제를 활성화시키기 위한 조치, 공기업을 민영화하여 효율성을 높이는 등 공공선택이론이 주장하는 정책대안들이 모색될 것이다. 비경제 영역의 정책도 경제적 효율성 입장에서 정책대안을 설계하는 경향이 있다.

이에 대해서는 2008년 금융위기 이후에 신자유주의가 비판의 십자포화를 받아 매력을 많이 상실한 관계로 이를 강력하게 추진하는 정책설계는 당분간 찾아보기 힘들지도 모르겠다.

넷째, 정치성향이 보수적이고 정책상황이 안정적일 때에는 정부 조직의 중간 계층에 의해서 관료적으로 정책대안이 설계될 것이다. 여기서는 합리적이고 후생경제학적으로 정책대안이 구상될 것이다. 이때에는 보통 비용/편익 분석에 입각하여 정책대안을 설계하게 된다.

보수적인 정권인 점을 고려할 때 상대적으로 소극적인 정책설계가 이루어지고, 때로는 정책설계 노력 자체를 보이지 않을 가능성도 있다.

■ 사례 6-10: 규제개혁 정책 : 진보적 정부/정책상황 불안정 : 정치철학적 정책설계[73]

한국은 1960년대 이후 1980년대 후반까지 정부 주도하의 경제발전 과정에서 한정된 자원의 효율적인 이용과 급속도의 경제성장을 이루기 위하여 민간활동에 대한 정부의 지도, 간섭, 통제 등의 규제를 광범위하게 도입, 확산하여 왔다.

규제개혁은 이처럼 과거 관료적 권위주의 정부하에서 정부 주도의 정책 수행 방식으로부터 다원적 민주주의적 민간주도 방식으로 경제사회의 운영방식을 전환하는 것을 의미한다.

따라서 국민의 정부는 출범 초기 민주주의와 시장경제의 완성과 IMF 관리체제의 조기 극복을 위해서 정부규제의 개혁을 추진하는 것이 필수적인 과제였다. 건국 이후 최대 경제위기라는 걱정 속에서 경제추이를 하루 하루 체크해야 할 만큼 급박한 상황이 전개되었다.

---

73 규제개혁위원회(1999. 6월). 1998년도 규제개혁백서를 참고하였다. 이 시기에 총리실에서 경제분야의 규제개혁을 담당했던 필자의 경험을 중심으로 기술하였다.

한편, 1998년 초 국민 대다수는 규제개혁을 전폭적으로 지지함은 물론, 시대적 과제로 인식하고 있었다. 다행히 1997년 8월에 제정된 행정규제기본법은 규제법정주의, 규제등록제, 규제영향분석 제도, 규제일몰제 등 선진적인 정책수단을 제도화하는 근거조항을 담고 있었고, 이와 더불어 김대중 정부는 이를 효율적으로 시행하기 위해 총리실에 규제개혁위원회를 두어 단일 추진체제를 구축하였고, 규제개혁 방식의 선진화를 위한 여러 가지 조치를 하게 된다.

당초 총리실에서 마련한 규제개혁의 초기 계획(1998. 4월)에 의하면 '향후 5년에 걸쳐 정부규제를 50% 정도 폐지'해 나가기로 하였다. 다시 말해, 점진적으로 정책을 설계하였다.

그런데 김대중 대통령이 '금년 내에 현존 규제의 50%를 폐지할 것'을 지시하며 강력한 드라이브를 걸자, 분위기는 순식간에 반전되게 된다. 김 대통령은 그해 6-7월에 있었던 부처별 업무보고에서 부처별 규제개혁 목표를 확인하고, 이를 주기적으로 계속 점검하게 된다.

세계 유례가 없는 과히 성공적인 규제개혁 정책도 초기에는 장기적인 비전과 전략이 제대로 마련되지 않은 상태에서 그때 그때 상황에 맞게 추진되었다. 중요한 개혁임에도 불구하고 마스터플랜의 부재로 인해 어디서 출발하여 어디쯤 가고 있는지, 어느 정도가 적정한지에 대한 합의가 없었던 것은 아쉬움이 남는 부분이다. 다시 말해, 국민의 정부 출범 초기에는 종합적인 정책설계가 없었던 것으로 평가되나, 정책시장의 상황상 어쩔 수 없었던 측면도 있다.

▮ 사례 6-11: 참여정부의 금융실명제정책 : 진보적 정부/정책상황 안정 : 사회구조론적 정책설계[74]

1982년 7월 이철희 장영자 어음 사기사건을 계기로 1983년 7월 1일을 기해 실명제를 전면 실시하겠다고 발표하였으나, 1982년 말에 제정된 '금융실명거래에 관한 법률'에서는 그 실시를 1986년 1월 1일 이후 대통령령이 정하는 날로 규정하여 사실상 무기 연기하였다. 그 이후 1989년에 발족한 금융실명제 준비단에 의해 1991년 1월 1일에 시행하기로 방침을 정했으나, 1990년 준비단이 해체됨으로써 또 다시 연기되었다. 이렇게 두 차례에 걸쳐 실시가 연기되었던 금융실명제가 1993년 8월 12일 전격 실시된다.

김영삼 대통령은 헌법 76조 1항에 따라 '금융실명거래 및 비밀보장에 관한 대통령 긴급 재정경제 명령'의 형식으로 이후의 모든 금융거래는 실명으로 이루어진다고 선언한다.

금융실명제는 모든 금융기관과의 거래에 있어 거래자의 실명 사용을 의무화한 제도이다. 과거 성장일변도의 경제정책 과정에서 사회 전반에 깊숙이 뿌리내린 가명·차명 형태의 비실명 금융거래 관행은 계층 간 불균형의 심화, 음성적 거래의 확대 등 부작용을 유발하였다. 이러한 관행을 시정하기 위해 금융거래시 실명을 사용하도록 의무화하고, 기존의 비실명 금융자산도 실명으로 전환하도록 하였다.

왜 김 대통령은 이러한 금융 실명제 조치를 단행하게 되었는가?

문민정부는 경제개혁을 표방하면서 출범 후 경제개혁 5개년 계획과 그에 앞선 신경제 1백일 계획을 수립 시행하였으나 전혀 가시적인 성과를 거둘 수 없었다. 이런 상황 속에서 구여권 세력을 중심으로 기득권 세력들이 경제적인 측면에서 정치적으로, 잠재적인 측면에서 표면적으로 개혁에 대해 반발하는 조심스런 움직임이 시작되는 등 김영삼 정부의 개혁은 어려움에 처하게 된다. 그렇지만 정치적 소용돌이 상황은 아니었다.

이런 답답한 상황에서 국면 돌파형으로 금융 실명제 정책을 극비리에 설계하게 된다. 당시 대통령 비서실 경제 수석이었던 박재윤 수석도 배제된 채, 이경식 경제 부총리와 홍재형 재무장관 라인에서 추진되었다는 점에서 이를 엿볼 수 있다.

---

74 월간 사회평론 · 길(1993. 9월)에 실린 정구영의 '금융실명제 카드, 김영삼의 막판뒤집기'. 재정포럼(1996. 8월)에 실린 이인표, 정영헌의 '금융실명제 실시 3년의 평가와 정책과제', 경제학논집(1993) 제3권 제1호에 실린 김대래의 '금융실명제에 대한 평가와 전망'에서 발췌하였다.

사회경제구조를 개편하기 위해, 신경제를 향한 경제개혁을 뒷받침하는 원동력을 확보하려는 의도에서 정책이 비밀리에 설계되었다고 보인다.

이 정책 시행으로 김 대통령은 밀리기만 하던 개혁 분위기를 되돌릴 수 있었고, 떨어지는 인기를 상당 부분 회복시키는 데 성공하게 된다.

■ 사례 6-12: 이명박정부의 대북정책 : 보수적 정부/정책상황 불안정 : 공공선택론적인 정책 설계[75]

김대중 대통령은 1997년 12월 19일 제15대 대선에서 승리하여 헌정사상 첫 여·야 정권교체를 실현하였다. 김 대통령의 대북관은 전임 정부들과 달리 전향적 태도를 견지함으로써 큰 대조를 이루었다. 그의 대북정책관은 구체적인 정책으로 설계되었는데, 이를 구체적으로 설명하면, 북한의 무력도발 불용, 흡수통일 배제, 적극적인 화해·협력추구 등 3원칙을 골간으로 하는 '햇볕정책', 즉 대북포용정책을 토대로 북한과의 '보다 많은 접촉', '보다 많은 대화', '보다 많은 협력'을 추구하였다. 이런 정책기조는 노무현 정부에서도 '평화반영정책'으로 계속 이어졌다.

이러한 흐름에 급격한 변화가 일어나는데, 바로 이명박 정부가 들어서서 '실용주의'를 표방하고 나선 것이다. 경제적 측면에서 접근하여 대북정책을 설계한 것이다. 이명박 정부의 실용주의적 대북정책은 〈비핵 개방 3000〉으로 집약된다. 즉 북한이 핵을 포기하고 북한이 개혁 개방정책을 적극 수용한다면 한국 정부가 주도적으로 나서 북한의 GDP를 3,000달러까지 끌어올린다는 것이다. 결국 진보 정부들의 대북정책을 비판적으로 검토하여 새로운 틀에서 정책을 설계한 것이다. 이명박 정부의 〈비핵 개방 3000〉의 요체는 다음과 같다.

---

75 임수호(2010), 한국의 정권교체와 대북정책 변화(이명박 정부를 중심으로) 한국정치연구 제19집 제2호. 김영윤(2011). 이명박 정부의 대북정책 평가, 북한연구학회 하계학술발표 논문집. 탄홍메이, 한국정부의 대북정책에 대한 검토적 연구. 글로벌 정치연구 제3권 제1호 등을 참고하였다.

첫째, '비핵'은 국제사회의 요구이자 한반도 평화와 안정의 핵심요소로서 '한미공조'를 바탕에 두고 있다. 즉 기본 추진 방침은 〈한미관계 개선 → 북미관계 개선 → 남북관계 개선〉의 '선순환 구조'를 추진하겠다는 의지이다.

둘째, '개방'은 북한의 정상국가화를 의미한다. 즉, 단순한 북한 체제의 대외개방을 의미하는 것이 아니라, '국제사회의 정상적인 일원이 되는 것'을 의미한다. 다시 말해, 진정한 발전과 북한주민들의 삶의 질 개선은 북한이 국제적 규범과 통념에 부합되는 정상적 국가가 되기 전에는 실현될 수 없다는 기본 인식을 반영하고 있다.

셋째, '3,000'은 북한이 핵을 포기하고, 개방에 나선다면 10년 후 북한의 1인당 국민소득이 3,000달러가 되도록 지원하겠다는 정책 청사진으로서 한국의 주도적으로 대북정책을 추진하겠다는 것이다.

2008년을 전후하여 대북정책을 둘러싸고 보수–진보 간에 균열이 확대되고, 국민들의 대북정책에 대한 피로감이 증폭되는 다급한 상황에서 이명박 정부는 대북정책의 보수화를 선택할 수밖에 없었을 것으로 생각된다. 한편, 노무현 정부의 친중국적 외교정책으로 냉각된 대미 관계의 회복도 이런 기조를 유지하게 하는 요인이 되었을 것이다.

그렇다고 하더라도 이명박 정부의 대북정책 추진은 북한 스스로가 변화의 길을 선택하지 않은 이상 북한을 국제사회에서 더욱 고립화시킬 수밖에 없고, 실제 이명박 정부출범 이후부터 남북관계는 급속히 냉각되었다. 정부의 중간계층이 참여하여 치밀하게 정책을 설계했다기 보다는 고위층이 주도하는 정책설계의 전형이라고 할 수 있다. 결국 남북관계는 냉전시대의 모습으로 회귀하였다는 평가를 받게 되었다.

■ 사례 6-13: 이명박정부의 카드수수료 정책 : 보수적 정부/정책상황 안정 : 후생경제학적 정책설계[76]

이명박 정부는 2012년 7월 카드 가맹점의 규모별로 수수료를 차등화하는 것을 골

76 금융위원회, 신 신용카드 가맹점 수수료 체계 도입방안(2012. 7. 4일)

자로 하는 가맹수수료 산정의 기본원칙과 세부기준을 마련하여 발표하였다. 그 내용은 다음과 같다.

첫째, 적격 비용부담의 원칙하에 신용카드사의 원가구조를 반영하여 수수료율을 산출한다. 그 결과 수수료율이 평균 2.1%에서 1.9%로 0.2% 포인트 낮아지게 된다.

둘째, 연매출 2억 이하인 중소가맹점에 대해서 우대 수수료율을 적용하여 현행 1.8%에서 1.5%로 인하한다.

끝으로 카드 매출액이 1천억원 이상 법인인 대형 가맹점이 카드회사에 부당하게 낮은 수수료를 요구하는 것을 금지하고, 수수료 부담을 경감할 목적으로 대가지급을 요구하는 행위도 금지한다.

요컨대 평균 수수료를 낮추어 주고, 중소 가맹점의 수수료를 깍아주고, 대형 가맹점에서 카드회사가 원가 이하의 수수료를 받는 것을 금지하였다.

한국 국민들이 하루 동안 신용카드를 이용하는 건수와 GDP 대비 신용카드 이용금액 비율은 세계 최고 수준이라고 한다. 신용카드를 이용하여 물건을 구매함은 물론, 각종 공공요금도 납부하고 있다. 어떻게 보면 지하철 등과 같은 공공재 수준으로 활용하고 있음을 알 수 있다.

정부가 신용카드 수수료 문제를 사회 후생경제학적인 측면에서 접근하여 수수료율을 낮추도록 규제하는 방식으로 정책설계를 하였다고 보여진다. 만약 진보적인 색채의 정부였다면, 사회구조론적인 입장에서 접근하여 정책설계가 이루어졌을 것으로 생각한다.

2 정책이슈의 단순성/복잡성 – 이익집단의 동질성/다양성

이를 그림으로 나타내면 그림 6-14 같다.

그림 6-14: 정책이슈/이익집단

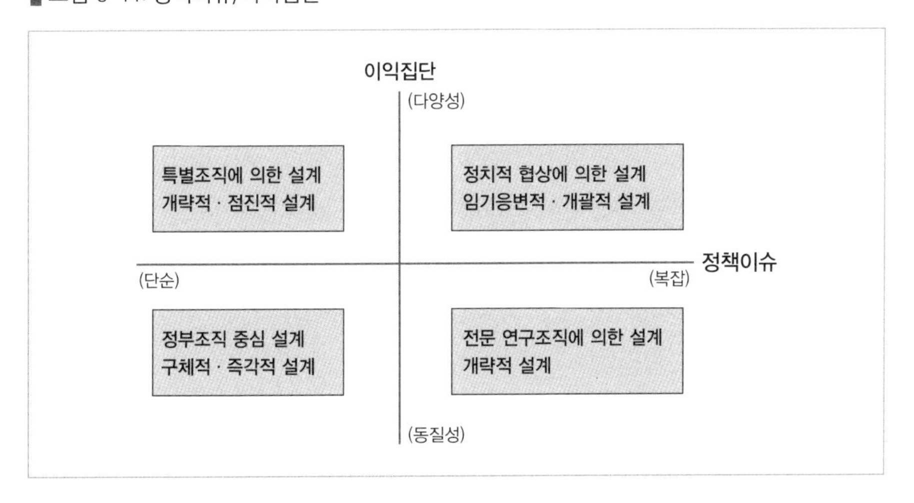

먼저, 정책이슈가 복잡하고 이해관계 당사자들의 다양성이 높을 경우에는 정책설계가 정치적 협상방식에 의존하게 되고, 정책대안 구상과정에서도 서로 상충되는 요인들을 고려하여 임기응변적이고 제한적·개괄적으로 설계될 가능성이 크다.

한편 정책이슈가 복잡하여 인과관계를 규명하거나 미래예측이 힘들 경우에는 진단적 차원의 정책설계에 그칠 가능성도 있다.

둘째, 정책이슈가 단순하고 이해관계 당사자들이 동질적인 경우는 정책설계는 주로 정부조직 내의 중간계층의 공무원들에 의해 이루어진다. 정책대안을 구체적이고 세부적으로 설계하지만, 이해관계 집단이 동질적이고 이슈가 단순하여 정책결과를 예측할 수 있기 때문에 상대적으로 획기적인 정책설계가 이루어질 수도 있다. 이런 상황에서는 대개 즉각적인 대응이 일어나지만, 그 내면을 보면 특정 이익집단과 정부 간의 긴밀한 관계에 기초하여 정책대안이 편향적으로 설계될 가능성도 배제할 수 없다.

셋째, 정책이슈가 단순하고 이해관계집단의 다양성이 있는 경우에는 특별조직을 설치하여, 이 조직으로 하여금 정책설계를 주도하도록 하는 경우가 많다. 이해관계가 복잡하기 때문에 이를 조정하면서 점진적인 정책대안이 만들어질 가능성이 크다.

넷째, 정책이슈가 복잡성을 띠고 이해관계 집단이 동질성을 유지할 경우에는 전문연구조직에 의해서 정책설계가 이루어지면서 이 경우에도 역시 개략적인 정책대안이 성안될 가능성이 높다(노화준, 1992: 114).

▮ 사례 6-14: 국민의 정부, 산업구조 조정정책 : 이슈 복잡/이해집단 다양성 : 정치적 협상/개괄적 설계[77]

외환위기의 충격 속에서 출범 한 김대중 정부는 산업구조 조정정책을 중점적으로 추진하게 된다. 산업구조 조정은 특정 국민경제의 바람직한 산업구조를 상정하고 이를 달성하기 위해 유망산업에 대한 집중적인 자원배분을 유도하거나, 사양산업 분야 해당기업들의 원만한 퇴출을 유도함으로써 국민경제의 부정적인 영향을 최소화시키는 정책을 말한다.

김대중 정부가 추진한 산업구조 조정정책은 사업구조 조정, 금융산업 구조조정, 기업구조 조정 및 공기업 구조조정 등이 포함된다.

첫째, 사업구조 조정은 특히 5대 재벌들의 문어발식 확장을 막고 그룹의 핵심역량 위주로 사업구조를 재편함으로써 재벌기업들의 전문화를 유도하기 위해 추진되었다. 각 재벌들의 핵심역량을 중심으로 재벌 간의 사업 교환을 유도하는 정책을 의미한다.

둘째, 금융산업 구조조정은 외환위기의 직접적 원인이 되었던 금융산업 분야의 경쟁력을 국제적 수준으로 높이기 위한 정책으로 과도한 부실채권으로 경영상황이 악화된 은행과 종금사 · 투신사들을 과감히 퇴출 또는 매각시키고,

---

77 강봉균(2001), 구조조정과 정보화 시대의 한국경제 발전전략, 박영사. 홍성걸, 유승남(2002). 빅딜과 산업정책: 김대중 정부의 산업구조 조정정책 평가. 한국행정학회 하계학술발표 논문집. 등을 참고하였다.

국제적 수준의 BIS비율을 의무화시켜 국내 금융산업이 개방경제하에서의 국제경쟁력을 갖추도록 재편하는 정책이다.

셋째, 기업구조조정은 결합재무제표 작성 의무화 등 기업경영의 투명성 제고, 상호 지급보증 금지, 재무구조의 개선, 재벌집단의 핵심부문 설정, 지배주주와 경영진의 책임 강화, 이를 촉진하기 위한 세제지원, 퇴출관련 제도의 개선 등이며 사실상의 산업조직정책이라고 할 수 있다.

끝으로 공기업 구조조정은 산업구조조정에 포함될 수 있지만 궁극적으로는 공기업의 민영화 정책을 의미한다.

국민의 정부는 산업구조 조정정책의 추진 방향을 ① 특혜시비나 공정성에 대한 의구심을 피하기 위해 채권금융기관의 주도로 구조조정을 추진하고, ② 5대 재벌기업들의 경우 자율적 합의를 존중하고 사업구조조정을 추진하며, ③ 6대 이하의 재벌과 중견기업들에 대하여는 회생불능 기업의 과감한 퇴출과 회생가능 기업의 자구노력의 상응하는 부채조정과 금융지원을 통한 구조조정도 동시에 추진하기로 하였다.

그러나 이러한 전략은 처음부터 몇 가지 문제점을 안고 있어 제대로 추진되지 못하였다. 우선 채권금융기관들의 자율적 구조조정 추진은 현실적으로 불가능하였다. 국내 금융기관들은 채권기관이면서도 기업의 구조조정에 대한 경험이 전무했을 뿐만 아니라 책임성과 적극성이 부족해서 결국 정부의 주도로 구조조정을 추진하는 모습이 될 수 밖에 없었다.

한편 재벌들의 사업구조 조정도 정부가 의도한 대로 추진되기 어려웠다. 5대 재벌들 간에 첨예한 이해관계의 대립이 있었고, 5대 재벌들은 정부의 200% 이내로의 부채축소 요구에 따른 자금을 스스로 확보할 능력을 보유하고 있었고, 계열기업 간의 내부거래를 통해 계열기업들의 생존을 지원할 수 있었기 때문이다.

결국 5대 재벌기업들간의 사업교환은 1998년 12월 7일, 대통령이 직접 나서서 합동간담회를 통해 실질적으로는 반강제적으로 합의되고 정부의 강한 압박 속에서 사실상 타율적으로 추진되게 된다.

이 정책시장은 다양한 기업들의 이해관계가 복잡하게 얽혀있는 가운데, 여러 가지 대책을 한꺼번에 추진하게 되어 제한적이고 개괄적으로 정책대안이 엉성하게 설계되었음을 알 수 있다. 한편 경제위기 속에서 정부와 재벌기업 간에 정치적 협상에 의해서 정책설계가 이루어졌다는 비판, 즉 정경유착을 비판하는 시각도 있다.

사례 6-15: 참여정부 지방분권 정책 : 이슈 단순/이해집단 다양성 : 특별조직에 의한 설계/개략적 설계[78]

지방분권에 대한 논의는 1991년 지방자치가 실시된 이래 지속적으로 제기되어 온 과제중의 하나이다. 특히, 적정수준의 지방분권은 지방자치의 기본이념을 실현하기 위한 전제적 토대인 동시에 지방자치의 내실화을 도모하기 위한 핵심적 요건이기 때문이다.

참여정부는 출범 후 지방분권을 주요 국정과제로 선정하여, 세 가지의 핵심적 요소에 기반하여 이를 추진하였다 우선, 지방분권의 원칙으로 주민생활과 밀접한 권한은 주민에 가까운 정부로 배분한다는 '보충성의 원칙', 둘째 지방정부와 시민사회의 자율역량에 대한 신뢰를 바탕으로 우선 분권을 추진한다는 '선분권 · 후보완의 원칙', 셋째, 중 · 대단위 사무를 중심으로 이양한다는 '포괄성의 원칙'이 그것이다. 이에 따라 5개의 추진전략을 수립하였는데, ① 재정분권 등 선도적 과제를 우선적으로 추진하고, ② 지방분권을 정부혁신과 연계하여 추진하며, ③ 분권과 병행하여 합법성 및 국가목표의 통일성을 보장하는 중앙정부의 정책반영 수단을 강구하며, ④ 혁신과 기능이양에 대한 인센티브체제를 구축하여 중앙부처의 자발적 참여를 유

78 정부혁신지방분권위원회(2004), 분권형 선진국가 건설을 위한 지방분권 5개년 종합실행계획. 금창호(2009), 참여정부의 지방분권정책 평가와 향후 발전방향, 지방행정연구 제23권 제1호. 이승종, 노무현 정부의 지방분권정책 평가, 행정논총 제43권 제1호. 등을 참고하였다.

도하며, ⑤ 정치권 · 시민사회 · 학계 · 언론 등 여론을 적극 수렴하여 지방분권에 대한 국민적 공감대를 형성하고 확대한다는 것이다.

한편, 정부혁신지방분권위원회를 중심으로 각 중앙부처, 지방4단체 협의체(전국시장군수구청장 협의회, 전국시도지사 협의회, 전국시군구의회의장 협의회, 전국시도의회의장 협의회), 학계, 시민사회, 연구기관 등이 포함된 협력형 네트워크 파트너십을 형성하여 추진한다. 이를 통해 7개 분야 총 47개 과제를 선정하여 2008년까지 완료함으로써 '분권형 선진국가'를 달성하겠다는 계획을 수립하였다.

지방분권 과제가 모두 달성될 경우에 나타날 분권형 선진국가의 모습은 다음과 같다. 지방사무의 비중이 27%에서 40%로 확대되고, 재정의 중앙의존에서 자립형으로 전화되며, 충분한 자치권이 부여된 정부와 신뢰받는 지방의정 그리고 주민에 대해 책임지는 지방정부로 탈바꿈한다는 것이다. 또한 주민이 공동생산자로 참여하는 협치형 지방행정이 구현되고, 정부 간 관계에서는 상호 협력적 구조가 확립된다는 것이다.

이런 계획에 따라 노무현 정부는 사무배분에 관한 정부의 노력을 구체화하는 동시에 역량을 집중하였다. 또한 지방재정의 확충과 불균형을 시정하기 위한 조치에서는 지방교부세 법정율을 19.24%로 인상하고, 지방교부에 산정공식의 항목을 통폐합하며, 재산세의 일부를 공동세로 전환하였으나, 국세의 지방세 이양은 추진되지 못하였다.

노무현 정부의 지방분권 정책설계에 있어 포괄성, 전향성 등은 긍정적으로 평가되나, 실천계획에 있어 세부과제별 추진 일정을 제시하고 있음에도 불구하고, 그 구체성, 실천성은 미흡하다는 평가를 받고 있다.

특히 과제의 이행을 담보할 수 있는 수단을 강구하였음에도 불구하고, 실제로 이해당사자인 중앙정부 등의 소극적 대응으로 실효성이 떨어졌다는 점도 아쉬움을 남긴다. 이 정책은 정부혁신지방분권위원회라는 특별조직을 중심으로 설계되어 추진되었다.

이를 그림으로 나타내면 그림 6-15과 같다.

그림 6-15: 정보/이익집단

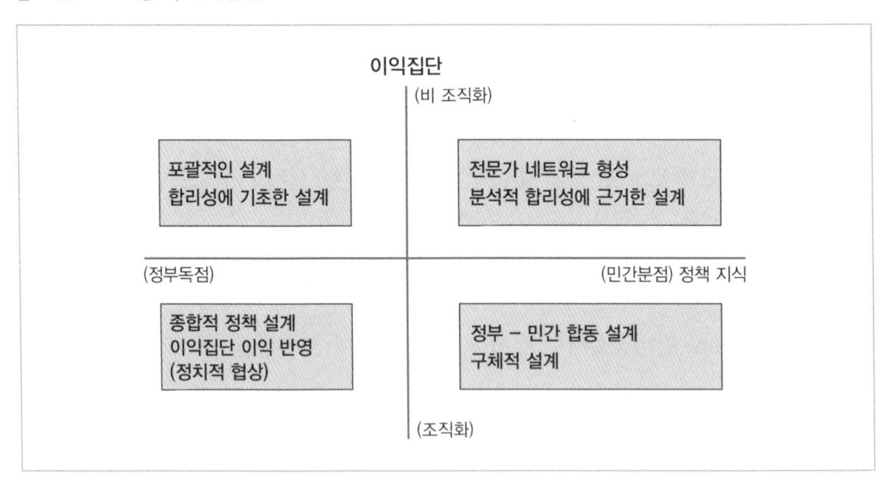

먼저, 정부가 정책설계와 관련된 지식과 정보를 독점하고 있어 정책설계를 주도할 수밖에 없는데, 여기에 더하여 이해관계 집단이 조직화되어 있는 경우이다. 이런 정책시장 상황에서는 종합적으로 일상적인 정책설계가 이루어지고, 종종 조직화된 집단의 특정이익이 정책에 편향적으로 반영될 수도 있다.

이 때에는 정부와 이익집단간의 은밀한 정치적 협상이 진행되는 경우가 발생한다고 한다.

둘째, 정책관련 정보를 민간 전문 연구기관이 거의 독점적으로 가지고 있고, 이해집단도 조직화되어 있을 경우이다. 이 경우에는 민간의 전문가 집단과 정부가 협조하여 정부와 민간 간의 합동 정책설계를 진행할 것이므로, 전문 연구기관과 밀접한 관계를 맺고 있거나 로비에 능한 이익집단의 특정이익이 지나치게 반영될 우려도 있다. 정책대안도 정치적으로 설계될 것으로 보인다(노화준, 1989: 305).

세 번째는 정책정보의 정부독점 하에서 이해관계집단이 조직화되어 있지 않은 경우이다. 이때에는 정부의 주도하에 포괄적인 정책 설계가 이루어지고 분석적 합리성에 기초한 정책이 만들어질 가능성이 있다.

한편, 이익집단이 동일한 집단으로 조직화되어 있지 않고, 다양한 이익집단들이 존재하면서 그들 간에 갈등이 심한 경우에는 사회구조적인 정책설계 방식이 적용될 것이다.

넷째, 민간 전문연구기관이 주요정보를 독점하고 이익집단들이 조직화되지 않은 경우에는 전문가들의 참여네트워크가 형성되어 분석적 합리성에 근거한 정책이 설계될 것이다. 어느 이익집단에도 치중되지 않게 소극적인 정책대안이 모색되거나, 정책설계가 아예 시도되지도 않을 가능성도 상존한다.

■ 사례 6-16: 국민의 정부 금강산 관광사업 정책 : 전문조직 주도/이익집단 조직화 : 정부-민간 합동 설계[79]

김대중 정부의 대북정책의 기본 방향은 북한을 적대세력이 아닌 평화적 통일의 상대방으로 인식한 데서 출발하고 있으며, 이를 위해 북한과 지속적인 대화와 타협을 통해 한반도의 안보적 위기를 극복하고 평화를 정착시키려고 하였다.

이런 정책기조에서 가장 손쉽게 접근할 수 있는 핵심사업으로서 국민의 정부 출범 전부터 현대가 추진해 왔던 금강산 관광사업을 본격적으로 추진하기로 결정하는 것은 어렵지 않았을 것이다.

따라서 대통령직인수위원회는 새 정부의 100대 과제에 금강산 관광 사업을 포함시키게 된다. 이 사업은 우리민족이 분단을 극복하고 상호협력의 길로 들어서는 시범성,

79 대통령직인수위원회편(1998), 15대 대통령직 인수위원회 백서. 오수열(2002), 김대중 정부의 대북정책과 금강산사업의 평가, 한국동북아논총 제25집을 참고하였다.

상징성을 갖는 정책적 관광사업이라 할 수 있다.

이런 정책을 설계하는 과정에서 현실적으로 김대중 정부는 대북대화의 루트를 개설하고, 정보를 수집하는데 적지 않은 어려움을 겪은 것으로 전해지고 있다. 이런 현실을 타개하는 방법으로, 1989년 1월 정주영 회장이 방북하여 북한당국과 의정서를 체결한 후 금강산 관광사업을 논의하기 시작하였으나 김영삼 정부의 경색된 대북정책으로 구체적인 진전은 없었지만, 일찍부터 대북사업에 관심을 가졌던 현대는 상당한 대북 정보와 인맥을 확보하고 있다는 점을 이용하여 정책설계를 하였을 것이다. 이런 정보들은 김대중 정부의 대북정책 설계에도 많이 활용되었다.

현대가 주축이 되어 시행된 금강산 관광사업은 1998년 11월 첫 출항으로 시작되었고, 2002년까지 약 50만명의 국민들이 금강산을 통해 북한 땅을 밟게 된다.

이 사례를 통해 정책 설계에 필요한 정보를 거의 독점하고 있었던 민간회사가 주축이 되어 정책설계가 이루어지고, 이들의 이해관계가 반영되었음을 알 수 있다.

4 정책이슈의 단순성/복잡성 – 정책상황 전개의 안정성/불안정성

이를 그림으로 나타내면 그림 6-16과 같다.

그림 6-16: 정책이슈/정책상황

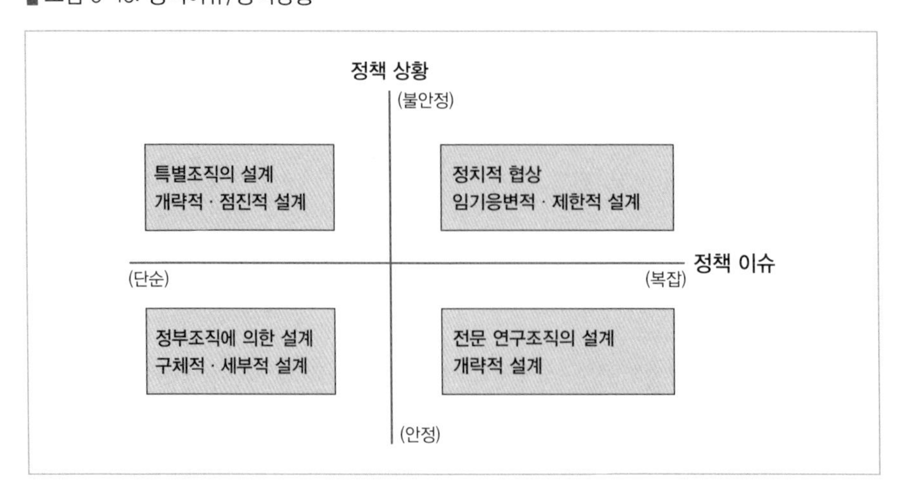

먼저, 정책이슈가 단순하고, 정책상황의 전개가 안정성을 유지할 때에는 정부 공무원 조직에 의해서 정책설계가 주도되고 구체적이고 세부적인 정책대안이 성안될 것이다. 종합적인 정책설계가 이루어진다고 하지만 특별한 계기가 없는 한 기존의 패러다임을 재생산하는 수준이 될 것이다.

두번째는 정책이슈가 복잡하고 정책상황이 불안정하며 불연속적이고 빠른 속도로 진행이 될 경우, 이런 위기상황에서는 최고정책결정자 주변의 고위직 공무원들과 사회 각 분야의 여론주도층들 간의 네트워크가 가동될 것이다.

이런 정책시장에서는 보다 정무적인 판단에 근거하여 정책대안이 검토되지만, 임기응변적이고 제한적인 정책설계가 이루어질 것이다.

셋째, 정책이슈가 복잡하지만 정책상황의 진행이 상당히 안정적일 경우에는 정부조직 밖의 전문 연구조직에서 정책설계가 이루어지지만, 이때에는 직접 정책을 담당하는 공무원들이 설계를 하는 것이 아니기 때문에 정책내용에 있어서는 구체성이 떨어지고 개략적인 정책대안이 구상될 가능성도 있다.

끝으로, 정책이슈는 단순하지만 정책상황의 진행이 불안정할 경우에는 특별위원회 등 특별조직에서 정책이 설계되고, 이 경우에도 개략적이고 점진적인 정책이 만들어 질 가능성이 크다. 때로는 정책상황이 안정될 때까지 기다리는 지연 전략이 구사될 수도 있다.

사례 6-17: 국민의 정부 벤처기업 육성정책: 이슈 복잡/정책상황 불안정: 임기응변적 제한적 설계[80]

김대중 정부는 외환위기 이후 당면한 경기침체와 실업 문제 등 급박한 경제상황을 타개하기 위해, 한편 정보화로 대표되는 신경제에 적합한 산업구조 조정에 의한

80 중소기업청(1999), 벤처기업 육성정책. 유병남, 김선호(2000), 벤처기업 육성정책의 개선방향, 경영경제연구 제5권. 김태일, 도수관, 김대중 정부의 벤처지원정책 평가. 등을 참고하였다.

국가경쟁력을 향상시키기 위해 벤처기업육성에 관한 특별 조치법을 토대로 하여 대대적인 벤처기업 육성정책을 펴기 시작한다.

국민의 정부 벤처기업 지원정책은 표 6-3에서 보는 바와 같이 여덟 분야로 정리된다. 창업자금 및 운전자금을 지원하는 금융지원과 창업보육센터와 벤처기업집적시설 등을 조성한 입지지원, 교수 · 연구원의 휴직제도, 교육 · 연구원의 겸직제도, 병역특례 연구요원 공급제도, 외부인력에 대한 스톡옵션제도 등의 기술 인력제도가 있다. 또한 벤처기업 방송광고지원, 일반수출입금융, 수출자금지원, 수출신용보증특례 및 보험우대지원, 수출기업화사업, 인터넷을 활용한 제품홍보, 해외 유명 규격 인증 획득지원 등의 판로,수출지원과 세무조사변제, 조세특례적용 등의 조세지원, 소자본주식회사설립의 허용, 실험실공장설치등록, 창업보육센터 입주기업 공장등록, 법률자문, 현물출자허용, 기술담보제도 및 몇가지평가제도 등의 기타분야로 구성되어있다.

표 6-3: 벤처기업 지원정책

구분	내 용
간접금융지원	창업자금/경영 · 구조개선자금/기술개발자료
직접금융지원	중소기업창업투자회사/신기술금융사/엔젤투자자/KOSDAQ
신용보증지원	벤처창업평가 특별보증제도 도입 예비창업기관에 대한 사전평가보증예약제도 금융기관 협약벤처특별보증제도 기술우대 보증제도/회사재발행급증
입지지원	창업보육센터/벤처기업적시설/창업사업 승인제도
기술인력지원	교수 · 연구원의 휴직제도/교수 · 연구원의 겸직제도 병역특례 연구요원 공급제도/외부인력에 대한 스톡옵션제도
판로 · 수출지원	벤처기업방송광고지원/일반수출금융/수출자금지원 수출신용보증특례 및 보험우대지원 수출기업화사업/인터넷을 활용한 제품홍보 해외유명 규격인증 획득지원
조세지원	세무조사 변제 조세특례/창업중소벤처기업/공장설립시/창업보육센터운영자 창업투자회사/창업투자조합/개인투자가/기관투자가
기타지원	소자본주식회사설립/실험실공장설치등록 창업보육센터 입주기업 공장등록/법률자문/현물출자허용 기술담보제도 및 가치평가제도/벤처기업전국대회

위와 같은 벤처기업의 육성정책을 1999년 8월 마련하여 추진하는데, 가히 총망라적으로 접근하여 많은 이슈에 대해서 대책들을 제시하고 있다. 그러나 추진과정에서 그 구체적인 기준은 객관성이 떨어진다는 평가를 받아, 당시 산업자원부와 중소기업청은 현장의 문제점을 파악하여 개선조치를 취하는 등 개괄적인 정책설계의 문제점이 발생하기도 하였다.

5 맺음 글

위에서 정책시장을 결정하는 7가지 변수 중에서 2가지 변수만을 뽑아서 이를 결합시킨 16가지 정책시장의 유형을 설정하고, 그 유형에 따라 정책설계 방식과 내용이 달라지게 됨을 예시적으로 살펴보았다. 이를 정리하면 표 6-4와 같다. 다시 말하면, 정책시장을 결정하는 변수들의 조합방식에 의해 정책시장이 구체적으로 유형화되면, 이에 따라 정책설계 전략이 어떻게 구사될 것인가를 예측할 수 있다는 것이다.

3가지 변수, 4가지 변수 등을 종합적으로 결합시킨 정책시장의 유형을 제시하여 그에 따른 정책설계 전략 모형을 제시하지 못한 점은 아쉽다.

이런 한계에도 불구하고, 시론적으로 구상하여 제시한 '정책시장 유형-정책설계 간의 연계모형'은 정책동학 현상을 변수중심으로 인과적인 설명이 가능하게 해 준다고 할 수 있다.

결과적으로 정책이 개인의 선호가 공동체의 선호로 결집된 결과라고 할 때, 정책과정의 역동성 및 정책내용의 다양성은 정책시장과 정책설계라는 두 가지 변수에 의해 설명될 수 있음이 입증되었다고 할 수 있다.

앞으로, 정책동학 현상을 설명하는 정책시장 유형-정책설계 간의 연계모형은 더 다듬어져야 할 것으로 생각한다. 국내외에는 물론, 각 정책분야별로 구체적인 정책사례들을 폭넓게 수집하고, 이 사례들을 유형에 따라 분석하여 각 유형별로 정책설계 전략의 특징을 도출하는 방식으로 정책설계 전략을 보다 세련되게 구성할 필요가 있다는 것이다.

▮ 표 6-4: 16가지 정책시장 유형

	변수1	변수2	정책시장 유형
1	집권당 정치상황(진보)	정책상황(불안정)	정부 고위층 주도 정치철학적 설계 개략적 · 점증적 설계
2	집권당 정치상황(진보)	정책상황(안정)	정치적 타협 사회구조론적 설계 획기적 설계
3	집권당 정치상황(보수)	정책상황(불안정)	정부 고위층 주도 공공선택론적 설계
4	집권당 정치상황(보수)	정책상황(안정)	정부중간조직 설계 후생경제학적 설계
5	정책이슈(복잡)	이익집단(다양성)	정치적협상에 의한 설계 임기응변적 · 개괄적 설계
6	정책이슈(복잡)	이익집단(동질성)	전문연구조직에 의한 설계 개략적 설계
7	정책이슈(단순)	이익집단(다양성)	특별조직에 의한 설계 개략적 · 점진적 설계
8	정책이슈(단순)	이익집단(동질성)	정부조직중심 설계 구체적 · 즉각적 설계
9	정책지식(민간분점)	이익집단(비조직화)	전문가 네트워크 형성 분석적 합리성에 근거한 설계
10	정책지식(민간분점)	이익집단(조직화)	정부-민간 합동 설계 구체적 설계
11	정책지식(정부독점)	이익집단(비조직화)	포괄적인 설계 합리성에 기초한 설계
12	정책지식(정부독점)	이익집단(조직화)	종합적 정책 설계 이익집단 이익 반영 (정치적 협상)
13	정책이슈(복잡)	정책상황(불안정)	정치적 협상 임기응변적 · 제한적 설계
14	정책이슈(복잡)	정책상황(안정)	전문 연구조직의 설계 개략적 설계
15	정책이슈(단순)	정책상황(불안정)	특별조직의 설계 개략적 · 점진적 설계
16	정책이슈(단순)	정책상황(안정)	정부조직에 의한 설계 구체적 · 세부적 설계

7장

결론을 대신하여

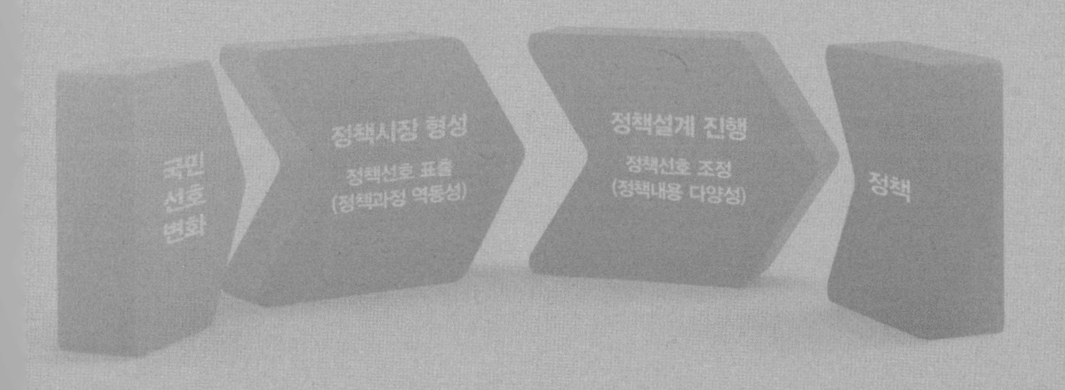

정책학이 정상 사회과학으로 우뚝 서기 위해서는 학문적 독창성과 다양성을 배가시켜야 한다는 생각에서 정책동학 이론을 시론적으로 구상하여 제시하였다.

정책동학 이론의 근저에는 정책은 합리성과 정치성이 복합적으로 작용하여 산출되는 정치경제학적 산물이라는 시각이 자리 잡고 있다. 이런 정치경제학적 입장에 머물지 않고 한걸음 더 나아가서 정책동학 현상이라는 개념을 도입하였다. 다시 말해, 정책과정을 '다양한 정책행위자들이 참여하는 영향력 시장(influence market)인 정책시장에서 자기들의 선호를 결집시켜 나가는 역동성의 장'이라고 보고, 정책의 내용은 '정책행위자들이 참여하여 국민들의 선호를 구체화하는 방안을 논의하고 타협하는 정책설계 전략에 따라 결정되고, 다양성을 띠게 된다'고 보았다.

제1장에서 제6장까지의 논제는 정책동학 이론을 통해서 정책과정의 역동성과 정책내용의 다양성을 규명할 수 있는 가능성을 확인하는 것이었다. 결국, 정책동학 현상은 정책시장 유형 모형과 정책설계 전략 모형을 통해서 설명하고 예측할 수 있음을 입증하였다.

이처럼 정책동학 현상을 거쳐서 정책이 산출되는데, 이러한 정책동학의 원동력은 국민들의 선호의 변화이다. 이런 선호의 변화가 커져서 사회적 이슈로 부각되게 되면, 정치인, 공무원, 이해관계 집단들에 의해서 이 선호가 조정되고 결집되어 국가 공동체의 선호로 형성되게 되는데, 이를 정책이라고 한다.

(정책선호 함수) PP = α + f (Id, Cul, Pro, TC, PL).

여기서 PP는 Policy Preference(선호)이고 Id는 ideology(정치적 이념), Cul은 culture(문화), Pro는 property(재산권), TC는 transaction cost(거래비용), PL은 policy learning (정책

학습)을 의미한다.

α는 현재의 정책선호 상태를 나타내는 상수이다. 정책의 경로의존성을 반영하는 상수로 보면 좋을 것 같다.

둘째, 국민들의 정책선호는 정책시장에서 논의되고 조정·타협되어 결집되는데, 이를 결정하는 요인들은 다음과 같다.

(정책시장 함수) PM = α + f (Id, Is, In, Si, Com, Con, Co).

여기서 PM은 policy market(정책시장)이고, Id는 ideology(정치적 이념), Is은 issue(정책이슈), In는 information(정보), Si는 situation(정책상황), Com은 competition(경쟁), Con은 conflict(갈등), Co는 cooperation(협조)를 의미한다.

α는 현재의 정책시장 상태를 나타내는 상수이다.

셋째, 정책시장에서 정책행위자들이 그들의 선호를 구체적으로 실현하는 정책대안을 논의하고 조정·타협하는 정책설계는, 그것을 구상하는 사람들의 지적 능력과 창의력에 의해서 결정된다. 한편, 정책시장의 유형에 따라서 영향을 받는다. 이를 아래와 같이 표시할 수 있다.

(정책설계 함수) PD = α + f (PM, IC)

여기서 PD는 policy design(정책설계), PM은 policy market(정책시장의 유형), IC는 intellectual capacity(지적 능력)를 말한다.

α는 현재의 정책내용을 나타낸다. 다시 말해, 정책설계는 경로의존성의 영향을 크게 받을 것이라고 보고 이를 나타내는 상수이다.

마지막으로, 결국 정책은 정책동학 현상 속에서 합리성과 정치성이 상호작용을 하는 복잡다단한 과정을 거쳐서 결정된다고 볼 수 있다. 위에서 본 정책선호와 정책시장 유형 그리고 정책설계 전략의 함수를 종합한 정책함수를 다음과 같이 도출할 수 있을 것이다.

(정책함수) POLICY = A + F〔PP, PM, PD〕

지금까지 정책동학 현상을 설명하는 독립변수를 첫째, 국민들의 정책선호의 변화, 둘째, 정책행위자들이 참여하는 정책시장, 셋째, 정책시장에서 이루어지는 정책행위자들의 집합적인 사고과정인 정책설계 등 세 가지 변수로 보고 정책동학 이론을 구성하였다.

정책동학 이론이라는 이론적 개념도구를 구상하여, 이를 구체적으로 설명하는 정책시장 유형 모형과 정책설계 전략 모형을 시론적으로 제시하였다. 특히 정책설계 전략 모형은 초보적인 수준의 논의가 전개되었다. 앞으로 폭넓은 정책사례 분석을 통해서 이를 보완할 생각이다.

결론적으로, 민주주의와 시장주의가 성숙한 국가에서 정책과정은 국민들이 그들의 선호를 구체화하는, 해답을 찾아가는 통합적인 동화의 과정이라고 보았다. 즉 관계론적 입장에서 단계별로 네 가지 함수를 제시하는 것으로 결론을 대신하고자 한다.

정책동학의 필요성과 부분적인 윤곽만을 제시하는 등 문제제기의 수준에서 크게 벗어나지 못한 채, 결론을 유보하였지만, 정책이 형성되는 과정을 정책동학적 접근을 통해서 변수 중심의 인과론적 접근을 시도하였다는 점은 상당한 의미가 있을 것이다.

| 참고문헌 |

강신택(2005). 행정학의 논리. 박영사.

구리쓰 야스유키(이승녕 역)(2009). The finance VS the nation(금융 대 국가 그 위대한 게임), 중앙books.

권기헌(2009). 정책학. 박영사.

권영성(2010). 헌법학 원론. 법문사.

권오승. 경제법. 법문사(1999)

김건식. 증권거래법. 두성사(2002)

김성태, 이희동. 자본시장통합법. 한스미디어(2008)

김성태, 이희동(2008). 자본시장통합법. 한스미디어.

김영평(1991). 불확실성과 정책의 정당성. 고려대학교 출판부.

김일중(1998). 규제와 재산권. 자유기업센터.

김철교(2002). 증권투자분석. 법문사.

김형태외 6인. 증권회사의 경영전략. 한국증권연구원 조사보고서 02-05(2002).

남궁근(1998). 비교정책 연구. 서울: 법문사.

노화준(2003). 정책학 원론. 박영사.

노화준(2010). 정책 분석론. 박영사.

박종민 편(2002). 정책과 제도의 문화적 분석. 박영사.

박천오, 박경효(2001). 한국관료제의 이해. 서울 : 법문사.

방영민(2010). 금융의 이해: 금융시장 · 금융기관 · 금융상품 · 금융정책. 법문사.

서울대 정치학과 교수 공저. 정치학의 이해. 박영사(2007).

선학태. 민주주의상생정치. 다산출판사(2005).

오석홍, 김영평 편저(2000). 정책학의 주요이론. 법문사.

오석홍외(2008). 행정학의 주요이론.

웬들 고든, 존 애덤스 공저(임배근, 정행득 공역:1995). 진화론적 접근 제도주의 경제학. 비봉출판사.

유동운(1999). 신제도주의 경제학. 선학사.

윤평중(2002). 푸코와 하바마스를 넘어서: 합리성과 사회비판. 교보문고.

이영훈 외 3인(2005). 한국의 유가증권 100년사. 해남출판사.

이영훈외 3인 공저(2005). 한국의 유가증권 100년사. 해남출판사.

이요섭(2010). 금융시장의 이해. 연암사.

이준구(2003). 미시경제학. 법문사.

이헌재(2012). 경제는 정치다. 로도스.
임혁백(1997). 시장 · 국가 · 민주주의. 나남출판사.
자본시장통합법연구회 편저(2007). 자본시장통합법 해설서. 한국증권업협회.
자산운용협회. 법규 1 (증권거래법), 법규 2 (간접투자자산운용법). 윤리 (2008).
전상경(2001). 정책분석의 정치경제. 박영사.
정용덕 외(1999a). 신제도주의 연구. 대영문화사.
정용덕 외(1999b). 합리적 선택과 신제도주의. 대영문화사.
정운찬 외(2009). 화폐와 금융시장. 율곡출판사.
정윤모외 6인. 증권산업에서의 이해상충에 관한 연구 2. 한국증권연구원(2003).
정정길. 정책학 원론. 대명출판사(1997).
정정길외(2003). 정책학 원론. 대명출판사.
정정길외(2010). 정책학 원론. 대명출판사.
조홍식. 민주주의와 시장주의. 박영사(2007).
조홍식(2007). 민주주의와 시장주의. 박영사.
차조은(2008). 사회과 교육과 합리성. 한국학술정보.
차조일(2008). 사회과 교육과 합리성. 한국학술정보.
최병선. 정부규제론. 비봉출판사(2004).
최봉기(2004). 정책학. 박영사.
최봉기(2004). 정책학. 박영사.
하연섭(2008). 제도분석. 다산출판사.
한국은행. 알기 쉬운 경제 지표 해설(2000).
한국증권업협회. 자본시장과 금융투자업에 관한 법률 편람(2008).
한국증권업협회. 자본시장통합법해설서(2008).
허화, 박종해(2010). 자본시장론. 탑북스.
Alford. R and Friedland. R(1985). Powers of Theory : Capitalism, the State and Democracy. Cambridge University Press.
Allison. G(1971) The Essence of Decision. Explaining the Cuban Missile Crisis. Boston : Little Brown.
Allison. G(1971). The Essence of Decision. Explaining the Cuban Missile Crisis. Boston : Little Brown.
Anderson, Terry L & Laura E, Huggins(2003). Property Rights: A Practical Guide to Freedom and Prosperity. Hover Press.
Bobbio. N/박순열 역(1999). 제3의길은 가능한가: 좌파냐 우파냐. 새물결.
Bradfield. James(강태훈 역)(2009). Introduction to Economics of Financial Market (금융경제학), 경문사.

Downs. Anthony(1957). The Economic Theory of Democracy. Harper.

Easton. David and Robert. Hess(1965). A Framework for Political Analysis. Englewood Cliffs, N.J; Printice-Hall.

Easton. David(1953). The Political System. Alfred A. Knopf.

Friedman. M(2001). Dynamics of reason. Stanford Calif: CSLI Publications.

Friedman. Milton/안재욱, 이은영 공역(2005). Bright Promises Dismal Performance. 나남출판사.

Guise, Peterson, Walker. Interest Group, Iron Triangles and Representative Institutions in American National Government, British Journal of Political Science 14. (April 1984).

Habermas(한상진, 박영도 역(2000)). 사실성과 타당성: 담론적 법이론과 민주주의적 법치국가 이론. 나남출판사.

Hall, Peter(1988). 'Policy Paradigm, Social Learning and the State' A Paper presented to the International Political Science Association.

Hayek(1982). Law, Legislation, and Liberty: Rules and Order.

Hodgson(2005). Economics and Institutions. Polity Press.

Lindblom. C. E(1977). Politics and Market: the World's Political-Economic System (주성수 역. 정치와 시장. 인간사랑. 1989)

Mancur Olson(1971), The Logic of Collective Action, Cambridge, Mass: Havard University Press. pp48-50.

Mantzavinos(2001). Individuals, Institutions and Markets. Cambridge University Press.

Nakamura. R. T and Smallwood. F(1980). The politics of Policy Implementation. New York : St Martin's Press.

North, D(1990). Institutions, Institutional change and Economic Performance. Cambridge University Press.

Parsons, W(2003). Public Policy : An Introdution to the Theory and Practice of Policy Analysis. Edward Elgar.

Pennington(2000). Planning and the political Market: Public Choice and Politics of Government Failure. The Athlone Press.

Riker, William H(1982). Liberalism agaist Populism : A Confrontation between the Theory of Democracy and the Theory of Social Choice. San Francisco : W. H. Freeman.

Rourke. F. E(1984). Bureaucracy, Politics and Public Policy. Boston : Little, Brown and Company.

Rourke. F. E(1984). Bureaucracy, Politics and Public Policy. Boston : Little, Brown and Company.

Sabateir(ed)(2007). Theories of the Policy Process. Westview Press.

Sandel. M. J/이창신 역(2010). JUSTICE. 감영사.

Schumpeter. J. A(1942). Capitalism, Socialism, and Democracy(이상구 역, 자본주의 사회주의 민주주의. 삼성출판사. 1990)

Tolbert. Pamela and Zucker. Lynne(1996). 'The Instirurionalization of Instittution Theory' in Handbook of Organization Studies, edited by Stewart R. Clegg et al : Sage Publication.

Tullock. Gordon 외. 김정완 역(2005). 공공선택론. 대영출판사.

Williamson(1985). The Economic Institution of Capitalism.

Wilson(ed)(1980), The Politics of Regulation. N.Y :Basic Books.

Zysman, John(1983). Governments, Markets, and Growths : Financial System and the Politics of Industrial Change. Ithaca : Cornell University Press.

강동완(2007). 정책네트워크 분석을 통한 대북지원정책 거버넌스 연구. 성균관대학교 박사학위논문.

구교준(2010). 행정학자의 시각에서 본 아담 스미스: 스미스의 사회경제사상에 대한 행정학적 해석. 한국행정학보 제44권 제1호.

규제개혁위원회(1999. 6월). 1998년도 규제개혁백서.

김경미(2009). 진보와 보수, 좌파와 우파에 대한 이론적 좌표설정 모색. 정치·정보연구 제12권 1호.

김난도. 신제도경제학의 제조개념과 정책연구. 한국행정학회보 제6권 제1호.

김난도(1997). 신제도경제학의 제조개념과 정책연구. 한국행정학회보 제6권 제1호.

김명식(2004). 롤스의 공적 이성과 심의민주주의. 철학연구제65집.

김선명. 한국 금융제도의 경로의존성에 관한 연구. 한국행정학회보 제9권 제3호

김영평(2000). Simon의 절차적 합리성이론. 오석홍 · 김영평 편저. 정책학의 주요이론. 법문사.

김의영(2012). 포스트 신자유주의 시대의 한국 정치: 거버넌스 정치에 대한 소고. 한국과 국제정치 제28권 제1호 2012(봄) 통권76호.

김한아. 금융자유화 및 금융발달과 경제성장간의 관계. KDIC 금융연구. 제 4권 제2호(2003).

노화준(1992). 정책설계의 위치와 성격. 한국행정연구 23(1).

문상덕(2000). 정책중시의 행정법학과 지방자치행정의 정책법무에 관한 연구: 우리나라와 일본의 행정법학 방법논의와 자치법무 실태 분석을 기초로. 서울대 박사학위 논문.

박길환(2011), 적정의 감각에 바탕한 '보이지 않는 따뜻한 손': 국부론과 도덕감정론에 나타난 자기애와 이기심의 차이를 중심으로. 한국행정학보 제45권 제2호.

박은정(1993). 왜 법철학을 하는가? 현대법의 이론과 실제(김철수 교수 회갑기념논문).

박지웅(2000). 시장, 주식시장 및 정치적 시장의 의사결정방식으로서 투표에 관한 비교분석. 사회경제평론 15호.

박천오(2005). 관료정치 현상과 이론. 사회과학논총 제23집.

배종윤(2002). 한국외교정책 결정과정의 관료정치적 이해. 국제정치 논총 42집 4호.

배종윤(2005). 1990년대 한국의 대북정책과 관료정치 : 통일부와 국가정보원을 중심으로. 한국정치학회보 37집 5호.

사공영호. 조직의 제도화 메커니즘. 한국정책학회 하계학술대회 발표 논문(2008).

사공영호(2008.12). 정책이란 무엇인가? 한국정책학회보 제17권 4호.

신선우. 금융자유화, 금융발전 및 경제성장간의 관계분석. 지역개발연구 제 36권 제1호(2004.6).

유재원, 김태준. 한국의 금융 · 자본 자유화가 금융 · 외환위기에 미친 영향에 대한 실증 분석. 국제통상 연구 제9권 제3호(2004).

유철규. OECD가입과 금융산업 개편의 종결. 동향과 전망(1996).

유훈(2006). 정책학습과 정책변동. 행정논총 제44권 제3호.

이민창(2001). 정책변동의 제도론적 분석 : 그린벨트와 영월댐 사례를 중심으로. 서울대학교 행정학 박사학위 논문.

이민창(2006). 재산권이론의 정책학적 기여에 관한 소고: 이론적 함의를 중심으로. 행정논총 제44권 2호.

이상돈(2002). 법이론 : 철학과 정책 사이에. 고려법학 제38집.

이상호(1995). 신고전파 경제합리성의 한계와 생태학적 경제관. 고려대학교 박사학위논문.

이호철(1999). 한국정치학에서 정치경제연구의 쟁점과 과제. 한국행정학회보 34집 1호.

임성기(1986). 미국 국가환경정책법(NEPA) 시행에 있어서 법원의 역할. 서울대 석사학위논문.

전성인(2008). 새(이명박) 정부의 금융정책: 평가와 과제. 한국경제의 분석 제 14 권 제1호.

전진석(2003). 의약분업 정책변화에 대한 연구: 정책옹호연합모형을 적용하여. 한국정책학회보 12(2).

정규호(2005). 심의민주주의적 의사결정논리의 특상과 함의. 시민사회와 N해. 제3권 제1호.

정성철(2005). 관료정치와 카터행정부의 주한미군철수정책. 세계정치 제26집 2호.

정용덕(1984). 자유시장경제와 정부규제. 한국행정학보 18.

정재철(2002). 한국언론과 이념담론. 한국언론학보 제46-4호.

정정화(2003). 부처간 정책갈등과 관료정치 : 새만금 간척시업을 중심으로. 한국행정논집 제15권 제1호.

정진민. 정당정치의 제도화와 한국 정당의 과제. 한국정치연구 제 17집 제2호(2008).

조성환(1997). 정치경제학의 여러 가지 접근들에 관한 연구(1). 서강경제론집

주성수(2007). 직접, 대의, 심의 민주주의 제도의 통합 : 주민투표와 주민발안 사례를 중심으로. 시민사회와 NGO. 제5권 제1호.

최병선(2004). 정부규제론. 법문사.

최송화(1985). 법과 정책에 관한 연구 : 시론적 고찰. 서울대 법학 제26권 4호.

최종원(1995). 합리성과 정책연구. 한국행정학회보 4: 2.

최종원(1995). 합리성과 정책연구. 한국행정학회보 4: 2.

한혜경(2010). 온라인 공론장과 오프라인 대인/대중매체 공론장의 연계성. 언론과학연구 제10권 3호.

허범(1981). '기본정책의 관점에서 본 한국행정의 감축관리' 김운태, 강신택, 백완기 공저 한국행정의 체계. 박영사.

허범(1981). '기본정책의 관점에서 본 한국행정의 감축관리' 김운태, 강신택, 백완기 공저 한국행정의 체계. 박영사.

허범(2002). 정책학의 이상과 도전. 한국행정학회보.11(1).

Alt.J and Shepsle. K(1995). Perspectives on positive Political Economy. Cambridge University Press.

Bendor. J. and Hammond. T(1992). Rethinking Allison's models. American Political Science Review. 86.

Bobrow. D. B & Dryzek. J. S(1987). Policy Analysis by Design. University of Pittsburg.

Coase. The New Institutional Economics. The American EconomicReview, Vol. 88: 2. (1998).

Douglas. M.(1982) Introduction to Grid/Group Analysis. in M. Douglas, ed Essays in the Society of Perception. Routledge & Kegan Paul.

Dryzek. J(1990). Discursive democracy: politics, policy and political science. New York: Cambridge University Press.

Feldman. A. M(1980). Welfare Economics and Social Choice Theory. Kluwer Nijhoff Publishing.

Guise, Peterson, Walker. Interest Group, Iron Triangles and Representative Institutions in American National Government, British Journal of Political Science 14. (April 1984). p. 166

Hall, Peter(1988). 'Policy Paradigm, Social Learning and the State' A Paper presented to the International Political Science Association.

Hall. Peter. A(1993). Policy Paradigm, Social Learning and the State: The Case of Economic Policymaking in Britain. Comparative Politics.

Helco, H(1978). 'Issue Network and the Executive Establishmen' in King, A(ed). The New American Political System. Washington, DC: American Enterprise Inc.

Ingraham. P. W(1987). Toward More Systematic Consideration of Policy Design. Policy Studies Journal. Vol. 15. No. 4.

Ingram. H, Schneider. A. L, deLeon. P. (2007). Social Construction and Policy Design. in Sabatier. P. A. ed Theories of the Policy Process. Colorado: Westview Press.

Ingram. H, Schneider. A. L, deLeon. P(2007). Social Construction and Policy Design. in Sabatier. P. A. ed Theory of the Policy Process. Westview Press.

Kingdon. John(1984). Agendas, Alternatives and Public Policies. Boston: Little Brown and Co.

Kooiman(1993). Social Political Governance: in J. Kooiman. Modern Goernance: New Government-Society Interaction. Sage Publications.

Linder. S. H. & Peters. B. G(1987). Design Perspective on Policy Implementation : The Fallacies of Misplaced Perscription. Policy Studies Review, 6(3).

Nakamura. R. T and Smallwood. F (1980). The politics of Policy Implementation. New York : St Martin's Press. pp. 111-142.

Offe, Claus(1996). Designing Institutions in East European Transitions. in Robert E. Goodin(ed), The Theory of Institutional Design. 199–226. New York : Cambridge University Press.

Popper. Karl(1950). The open society and its enemies. Princeton University Press.

Quirk. Paul. J(1989). The Cooperative Resolution of Policy Conflict, American Political Science Review. 83. 3. pp 905–921.

Rawls. John(1973). A Theory of Justice. Oxford University Press.

Rosati. J (1981). Developing a systematic Decision-making Framework : bureaucratic politics in perspective. World Politics. 81.

Scharpf. Fritz W(1978). Interorganizational Policy Studies: Concepts and Perspectives, in K. Hanf and F.W. Scharpf. eds. Interorganizational Policy Making. Beverl Hills: Sage Publications.

Screpati, Zamagni(1993), An Outline of the History of Economic Thoughts, Clarence Press.

Wilson, James. Q(1980). American Government: Institutions and Politics. Lexington, Mass: D.C. Heath and Co.

사향색인(국문)

사항색인(영문)

인명색인(국문)

인명색인(영문)

정책동학의 이해

초판 1쇄 발행 2013년 7월 9일
지은이 | 박계옥
펴낸이 | 성의현

펴낸곳 | 미래의창
등록 | 제 10-1962호(2000년 5월 3일)
주소 | 서울 마포구 동교동 203-2 신원빌딩 2층
전화 | 02-325-7556(편집), 02-338-5175(영업) **팩스** | 02-338-5140
블로그 | www.miraebook.co.kr
이메일 | miraebookjoa@naver.com
ISBN 978-89-5989-230-3 93350

※ 책값은 뒤 표지에 있습니다. 잘못된 책은 바꿔 드립니다.